Schaubach, Adc

Die deutschen Alpen

2. Teil, Flussgebiete

Schaubach, Adolph

Die deutschen Alpen

2. Teil, Flussgebiete

Inktank publishing, 2018

www.inktank-publishing.com

ISBN/EAN: 9783747793558

Die

Deutschen Alpen.

Ein Handbuch für Reisende

durch

Tyrol, Oesterreich, Steyermark, Illyrien, Oberbayern

und die anstoßenden Gebiete.

Von

Adolph Schaubach,

Lehrer an der Bürgerschule in Meiningen.

Zweiter Theil.

Flußgebiete: Inn, Rhein, Iller, Lech, Ammer, Isar, Mangfall.

— Nordtyrol. Vorarlberg. Oberbayern. —

Jena,

Friedrich Frommann.

1845.

Inhaltsverzeichniß.

I. Das Innthal mit seinen Nebenthälern.

II. Westliche und nördliche Vorlagen des Innthales.

Das Inngebiet.

Wir verfolgen in der gegenwärtigen Beschreibung folgenden Plan. Wir beginnen mit dem großen Längenthale des Inns, dann folgen die Thalgebiete, welche mit ihren Gebirgen das Innthal nördlich und westlich umlagern, nämlich die Gebiete des Rheines, der Iller, des Lechs, der Isar und Mangfall. Ebenso wird mit dem Salzach- und Ennsthal verfahren. Wir nennen die den großen Längenthälern vorliegenden Gegenden je nach den Weltgegenden westliche, nördliche und östliche Vorlagen. Im Süden, wo die Verhältnisse sich anders gestalten, muß auch dieser Plan in Etwas verändert werden, was bey jedem Thalgebiete angegeben werden wird. Wo große Straßen durch merkwürdige Thäler hinab ins Ausland führen, wird wo möglich die Reise durch dasselbe bis zum Ausgang aus dem Gebirge beschreibend fortgesetzt, die weitere Straße aber bis zu einem Hauptorte, z. B. Venedig oder Mayland, nur stationsweise angegeben. Ebenso beginnen wir, wenn ein großes Flußthal mit seinem oberen Anfange im Auslande liegt, wie es zuerst gleich mit dem Innthale der Fall ist, bey seinem Ursprunge. Bey dem jedesmaligen Überblicke der Thalgebiete wird auch nochmals die Literatur angeführt, namentlich jene Werke und Charten, welche bey der Beschreibung des ganzen Gebietes benutzt wurden; dasselbe geschieht bey den größeren Seitenthälern.

Wir beginnen nun unsere Wanderung mit dem Innthale.

Das Innthal und sein Gebiet.

Ebels Anleitung die Schweiz zu bereisen. — Beyträge zur Geschichte, Statistik ꝛc. von Tirol und Vorarlberg, herausgegeben von den Mitgliedern des Ferdinandeums [1]), 1825. S. 166, 281, 287. Jahrgang 1835. S. 28. Jahrg. 1829. S. 282. Jahrg. 1840. S. 44, 95. Tirol und Vorarlberg von J. Jak. Staffler, 1840. Reiseskizzen aus Tyrol ꝛc. von H. Wenzel, 1835. Nachrichten von den Eisbergen in Tyrol von Joh. Walcher, 1770. Das Land Tirol (Beda Weber), 1837. Tyrol vom Ortler bis zum Glockner von A. Le-

1) Diese Zeitschrift, da sie mit der Zeit unter mehrern Titeln erschien, führen wir der Kürze wegen in Zukunft unter dem Titel: Tyroler Zeitschrift des Ferdinandeums an, mit Beyfügung des Jahrganges.

wald, 1835. Tirol und die Tiroler von A. A. Schmidl, 1837. Malerisches und romantisches Deutschland. Sektion 8. Tyrol und Steyermark von J. G. Seidl. Wanderbüchlein von Dr. G. H. Schubert, 1825. Handbuch für Reisende von Anton Joh. Groß, 1831. Reisehandbuch für Kranke und Naturfreunde nach Gastein, 1827. Naturhistorische Briefe über Oesterreich rc. von Franz von Paula Schrank und K. Erenbert Ritter von Moll, 1785. Vierthalers Wanderungen durch Salzburg rc. 1816. Salzburg und Berchtesgaden, ein Taschenbuch für Reisende und Naturfreunde von Franz Anton von Braun, 1821. Tyrol und ein Blick auf Bayern von H. D. Inglis, 1833. Oesterreichisch-Italien und Tyrol von Fried. Mercey, 1834. Panorama des Innthales von der Martinswand bis zum Eingang ins Zillerthal.

Wir versetzen uns nun, um unsere Wanderung zu beginnen, auf das Querjoch, welches die Quellen des Inns von denen der Maira sondert, auf den Maloja (Maloggia). Dieser niedrige fahrbare Alpenpaß, an welchem der Wasserscheideknoten zwischen dem Rhein-, Donau- und Po- oder dem Nordsee-, schwarzen und Adriatischen Meer-Gebiet liegt, hat nach Keller nur 4300 Fuß Meereshöhe und ist daher niedriger, als der Sattel der Malser Haide und des Brenners. Von Sils, dem letzten Orte, steigt man fast nicht mehr an. Nördlich erhebt sich ein hoher Fels, über dessen Westschulter der uralte 5650 F. hohe Septimerpaß in das Oberhalbsteiner Thal (Albula-Rhein) und nach Chur führt, während über die Ostschulter der Julierpaß eben dahin geht. Der beyde Pässe scheidende Felsenkamm besteht aus Serpentin und Urkalk. Dieser zum Theil begletscherte Felsenstock heißt Munterasch. An ihm liegen drey Seen, welche zu den genannten drey verschiedenen Meergebieten ablaufen.

Auf der Höhe des Septimer, über welchen eine im Sommer für kleine Wagen fahrbare Straße führt, findet der Botaniker Primula integrifolia, Linnea borealis, Gypsophylla fastigiata, Ranunculus rutaefolius, glacialis.

Südwestlich senkt sich die Straße vom Maloja in das Bregeller Thal und durch dieses nach Chiavenna (deutsch Cleven). Das Thal ist von protestantischen Italienern bewohnt, so weit es zu der Schweiz gehört. Südlich des Maloja erhebt sich der höchste Theil des Bernina, welcher von hier in mehreren Gletscherpässen, dem Muretto, überschritten werden kann, um in das Malenkerthal des Veltlins zu gelangen. Die Berninakette ist 16 Stunden lang und scheidet Veltlin, Engadin und Bregell. Der höchste Berg soll der Monte dell' Oro seyn; einer der höchsten ist der Monte della Disgrazie, 11,316 F. hoch. Auf der Reise über den Muretto erlangt man die beste Ansicht der majestätischen Gebirgswelt des Berninas und seiner Gletscher. Wir wandern von der interessanten Sattelhöhe des Maloja hinab nach dem nahen Sils (Selgio), und begrüßen hiermit den ersten Ort des Innthales, nachdem wir am Silser See vorübergekommen sind, in etwas rauher Gegend; doch noch gedeihen Lärchen und Rothtannen. Der See ist $1\frac{1}{2}$ Stunden lang und $\frac{3}{4}$ Stunden breit; nur 3 Monate lang ist er nicht zugefroren, was jedoch dem Umstande zuzuschreiben ist, daß seine Zuflüsse Gewässer sind, welche kaum eine Stunde vorher sich aus Gletschereis in Wasser verwandelt haben. Die Innquelle selbst ist in einem der vorhingenannten Seen am Munterasch, dem Lago di Lungin, zu suchen, heißt bey dem Wirthshause am Maloja Aqua d'Oen und durchfließt den Silser See, wird aber am Ausflusse Lagiazöl genannt. Eine halbe Stunde abwärts kömmt man an den Silvaplaner See, welcher durch einen Schuttberg vom Munterasch herab fast in zwey Seen, den oberen und unteren See getheilt wird; der erstere ist ½ Stunde lang und 210 Fuß tief, der andere ist nur 6 Minuten lang. Auf der Landzunge liegt Silvaplana 4230 F. über dem Meere. Der Inn durchfließt gleich darauf noch zwey Seen, den Kampferer See und Moritzer See. Am besten übersieht man diese schöne seenreiche Gegend mit ihren Wiesen und Wäldern, Felsen und Gletschern auf der Surleger Alpe. Im Norden öffnet sich ein Thal, welches zu dem niedrigen und uralten Julierpaß, 5480 Fuß, über dem Meere, führt. Über ihn gelangt man in 14 Stunden nach Chur. Er ist einer der niedrigsten, bequemsten und gefahrlosesten Alpenpässe (Syenit). Auf der Höhe stehen zwey uralte Granitsäulen, deren Bestimmung dunkel ist. Im Süden öffnet sich das Feeterthal, in welchem der Feetergletscher sehenswerth ist; über ihn führt ein Steig zum Murettopaß und durchs jenseitige Malenkerthal nach Sondrio im Veltlin. Von Silvaplana gelangen wir am Kampferer und Moritzer See vorüber nach St. Moritz. Der Ort ist bekannt als Heilbad, denn die Quellen, welche jenseits des Sees hervorbrechen, gehören zu den stärksten Säuerlingen der Schweiz, sind jedoch ohne Eisentheile. Die Quelle liegt ¼ Stunde vom Dorfe in einer sumpfigen Wiese am Fuße des Berges Rozatsch. Sehr interessant sind die Umgebungen von St. Moritz. Der Abfluß des Moritzer Sees, vereint mit dem des Stazer Sees im Celeriner Wald, bildet einen schönen Wasserfall, unterhalb dessen der Bach wieder den Namen Inn, hier Eent, erhält. Eine Brücke, Punt Sela, ist über ihn gespannt.

Südlich unweit des Sauerbrunnens zieht sich hinter dem Bergstock des Rozatsch ein enges waldiges Thal hinein, in dessen Hintergrunde der majestätische Roseggiogletscher, der größte Gletscher des Bernina, herabsteigt. Bis zu den Sennhütten hat man 4 Stunden; von da bis zu der Höhe, von welcher man auf die Ebene des Gletschers gelangen kann, noch 2 Stunden. Die Gebirge um St. Moritz bestehen aus Granit mit Speckstein und Schiefer; außerdem bildet der Gyps schöne Pyramiden und Hügel; es findet sich Alabaster und viel Mergel. Bey Surleg am Silvaplaner See liegt ein ungeheurer Kalksteinblock, von den Fernern des Bernina ausgeworfen (1795). In dieser Gegend durchsetzen Urkalklager das Engadin. Um den Sauerbrunnen blüht Trifolium alpinum und Anemone apiifolia; die Wälder in der Nähe bestehen aus Lärchen und Zirbeln. In ihnen wuchert häufig die Linnea borealis.

Der nächste Ort ist Celerina, 3940 Fuß über dem Meere, wo der wilde Schlatteinbach sich in den Inn wirft. Auf einem Hügel im nahen Walde stehen die Reste der Burg Castlasch. Südöstlich öffnet sich das Pontresiner oder Berninathal, durch welches der Weg über den Berninapaß zieht; der Bach,

1 *

45.731.

Die

Deutschen Alpen.

Ein Handbuch für Reisende

durch

Tyrol, Oesterreich, Steyermark, Illyrien, Oberbayern

und die anstoßenden Gebiete.

Von

Adolph Schaubach,
Lehrer an der Bürgerschule in Meiningen.

Zweiter Theil.

Flußgebiete: Inn, Rhein, Iller, Lech, Ammer, Isar, Mangfall.

— Nordtyrol. Vorarlberg. Oberbayern. —

Jena,
Friedrich Frommann.
1845.

den Bernina, nach Poschiavo, Tirano, Bormio, Stilfser Joch, Trafoi, Mals, Nauders. — In der nächsten Umgebung von Nauders laden noch zwey Hochgipfel, der Spützlat oder Pizlat, 8833 F. über dem Meere, im Südwesten und der Labaunkopf im Nordosten zum Besteigen ein. Auf den Schultern des erstern liegen der Schwarze und der Grüne See. Auf dem letzteren sieht man das Engadin weit hinauf, so wie andern Theils bis in das Unterinnthal Tyrols. Freunde von Gletschern können das Thal Langtaufers besuchen, welches wir weiter unten (Etschgebiet) kennen lernen werden. Reisende, welche von Finstermünz heraufkommen und wieder in das Oberinnthal zurückkehren wollen, ohne denselben Weg zu machen, können über das Nauderser Tschejjoch ins Radurschelthal gehen und kommen durch dasselbe bey Pfunds ins Innthal; oder noch besser von Reschen und Graun durch Langtaufers, dann über ein Eisjoch zwischen dem majestätischen Glockthurm und dem ungeheuren Gebatschferner in das Kaunserthal, welches bey Prutz in das Innthal mündet. — Wir folgen nun der Straße nach Finstermünz, um wieder in das Innthal zu kommen.

Die schöne grüne Thalfläche und auf ihr die Straße und der Stillebach senken sich einer Felsenwand zu, die gar nicht hoch erscheint; über sie hin erblickt man den Gebirgszug, welcher das Innthal von Paznaun scheidet. Erst kurz vor den Felsen erkennt man einen Spalt, auf welchen die Straße zuführt, man ahnet aber noch nicht die Scenen, die er erschließt. Auch selbst im Anfang, wo es in der Schlucht abwärts geht, sieht man noch nichts Besonderes; erreicht man aber den Abgrund, in welchen die Schlucht des Stillebaches ausmündet und in welchen sich derselbe schäumend wirft, blickt man hinab in die nächtliche Tiefe, in welcher der Inn sich tosend durchwälzt, wird man überdämmert von den hohen Felswänden und den sie noch überragenden Bergen; tobt vielleicht noch ein Gewittersturm, dann wird die Seele mit Bangen und Grausen erfüllt, wenn die Straße, sich furchtsam an die Wand schmiegend, hinabsteigt in den Abgrund, dessen Tiefe man noch nicht ersehen kann; denn nirgends erscheint ein Ausgang; mit jedem Schritte abwärts wachsen die drohenden Felsen über dem Haupte und mit ihnen die nächtlichen Schatten, während der Bergstrom mit grollendem Donner den Kampf verkündet, den er hier besteht. Endlich zeigt sich ein grauer Thurm mitten aus den schäumenden Fluthen auftauchend und sie trotzig spaltend; eine Brücke verbindet sein Durchgangsthor mit beyden Ufern; noch tiefer unter uns stehen, an Felsen gelehnt und auf sie erbaut, einige alte burgähnliche Gebäude; das ist der Grenzpaß Finstermünz, ein dem Felsen- und Berglande Tyrol würdiges Eingangsthor. Kömmt man vom Engadin herab oder von Pfunds herauf, so engt sich das Thal allmählig ein, das Auge wird an die Dunkelheit gewöhnt und findet weniger Überraschendes; steigt man aber von den lichten, grünen, lieblichen, hügeligen Höhen von Nauders herab in diesen Schlund, dann ist der Wechsel zu groß, um nicht einen sehr tiefen erschütternden Eindruck hervorzubringen. Schnaubt vielleicht einst ein Dampfwagen durch diese dämmernde Enge, so möchte das Erhabene dieser Schauergegend noch erhöht werden, und da, wie vorhin erwähnt, der Übergang über den Trepall im Livignothal wohl das niedrigste Alpenjoch in der Hauptkette ist, wenigstens sich so allmählig von der Bayrischen Ebene an erhebt, daß er als Ebene erscheint, so möchte hier der leichteste Durchzug einer Eisenbahn aus dem mittleren Deutschland nach Italien (Mayland) seyn. Mehrfach wurde dieser Grenzpaß im Laufe der Zeit befestigt. Die alten Trümmer von Festungswerken stammen von 1079, wo der Bayrische Herzog Welf aus Italien zurückkehrte, welcher sie gegen die damaligen Stürme in Italien anlegte. Die darüber am Felsen hängenden Burgruinen sind Sigmundsegg, von Herzog Sigmund, dem Nachfolger Friedrichs mit der leeren Tasche, angelegt, einem großen Liebhaber der Jagd und Fischerey, dem wir in dieser Hinsicht noch oft begegnen werden. Auch oben in der Schlucht bemerkt man noch Reste einer Mauer, welche dieselbe sperrte, die Niklausmauer. Die mittlere und neuere Zeit sah fast verächtlich auf die Werke der Vorfahren herab, welchen erst die neueste Zeit Genugthuung gab, indem sie dort von alten Kirchen den Kalk und die geschmacklosen Schnörkel entfernte, welche das vorige Jahrhundert daranklecksté, hier die alten Gebirgspässe wieder hervorsuchte und aufs Neue befestigte. So ist auch bey der Niklausmauer jetzt ein starkes Werk angebracht, welches zwar, indem die ganze Festung an der linken Wand angebracht ist, die Straße offen läßt, aber furchtbar gähnen die Schießscharten aus der Mauer.

Unterhalb Finstermünz wirft sich von der linken Thalseite der Schalklbach in den Inn bey dem Schalklhof. Er kömmt aus dem Spisserthal, welches den Stamm des Thales bis zur armen Berggemeinde Spiß mit 29 H. und 184 E. bildet. Von Spiß aufwärts spaltet sich das Thal in zwey Äste, links das Thal Samnaun, dessen katholische Gemeinde zu Graubündten gehört und durch Wege mit Ramüs und Ischgl im Paznaun in Verbindung steht; rechts zieht das Zanderer Thal hinan, durch welches ein Jochsteig durch Malfray über den Ferner am Gribellekopf nach Kappl im Paznaun führt.

Das Innthal hiabwandernd, werden jedem Beobachter noch hoch oben an den Felsenpfeilern, welche den Engpaß bilden, die Wahrzeichen der einstigen gewaltigen Strömungen auffallen. Die Hauptgebirgsart ist Glimmerschiefer, welcher bey Prutz sehr quarzreich wird, und häufig schöne Kalkspathe und Quarzkrystalle, so wie ausgedehnte Lager von schiefrigem grauem Urkalk enthält. Unterhalb Prutz lagert sich Steingerölle und Seifengebirge auf diese Grundmassen. Das Thal erweitert sich nach und nach zu einem kleinen Thalkessel, in welchem die Gemeinde Pfunds liegt. Der Mittelpunkt dieser Gemeinde heißt schlechthin das Dorf oder Pfunds im engeren Sinne, und liegt am linken Innufer, der andere Theil auf dem rechten Ufer, durch welchen die Straße geht, Stuben. Beyde zusammen zählen 110 H. und 1319 E.; die ganze Gemeinde 175 H. und 2027 Seelen. Die Post ist in Stuben. Wirthshäuser sind: zum Thurm, ehemaliger Edelsitz, und das Perktoldische. Diesem gegenüber an einem Hause uralte Wandgemälde. Die Hauptkirche, welche sich im Dorfe befindet, ist neu, von 1821, und heiter gebaut, mit Altargemälden von Schönherr und Greil. Sehenswerther ist die Nebenkirche in Stuben, die alte Frauenkirche, wegen ihres schönen Hochaltars aus Holz geschnitzt mit Flügelthüren, reich vergoldet, und noch einige andere gutgeschnitzte Figuren, welche eine schöne Gruppe bilden.

Die Bewohner von Pfunds erhielten in früheren Zeiten, als treue und tapfere Grenzwächter gegen die Schweiz, manche Vorrechte.

Wenn die Straße, wie es 1840 im Werke war, aus der Thalsohle hinauf an die rechte Thalwand verlegt würde, um den starken Stieg von Finstermünz aus zu umgehen und allmählig die Höhe von Nauders zu erreichen, so würde Pfunds, wie der Reisende darunter leiden.

Südöstlich von Pfunds öffnet sich das Thal Radurschl, das erste Thal, durch welches wir in den gewaltigen Gebirgsstock der Ötzthaler Gruppe, wenn auch nur bis an seinen Kern, eindringen. Gleich am Eingang zweigt sich links, parallel mit dem Innthale nach Nordosten laufend, die Pfundser Thai[1]) ab; durch das Frutiger Joch werden beyde Thäler getrennt. Rechts weiter hinan geht die Naudersser Thai ab; in ersterer liegen die besten Kuhalpen von Pfunds, in letztere treiben die Naudersser ihre Rosse und ihr Galtvieh. In der Mitte zwischen beyden steigt das Hauptthal aufwärts fort 5 Stunden lang zu dem gewaltigen Eckpfeiler des Ötzthaler Eismeeres, dem Hochglockthurm. Östlich gegen das Kaunser Thal ragt eine zum Theil stark begletscherte Kette als Scheidewand auf. Über dieselbe führt aus dem Hintergrunde des Thales ein beschwerlicher, aber wegen seiner Aussicht, namentlich über den Gebatscher Ferner, sehr interessanter Steig über das 9833 Fuß hohe Kaiserjoch im Norden des majestätischen, mitten aus einer Eiswüste aufragenden Glockthurmes, 10,578 F. (nicht zu verwechseln mit dem ebengenannten Hochgluckthurm in seiner Nähe), nach dem Kaunser Thale. Auch von hier aus kann der bey Nauders erwähnte aussichtsreiche Labaunerkopf, hier auf dieser Seite Affenkopf[2]) genannt, erstiegen werden. Nordwestlich von Pfunds, oder eigentlich von Stuben, gerade der Ausmündung des Radurschlthales gegenüber, öffnet sich das Stubenthal, ein einsames, nur im Anfang von einigen Weilern belebtes Thal, ein enger Schlund, welcher sich aufwärts in zwey Äste theilt; links zieht das Stubenthal, rechts das Serfauserthal empor, so genannt, weil die Gemeinde Serfaus diese alpenreiche Gegend betreibt. Oberhalb der weitschichtigen Alpentriften umstarren öde Felsenkahre die Matten.

Die Straße im Thale führt am linken Innufer hinab nach Schöneck, wo wir, das Landgericht Nauders verlassend, in das Landgericht Ried übergehen. Am Weiler Tschuppach stürmt der gleichnamige Bach herab durch das Tschuppachthal. Im Hintergrunde desselben erhebt sich äußerst jäh die merkwürdige Alpe Labens; für das Vieh mußte eine Felsentreppe hergerichtet werden; die Höhe aber bildet eine herrliche weite grasreiche Ebene, auf der auch kein Steinchen zu finden ist. Bey einem Wirthshause setzt die Straße vom linken auf das rechte Ufer über nach Tösens, einem Dorfe mit 30 H. und 285 E. (die ganze Gemeinde 50 H. 480 E.), in fruchtbarer Ebene. Links ab gegen den Inn liegt der Weiler Steinbruck, Stammhaus des durch den Sieg an der Pontlatzbrücke bekannten Martin Sterzinger. Der Tösenser Bach kömmt rechts aus dem Bergerthal heraus; seine Quellen liegen in einem Ferner am Glockhaus und einem Hochsee am Backkopfe. Eine gewaltige Schutthalde, welche der Christinabach

1) Thai, Tschai, Tschey heißt in Rhätischen Gebieten Sennhütte, Alpe, Viehweide.

2) Die doppelte, oft noch mehrfache Benennung eines Berges je nach seinen verschiedenen Seiten, verursacht öfters große Mißverständnisse. Auf guten Specialcharten findet man daher oft einen in weiter Umgegend wohlbekannten Berg nicht, weil er von einer andern Seite aufgenommen, und daher einen andern Namen erhielt.

aus seinem gleichnamigen Thale herausgetrieben hat, schließt die schöne Tösenser Ebene.

Das Christinathal ist vorn sehr eng und steigt, den Kaunser-Radurschler Scheiderücken spaltend, rasch zur Stallanzer Alpe empor; eine halbe Stunde hinter der dortigen Sennhütte bildet er einen schönen 439 F. hohen senkrechten Wasserfall. Oberhalb des Sturzes sammeln sich die Gewässer in einem weiten Felsenkessel, der zum Theil von einem Ferner erfüllt ist. Ein Steig führt durch diesen Felsenkessel, zwey Schneiden überkletternd, ins Kaunserthal.

Als im Jahre 1799 die Franzosen aus dem Engadin ins Tyroler Innthal vordrangen, hatten die Österreicher jenen Schuttberg des Christinabachs als Wall benutzt und ihn so besetzt, daß die Franzosen, ohne einen Angriff gethan zu haben, sich wieder zurückzogen. Auf der linken Thalwand des Inns zeigt sich jetzt eine stark bewohnte Bergstufe, welche von mehreren Bächen durchschnitten ist. Auf ihr ging, allen Anzeichen zufolge, die alte Römerstraße hin. Der erste Ort, den wir daselbst erblicken, ist das Dorf Serfaus. Die älteste Kirche wurde schon längst zum Pfarrwidum verwendet und noch sieht man im Speisegewölbe fast verlöschte Wandgemälde (Petrus und Paulus). Es wurde nun 1332 die Liebfrauenkirche gebaut; der Glockenthurm steht abgesondert an der Gottesackermauer. Sehr alt ist das Marienbild; die Altäre sind neu. Die jetzige Pfarrkirche wurde 1523 erbaut. Merkwürdig wegen ihres Alters ist auch die auf einer vorspringenden, in das Innthal hinabschauenden Höhe gelegene St. Georgskirche. An Getraide ist die Gemeinde mit 97 H. und 776 E. wegen der hohen Lage arm, reich aber an Alpen. Ein nicht beschwerlicher, aussichtsreicher Jochsteig über die Furgl bringt in 4—5 Stunden nach See im Paznaun. Die Thalstraße bringt uns nun zunächst nach dem stattlichen Dorfe Ried, welches mit seinen zerstreuten Häusergruppen, Kirchen, Klöstern und seiner Burg ein reizendes Landschaftsgemälde darstellt; die Gemeinde zählt 87 H. und 802 E., 7 Wirthshäuser, unter denen die Post das beste ist; denn es ist hier der Postwechsel zwischen Pfunds und Landeck. Die Hauptkirche, 1705 aufgeführt, besitzt keine Merkwürdigkeiten; sehenswerther ist die Kapuzinerkirche mit Bildern von Bußjäger und Arnold. Angebaut ist eine kleine Kapelle in Gestalt des heiligen Hauses zu Loretto. Dabey ist ein Kloster mit einem Garten. Auf einem Hügel steht das Schloß Sigmundsried, sonst nur der Thurm genannt, einst ein Edelsitz der Herren von Ried, nach deren Aussterben es an Johann von Starkenberg kam. Nach dem Sturze der St. wurde es Jagdschloß des Erzherzogs Sigmund, welcher es erweitern ließ und ihm den Namen Sigmundsried gab. Jetzt ist es Privateigenthum des Postmeisters; im oberen Stocke hat das Landgericht miethweise seinen Sitz. Sehenswerth sind besonders die alten Glasgemälde in dem Thurmsaale. Ebenfalls außerhalb des Dorfes, aber in der Nähe, liegt die Anstalt der barmherzigen Schwestern, gestiftet von dem Priester Stephan Krißmer 1832; das Gebäude war einst Edelsitz der Herren von Payr.

Südöstlich steigt schnell das Rieder- oder Fendelserthal hinan, der Gegend verderbenbringend durch seinen Bach bey Gewittern. Hoch oben lagert sich in den Strahlen der Sonne das Dorf Fendels mit 35 H. und 254 E. in sehr fruchtbarer Flur.

Auf der Höhe der linken Thalwand, mit Serfaus gleich und nur durch den Peitlbach von demselben getrennt, 1¼ Stunde von Ried, liegt Fiß mit 65 H. und 538 E., rings umkreist von Wiesen und Bergmähdern, daher Viehzucht Hauptgewerbe. Auf der Straße fortwandernd, kommen wir in die größte Erweiterung dieser Strecke des Innthales, in welcher das Dorf Prutz liegt, 1 Stunde von Ried. Die Gegend ist reizend; links überragt von einem Felsen, von welchem die Burgtrümmer von Laudeck herabdrohen; stürmenden Laufes treiben sich die Fluthen des Inns zwischen dem Dorfe und jenem Felsen hindurch, wo nur einige Häuser Entbruck (Enterjenseits) stehen. Das Dorf zählt 73 H. und 694 E. (die Gemeinde 77 H. 709 Seelen). Im Dorfe steht ein Edelsitz, zum Thurm in der Breite. Die beyden Kirchen sind ohne Merkwürdigkeiten. Das Wirthshaus ist groß und für Alpenwanderer gut. Jenseits der Brücke quillt unter dem Felsen ein Sauerbrunnen hervor; Kinder sind fortwährend bereit, vorbeyreisenden Fremden ein Glas Wasser darzureichen. Auch wird es auf kleine gläserne Flaschen gefüllt und versendet. Es ist jedoch nur ein schwacher Ableger des höher oben quellenden Obladiser Brunnens. Prutz liegt im Mittelpunkte in einer vielfach merkwürdigen Gegend, die nach allen Seiten hinlockt; hier nach Südosten das Kaunserthal mit seinen Wasserfällen und Gletschern, dort die sagenreiche Burg Laudeck; hier der Gesundheit spendende Brunnen von Obladis, dort die in der Geschichte Tyrols classische Pontlatzbrücke. Wir besuchen jetzt diese merkwürdigen Gegenden in dieser Reihenfolge.

Das Kaunserthal stammt aus dem hohen Ötzthaler Fernerstock, streckt sich 6 Stunden gerade nach Norden und biegt dann fast rechtwinkelig nach Westen um, in welcher Richtung es in abermaligen 2 Stunden das Innthal bey Prutz erreicht. Wegen dieser Krümmung hat sich das Thal durch seine eignen Schuttmassen so verstopft, daß es einst einen See bildete, wie noch die Ortsnamen See und Feuchten andeuten. Nur mit Mühe erkämpfte sich der Faggenbach eine fast ungangbare Bahn, daher der Weg ins Thal jene Höhe ersteigen muß, um dann ziemlich eben in den Thalboden des ehemaligen Sees zu gelangen. Die Eisberge, welche aus dem Thale herab nach Prutz leuchten, liegen nicht im Hintergrunde, sondern gehören zu dem Pitzthaler Scheiderücken. Der Schuttberg, welcher den Vorhof des Thales ummauert, ist mit Häusergruppen übersäet, welche der Umgegend von Prutz ein so lachendes Ansehen geben, so daß der Fremde kaum ahnet, welchen Gefahren die schöne Thalfläche ausgesetzt ist. Allein wenn man hört, daß ein einziger warmer Wind (Sirocco), welcher die Schleußen der Ferner öffnet, der Gemeinde einen Schaden von 75,000 Gulden verursachte, daß der Boden in der Tiefe wegen der hohen Lage des Innbettes so durchnäßt ist, daß die Leichen in Prutz öfters in ihre Gräber hinabgeschwert werden müssen, der wird die Gemeinde nur bedauern, welche mit solchen Feinden zu kämpfen hat. Der mehrerwähnten Höhe zuschreitend, erreichen wir auf ihr das Dorf Kauns mit 53 H. und 410 E. (die ganze Gemeinde zählt 1034 Seelen). Geburtsort des Bildhauers Balthasar Horer, Zauners Lehrers. Am Ende des Dorfes liegt auf einem Hügel das schöne Schloß Bäreneck, Stammschloß der Herren gleiches Namens, welche Dienstmannem der Grafen von Tyrol waren. Nach ihrem Aussterben kam es an die Herren von Müllinen, unter denen sich Hans von Müllinen durch seine Anhänglichkeit an Friedrich m. d. l. T.[1]) auszeichnete, welchen er hier auf seiner Flucht längere Zeit verbarg. Von den Müllinen ging es auf die Krippen, Rindsmaul, Tänzl und Rotten über. Jetzt ist es Besitzthum der Herren von Bach, welche es mit schönen Anlagen versehen haben und wohnlich als Sommerfrische erhalten. Interessant ist die über den Abgrund des Faggenbaches hinausgeschobene alte Bartholomäuskapelle. Zu Kauns gehören noch der Kaunserberg, Faggen, Unter-, Ober- und Außergufer; letztere Namen bezeichnen den Ort ihrer Ansiedelung auf dem Gufer[2]) des Eisbaches.

Bald hinter Kauns beginnt die Gemeinde Kaunserthal mit 85 H. und 500 E. Die Häuser dieser Gemeinde liegen durch das ganze Thal hinauf gegen 6 Stunden lang zerstreut. Die Gemeinde zerfällt in Vorderthal und Innerthal. Ohngefähr 2 Stunden von Prutz in der Bucht, welche die nach Süden umspringende Richtung des Thales bildet, liegt Kaltenbrunn, der Kirchort von Vorderthal, doch auch so zerstreut, daß nur die Kirche, der Widum, das Haus des Meßners und Organisten, das Wirthshaus und eine Mühle zusammenstehen. Den Namen hat der Ort von einer starken im nahen Walde hervorbrechendeu Quelle; seine Entstehung aber als Kirchort verdankt er einem aufgefundenen Marienbilde, zu welchem noch gewallfahrtet wird. Die Altarbilder sind von dem Maler Franz Laukas aus Prutz. Aus Kaltenbrunn stammen die Baukünstler Melch. Hesele und Joh. Gfall. Bis hierher gedeiht noch Gerste; Innerthal hat meistens nur Grashöfe, und Viehzucht ist das Haupterträgniß des Thales. Schmalz und Käse werden jedoch von den Alpenbesitzern selbst verbraucht; nur die Zucht des Viehes gibt einen Handelszweig; die Alpenkosten werden von dem Gelde bestritten, welches fremdes Vieh, das auf den hiesigen Alpen weidet, abwirft. Von Kaltenbrunn geht ein Jochsteig über einen kleinen Ferner am Gallruthkopf vorüber nach St. Leonhard im Pitzthal in 4 bis 5 Stunden. Die östliche Thalwand, der Pitzthaler Scheiderücken, ist von hier an einwärts ununterbrochen stark begletschert, doch so, daß die größten Eislager nach Osten gegen das Pitzthal hinabziehen, wie es auch auf dem folgenden Rücken zwischen Pitz- und Özthal der Fall ist. Von Kaltenbrunn thaleinwärts wandernd, gelangen wir in die schöne Thalebene des Innerthales, auf welcher es fortwährend zwischen den vereinzelt umhergestreuten Bauernhöfen längs dem tobenden Faggenbache fast ganz eben fortgeht. So freundlich und angenehm dieser Weg im Sommer ist, so ernst und oft gefährlich ist er es im Winter und Frühjahr; denn 36 Lawinenbahnen ziehen sich von beyden steilen Gebirgsabhängen herab und entsenden dann ihre donnernden Massen, so daß das Innerthal oft längere Zeit vom Vorderthal getrennt ist. In 1½ Stunden von Kaltenbrunn erreichen wir Feuchten, auch Kaunserthal im engeren Sinne, eine kleine Häusergruppe und die Kirche von Innerthal mit 290 E. in 53 H. Hier wirft sich der Verpeilbach in den Faggenbach. Merkwürdiger ist der kurz zuvor links vom hohen Distenkopf herabkommende Gsöllbach wegen des herrlichen Gsöllbachfalls, der aus neun über einander schwebenden Fällen besteht, die zusammen 1326 Fuß hoch herabstürzen; der erste hat 91, der zweyte 150, der dritte 167, der vierte 240, die folgenden 120, 169, 65, 119 und 210 Fuß. Jeder einzelne ist ein schönes Bild und zusammen gleichen sie einem einzigen schäumenden Milchstrome. Über dem Hintergrunde des Verpeilthales ragen zwey kahle unersteigliche Felsenzacken über die Eisfelder auf, die Verpeildoppelspitze. Im Kaunserthal aufwärts kommen wir oberhalb Feuchten zu einem zweyten prächtigen Wasserfalle, dem Brunigbachfall, welcher rechts 408 F. hoch herabstürzt; der Bach selbst entspringt am Alten Mann, einem hohen keilförmigen Berge. Etwas weiter thaleinwärts liegt der Bachkopf, an dessen Westabhang ein Gletscher in dem obersten Kessel des Christinathales liegt. Vom Bachkopf soll man eine der schönsten und erhabensten Rundsichten haben. Die letzten Häusergruppen heißen See und Klammel,

1) Friedrich mit der leeren Tasche.

2) Gufer sind von den Gletschern aufgeworfene Schuttwälle, hier Schuttberge.

des Ende des ehemaligen Gebirgssees andeutend; denn von hier an erhebt sich der Thalboden stark; rechts, von Westen, kömmt das Kaiserberger Thal vom Kaiserjoch herab, über welches ein Steig nach Radurschl führt (siehe oben); links gegen Osten dehnt sich das oben vergletscherte Wurmthal hinan zur Wurmthalspitze. Der prächtige majestätische Berg, welcher sich in Gestalt einer Glocke im Südwesten aus Eisfeldern erhebt, ist der 10,578 F. hohe Glockthurm. Wir erreichen nun in der Gebatsch- oder Öhlgrubenalpe den Hintergrund des Thales. Diese Alpe ist außerordentlich reich an Alpenfutter und es weiden in dieser Alpe 90 — 110 Kühe. Wegen der Eislüfte der ringsum lagernden Ferner ist das Klima sehr rauh und daher bedarf diese Alpe der sogenannten Schneefluchten (Weideplätze im tieferen Thale), wo das Vieh, wenn oft mitten im Sommer Schnee einfällt, hingetrieben wird. Alle Berggipfel umher starren in Eis und der ungeheure Gebatschferner streckt einen seiner Riesenarme tief ins Thal herab. An den eisigen Grenzgebirgen gegen Langtaufers im Südwesten entsteht der Faggenbach, fließt über die Weideplätze von Krumpgampen und Riffl und stürzt dann in drey schönen Wasserfällen 400 F. hoch herab, aber fast unmittelbar in eine Kluft des Gebatschferners, läuft dann unter dessen Eisgewölben eine Strecke fort, sich verstärkend durch die Eisfluthen und bricht am unteren Ende des Ferners hervor in das Thal. Zwey beschwerliche, aber durch die Ansicht der gewaltigsten und großartigsten Gebirgsnatur reichlich lohnende Gletschersteige führen von der Gebatschalpe hinüber in die angrenzenden Thäler; der erste in südwestlicher Richtung von der Ausmündung des Gebatschferners hinauf auf die Alpentriften, wo sich dieser Weg theilt; der eine führt an den öden und hochliegenden Weißensee und über den Weißenseeferner auf das Eisjoch zwischen der Karlsspitze und dem Hochglockenthurm und jenseits am Mallagbache hinab zu den Mallaghöfen, den letzten Häusern in Langtaufers; der andere Zweig dieses Steiges geht rechts ab über den Rifflferner und läßt den Hochglockenthurm zur Linken; bey Mallag vereinigt er sich mit dem vorigen und zieht durch Langtaufers hinaus nach Graun auf der Malser Haide in der Nähe der Etschquelle. Der andere Steig führt von der Gebatschalpe südöstlich links hinan zum Eisjoche zwischen dem Vordern und Hintern Öhlgrubenspitz und jenseits auf dem Gufergerölle längs des großen Öhlgrubenferners hinab in den obersten Gebirgsast des Pitzthales. Der erstere Weg nach Langtaufers war sonst Saumweg, jetzt ziehen ihn nur noch Wallfahrer von der Malser Haide nach Kaltenbrunn. Am 23. März 1799 zog General Laudon mit den Österreichern von der Malser Haide, da er durch die Franzosen bey Finstermünz vom Innthal abgeschnitten war, diesen Weg. Der andere jetzige Weg ins Pitzthal führte sonst über die Ferner, das Pitzthal umgehend, nach Rofen im Ötzthale, ist aber jetzt nicht mehr im Gebrauch. Auf beyden Wegen, namentlich auf dem letzteren, erblickt man einen großen Theil des Gebatschferners und der ganzen Ötzthaler Eiswelt. Der Gebatschferner ist eine der größten Europäischen Eisgefilde; er bildet eine Hochplatte von Eis von mehreren Stunden, umragt von gewaltigen Eisbergen; große Gletscherströme entsendet er nach allen Himmelsgegenden, nach Langtaufers, Kauns, Pitzthal und Ötzthal. Es wird hier nur das Eismeer des Gebatschferners im engsten Sinne verstanden; denn dehnen wir sein Gebiet aus auf die von diesem innersten Heiligthume der Gletscherwelt des Ötzthales auslaufenden, ununterbrochen oft mehrere Stunden breit mit Eis belasteten Gebirgsrücken, so ist der nach Nordwest gerichtete Eisarm zwischen Kauns und Radurschl 2 Stunden lang, der gegen Norden zwischen Kauns- und Pitzthal 7 Stunden, der gegen Nordost zwischen Pitz- und Ötzthal, der breiteste und höchste, mit Spitzen nahe an 12,000 Fuß, 8 Stunden, gegen Osten, der Hauptrücken der Alpen, 10 Stunden (bis zum Timbler Joch); der gegen Süden zwischen Schnals und Matsch 3 Stunden, mit Gipfeln von 11,500 F., und der Arm gegen Südwest zwischen Matsch und Plenail 4 Stunden lang. Vom Gallrathkopfe oberhalb Kaltenbrunn über den Gebatschferner bis zum Timblerjoch wandelt man 20

Stunden lang über weite Eisfelder, und doch ist dieses erst der westliche Flügel der Ötzthaler Fernerwelt.

Kein Reisender, welcher ein Freund solcher erhabenen Naturgebilde ist, versäume es daher, das Thal Kauns zu besuchen, zumal da der Weg bis zu den Fernern fast eben ist, wenn man die erste Höhe von Prutz herauf überwunden hat. Das Sennhüttenleben hat zwar nicht die Reize, welche das Steyrische und Österreichische Alpenleben bietet, denn es gibt hier nur Senner; allein die Leute sind gut und meistens, wie überhaupt der Oberinnthaler, zuvorkommend gegen Fremde. Ein Theil der Kaunserthaler wandert jährlich nach der Schweiz, Würtemberg, Frankreich und Italien aus und kehrt im Spätherbst mit dem Gewinne heim. Ihre Gewerbe im Auslande sind Handarbeiten im Felde und Gebirge. — Nach diesem Ausfluge, welcher gewiß jeden Naturfreund reichlich belohnen wird, kehren wir nach Prutz zurück, während vielleicht der Reisende, jene Jochübergänge benutzend, durch das Pitzthal oder Langtaufers seine Reise fortsetzt.

Wir treten unseren zweyten Ausflug an. Über Prutz ragen auf der Felswand die Trümmer der Burg Laudeck (nicht mit dem ebenfalls nahen Landeck zu verwechseln), wahrscheinlich einst eine Römerfestung zur Deckung des Straßenzuges, welcher, wie oben bemerkt, auf der linken Thalhöhe hinging. Im Mittelalter kam es an die Grafen von Tyrol; in dem Bayrischen Kriege 1363—1369 nahmen es die Bayern, welche es im Vertrag zu Schärding zurück gaben. Die Landesherren übergaben es nun Lehnsleuten, welche sich nach der Burg Herren von Laudeck nannten. Der Letzte dieses Stammes kehrte der Sage nach aus einem Kriegszuge heim; schon erblickt er seine Burg, aus deren Fenstern ihm die harrende Gattin mit weißem Tuche zuwinkt; nur der Weiher, der noch jetzt vorhanden, trennt ihn von seinem Schlosse; um sich den Weg abzukürzen, sprengt er auf seinem Rosse in den Weiher, um ihn zu durchschwimmen; allein der Sumpf des Ufers hindert das Pferd, sich durchzuarbeiten und so muß der Ritter vor den Augen der wehklagenden Gattin umkommen. Später 1624 kam die Burg und das Gericht an Nikolaus Wintler und zuletzt an die jetzigen Eigenthümer, die Spaur, welche das Gericht der Landesregierung überließen. Als dieses seinen Sitz von Laudeck nach Prutz und später nach Ried verlegte, verfiel die Burg und ein Brand zerstörte sie bald darauf bis auf die jetzigen Reste. An dem genannten Weiher liegt das Dorf Ladis mit 44 H. und 422 E. Das Hochaltarblatt in der neugebauten Kirche ist von Arnold. Das Wirthshaus ist zugleich Badeanstalt, indem in der Nähe eine Schwefelquelle hervorbricht, welche hauptsächlich von Frauen benutzt wird. Von Prutz herauf braucht man eine Stunde Weges. Eine gute halbe Stunde weiter hinan, in einer Meereshöhe von 3780 Fuß, liegt das Bad Obladis, eine der besteingerichteten Badeanstalten Tyrols, deren Hauptquelle einen beliebten Säuerling, unter dem Namen Prutzer Wasser bekannt, liefert. Sehr schön ist die Lage dieses Bades durch die Aussicht auf die ganze Umgegend, namentlich in das Kaunserthal. Der Sauerbrunnen wurde schon 1212 entdeckt von dem Hirten Nikolaus Schederle und zwar durch den Drang seines Viehes nach dieser Quelle. Er hieß deßhalb im Munde des Volkes der Nickelsbrunnen. Kaiser Max ließ die Quelle untersuchen und der Arzt erklärte sie für eine der heilsamsten Deutschlands. Max, wie seine Nachfolger, förderten die Badeanstalt, welche bald sehr in Aufnahme kam; allein sie verfiel durch ihre späteren Besitzer, welche nur gewinnen, nichts anwenden wollten, ganz, so daß 1831 nur noch 22 Badegäste das Wasser brauchten. Trotz der schlechten Füllung und Pfropfung wurden aber dennoch jährlich 20,000 Flaschen, das Stück zu 4 Kreuzer, versendet. Endlich trat 1833 eine Actiengesellschaft zusammen, kaufte von der Staatsverwaltung das Wasser und die alten Gebäude und stellte dagegen den jetzigen herrlichen massiven Bau her; auch wurde die Umgegend mit Spaziergängen versehen. Nach Weber enthält der Säuerling in 10 Apothekerpfunden 207 Kubikzoll freyes kohlensaures Gas, 17 Gran kohlensauren Kalk, 50 Gran kohlensaure Bittererde, 3 Gran salzsauren Kalk, 4 Gran salzsaure Bittererde, 20 Gran schwefelsauren Kalk, 15 Gran schwefelsaure Bittererde, 12 Gran schwefelsaures Natron. Als sehr heilsam hat sich das Wasser bewährt gegen die Verhärtung der Leber und der edleren Eingeweide, Schwäche in den ersten Wegen, Hämorrhoidalleiden, Nierenstein, Fieberzelten, Hypochondrie, Magenschwäche, Gelbsucht, Gicht u. s. w. Außerdem sprudeln noch in der Nähe eine reiche Schwefelquelle (welche in 10 Apothekerpfunden 6,0 Kubikzoll schwefelsaures Hydrogengas, 12,5 Gran freyes kohlensaures Gas, 4,0 Gran kohlensaures Eisen, 29,0 Gran kohlensauren Kalk, 43,0 Gran kohlensaure Bittererde, 25,0 Gran schwefelsauren Kalk, 31,0 Gran schwefelsaure Bittererde enthält), eine incrustirende und eine Süßwasserquelle. Wir kehren von hier nach Prutz zurück.

Da der letzte Ausflug thalabwärts führt, so gelangen wir auf der fortgesetzten Wanderung im Innthale zu diesem Ziele, nämlich zur Pontlatzbrücke. Bey Prutz tritt die Straße vom rechten auf das linke Ufer und hält sich auf dieser Seite eine Stunde lang, auf der sogenannten Tullenau. Jetzt verengt sich das Thal wieder zum düsteren Engpasse. Es tritt ihm nämlich der hohe Benetberg entgegen, der Schlußstein mehrerer hier zusammentreffenden Bergrücken, welche jetzt durch Thaleinschnitte bald nur theilweise, bald ganz getrennt sind.

Einmal ist der Benetberg der nördliche Eckstein des Bergrückens zwischen dem Inn- und Patznaunthale, wird aber von demselben durch den tiefen Einschnitt des hier sich rechtwinkelig von Nordosten nach Nordwesten umbiegenden Innthales von der Pontlatzbrücke bis Landeck getrennt; ebenso ist der Benetberg auch der nördliche Eckstein der drey großen Bergrücken, welche vom Gebatschferner herabkommen und das Kaunser- und Pitzthal begleiten; der westlichste Rücken wird durch die Ausmündung des Kaunserthales von dem Benetberg getrennt; der östlichste (zwischen Pitz- und Ötzthal durch den Pitzbach), welcher, da sich der Benetberg gerade vor die Mündung des Pitzthales legt, zu einem nordöstlichen Laufe gezwungen ist; nur mit dem mittleren Rücken (zwischen Kaunser- und Pitzthal) hängt der Benetberg noch jetzt zusammen, aber auch durch ein so niedriges Joch, den Piller, daß es scheint, als ob dieses Joch den alten Thalweg des Inns bezeichne, ehe er sein jetziges tiefes Bett aushöhlte; jener Sattel und seine Fortsetzung, das unterste Pitzthal, liegen in der Richtung des oberen Innthales bis Prutz und des tieferen von Haimingen abwärts, und der Inn muß gegenwärtig einen großen Bogen beschreiben, um den Benetberg zu umgehen und aus seiner gestörten Richtung wieder in dieselbe Rinne zurückzukehren. Auch das Kaunserthal hat der Felsenstock des Benetbergs in seiner untersten Strecke, wie dort das Pitzthal nordöstlich, hier nordwestlich hinausgetrieben. Das aus seiner Richtung gestoßene Innthal tritt nun bey Landeck um einige Stunden früher in jene große geognostische Thalrinne zwischen Ur- und Kalkgebirge, in welcher bisher das Thal der Rosanna vom Arlberg herablag. Der Inn, einmal aus seiner ursprünglichen Lage gebracht, sucht nun auch dieselbe zu behalten und scheint einst ebenso auf Seiten der Kalkalpen den Tschürgant von jenen abgeschnitten zu haben, ehe er seine natürliche Thalrinne und damit seine ursprüngliche Richtung wieder annahm. Der Tschürgant steht ebenso abgetrennt von den Kalkalpen, wie hier der Benetberg von dem Urgebirge; was hier der Piller, das ist dort die Gegend von Obsteig.

So wie diese Gegend einst der Schauplatz großer Naturkämpfe war zwischen stürmenden Fluthen und trotzigen Gebirgen, hervorgerufen durch die Verschiedenheit der Gebirge, ebenso war auch diese Gegend der Schauplatz blutiger Kämpfe verschiedener Völker. In zwey verschiedenen Zeiten, fast 100 Jahre von einander, bekämpften sich hier dieselben Völker; Franzosen und Bayern rangen hier mit dem Volke Tyrols. Der Churfürst Max Emanuel von Bayern fiel, im Bunde mit den Franzosen im Spanischen Erbfolgekriege, 1703 in Tyrol von Norden her ein, während die Franzosen von Süden kamen. Glücklich waren die Bayern bis in die Gegend von Innsbruck gekommen und schickten eine Heeresabtheilung von 1200 Mann in das Oberinnthal, um sich über Finstermünz und Nauders mit den Franzosen unter Vendome zu verbinden, während die Hauptheeresmacht über den Brenner ziehen sollte. Jene Heeresabtheilung, unter Anführung des Bayrischen Obristlieutenants Grafen Taufkirchen und des Französischen Generals Rovier, rückte ohne scheinbares Hinderniß das Oberinnthal hinauf bis zur Pontlatzbrücke, welche jedoch abgebrochen war. Als man noch berathschlagte, fiel ein Schuß, das Zeichen der Tyroler zum Angriff. Da knallten auf einmal die Stutzer der Tyroler von allen Höhen der Felswände auf die eingeschlossene Schaar, und Steinlawinen rasselten nieder, um die Zerstörung zu vollenden. Der Feind wollte sich zurückziehen, allein bis zum Alten Zoll war alles so mit Schützen besetzt, daß, was nicht getödtet, gefangen genommen wurde; auch kein Mann entkam. Der Pfleger Martin Sterzinger von Landeck war es, welcher diese Sache geleitet hatte. Ähnlich war der Verlauf des Kampfes 1809. Während des Znaimer Waffenstillstandes rückte der Marschall Lefebre, Herzog von Danzig, an der Spitze des 7. Armeecorps in Tyrol ein. Die feindlichen Bedrükkungen fachten bald die alte Flamme wieder an; Hofer sandte seine Aufrufe durch das Gebirge. Das Vordringen der feindlichen Macht über den Brenner nach Südtyrol mißglückte in den Engen unterhalb Sterzingen, deßhalb beorderte der Marschall eine Heeresabtheilung durch Oberinnthal in das Etschthal, um den Tyrolern im unteren Eisackthal in den Rücken zu fallen. Der Bayrische Obrist Freyherr von Burscheid und der Französische Obristlieutenant Basserau waren befehligt, mit einem Theile des 10. Linieninfanterieregiments, einer Escadron Dragoner und zwey Kanonen (1400 Mann) diesen Zug zu unternehmen. Auch jetzt schien alles ruhig, selbst die verhängnißvolle Brücke schien den Feind gutwillig über den zürnenden Bergstrom zu lassen. Kaum waren aber die Feinde auf der Tullenau, so begann von allen Seiten das Schützenfeuer und Sturmläuten; die Innbrücke bey Prutz war abgebrochen und die Felshöhen von Landeck und Ladis mit Schützen besetzt. So in die Enge getrieben, blieb dem Feinde nichts übrig, als sich in der Nacht zurückzuziehen. Um die Aufmerksamkeit der Tyroler von dem Rückzug abzulenken, wurde Entbruck angesteckt; allein die Pferde und Wagen verursachten auf der Pontlatzbrücke ein solches Geräusch, daß man sehr bald die Sache merkte und es begann nun von den linken Wänden des Engpasses ein mörderisches Feuer auf die Brücke, wie auf die jenseits des Stromes hinanziehende Straße; dazu kamen die von den Weibern geleiteten Steinlawinen von den rechtseitigen Wänden. Nur ein kleiner Theil entkam nach Landeck, der andere zog sich auf die Tullenau zurück und mußte sich am 9. August ergeben.

Bedachtsamer überschreiten wir nun die vielumkämpfte Brücke; schade nur, daß auch Deutsches Blut durch Deutsche floß! Die Straße hüllt sich in tiefe, düstere Schatten, der Inn wühlt sich immer tiefer ein, während die Straße an den morschen Wänden höher steigt zum Alten Zoll, einem alten ehrwürdigen Tyroler Wirthshause mit getäfelten Wänden aus Zirbenholz. Darüber lagert sich im Sonnenglanz das Dorf Fließ, zu welchem ein Fahrweg in einer halben Stunde führt, mit 71 H. und 150 E. (die ganze Gemeinde 212 H. und 2360 E.). Die doppeltgethürmte Kirche ist neu (1801). Das Dorf steht auf dem Schutte des alten durch einen Bergsturz begrabenen Ortes; die Umgegend ist sehr fruchtbar. Dabey steht das Schloß Bideneck, einst den Herren von Sigwein, Montan, Schrofenstein, Trautson und Heidenreich gehörig; jetzt ein Besitzthum der Herren von Bach. Von hier, wie von der Pontlatzbrücke und von Prutz aus führt ein sehr angenehmer leichter Steig über das Pillerjoch nach Wens und

Imst, zugleich der nächste Verbindungsweg zwischen Prutz und Imst (7 Stunden), mit herrlichen Aussichten das Innthal hinauf und hinab gegen Stams.

Reisenden, welche den Weg von Imst über Landeck nach Prutz schon kennen, ist dieser Weg sehr anzurathen. Vom Alten Zoll an fällt und steigt die Straße an den jähen finsteren Wänden; links blinkt freundlich die Kirche von Hochgallmigg herab, umstreut mit 27 H. und 234 E., die zur jenseitigen Gemeinde Fließ gehören. Vom Gebiete von Ladis wird das Dorf durch das alpenreiche Urgthal getrennt. Die Straße senkt sich allmählig bis in die Nähe des Inns. Endlich öffnet sich die Schlucht und wie nach einem finsteren Gewittertage am Abend, das Gewölke durchbrechend, die Sonne die erfrischte Natur mit ihren Strahlen vergoldet, so herrlich tritt dem aus dem Oberinnthal Kommenden das sonnenbeleuchtete Landeck entgegen. Landeck (2542 F.) ist ein ansehnliches blühendes Dorf mit 162 H. und 1470 E.; es besteht eigentlich aus zwey Gemeinden: Angedair am rechten Innufer und Perfuchs auf der Landecke, welche Inn und Sanna bilden. Die Gegend ist wahrhaft reizend und malerisch; geschichtliche Erinnerungen und Sagen, die geologisch interessante Gegend, die großen Ausflüge, welche nach verschiedenen Seiten locken, machen Landeck zu einem Hauptanhaltpunkte im Innthale [1]). Drey große Thalstrahlen treffen hier zusammen, das obere Innthal aus Südwest, das untere Innthal aus Nordost und das Sannathal aus West und machen durch ihre wichtigen Straßenzüge Landeck zu ihrem Brennpunkte. Gegen Westen zieht die große Hauptstraße nach Schwaben und der Schweiz; nordöstlich die Doppelstraße über Imst und dann nördlich über Füssen und Augsburg oder München; östlich über Innsbruck nach Bayern und Österreich; endlich südöstlich durch das Oberinnthal nach Eiers im Etschthal und von da entweder westlich über das Joch nach Mayland oder südlich über Botzen und Trient nach Verona und Venedig. Es findet daher ein dreyfacher Postwechsel hier statt; westlich nach dem Arlberg im Stanser Thal ist Flirsch, nach Nordosten Imst, nach Südost Ried der erste Postwechsel. Über den Inn, wie über das von Westen hereinkommende Thal der Sanna führen schöne Brücken in einem weiten Bogen. Es befindet sich hier ein Landgericht in dem Edelsitze Gerburg in Perfuchs; sein Gebiet betraten wir mit dem Übergange über die Pontlatzbrücke. Sehenswerth ist die Pfarrkirche, im Deutschen Style erbaut, leider durch die Barbarey des vorigen Jahrhunderts übertüncht, wodurch sehenswerthe alte Wandgemälde verloren gingen. In der Kirche ist das schöne Grabmal des Ritters Oswald von Schrofenstein, gestorben 1492; dabey der schöne Schrofensteiner Altar mit Schnitzarbeit im Deutschen Style. Beyde Theile des Dorfes erheben sich diesseits und jenseits des Inns stufenweis, Perfuchs am Fuchsberge, Angedair am Schloßberge, nach oben immer zerstreuter umherliegend. Den

1) Leider kennt der Verfasser unter den Gasthöfen nur die Post, in welche er durch Zufall zweymal in sehr verschiedenen Zeiten verschlagen wurde. Die Preise waren sehr hoch, namentlich 1840. Man thut daher wohl, sich zu erkundigen. Die Wirthschaft sollte verkauft werden.

schönen Schloßberg krönt ein Felsen, auf welchem die bethürmte Feste Landeck ruht, auf der Ecke des Innthales. Sie ist jetzt Kaserne; schön ist die Aussicht von ihr in das Stanser Thal. Diesem Schlosse gegenüber im Norden des Inns liegt die verödete Feste Schrofenstein, schon im Gebiete der Gemeinde Stans, auf vorspringendem Felsen, nur von einer Seite zugänglich. Es war der Stammsitz der Schrofensteiner, mächtiger Ritter um 1239. Jakob von Schrofenstein fiel bey Sempach. Der letzte, Philipp, ein Sohn jenes Oswald, starb 1546. Die Burg kam hierauf an die Trautsone und Fürsten von Auersperg; 1810 kaufte sie ein Bauer. Bekannt war die Burg wegen ihres alten Weinlagers; die Bayern tranken den 400jährigen Wein aus. Die Aussicht von ihr ist sehr schön. Unter dem Schrofenstein lagert sich auf der ebenen Thalsohle des Inns das Dörfchen Perjen, gewöhnlich Prien, mit 23 H. und 155 E., merkwürdig wegen der auf dem Perjener Felde aufgefundenen vielen Römischen Alterthümer; namentlich fand man auf dem Götzenacker mehrere Bildsäulen Römischer Penaten. Wie überhaupt die Oberinnthaler, so zeichneten sich besonders die Landecker durch treue Ergebenheit an ihr Fürstenhaus aus. Wie einst Gustav Wasa im eignen Lande, verfolgt von fremden und einheimischen Feinden, flüchtig umherirrte, und zuletzt nur eine sichere Zufluchtsstätte bey den biedern Dalekarliern fand, die ihm wieder zu seinem rechtmäßigen Erbe verhalfen, so auch Friedrich m. d. l. T., der Freund des Volkes. Kaiser Sigmund hatte die Kirchenversammlung berufen zu Constanz, auf welcher die drey damals vorhandenen Päpste abgesetzt wurden. Da entfloh der allein anwesende Papst Johann XXIII. mit Hülfe Friedrichs m. d. l. T., wofür dieser mit Bann und Acht belegt wurde; er stellte sich deßhalb vor dem Kaiser, ihm wurde wie Huß sicheres Geleit und Begnadigung versprochen, aber ebenso gehalten; er wurde in der Gefangenschaft behalten, da der Kaiser Tyrol für sich zu erwerben wünschte. Da entfloh Friedrich in seine Berge, wo er verkleidet umherirrte und in den Eiswüsten des Ötzthales bey dem kräftigen, unverdorbenen Hirtenvolke sichere, gastfreye Aufnahme fand, wo wir ihm später wieder begegnen werden. Von dort aus, nachdem er viele Stimmen über die Treue und Anhänglichkeit seines Volkes unerkannt vernommen hatte, wanderte er als Minnesänger zunächst nach Landeck und erzählte dem Volke im Liede seine Schicksale, als die eines fremden Ritters. Als er den tiefen Eindruck bemerkte, den diese Erzählung durch die Ähnlichkeit mit den Schicksalen ihres Landesherrn machte, gab er sich zu erkennen. Alle jauchzten ihm freudig zu, alle gelobten ihm Treue bis in den Tod, und obgleich der größte Theil des Tyrolischen Adels, wie sein eigener Bruder Herzog Ernst der Eiserne unter seinen Feinden standen, behauptete er mit Hülfe des Volkes seine Herrschaft. Dafür erhielt auch in Tyrol der Bauer die förmliche Landstandschaft und das Gericht Landeck einen eignen Vertreter. Ebenso muthig und anhänglich erwiesen sich die Landecker in den beschriebenen Kämpfen an der Pontlatzbrücke, wie bey der Zamser Brücke, zu welcher wir später kommen werden, in den Jahren 1703 und 1809. Wegen des Kampfes 1703 erhielten die Landecker von

2 *

Leopold I. zu den zwey ältern Marktrechten, zwey neue und einen goldnen Becher mit der Aufschrift: „Gericht Landeck," und um den Tyroler Adler: „Leopoldus Caesar dono dat," zum Geschenk, welcher noch jetzt aufbewahrt wird im Landgerichtsarchive. Wegen des Franzosenkrieges wurde ihnen von dem Erzherzog Johann eine von der Erzherzogin Elisabeth gestickte Ehrenfahne überreicht, deren Besitz jedoch jährlich unter den drey Gerichten Landeck, Ried und Nauders wechselt.

Das Landgericht Landeck, 14$\frac{32}{100}$ Q.M. enthaltend, bevölkert mit 13,812 Menschen, erstreckt sich vom Arlberg bis Mils am Inn und vom Lech bey Steg bis zur Pontlatzbrücke. Die Ebene des Hauptthales, dem als tiefster Ader fast alle Thäler zulaufen, liegt durchschnittlich 2500 Fuß über dem Meere. Das ganze Gebiet ist aber so mit Bergen angefüllt, daß nur eine einzige Stelle im Innthale von Landeck bis Zams, eine Stunde lang und eine halbe Stunde breit, eine Ebene genannt werden kann. Allein der Fleiß der Bewohner gewinnt dem etwas trocknen Boden dennoch durch künstliche Bewässerung viele Früchte ab. Selbst der Mais gedeiht noch mit 70facher Frucht. Außerdem trägt der Waizen 10fach, der Roggen 9-, die Gerste 8-, die Kartoffel 10-, die Bohne 8fach. Eine Metze Hanf bringt 15 Pfund, 1 Maaßl Flachs 17—20 Pfund. Im Ganzen gewinnt man an Körnerfrüchten 34,000 Wiener Metzen, an Kartoffeln 62,800 Metzen auf 2710 Joch Land. Eingeführt werden 13,000 Metzen. Bedeutend ist die Obstbaumzucht, so daß vieles Obst ausgeführt wird. Da aber ein großer Theil des Gebietes in höhere rauhere Lüfte auftaucht, so beschränkt sich der Anbau immer nur auf schmale und enge Räume. Wichtiger ist daher die Viehzucht, welche Gegenstand des Activhandels ist; 1834 zählte man 231 Pferde, 610 Ochsen, 5081 Kühe, 10,112 Schaafe, 2870 Schweine, 2531 Ziegen. Butter, Schmalz und Käse werden meistens im Lande verzehrt. Die Wiesen betragen 10,417 Joch mit einem Ertrag von 284,000 Centnern Heu. Dennoch nehmen Wiesen und Äcker noch nicht ganz eine Quadratmeile ein; die übrigen 13 Quadratmeilen bedecken Wälder, Felsen, Schnee und Eis. Da aber die Wälder, wie fast im ganzen Oberinnthale, meistens Staatswaldungen sind für die Saline in Hall, so leben die Bewohner in großer Holznoth und müssen ihr Holz sehr theuer im Engadin kaufen. Sehr viele Bewohner, namentlich in Landeck, leben vom starken Handelszug, indem sich die Handelsstraßen Deutschlands, der Schweiz und Italiens hier kreuzen. Gegen 100,000 Centner Waaren gehen jährlich durch Landeck. Außerdem wandern Viele jährlich aus (1835 wurden 1825 Päße ausgestellt), und zwar als Maurer, Steinmetzen, Zimmerleute und Taglöhner. Sie bringen durchschnittlich die Summe von 27,000 Gulden in das Land. Auch gegen 4—500 Kinder wandern als Hirtenknaben aus. Die Salzfracht nach der Schweiz bringt 6—7000 Gulden ein. Die Straßenerhaltung des Arlbergs wirft den Umwohnern manche Summe ab (1834 erhielten nur die Schneeschaufler 8500 Gulden). Im Ganzen ist daher wegen dieser verschiedenen Erwerbszweige das Landgericht wohlhabend. Die oben angegebene Bevölkerung bestand aus 6555 Männern, 7257 Weibern, 2878 Familien, 28 Geistlichen, 5 Adeligen, 21 Beamten, 507 Gewerbsleuten, 1718 Bauern, 384 Taglöhnern, 672 Dienstboten.

Wir machen nun noch einen Ausflug nach Westen in das große Gebiet der Sanna, welche sich hier in den Inn ergießt. Es ist das größte Thalgebiet auf der linken Seite des Innthales, denn es ist die schon oben erwähnte geognostische Spalte, welche die nördlichen Kalkalpen von dem Urgebirge trennt und welche vom Rheinthal her über den Arlberg herab hier in das Innthal fällt. Das Thalgebiet besteht aus zwey großen spitzwinkelig zusammenlaufenden Thälern, Stanser- und Paznaunthal, welche sich zu einem Stamme vereinigen, oben auf dem Arlberger Scheiderücken auslaufen und dort wieder den Ursprung zweyer ähnlicher Zwillingsthäler, Montafun und Klosterthal, berühren.

Durch das Stanserthal rauscht die Rosanna herab, längs welcher die Straße hinauf zum Arlberg zieht, durch Paznaun die Trisanna; beyde vereint heißen Sanna. Das Stanserthal ist die Hauptrinne und wir steigen daher auch in ihm hinauf bis zur Einmündung der Trisanna, deren Thal im Urgebirge liegt, parallel mit dem oberen Innthal.

In geognostischer Hinsicht hat man auf dem Straßenzug von Landeck durch das Stanserthal über den Arlberg und jenseits im Klosterthale hinab zur Rechten die Kette der Kalkalpen, zur Linken das Urgebirge, und zwar die hier endende Kette, welche vom Septimer herab das Innthal im Norden begleitete und welcher sich am Albuinkopf oder Hohen Gletscher in drey Arme theilte; der rechtseitige oder nordöstliche ist der Richtung nach die eigentliche Fortsetzung des bisherigen Rückens und endet in der Ecke des Zusammenflusses der Sanna und des Inns am Perfuchsberg; der mittlere nördliche Arm scheidet Inn- und Rheingebiet, indem er sich an die nördlichen Kalkalpen als Joch, Arlberg, anlegt; von ihm gehen, wie schon erwähnt, östlich die Zwillingsthäler Paznaun- und Stanserthal, sich zuletzt vereinigend, zum Inn, während westlich auch ein Zwillingspaar, Montafun und Klosterthal, sich ebenfalls zuletzt vereinigend, zum Rhein gehen; der dritte und nordwestliche Rücken endlich, der Rhätikon, scheidet Montafun oder das obere Illthal vom Thale der Landquart oder dem Prättigau und fällt am Luziensteig als Deutscher Grenzrücken in das Rheinthal ab. Der mittlere Arlberger Rücken breitet sich bald zu einer großen Masse in Gestalt eines gleichschenkeligen Dreyecks aus, dessen Spitze am Albuinkopf liegt, dessen Schenkel die Thäler Montafun und Paznaun und dessen Grundlinie das Stanser- und Klosterthal sind. Wenn oben gesagt wurde, daß diese Grundlinie die geognostische Grenze bilde zwischen dem Urgebirge und den Kalkalpen, so ist dieses nur im Allgemeinen zu verstehen, ja der Reisende wird, selbst in der Tiefe auf der Straße fortwandernd, kaum ahnen, daß er die Kalkalpen zur Rechten habe; denn grüne Höhen und keine kahlen Bergschroffen zeigen sich hier und bestehen noch dazu größtentheils aus Glimmer-, Thon- und dunklem Kalkschiefer; allein es ist dieses Gebirge nur eine Vorstufe, welche die dahinter in ihrer gewöhnlichen Nacktheit und Wildheit aufragenden Kalkalpen deckt. Davon wird sich Jeder überzeugen, welcher entweder rechts durch die Engthäler dieses Vorwalles hindurch- und hinandringt an jene hohe Felsenmauer, oder wer die südlichen Höhen des Stanserthales nur theilweise ersteigt; bald ragen dann die kahlen Zinken der Kalkalpen über die grüne Vorstufe empor. Recht schön erblickt man diese Kalkkette, wenn man von St. Anton aus den Arlberg ersteigt, auf der Straße. Bey der Ecke, wo die Straße um den Berg zieht, verbirgt sie sich rechts etwas, tritt aber dann hinter dem Gebuckel der Vorhöhen um St. Christoph wieder in ihrer starren Nacktheit hervor und nähert sich immer mehr, bis sie jenseits Klösterle das Thal durchsetzt und auch links die Gebirge bildet. Doch wir werden dort die Grenze weiter verfolgen. Diese Kalkalpen, welche das Lechthal östlich und südlich umgürten, haben, wie überhaupt die Lechthaler Kalkalpen, etwas Eigenthümliches; einmal ein kettenartiges Zusammenhängen, ohne tiefe Zwischenräume, ferner häufigere Gletscher- oder eigentlich Firnbildungen, endlich das außerordentlich frische Grün, welches nämlich hier oft noch hohe Berge überzieht. Letztere Erscheinung fällt schon bey Reute auf, besonders, um etwas Bekanntes anzuführen, die Bergmähder auf der Straße von Reute nach Lermos rechts hinein; diese Erscheinungen lassen hier nicht den gewöhnlichen Alpenkalk vermuthen.

Doch wir beginnen nun unsere Wanderung. Von Landeck führt die Straße über die Sanna. Jenseits der Brücke verlassen wir die Straße und steigen rechts zu der Höhe hinan, auf welcher Stans liegt. Die ganze Gegend bildet ein Mittelgebirge, welches aus Schuttmassen besteht, die Inn und Sanna hier zusammenhäuften; die Grundlage ist zum Theil noch Glimmerschiefer. Von Stans hat das ganze Thal den Namen. Das Dorf zählt 33 H. mit 325 E. und ist mit dem schon bekannten, auf einem Dolomitfelsen ruhenden, Schrofenstein Römischen Ursprungs. Am westlichen Ende des Dorfes befindet sich der Kötertobel[1]), gewöhnlich Kratar- (Unthier-) Tobel genannt, eine gräßliche Schlucht in fast unsichtbarer Tiefe, von wildem Bache durchbraust und von einer kühnen Brücke überspannt, über welche der Weg nach Grins auf der Höhe der Bergstufe hinführt. Grins, 1¼ Stunde von Landeck, hat 75 H. und 819 E. Einst soll hier oben die Landstraße vorübergezogen seyn, daher auch die Häuser größer und stattlicher, als man auf der jetzt von der Landstraße abgelegenen Höhe erwarten sollte; man findet selbst Häuser in Gothischem Style, und am Stubengetäfel des sogenannten großen Hauses die Jahrzahl 1178. Auch dieses Dorf wird von einem finsteren Tobel durchschnitten, über dessen 100 Fuß tiefen Abgrund eine gewölbte Steinbrücke gesprengt ist. Von hier stammen die Bildhauer Auer und Lechleitner. Eine halbe Stunde tiefer an der Landstraße liegt die große Gemeinde Pians mit 117 H. und 992 E. Das Dorf selbst hat nur 30 H. und 235 E. Eingebuchtet in den sonnigen Schoos des Nordgebirges, umgrünt von Weinreben, Maisfeldern und umschattet von Obsthainen, gleicht es mit seinen weißen Häusern einem Dorfe Südtyrols. Südlich, durch die Sanna getrennt, liegt das zur Gemeinde Pians gehörige Tobadill, ½ Stunde von Pians, mit 40 H. und 275 E. Auch hier führt eine Brücke über einen Tobel. Dieses Dorf gilt für eins der wohlhabendsten, und zwar wird dieses dem Umstande zugeschrieben, daß kein Wirthshaus im Orte ist. Unweit des Dorfes öffnet sich das Thal Patznaun, durch welches die Trisanna herabrauscht, um sich mit der Rosanna zur Sanna zu vereinigen. Den engen Eingang dieses Thales beherrscht die Feste Wiesberg. Im Jahre 1400—1410 trotzte hier Konrad von Lichtenberg den Appenzellern, welche mit Friedrich m. d. l. T. Krieg führten; jetzt ist die Feste Eigenthum der Wittwe des Grafen Wenzel von Wolkenstein. Die Ringmauer stürzte 1831 gegen die Straße ein. Außer den gewöhnlichen Alterthümern des Mittelalters findet man noch einen Kelch von 1463 und ein Meßbuch von 1592 mit Bildern. Wir verlassen hier das Thal der Rosanna und die Straße und wandern zuerst im Thale Patznaun hinan.

Patznaun, der Zwillingsbruder des Stanser Thales, zerfällt in Inner- und Vorder-Patznaun. Das letztere gehört zum Landgerichte Landeck, das erstere bildet das Landgericht Ischgl. Bis Ischgl führt ein Fahrweg für einspännige Wagen. Der Eingang in das Thal unter der Burg Wiesberg ist eng und düster und heißt das Gefäll; oberhalb dessen befindet sich die Gefällbrücke, über welche der Weg vom rechten auf das linke Ufer setzt und steil an der Wand rechts hinansteigt; die ganze Tiefe des Thales füllt die reißende Trisanna aus und die Thalwände sind jäh, daher das Thal häufigen Lawinenstürzen ausgesetzt ist. Innerhalb 6 Stunden bis Ischgl zählt man 11 Lawinenstraßen und 37 Marterl (Votivtafeln für Verunglückte); doch braucht sich deßwegen der Reisende nicht zu fürchten, denn nur im Winter und Frühjahr ist es eine Straße des Schreckens. Nach einer starken Stunde vom Eingang erblickt man jenseits der Trisanna in der Tiefe die ersten Häuser der Gemeinde See, wahrscheinlich an der Stelle eines ehemaligen schmalen und langen Sees. Die ganze Gemeinde, welche aus vielen weit umher und hinauf zerstreut liegenden Weilern besteht, zählt 66 H., 491 E. und 2 Schulen. Früher gehörte See seelsorglich zur Pfarre Serfaus im Innthale und stand durch das hohe Serfauser Joch mit derselben in Verbindung. Die Leichen mußten im Herbst und Winter wegen der Unzugänglichkeit des Joches auf den Dachböden gefrieren und aufgehoben werden, bis der Weg aufging. Der Straße folgend, erreichen wir nun die große Gemeinde Kappel mit 338 H. und 2165 E. Sie besteht aus mehreren Dörfern und weit durch das Thal und an den Höhen hin zerstreut liegenden Weilern. Der erste Ort, welchen der Weg berührt, ist Langesthene, dem Namen nach wahrscheinlich einst eine Voralpe (Langes = Frühling, Theye = Alpe oder Sennhütte); der Ort liegt an einer

1) Tobel, ein Alemannischer Name, in der Schweiz ganz gewöhnlich und daher auch in diesem Gebiete zu Hause, bezeichnet ein trichterförmiges Thal mit engem Ausgang. Noch im östlichen Pusterthal finden wir die Tobelache (Toblach).

sehr schrägen, den Lawinen ausgesetzten Wand, so daß man sagt: in Langesthey ist nie amall der Stubebode wagrecht. Im Jahre 1797 riß eine Lawine den nahen Weiler Moosbach hinweg, wobey 11 Menschen das Leben verloren. Zwey Stunden weiter hinan (5½ St. von Landeck, 3½ St. von Wiesberg) liegt der Weiler Kappel, der Mittelpunkt der Gemeinde (15 H., 75 E.). An der Stelle der jetzigen Kirche stand einst eine Kapelle, wie man sie jetzt durch das ganze Thal bey jeder Häusergruppe findet; damals mochte sie die einzige seyn und daher der Name der Gemeinde. In der Kirche ein schönes marmornes Denkmal, dem Pfarrer Adam Schmid von dem Grafen Johann von Sarnthein gesetzt; er hat sich große Verdienste um seine Gemeinde erworben, von der er wie ein Heiliger verehrt wird. In der Gemeinde befinden sich fünf Schulen. Die Scheibenschützen haben hier einen Schießstand, welcher als Zuposten dem Hauptschießstande zu Landeck untergeordnet ist. Südlich von Kappel öffnen sich das Gribelle- und Signitzthal, welche zu dem Innthaler Scheidrücken hinanziehen. Durch beyde führen Jochsteige in das Thalgebiet von Spiß und Samnaun. Zwischen beyden erhebt sich der Gribellespitz, von hier ersteigbar und eine ausgezeichnete Rundsicht darbietend; südöstlich thürmt die Eiswelt des Özthales ihre Riesen auf, westlich die nächsten Nachbaren, der gewaltige Jamthaler Ferner und gerade im Süden durch das Thor der Malser Haide strahlt der majestätische Ortler herein. Westlich führt ein Jochsteig über einen kleinen Ferner am Madaunspitz vorüber in das Moosthal, welches bey St. Anton am Arlberg in das Rosannathal mündet. Eine Stunde hinter Kappel kömmt rechts von der Bergwand der Todtemannbach und bildet die Grenze des Landgerichtes Landeck gegen das kleine Landgericht Ischgl oder Hinterpatznaun von nicht ganz 1½ Q.M. Es hat die höchste Lage unter allen Landgerichten, wenn auch einzelne Orte in anderen Thälern höher liegen. Mit Ausnahme von Ischgl selbst scheint das obere Thal einst nur eine Alpe gewesen zu seyn, welche vom Engadin aus betrieben wurde, wie einst die obersten Thalgebiete des Özthales vom Thale Schnals aus. Wegen der Beschwerlichkeit des Überganges ließen sich die Hirten bleibend nieder, blieben aber in seelsorglichem Verband mit Engdin, bis die Zunahme der Bevölkerung, die beschwerliche, oft ganz unterbrochene Verbindung und die Reformation im Engadin diese Gemeinden von ihrem ursprünglichen Verbande trennte. Daher hier noch viele Rhätische Ortsnamen, daher noch selbst die Ähnlichkeit der Oberpatznauner mit den Engadinern, wenn auch ihre Sprache undeutsch ist. Mit der Grenze Vorderpatznauns und dem Eintritt in Hinter- oder Oberpatznaun verändert sich die ganze Natur des Thales; wir treten aus düsteren Schatten in die Räume des Lichtes; das Thal weitet sich aus, schöner und majestätischer entfalten sich die Gebirge durch die bedeutenden Seitenthäler, welche in den grünen Thalboden ausmünden und im Hintergrunde von ungeheuren Fernern überlagert sind, deren Hallen sich die Bäche entwinden.

Der erste und Hauptort ist Ischgl, 2 Stunden von Kappel, ein Dorf mit 58 H. und 317 E., Sitz des Landgerichtes, auf dem rechten Ufer der Trisanna; die schönsten Häuser lagern sich um die ansehnliche Kirche, die anderen liegen weit umher zerstreut. Die ganze Gemeinde zählt 644 Seelen und zwey Schulen. Einst ging hier ein bedeutender Saumhandelszug durch mit Salz, Eisen, Kupfer, Wein und Kolonialwaaren zwischen Tyrol, Graubündten und Veltlin. Nur noch die schönen Häuser des Ortes und der Kirchenschatz zeugen von jenem Handel. Östlich über Ischgl erhebt sich der Valüllkopf mit sehr weiter Aussicht übrr Patznaun und das Innthal von Landeck bis Telfs und zum Absturz der Martinswand. Gegen Süden öffnet sich das alpenreiche Fimberthal bis aufs Joch gegen Engadin 6 Stunden lang; in seinem Hintergrunde spannt sich das weite Eisgefilde des Fimbergletschers aus, welcher sich besonders jenseits weit hinabdehnt und der nordöstliche Theil des großen Jamthaler Ferners ist. Das Thal breitet sich mit seinen Wiesen oft zu kleinen Flächen aus, und steigt über die schönen Alpen der Wälschen Böden hinan zur Fernerwelt. In der Mitte des Thales liegt ein einsames Wirthshaus mit einer Kapelle für die über das Joch nach Engadin Wandernden. Im Sommer wird hier eine Art Viehmarkt gehalten. Der Jochsteig führt jenseits hinab durchs Tasnathal nach Ardez im Engadin. Der Schamatschkopf, der westliche Eckpfeiler des Fimberthales über Ischgl, gewährt eine schöne Aussicht, namentlich ins Montafun. Um Ischgl und Mathon wächst noch etwas Gerste und Sommerroggen.

Eine Stunde hinter Ischgl liegt wieder am linken Ufer der Trisanna das Dorf Matton mit 132 E. (Mato, im Romanischen Wiese, Matte). Oberhalb des Ortes kömmt von Süden herein, gleichlaufend mit dem Fimberthal, doch nur 3 Stunden lang, das Lareinthal, geschlossen vom Lareinferner. Das Hauptthal erhebt sich nun auf eine höhere Thalstufe und damit aus der Waldregion zu einem alpenhaften Boden, auf welchem die Gemeinde Galthür, 5039 Fuß über dem Meere, mit 75 H. und 388 E., 2½ Stunden von Ischgl, 10¼ St. von Landeck liegt. Die hölzernen Häuser liegen weithin durch die grüne sonnige Thalebene zerstreut [1]). Es soll die erste Ansiedelung im Thale auf oben angegebene Art seyn. Die Kirche wurde 1359 erbaut und bald darauf erhielt der Ort einen eignen Pfarrer. Noch wird hier Getraide gebaut, und es möchte dieses vielleicht der höchste Ort seyn, wo es geschieht, wenigstens in den Alpen. In dem Kriege mit Engadin wurde 1621 der Ort und die Kirche zerstört. Da das Marienbild, der Chronik nach, allein der Vernichtung entging, so wurde die Kirche seit der Zeit eine Wallfahrt. Hier vereinigt sich mit dem Vermontbache, in welchem kurz zuvor der Zeyneser Bach sich ergirßt, der Jamthaler Bach, und alle drey zusammen bilden den Dreybach, die Trisanna. Südlich von Galthür zieht das alpenreiche Jamthal 5 Stunden lang hinan und verbirgt sich zuletzt unter der Eisdecke des Jamthaler Ferners. Im weiteren Sinne versteht man darunter die ganze Eiswüste des großen Gebirgsstocks, der sich nordwestlich durch die Ill und das Montafun zum Rhein, nordöstlich durch die Trisanna zum Inn, südöstlich ins Engadin und westlich durch die Landquart und das Prättigau wieder zum Rheine abdacht; im engeren Sinne wird nur der aus diesem Eismeere in das Jamthal herabsteigende Eisstrom so genannt. Beynahe am oberen Ende des Jamthales zieht links gegen Südosten ein Jochpfad in einem Seitenthale hinan zu einem öden Steinkahre, dann über den Fötschiolferner zum Fötschioljoch in das Tasnathal und nach Ardez im Engadin. Eine halbe Stunde hinter Galthür liegt die letzte Häusergruppe, Wirl, wo von Nordwesten her der Zeynesbach herabkömmt. An ihm hinauf führt ein stark besuchter Steig über das Zeyneser Joch. Wegen der hohen Lage von Galthür ist der Anstieg nicht hoch und steil und auf halbem Wege liegt ein Wirthshaus. Auf der Höhe wird man überrascht durch die Aussicht in das jenseitige viel tiefere Montafun. Auf dem Joche selbst, welches ziemlich breit ist, breitet sich ein Sumpf aus, weßhalb man den Weg genau einhalten muß. Wegen des leichteren Aufstieges von Galthür rechnet man von hier nur 3 Stunden nach dem ersten Orte in Montafun, Patenen, von dort dagegen 4 Stunden nach Galthür. Das Hauptthal, welches hier Klein-Vermontthal heißt, wendet sich von Wirl südwestlich, fast dem Jamthal gleichlaufend. Man gelangt bald darauf an einen schmalen See, den Vermontsee, welcher die Thalsohle ziemlich ausfüllt. Der Ferner links oben ist der Henneberger Ferner, so wie die hohen Felsenzacken, welche rechts vom Albuinkopf aus dem großen Gletschermeere aufsteigen, die Henneberger Spitzen. Fast am Ende des Thales, wo dasselbe links gerade nach Süden umschlägt und den Namen Bielerthal erhält, führt ein zweytes Joch, die Bielerhöhe, zuerst in das Ochsenthal, wo die Ill aus dem Gletscher hervorrauscht, dann hinab durch die Fortsetzung dieses Thales, Groß-Vermund, nach Patenen in Montafun. Die Bielerhöhe ist bezugsweise niedriger als Zeynes. Die Bielerhöhe ist der Anfang des Bergrückens, der sich als Arlberg an die Kalkalpen legt; auch Zeynes ist eine Einsattelung

1) Einige leiten den Namen von Galtvieh (Galtthier) ab, weil hier hauptsächlich solches weidet und ein starker Handel damit getrieben wird; Andere von Galtura, wie der Ort im Romanischen auch genannt wird.

dieses Rückens. Im Hintergrunde des Vielthales steigt der Vielthaler Ferner herab. Von Galthür führt noch ein Doppelsteig, rechts und links des großen Fasulferners, durch die Thäler Fasul und Ferwall (siehe unten) nach St. Anton und auf den Arlberg.

Wir stehen hier am Ende des Thales Paznaun und werfen noch einen Blick auf dasselbe zurück. An Getraide ist das Thal arm und nur wenige Orte bauen hinreichend; der dritte Theil, gewöhnlich in Mais bestehend, muß eingeführt werden. Die einzige eigentliche Erwerbsquelle ist Viehzucht, welche sich jedoch, als Handelszweig, nur auf die Zucht einjähriger Stierkälber beschränkt, die auf den benachbarten Viehmärkten sehr gesucht sind. Die schönsten Bergmähder unterstützen diesen Erwerbszweig. Im Julius zieht Alles zum Heuen aufs Gebirge, wo die Heustadel, unseren Meisenkasten nicht unähnlich, Unterkunft für die Wochen der Heuerndte bieten. Im Winter wird das Heu herabgeschleift. Die Alpen werden hier von Sennerinnen bewirthschaftet, unter denen keine geringe Eifersucht herrscht über die Güte und den Nutzen der ihnen anvertrauten Kühe. Zu bestimmten Zeiten wird nämlich auf den Alpen Zona gehalten, d. h. von Gemeindevorstehern untersucht, wie viel die Kühe einer Sennerin Milch, Butter und Käse geben. Auch müssen an diesem Tage die Hirten, welche das Vieh hüten, und die Sennerinnen, welche melken u. s. w., austreten und ihr Geschäft dem Alpmeister und seinen Gehülfen überlassen, welche deßhalb dann Zonhirten, Zonmelker und der Tag der Zontag, das Holz, eine Art Kerbholz, der Zonstab genannt werden. Das Milchmaaß bestimmt den Sieg oder die Niederlage einer Sennerin. Da gewöhnlich zwey Alpen zusammen liegen, so erhält die Siegerin die Schalla (Schelle, Glocke), die Besiegte die Geiga, wenn auch die Sennerin unschuldig ist; es wird ihr auf ihre Hausthür wohl heimlich eine Geige gemalt, was eine sinnbildliche Darstellung des sich Heimgeigenlassens ist. Obst gedeiht nur in Vorderpaznaun und zwar Kirschen; Holz ebendaselbst zum Hausbedarf. Viele sind genöthigt, auszuwandern. Trotz der Armuth des Thales gibt es keine Bettler. Da Paznaun früher durch seelsorgliche und politische Beziehungen, wie auch durch Handelswege in mehrfacherem Verkehr mit den Umwohnern stand, so hatte es namentlich in den Kriegen mit der Schweiz vieles Ungemach zu erdulden. 1809 zeichneten sich die fünf Schützencompagnien Paznauns besonders als tapfere Kämpfer aus.

Wir kehren in das Hauptthal der Rosanna zurück und steigen jenseits des Baches zur Poststraße hinan. Die erste Gemeinde, welche die Straße von Pians aus erreicht, ist Strengen mit 109 H. und 846 E., 2¼ Stunde von Landeck. Nördlich steigt der Kalsberg, mit Häusern bedeckt, empor. Links erblickt man die Staubsäulen eines Wasserfalles, des Bachfalles, der in der Nähe gesehen zu werden verdient, obgleich der Zugang beschwerlich ist. In 1¼ Stunde ersteigt die Straße die Höhe von Flirsch, den Postwechsel zwischen Landeck und St. Anton (4 St. von Landeck), 3632 Fuß über dem Meere, 23 H., 170 E. (die Gemeinde 82 H., 750 E.). Der vom nördlichen Kalkgebirge herabkommende Larschbach durchschneidet das Dorf. Die Post ist ein billiges Wirthshaus. Auch der Larschbach bildet einen Tobel und wird daher auch Tobelbach genannt. Er führt aus dem Kalkgebirge rothen und buntgefleckten Marmor heraus. Am Hochgebirge befindet sich ein Alabasterbruch. Im Kohlwald befand sich einst ein Quecksilber- und Kupferbergwerk. Über die Schafscharte führt ein Steig über Madau nach Bach im Lechthale in 7 Stunden. In Flirsch Sensen- und Kettenschmiede und eine Lodenwalke. Oberhalb Flirsch rechts bricht ein thonartiger Schiefer mit Quarz- und Kalkspathadern. Eine halbe Stunde weiter erreicht die Straße das Dorf Schnaun, politisch zur Gemeinde Petnen gehörig, mit 25 H. und 231 E., welche mit Sensen und Schellen nach Vorarlberg und der Schweiz handeln. Eine besondere Naturmerkwürdigkeit, die kein Reisender unbesucht lassen darf, zumal da der ganze Ausflug nur eine Stunde erfordert, ist die Schnauner Klamm. Der Schnaunerbach fließt aus einem kleinen Hochsee unter dem Vorderen Seespitz (in der Nähe des Jochüberganges ins

Lechthal) ab. Da der hohe Felsengrat einen großen Halbkreis bildet, stürzen alle Gewässer nach der Mitte hinab und bilden, zumal durch das vorgelagerte Mittelgebirge aufgehalten, einen Tobel; nur eine schmale Felsenkluft öffnete ihnen einen Abzugsgraben ins tiefere Thal der Rosanna. Am westlichen Ende des Dorfes, wo der Schnannbach vorüberbraust, erblicken wir die Kluft, die wir in einer Viertelstunde erreichen; zwey Riesenpfeiler, wie hingelehnt, bilden das Thor. Ein schmaler Steig, auf welchem das Vieh in die Alpen getrieben wird, hat kaum Platz neben der stürmenden Fluth. Hohe, zum Theil überhängende Wände umnachten den Steig; bald verliert sich jeder Rückblick, wie auch der Blick vorwärts geschlossen ist; nach oben zeigt sich nur kaum ein Riß; denn in der Tiefe, wo zuletzt ein Steg den Bach theilweise deckt, können die ausgespannten Arme die Wände erreichen, sie steigen über 400 Fuß oft überhängend empor, man glaubt in einem Gletscherspalt zu wandern. Die Wendungen sind so schnell und eckig, daß es offenbar ein Riß durch Bersten des Gebirges ist, den der Drang der Gewässer tiefer ausspülte. Betäubend ist das Rauschen des Baches in diesem Gewölbe. Doch schon nach einer halben Viertelstunde öffnet sich der Schlund und man betritt den Tobel, das weite trichterförmige Alpenthal. Hier häufen sich im Winter und Frühjahr ungeheure Schneemassen und später die Fluthen an; doch das Schleußenthor der Klamm schützt Schnann vor Überschwemmungen. Im Hintergrunde führt ein Jochsteig in das jenseits zum Lechgebiet hinabziehende Alpenschoner Thal über die Knappenböden nach Madau und Bach am Lech. Das Gestein der Klamm ist ein brauner älterer Kalk.

Schon vor Schnann und noch mehr auf dem ferneren Verfolge der Straße erblickt man links hoch oben zwischen Felsbergen einen Ferner, seine blaugrünen Eiskrystalle weit herabschiebend; dem Verfasser wurde er der Langferner[1]) genannt. Der Schneeberg im Hintergrunde des Thales gegen den Arlberg ist der Maruischneeberg; auf den Charten der Kaltebergferner; er erhebt sich auf dem Arlberger Scheiderücken im Süden des Arlbergs.

Das nächste Dorf, Petnen, ¾ Stunde von Schnann (5¼ St. von Landeck), hat 60 H., 424 E., eine Schule, einen Förster und Wundarzt. Im Norden erhebt sich in der Kalkkette das Kaiserjoch, von dem jenseits im Lechgebiete liegenden Kaisers benannt, wohin der Steig über dasselbe in 5 Stunden führt. Die Tobelfluth des Kaiserjochbaches stürmt unmittelbar ohne schützende Klamm auf Petnen und verursacht oft große Verwüstung. Südlich führt im Sommer ein Steig durch das Malfnenthal über das Joch, die Latten, nach Kappel im Paznaun in 4 Stunden. In der Nähe bricht Tuffstein. Oberhalb Petnen beginnt das Gebiet der Gemeinde Nasserain, welche die Dörfer und Weiler des Hintergrundes des Stanser Thales umfaßt; sie heißt auch Stanzerthal und zählt in 122 H. 882 E. Das Dorf Nasserain selbst liegt beynahe 2 Stunden von Petnen. Der erste Ort ist St. Jakob; die Pfarre daselbst ist die älteste Seelsorge des Thales. Die Gegend wird kälter und kahler. Der letzte Ort ist St. Anton mit 39 H. und 275 E., Postwechsel zwischen Flirsch und Stuben jenseits des Arlbergs. Die Post ist ein gutes und billiges Wirthshaus. Gelegenheit macht Diebe, d. h. der Durchzug der Straße, namentlich der starke Anstieg, wodurch die Wägen zum Langsamfahren und die Reisenden oft zum Aussteigen genöthigt werden, veranlaßt Betteley, obgleich der Ort vor Paznaun noch den lebhaften Straßenverkehr voraus hat. Über dem Orte zeigen sich die wenigen Trümmer der Burg Arlen. Bey Gand gegen Petnen wurde sonst auf Quecksilber, bey St. Jakob auf Eisen gebaut. Am Roglaspitz, der sich da erhebt, wo sich der Arlberger Scheiderücken an die Kalkalpen legt, hat man neuester Zeit begonnen, Bergbau auf Bley und Silber zu treiben. Über das Almejurjoch geht ein Steig durch das jenseitige Almejurthal nach Kaisers und zum Lech. So wie vorhin von Wirl oberhalb Galthür das Paznaunthal sich als Vermont-

---

1) Auf den Charten Rifflberg, in Büchern Genatschferner.

thal südlich wendet und geradeaus gegen Westen der Steig über das Zeynesjoch nach Montafun geht, so wendet sich hier das Stanser Thal als Verwallthal (Ferwallthal) mit mehreren Thalzweigen nach Süden und geradeaus nach Westen erhebt sich die Straße zum Joch des Arlbergs, um jenseits durchs Klosterthal hinabzuführen nach Bludenz, wo sich Montafun öffnet. Das Verwallthal zieht sich fünf Stunden hinan. Kurz vor seinem Eingang öffnet sich noch das Moosthal, ebenfalls vier Stunden südlich eindringend. Schöne Alpen bedecken zum Theil den Boden und die Abhänge, oben von der Silberkrone der Ferner umschimmert, darunter der Rendelspitzferner und der Große und Kleine Kartelferner die vorzüglichsten sind. Zwischen den beyden letzten führt ein beschwerlicher Jochsteig nach Ischgl. Im Verwallthal selbst hinan rauscht uns die Rosanna durch ein düsteres Thal entgegen; der Marnibach verstärkt sie, vom Marnischneeberg herabeilend. Bald darauf ragt ein großartiger Felsenstock in der Mitte des Thales auf und spaltet dasselbe, der Patteriolspitz; links von ihm zieht das Fasulthal hinein unter dem Fasulfauthferner, von dem ein Wasserfall herabstürzt; auf der entgegengesetzten Seite, auf dem Rücken des Patteriolspitzes, lagert sich der große, langgestreckte Fasulferner. Rechts zieht längs der Rosanna das Schönverwallthal empor mit den herrlichsten Alpen. Westlich steigt aus ihm das Pfluntbal und in ihm ein Steig empor zum Winterjoch, welcher jenseits durch das Silberthal nach Schruns im Montafun führt. Bald darauf führt ein zweyter Steig neben dem Pfannensee und Schwarzensee ebendahin. Aus dem Hintergrunde zieht rechts ein Weg am Scheidsee vorüber über ein Joch nach Pattenen; er vereinigt sich vor jenem Orte im Montafun mit dem Zeyneser Jochsteig; ein zweyter geht links durch das Ochsenthal, dem obersten Thalzweig von Verwall, und über ein Joch zwischen dem Fasulferner und dem Gaisspitz. Die Gebirgsart ist meistens, wie auch am Arlberg, Glimmerschiefer mit silberweißem Glimmer und weißem Quarze, dem Gneuse ähnlich. Von St. Anton windet sich die Straße in einigen großen Bogen zu der Ecke des Berges hinan, wo der Rückblick verschwindet. Hier bleibt der Reisende, gefesselt von dem Anblick, der sich eröffnet, stehen. Noch mehr ist dieses der Fall bey demjenigen, welcher vom Arlberg herabkömmt und hier unerwartet durch diese Aussicht überrascht wird. Gegen Osten zu liegt ein großer Theil des durchwanderten Stanserthales mit seinen Ortschaften; vor Allem aber zieht die stolze Kette der Kalkalpen mit ihren Eislagern die Aufmerksamkeit auf sich, um so mehr, als sie aus der Tiefe des Thales wegen der Vorberge nicht gesehen werden konnte. Wahrhaft prachtvoll zeigt sich dieser gewaltige Felsengurt des Lechthales in der Abendbeleuchtung durch die Schlagschatten, welche die scharfen Kanten dieser kahlen Kette in ihre Schluchten und Tobel werfen. Wenden wir uns südlich, so blicken wir in die dunkle Tiefe des Verwallthales, aus dessen Mitte stolz und majestätisch aus Schneefeldern der Patteriolspitz emporsteigt; links von ihm, durch den Einschnitt des Fasulthales getrennt, erhebt sich ein Berg, auf dessen Rücken sich der Fasulfauthferner hinstreckt; über eine jähe blauduftige Wand schwebt ein Wasserfall aus jenem Eisgefilde herab. Die Straße zieht nun rechts um die Bergecke, links in der Tiefe ein kleines Seitenthälchen der Rosanna habend, empor. Doch bald lichtet sich die Höhe, der Baumwuchs verschwindet und die westliche Fortsetzung der vorhin gesehenen Kalkkette tritt näher hinter den grünen Rücken und Höhen des Arlbergs ziemlich nahe in ihrer furchtbaren Nacktheit hervor. Gleich darauf zeigt sich auch das Hospiz St. Christoph mit seinen altersgrauen Mauern, umringt von grünen Höhen, über welche die grauen Kalkzacken aufragen. Die Häusergruppe besteht aus der Kirche St. Christoph, dem Widum, dem Wirthshause und Wegmacherhaus und liegt ohngefähr 6000 Fuß über dem Meere, indem die nahe Wasserscheide, die Grenze des Rhein- und Inngebietes, Vorarlbergs und Tyrols, 6200 Fuß über dem Meere liegt, und kaum sollte man nach dem geringen Anstieg, sowohl von St. Anton, als von Stuben glauben, daß der Übergangssattel nur 200 Fuß unter dem Gotthardt und noch weniger, daß er 2000 Fuß über dem Brenner stehe. Diese Austebeinng verdankt ihr Entstehen dem frommen und menschenfreundlichen Sinne eines armen verwaisten Kindes, Heinrichs des Findelkindes, im 14. Jahrhundert. Er wurde als arme hülflose Waise von Maier in Kempten, obgleich schon selbst mit neun eignen Kindern gesegnet, als zehntes angenommen, aber bald wieder wegen der Armuth des Pflegevaters entlassen. Er wanderte über den Arlberg und trat als Hirte und Schildknappe in die Dienste eines Jacklin über-Rain im Stanserthale. Von den häufigen Unglücksfällen der Reisenden über den Arlberg hörend, beschloß er, auf der Höhe dieses Berges eine Schutzherberge zu errichten. Sein eignes sauer erworbenes Vermögen seit 10 Jahren bestand in 15 Gulden und er opferte es diesem edlen Zwecke nicht nur, sondern unterzog sich noch einer mühsamen Wallfahrt durch ganz Deutschland, Ungarn und Polen, um Beyträge für sein gutes Werk zu sammeln. Hiermit baute er die Häuser und stiftete eine fromme Brüderschaft, deren Mitglieder sich zu jährlichen Beyträgen verpflichteten, von welchen der Unterhalt des Hauses, der Kirche, der Gottesdienst und das Labsal der Pilger bestritten wurde; der Wirth mußte alle Armen frey, die Anderen nach ihrem Vermögen billigst bewirthen und ihnen Auskunft über den Weg geben. Alle Abend und Morgen zogen er und sein Knecht mit vier Schneereifen und einem Vorrath von Wein und Brod auf- und abwärts des Weges, viermal mit heller Stimme rufend, um Nothleidende zu einer Antwort zu vermögen, Verirrte auf den rechten Weg zurückzubringen. Herzog Leopold bestätigte diese Brüderschaft 1486. Im Jahre 1414 zählte sie schon 4 Herzoge von Österreich, 29 Bischöfe und Äbte, 10 regierende Grafen, 36 Herren und Ritter und 800 andere Mitglieder. Nachdem die Straße hergestellt war und die Wegmacher die Bahn offen halten müssen, hörte unter Joseph II. diese Brüderschaft auf. Die Priesterstelle und das Wirthshaus bestehen aber noch. Die Kirche hat drey Altäre, von denen der mittlere neuer ist. In einer Ecke steht die große Bildsäule des h. Christophs, des sichern Geleitsmannes durch Meere und Wüsten. Vor Joseph II. bestand nur ein Saumweg über den Arlberg. Jener Kaiser legte die erste Straße an; die jetzige wurde 1824 hergestellt. — Von St. Christoph geht es noch eine Strecke hinan; kurz vor der Höhe steht der Grenzstein Tyrols und Vorarlbergs. Die Höhe des breiten Bergrückens ist der Arlberg, gewöhnlich der Adlerberg (Aarberg) genannt, 6200 Fuß über dem Meere. Eine Stunde lang zieht die Straße ziemlich eben fort. Der letzte Blick auf St. Christoph gibt ein schönes Bild; die graue alte Häusergruppe mit ihrer Kirche auf der grünen schiefen Fläche und darüber die dunkeln Berge von Verwall mit dem Fasulfauthferner. Der Sattel des Bergrückens zieht durch ein Thal zwischen grün umwucherten nicht hohen Vorbergen; der Weg ist äußerst einsam und in der Mitte erinnert eine Tafel an eine erst vor einigen Jahren hier verübte Mordthat an einem jungen Menschen, welcher das elterliche Haus in Tyrol verlassen, noch mit seinem Geld versehen, um zu studiren, hier allein durchwanderte. Endlich öffnet sich das Hochthälchen zur jenseitigen Absenkung; Sennhütten, hohe Kalkschroffen, von grünen Vorbergen zur Hälfte gedeckt, geben ein neues Landschaftsgemälde, welches sich an dem Absturz nach Stuben nochmals erneuert. Die Aussichten an dieser Ecke der Bergstraße und an jener schon erwähnten im Heraufsteigen gehören gewiß zu den größten Überraschungen, die eine Bergstraße gewähren kann. Der Rücken des Arlbergs besteht bis dahin, wo er gegen Stuben abfällt, aus Glimmerschiefer mit weißem und perlgrauem Glimmer, welcher am Abfalle gegen Stuben von einem dunkelgrauen Kalke bedeckt wird; dieser ist mit weißen Kalkspathadern durchzogen und bricht in dünnen Prismen, welche aufwärts stehen, ganz dem sogenannten Griffelschiefer auf dem Thüringerwalde ähnlich, aus welchem in Sonneberg die Schieferstifte oder Griffel zu den Schiefertafeln gemacht werden. Tiefer zeigt sich Übergangsthonschiefer mit eingesprengten Schwefelkieswürfeln. Das Arlberger Joch läßt sich in mancher Hinsicht mit dem Joch des Sömmerings im Osten der Deutschen Alpen vergleichen (siehe oben in der Übersicht). Die Alpenwirthschaft des Stanserthales hat noch die Eigenthümlichkeit, daß die Alpen kein bleibendes

Besitzthum sind, sondern in gewissen Zeitabschnitten wechseln, was den Nachtheil hat, daß die früheren Besitzer nicht gerne für die späteren Besitzer arbeiten wollen, während man die Zeit des Besitzes so gut als möglich zu benutzen sucht.

Reisende, welche von Landeck aus diese Gegend zu bereisen wünschen und dahin zurückkehren, gehen über Piens nach Strengen, das Patznaunthal hinauf über Ischgl, Galthür, Vermontthal, Bielerhöhe, Ochsenthal (siehe Montafun), Pattenen, Schruns, Vandans, (Lünersee, Scesaplana), Bludenz (Feldkirch, Bregenz), Dalaas, Klösterle, Stuben, Arlberg, St. Anton, Flirsch, Landeck. Mit der Ersteigung der Scesaplana und wenn man auf den gut fahrbaren Strecken (von Landeck bis Strengen, von Bludenz bis Landeck) fährt, wird man 5—6 Tage brauchen, Bregenz mitgerechnet, 8—9 Tage.

Von Landeck aus kann auch noch der Wasserfall bey Letz besucht werden, zu welchem uns außerdem noch sogleich die Fortsetzung unserer Reise thalabwärts führt.

Fortsetzung der Reise durchs Innthal.

Unterhalb Landeck wird der Reisende durch eine geräumige wohlangebaute und von Obstbäumen aller Art überschattete Thalfläche überrascht, in deren Mitte das ansehnliche Dorf Zams liegt, mit 65 H. und 806 E. (die ganze Gemeinde 109 H. und 1282 E.), Sitz des Dekanats der Gerichte Landeck, Ried und Ischgl. Die Pfarrkirche ist neu, mit einem Altarblatt von Schöpf. Eine Knaben- und Mädchenschule (die ganze Gemeinde 5 Schulen), 1 Stunde von Landeck. In der Nähe der alten Clemenskirche steht eine Anstalt der barmherzigen Schwestern. Es befinden sich im Orte eine Baumwollen- und Seidenzeugfabrik, 140 Weber und 300 Spinnerinnen beschäftigend, 180 Centner Waaren liefernd, unter der Firma Tammerl und Comp. Der Reisende überschreitet nun die Zamserbrücke, berühmt auf gleiche Weise und in denselben Kämpfen, wie die Pontlatzbrücke. Ihr Abbrechen führte die Gefangennehmung des zwischen diese Brücken und die Tyroler Schützen eingeschlossenen Feindes herbey. Auf dem linken Ufer des Inns liegt nur eine Viertelstunde abseits der Weiler Letz, bekannt wegen seines Wasserfalles, den der Letzerbach bildet. Er ist kein gewöhnlicher Wasserfall; ein Müller, welcher den Bach zum Betriebe seines Werkes benutzt, hat sich des Zuganges bemächtigt, so daß man nur mit seiner Hülfe und Zustimmung dieses Schauspiel gegen Eintrittsgeld sehen kann. Man gelangt, zuerst an mehreren kleineren Fällen vorüber, an eine ganz enge Felsenschlucht, aus welcher Wasserstaub und Windstöße entgegen blasen. Endlich erreicht man auf schmalem Steige den Felsentrichter, in welchen der Bach herabschießt, kocht und schäumt, stärker als größere Fälle; denn er fällt oder stürzt nicht, sondern schießt aus großer Höhe in einer von ihm ausgewaschenen Rinne laut- und schaumlos fast senkrecht herab in den dunkeln, nur von oben erleuchteten Kessel; erst hier bricht sich seine Gewalt, nicht in der Luft, daher dieser Sturm in diesem Trichter. Längs dem linken Ufer des Letzerbaches zieht hoch vom Gebirge herab eine alte, fast Chinesische Mauer mit drey Thürmen, von denen der oberste noch steht, der mittlere ein Wohnhaus geworden ist und der unterste von dem Inn hinweggerissen wurde. Die Mauer soll aus den Zeiten der Schweizer-Kriege stammen.

Von Lez führt ein Steig längs dem Bache hinan bis zur Gabeltheilung des Thales; links durchs Matriolthal kömmt man über das Bergjoch ins Lechthal bey Lend; rechts durchs Patriolthal, über einen Seitenrücken in das zunächst angrenzende Starkenbacherthal.

Auf eine merkwürdige Weise schieben sich thalabwärts die Bergmassen als vereinzelte Pyramiden hinter einander hin, und treten oft so weit hervor, daß man nicht weiß, zu welcher Bergwand man sie zählen soll. Rechts jenseits des Inns steht eine hohe Felsenwand, umbraust von den Wogen des Inns; dahinter jedoch, mehr in des Innthales Mitte vortretend, erhebt sich kühn eine jähe Pyramide, mit der Ruine von Kronburg gekrönt; rechts lehnt sie sich durch einen grünen Sattel an die höheren Massen des Venetberges. Etwas links von Kronburg, ebenfalls fast in der Mitte des Thales, aber ferner, erhebt sich die kolossale Pyramide des Tschürgant, hinter deren Rücken die weißen Kalkkolosse des Mundiberges auftauchen. In der Tiefe engt sich das Thal mehr und mehr ein, je mehr man sich dem gegenüberliegenden Kronburg nähert. Diese steil aus dem Inn fast obeliskenartig aufragende Felsenspitze verwandelt sich, so wie man ihr gegenüberkömmt, mehr und mehr in eine Felsenwand, so daß dieser Fels eigentlich einer Schieferplatte gleicht, deren Schärfe man bis jetzt nur sah; der Inn bespühlt ihre platte Seite. Gerade unter der jenseits des Flusses aufragenden Burg bildet das Thal eine natürliche Klause, eine Felsenenge, die sich zwischen Fluß und Straße theilt. Hat der Reisende diese Enge hinter sich, so erweitert sich der Thalboden abermals; den Hintergrund erfüllt jetzt gerade über der Mitte die Pyramide des Tschürgant (ebenfalls eine lange Wand, deren Schärfe hier nur sichtbar ist). Bald darauf kömmt man nach Starkenbach, wo der vom Zamserjach herabkommende Starkenbach sich in den Inn wirft.

Durch das Thal dieses Baches bringt ein Steig zur Samplalpe, von wo Thal und Steig sich theilt; links über ein Querjoch führt der Steig in das Patriolthal, rechts über den Hauptrücken, das Zamserjoch und durch das jenseitige Gramaiserthal zum Lech. Der Reisende, welcher der gewöhnlichen Thalstraße nicht folgen will, kann von Zams aus am rechtseitigen Ufer des Inns einen belohnenderen Fußsteig verfolgen, der ihn ohne viele Unbequemlichkeiten in Starkenbach wieder zur Straße bringt auf das linke Ufer. Dieser Weg zieht über die vorgeschobene unterste Bergstufe des Venetberges. Von Zams aus geht er den Zamserberg[1]) hinan, durch die Weiler Revenal (7 H. und eine Kapelle), Lahnbachhof mit der Magdalenenkapelle und Christ mit dem uralten St. Galluskirchlein (1061 geweiht), nach Kronburg, einer Wallfahrtskirche, bei welcher sich der Widum und ein Wirthshaus befinden. Diese Häuser liegen auf der vorhin erwähnten Einsattelung, durch welche der Felsenobelisk von Kronburg mit dem Venetberg zusammenhängt. Von hier ersteigt man in einer Viertelstunde die Ruine von Kronburg; das Schloß war einst ein Besitzthum der Ritter von Starkenberg, wurde von Friedrich m. d. l. T. eingenommen, darauf an die Freyherren von Fieger verkauft, nach deren Erlöschen es unter Bayern an einen Bauer kam. Die Aussicht ist leider sehr verwachsen. In einer halben Stunde abwärts erreichen wir wieder die Straße bey Starkenbach.

Ehe man noch den Inn überschreitet, bleibt rechts die Gemeinde Schön-

---

1) Unter dem Namen Berg mit Zusatz des Namens der Gemeinde wird in den Alpen der an den Abhängen der Berge liegende Theil der Gemeinde verstanden.

wies mit 69 H. und 781 E. liegen. Zu dieser Gemeinde gehört Untersauers, eine Niederlassung von Karrenziehern; darüber am Abhang Obsauers mit einer kleinen alten Gothischen Kirche. Der vorüber rauschende Markbach ist die Mark des Landgerichtes Landeck auf der rechten Seite des Thales. Die Straße bringt zunächst nach der Häusergruppe Rosalt (Lasalt) mit einem Wirthshause und von dem Dorfe Milz durch den Larsenbach getrennt, der diesseits des Inns die Grenze des Landgerichtes Landeck bildet. Milz mit 16 H. und 143 E. liegt schon im Landgerichte Imst. In der Nähe ist ein schöner Wasserfall. Die Straße zieht nun links an einer fast senkrechten Kalkmauer hinan, dem älteren Kalke angehörig; diese Wand ist so von Wildbächen zerrissen und ausgespült, daß die Kalkpfeiler sandsteinartig in den sonderbarsten Gestalten aufragen. So niedrig aus der Ferne die an der Wand aufsteigende Straßenlinie erscheint, so schwindelnd ist von der Höhe der Blick in die Tiefe. Die Straße biegt nun ein in das Gurglthal, dessen vorderer Theil, die Gegend von Imst, eine Bucht des Innthales ist, daher wir Imst als zum Innthal gehörig ansehen und vermöge seiner Wirthlichkeit zum Standort wählen zu vielfachen und großen Ausflügen.

Der Markt Imst liegt in einem ziemlich weiten Kessel des Gurglthales; gegen Nordwest ragt der Lechthaler Grenzwall mit dem hohen Muttekopf auf, gegen Osten baut sich der Rücken des Tschürgant als fast vereinzelte Masse in die Höhe, von Nordosten leuchten die Kalkalpen des hohen Mundistockes herab, im Süden blitzen die Ötzthaler Ferner über grüne Vorgebirge und im Südwest erhebt sich der Venetberg, der vorgeschobene Posten der Urgebirge, wie es der Tschürgant derjenige der Kalkalpen ist. Am Fuße des Lechthaler Gebirgswalles liegt eine kleine niedrige Hochebene, vom Pigerbache umflossen und von dem aus dem Malk- und Ochsenbache entstandenen Rosenbache durchschnitten. Auf dieser Höhe liegt der Markt Imst, 2526 F. üb. d. M., 15⅝ Stunden von Innsbruck, ½ Stunde vom Inn entfernt. Der Rosenbach theilt den Markt in den Obermarkt, eine lange nach Norden ziehende Gasse, und den Untermarkt, welcher im Süden des Baches eine unregelmäßige Häusergruppe bildet. Er zählt gegenwärtig (1841) 232 H. und 2191 E. Der beste Gasthof ist die Post, einst ein Edelsitz Sprengenstein, Eigenthum der Herren von Wörz, jetzt als Post der Anton Stubenmayrischen Familie gehörig. Imst ist Sitz des Kreisamtes Oberinnthal, ferner eines Landgerichtes, der Kameral-Bezirksverwaltung mit dem Obercommissär der Grenzwache und dem Inspector der Gefällenwache, eines Salinen-Waldamtes und eines Urbaramtes. Der Pfarrer ist Dekan des Landgerichtes. Es befinden sich hier ein Bürgerspital, ein Kloster der barmherzigen Schwestern, welche die Krankenpflege und den Mädchenunterricht besorgen, ein Kapuzinerkloster, eine Kreishauptschule, ein Kreisarzt und drey Wundärzte. Jährlich werden vier Jahrmärkte gehalten. Das Postamt hat den Postwechsel zwischen Landeck und Nassenreit zu besorgen. Von der Landecker Straße zweigt sich bald außerhalb des Marktes eine Straße das Innthal hinab nach Innsbruck ab, ebenso theilt sich die Poststraße von Nassenreit: rechts gegen Osten zieht die eine Poststraße über Miemingen nach Telfs und Innsbruck, die eigentliche Poststraße von Innsbruck nach Imst, die andere von Nassenreit über den Fern nach Lermos, Reute, Füssen u. s. w. Gebürtig sind aus Imst: der Bildhauer Jos. Ant. Renn, der in Augsburg, Wien, Straßburg, Bern und Constanz theilweise lebte, aber 1790 zu Imst starb; der Bildhauer Steph. Föger in der Mitte des 18. Jahrhunderts, lebte längere Zeit in Italien, starb zu Innsbruck; der Bildhauer Gottlieb Klotz, lebte bald zu Wien, bald in Innsbruck; der Bildhauer und Gießer Joseph Kiechl, welcher 1835 zu Wien starb; der Maler Jos. Mages, arbeitete in Wien, Straßburg, Stuttgart und Kolmar, starb 1769; der Maler Joh. Georg Wittwer, starb 1809; der Maler Jos. Ant. Kapeller, ein Schüler Fügers in Wien, wo er im historischen Fache den ersten Preis erhielt (schlafender Faun), arbeitete zu Wien, Warschau, Imst, Innsbruck und Grätz, wo er 1806 starb; der Maler Alois Martin Stadler, ein Schüler Schöpfs, studirte zu München, Rom und Neapel (viele Kirchen sind mit seinen Bildern geschmückt), lebt noch im Genusse eines Gehaltes des Königs von Bayern, und der Maler Pet. Paul Schwaighofer.

Der Markt wird zuerst im achten Jahrhundert unter dem Namen Oppidum Humiste erwähnt, und war im Mittelalter ein wichtiger Ort für den Handelszug von Augsburg nach dem Süden. Der Landesfürst Meinhard II., auch die politisch wichtige Lage gegen den Westen erkennend, ertheilte dem Markte 1282 das Recht, sich in eine Stadt umzuwandeln, und gab ihm das Recht der einzigen Waarenniederlage zwischen Mittewald und Prutz, und allein im ganzen Gerichte, Wein auszuschenken und Gäste zu beherbergen. Meinhards Sohn und Nachfolger, König Heinrich von Böhmen, bestätigte diese Rechte nicht nur 1312, sondern bewilligte dem Markte auch noch alle Rechte und Freyheiten der Stadt Innsbruck, doch unter der Bedingung, daß die Einwohner den Ort innerhalb zehn Jahren auf eigne Kosten mit Mauern umgäben, während welcher Zeit ihnen die landesfürstlichen Steuern erlassen seyn sollten. Allein die Mauern wurden nicht gebaut und der Markt blieb Markt aus unbekannten Ursachen.

Unter Sigmund blühte der Bergbau empor im westlichen Gebirge, wie am Tschürgant und brachte Wohlstand. Später kam der einträgliche Handel mit Kanarienvögeln auf. Eigne reichere Unternehmer unterstützten die Vogelhändler durch Vorschuß von Kapitalien. Die Vögel wurden in Imst und Tarrenz in eignen nur für sie eingerichteten Zimmern mit dunkeln Kammern gezogen. Außerdem kauften sie auch Bruten in Schwaben auf. Die Händler theilten sich in zwey Gesellschaften, eine nördliche, welche nach Rußland, Norddeutschland, die Ostseeländer und England, und eine südliche, welche nach der Türkey, Ägypten u. s. w. handelte. Das heimgebrachte Geld wurde den Unternehmern zugestellt, welche den Händlern ihren bestimmten Satz gaben und den Gewinn unter sich theilten. Dieser Handel war sehr einträglich und die Wohlhabenheit mancher Familie schreibt sich noch von dem Vogelhandel her. Nach England allein setzte man jährlich gegen 1600 Kanarienvögel für einen Werth von 4800 Gulden ab.

In der alten Pfarre zu Imst sieht man noch eine alte Gelübdetafel, welche Vogelhändler während eines Sturmes auf dem Mittelmeere gelobten. Unter der Regierung der Kaiserin Maria Theresia wurde eine große Baumwollen- und Leinwandwaarenfabrik gegründet, welche zur Zeit ihrer Blüthe 9000 Menschen beschäftigt haben soll. Allein durch manche Unglücksfälle kam der Markt in neuerer Zeit herab, namentlich durch die Franzosenkriege, die Handelssperre und einen großen Brand am 7. May 1822, welcher in 18 Stunden von 220 Häusern nur vier verschonte. Der Bergbau und Vogelhandel hat aufgehört; jetzt befindet sich nur noch eine Baumwollenzeugfabrik nebst Schönfärberey und Druckerey hier, welche 400 Menschen beschäftigt, so wie eine zweyte Fabrik dieser Art, doch von geringerer Bedeutung, und eine Maschinen-Papierfabrik.

Die Pfarrkirche steht am nördlichen Ende des Marktes auf einer Anhöhe, seit 1822 neu erbaut. Das Hochaltarblatt ist von Stadler von hier, die Bilder der Seitenaltäre von Arnold. In der ebenfalls neuen St. Johanniskirche ist das Hochaltarblatt gleichfalls von Stadler, die anderen von Pet. Paul Schwaighofer von hier und von Ignaz Jäger. Über dieser Kirche erhebt sich der Kalvarienberg mit herrlicher Aussicht über die ganze Umgegend. Da, wo sich dieser Vorsprung an den Berg anlehnt, liegt die kleine, aber wegen ihres Alterthums merkwürdige Grabkapelle, deren Säulen fast in Stein verwandelte Lärchenbäume sind; die Decke hat alte Fresken; das Presbyterium ist gemauert. Der Ansitz Rosenstein am Südende des Marktes und Sitz des Gerichtes, gewöhnlich das Schloß genannt, gehörte einst den mächtigen Herren von Starkenberg, nach deren Vernichtung unter Friedrich m. d. l. T. es an die Landesregierung kam. Unter Max I. brachten es die reichen und mächtigen Fieger an sich. Ihnen folgten im Besitz die Schurf von Schönenwerth, und zuletzt die Grafen von Ferrari, welche das Gericht an die Regierung heimsagten.

Die Ausflüge, welche man von hier aus unternehmen kann, sind sehr verschiedener Art und von einer Dauer von einigen Stunden bis zu acht Tagen und darüber. Heute steigen wir zu den Hochgipfeln des Lechthaler Grenzwalles hinan, morgen auf die Zinne des Tschürgant, dann wieder geht es südlich in die großen und herrlichen Thäler der Urgebirgswelt, in das Pitz- und Özthal, dann nördlich zum merkwürdigen Fernpaß. Der Reisende läßt daher hier in Imst sein Hauptgepäck, nimmt seinen Ranzen mit dem Nöthigsten und läßt während der Abwesenheit die schmutzige Wäsche waschen u. s. w.

1) Ganz in der Nähe lockt noch ein Spaziergang zu einem reizenden Aussichtspunkt, nach Gunglgrün, einem Weiler von 7 H. und 78 E. auf der Ecke, wo die Straße rechts in das Oberinnthal umschlägt, ¼ Stunden von Imst. An der Stelle steht die Kapelle Maria Schnee. Man sieht in die Eingänge des Öz- und Pitzthales, wie das Innthal hinauf und hinab, so wie über die ganze Gegend von Imst. Wegen der trefflichen Sahne wandern die Imster zum Kaffee, namentlich zum Frühstück, dahin.

2) Der Muttekopf, eine der höchsten Zinnen des Kalkgebirges, welche das Inn- und Gurglthal von dem jenseitigen Lechthale scheiden, 8760 Fuß hoch. Der Kalk dieser Kette führt Silber, Bley und Galmey, auf welche Erze sonst bey Imst gebaut wurde, und noch jetzt beschäftigt nördlicher nach Lermos hin der Bergbau viele Menschen. Trotz seiner Höhe ist der Berg ohne Gefahr zu besteigen und verdient es um so mehr, da er einen ziemlich freien Überblick dieser sehr interessanten Gegend bietet; denn er steht fast

zieht die eine Poststraße über [illegible] der [illegible]. Der [illegible] die starren, völlig nackten
liche Poststraße von [illegible] und [illegible], hier die [illegible] Kalkalpen im Norden, dort im Süden die
Fern nach Lerr [illegible] der Eismeere des Urgebirgs. Aus den
hauer Jos. Ar [illegible] des Wettersteins mit der 10,000 F. hohen Zug-
stanz theilwei [illegible] in ihrer ganzen Starrheit und Majestät
in der Mitt [illegible] der Oetzthaler, Stubayer und selbst Zillertha-
Innsbruck [illegible] das Gebirge ehrerbietig aus einander (Malser
bruck; de [illegible] mit seinen Trabanten den Zutritt zu diesem großartigen
der Mal [illegible] Nordwesten liegt die Lechthaler Gebirgswelt, deren Vor-
mar, st [illegible] Heiterwand bildet; jenseits des Lechthales zeigt sich als
Jos. A [illegible] bayerische Algau (Illerthal) der 9000 F. hohe Hoch-
den er [illegible] überfliegt der Blick die ganze Gebirgswelt des Jamthaler
Inn [illegible] Engadin, hier in Paznaun eindringend. Durch die Lücken der
ein [illegible] führt der Blick selbst hinaus ins Bayerische Flachland. Endlich über
sind [illegible] welcher den Tschürgant mit der Kalkwelt des Wettersteins
Kb [illegible] über welchen die Straße von Nassenreit nach Miemingen führt
[illegible], erreicht das Auge das untere Innthal und gleitet in ihm weit hinab.

[illegible] Tschürgant. Wie das Thal von Imst im Westen durch den Bergzug be-
[illegible], dessen höchste Spitze der oben erstiegene Muttekopf ist und der es vom Lech-
[illegible] scheidet, so wird es im Südosten durch einen anderen Zug von dem Innthale (von
[illegible] bis Telfs) getrennt. Er zweigt sich von der hohen Gruppe des Wettersteins ab,
[illegible] nach Art der eigentlichen Kalkalpen von seinen Riesenhöhen auf einen grünen,
[illegible] bewaldeten, sondern auch bevölkerten Sattel ab (bey Weißland und Obsteig),
erhebt sich dann wieder über die Haiminger Alpe und bildet den weithin sichtbaren
Rücken des Tschürgant. Dieser Berg ist demnach eine isolirte, sich gegen 5000 F. erhebende Masse, dessen Steilwände gegen das Innthal, gerade der Öffnung des Ötzthales
gegenüber, abstürzen, während gegen das Gurglthal (Imst) die Abdachung sanfter ist. Von
Imst aus ist der Weg steiler; wer bequemer steigen will, geht oder fährt nach Tarenz,
wo rechts ein Seitenweg über die Haiminger Alpe hinan führt; oder bis Nassenreit und fährt die Poststraße nach Miemingen; wer einen Führer hat, verläßt den
Wagen auf der Höhe des Sattels, und steigt auf den Rücken hinan, wo nicht, so nimmt
man sich in dem nächsten Orte Obsteig einen Führer. Leider habe ich den Berg nicht
erstiegen, obgleich ich einen Anlauf genommen, wobey ich von dem schlechten Wetter zurückgeschlagen wurde. In dem Werke: „Das Land Tyrol" wird zwar bemerkt, daß die
Aussicht genußlos sey; aber ich kann dieses nicht glauben wegen der Stellung des Berges; seine isolirte Lage, wenn auch nicht bedeutende Höhe inmitten der höchsten Kalk-
und Urgebirgsgebilde; sein kühnes Vortreten ins Innthal, das sich um seinen Fuß windet, die Stellung zu den Hauptthälern, wie auch die Aussage eines Reisenden und meine
Erfahrung, daß mich noch nie eine Aussicht getäuscht hat, zu der mich gute Charten führten, veranlassen mich, dem Reisenden, welcher wenigstens den doppelt hohen Muttekopf nicht
erklimmen kann, zu rathen, diesen zu besteigen. Man kann für 1000 Fuß eine Stunde
Steigen annehmen. Die Höhe von Imst beläuft sich auf 2000 F., die des Tschürgant auf
5000 F., demnach braucht ein nur irgend rüstiger Steiger 2—3 Stunden vom Fuße
des Berges. Die Aussicht strahlt in folgende Thäler aus: Südlich gerade ins Ötzthal
hinein und hinauf bis zu seinem Ferner[1]), etwas südwestlicher in die unterste Thalstufe
des Pitzthales nach Wens, dann über den Sattel vom Piller und jenseits desselben in
derselben Richtung ins obere Innthal hinein bis ins Engadin; westlicher ins Oberinnthal von Imst bis Landeck; östlich das Innthal hinab bis zur Hauptstadt; nördlich das

---

1) Fast das ganze Ötzthal hinan erblickt man, so wie man sich nach Norden wendet, die Wand des Tschürgant.

Gurglthal bis Kassenreit zum Fern. Den Rahmen bildet im Süden der eisige Kranz der Ötzthaler Ferner, im Norden das graue Gemäuer der höchsten Kalkalpen.

4) Der vierte Ausflug, den wir unternehmen, ist wiederum größer, als der vorige; er führt uns in das sich im Süden, dem Gurglthal gerade gegenüber, jenseits in das Innthal einmündende Pitzthal[1]).

Das Pitzthal ist einer der mächtigsten Vasallen des Ötzthales; es wird von dem Pitzbache durchrauscht, welcher dem Ötzthaler Eismeere aus vielen Eishallen entströmt. Wir theilen das ganze Thal in fünf Abtheilungen. Die unterste: Wens, die Seitengegend Piller, die mittlere Thalstufe Ritzenried, die obere Thalstufe Plangeros und die höchste, die Alpenregion. Das ganze Thal hat bis zu den Fernern 11 Stunden Länge. Um von Imst aus dahin zu gelangen, folgen wir zuerst der Straße nach Innsbruck bis zum gastlichen Wirthshause am Brennbühl (Weiler), welches gerade am südwestlichen Fuß des Tschürgant liegt; wer einmal an einem sonnigen Nachmittage hierher kömmt, wird sich den Namen Brennbühl leicht erklären können. Die Straße führt nun den Karresser Berg hinan (dem untersten Vorsprung des Tschürgant) nach Karreß, wir aber verlassen dieselbe und überschreiten, einer Seitenstraße folgend, auf der sogenannten Langenbrücke, den Inn, ebenfalls im Kriege 1809 bekannt geworden. Die grünen Fluthen des Inns strömen hier in einem tiefen Felsenbette, von senkrechten Wänden ummauert. Auch der Pitzbach, an dessen Mündung wir jetzt stehen, hat einen so großen Schwall von Gestein mit sich herabgeführt, wie Kauns und Ötz, und die Mündung des Thales verstopft. Erst als der Inn den Unrath der Nebenthäler aus seinem Fluthbette wieder weggeräumt hatte, schnitt sich der Pitzbach sein jetziges halb unterirdisches Bett in jenes Getrümm ein. Daher die Eigenthümlichkeit dieser untersten Wenser Abtheilung darin besteht, daß der Bach eine tiefe fast unsichtbare Furche bildet, daß die Ortschaften also nicht in der Thalsohle, sondern auf der ersten Höhe, dem einstigen Flußbette des Baches, sich ausbreiten. Die linke Thalseite dieser Strecke umschließt der 4534 F. hohe Venetberg, dessen Rücken ganz in der Richtung des Tschürgant im Nordosten und des Inn- und Patznauner Zuges im Südwesten liegt; er scheidet hier das Innthal vom untersten Pitzthal.

Da wir daher der Thalsohle unmöglich folgen können, so müssen wir sogleich von der Langenbrücke jene aus Schutt bestehende Stufe ersteigen, auf welcher sich das weitzerstreute Dorf Arzl lagert, weit hinabschauend das herrliche Innthal, wie hinüber nach Imst und hinein nach Wens. Den Namen soll es von Arx haben, einer Burg, deren Überreste man noch sieht. Auf dem Felsen, der die wenigen Überreste jener Burg trägt, hat man den schönsten Überblick der Umgegend. Mit den dazu gehörigen Orten enthält die Gemeinde 205 H. mit 1701 E., nebst vier Schulen, die Kirche neu gebaut (1836). Von Arzl gelangt man nach Wens in 1¼ Stunden (von Imst 2¼ Stunden), gutes Wirthshaus bey Hrn. Flir, Mitglied der Ständeversammlung. Der eigentliche Ort zählt 70 H., 653 E.; die ganze Gemeinde 162 H. und 1391 E.; größtentheils reinliche, massive Häuser, zerstreut umherliegend, mit Obsthainen umgeben, schön sprudelnde Brunnen vor den Häusern, ächt Deutscher Volksstamm; zwey Kirchen, die neuere große und die ältere Margarethenkirche; eine Schule; jährlich ein Jahrmarkt. Die alte Burg Hirschberg am Nordende des Dorfes, ehemals den Grafen von Hirschberg, aus Franken stammend, gehörig; durch Verwandtschaft mit den Grafen von Tyrol hatten sie Ansprüche auf die Grafschaft Tyrol, erhielten von Meinhard I. das Innthal und Wippthal (Brenner). Gebhard von Hirschberg verkaufte dieses Besitzthum an Meinhard II. von Tyrol. Darauf brachten Hirschberg die Grafen von Fieger an sich, von welchen es an Joseph von Wörz und von diesem an die Bauern kam. Geburtsort des bekannten Mechanikus und Automatenverfertigers Joseph Christian Tschuggmal 1785, wie des ausgezeichne-

1) Land Tirol. Stafflers Tirol.

ten Bildhauers Schletterer. Rechts an der Abdachung gegen das Innthal liegt die Gemeinde Imsterberg mit 60 H. und 337 E., welche vielen Kirschengeist bereiten. Geburtsort des Bildhauers Joh. Schnegg; seine Werke in Sans-Souci, Wien und mehreren Tyroler Kirchen. Bey Kreith und Jerzens ästet das Thal, südwestlich zum Pillerjoch hinan und hinüber nach Prutz (siehe oben) ziehend, südöstlich ins eigentliche Pitzthal aufsteigend. Das Thal von Piller liegt noch in derselben Richtung der ersten Strecke, wie auch des oberen Innthales von Prutz bis Finstermünz. Auch der Pillerbach schneidet sich zuerst tief in seinen Grund ein, und man muß erst eine Höhe übersteigen, um wieder eine mit dem Bache gleichliegende Ebene zu erreichen, eine schöne grasreiche Fläche nach ächter Alpensitte, mit unzähligen Heustadeln, hier Bühler (Piller) genannt, bedeckt, daher der Name.

Das Dorf Piller liegt 1½ Stunden von Wens, ganz in der Nähe des Pillerjoches, und 3 Stunden von Prutz; schöne Aussicht vom Joch.

Wir kehren bis Jerzens zurück und wandern ins eigentliche Pitzthal hinein. Die ganze Gemeinde Jerzens zählt 107 H. mit 769 E. Von hier bildet das ganze obere Pitzthal eine große Gemeinde, Pitzthal, 5 Stunden lang in der Thalspalte hingestreut, die Dörfer Zaunhof, St. Leonhard und Plangeros umfassend, 172 H. mit 1143 E.

Die Thalsohle, wenn sie auch kleine Flächen darbietet und öfters durch das gegenseitige Berästen der beiden Thalwände eingeschnürt wird, bietet nicht den Wechsel des Ötzthales von bedeutenden Thalflächen und furchtbaren Engen, sondern ist dem Kaunserthal näher verwandt. Die Thalhänge sind bewaldet; höher hinan ziehen sich Matten, aus denen gewaltige Felsschneiden hinein laufen in die Hochregion des ewigen Schnees; denn beyde Thalrücken bilden lange, von dem großen Ötzthaler Eismeere auslaufende, fast ununterbrochene Eiskämme; bald senken sich die Gletscher herab zwischen den schneidigen Riffen, bald schieben sich die Eismassen auf den Hochebenen hervor und brechen mit den Felsenwänden in die schwindelnde Tiefe ab und nur die dicken Eisbrüche und Wände auf den Kanten der Felsen verrathen die Nähe des großen Eismeeres. Der Bau der beiderseitigen von Süden nach Norden laufenden Bergrücken verhält sich wie im Großen der Bau der Centralkette; wie bey der letzteren der Südabfall der steilere ist, an welchem auch die Gletscherwelt schnell abbricht, während sie nach Norden weit hinab ihre Arme streckt, so bricht hier der Westabfall schnell und steil ab, während der Ostabfall, wenn auch steil, doch stufenweis mit großen Gletschermassen belastet, zur Tiefe steigt. Die westliche Thalwand sendet gegen funfzehn Gletscher auf ihrer Ostseite herab; der Hochkamm der östlichen Thalwand ist der Thalsohle um den dritten Theil näher und daher auch steiler; nur kleinen Gletscheransiedelungen ist es gelungen, sich hier zu behaupten. Auf der Ostseite desselben Rückens aber zum Ötzthale hinab lagern sich bedeutende Gletscherfelder; daher der Reisende, der aus dem Pitzthale nach Kauns hinübersteigt, bis zur Kammhöhe einen weniger steilen, aber eisigen, und jenseits hinab einen steilen, aber weniger eisigen Pfad hat, der ins Ötzthal aus dem Pitzthale gehende dagegen das umgekehrte Verhältniß findet.

Hinter Jerzens, wo der Stuibenfall in großer Wasserfülle vom höchsten Gebirge in äußerst malerischer Umgebung in drey Absätzen herabwallt (nicht mit den beyden gleichnamigen Wasserfällen im Ötzthale zu verwechseln), zeigt sich zum ersten Male die Thalsohle als ein schmaler grüner Streifen, schließt sich aber bey Ritzenried wieder, doch hält sich der fahrbare Weg meistens in der Thalsohle. Von der Häusergruppe Harlach führt ein Pfad rechts hinüber, beym hochgelegenen Grumersee vorüber nach Kaltenbrunn im Kaunserthal; auch östlich führt ein Pfad über ein Joch, dann durch das Lairschthal nach Umhausen im Ötzthale, beyde unbegletschert.

Bey dem Weiler Harlach erweitert sich die Thalsohle wieder bis zur Kirche von St. Leonhard hinauf (1½ St.), nur durch Murbrüche hie und da beengt. Westlich führen aus dieser Weitung zwey Pfade nach Kauns, die sich auf den Eisfeldern des Joches vereinigen. Westlich von St. Leonhard, dem Hauptorte des ganzen Thales, 7½ Stunden von Imst, mit 18 H. und 105 E., stürzt der herrliche Schwammbachfall unweit der Pfarrwohnung aus sehr großer Höhe herab in einem Bogen, weit und breit Alles benetzend. Hinter dem Dorfe treten die Bergwände wieder zusammen und mühsam schmiegt sich die Straße an und über den Bach hinan. Wegen der geraden Richtung des Thales zeigt sich auch schon im Süden der Mittagskogl, der erste Vertreter der innersten Centralkette, mit seinem eisigen Mantel, seinen Namen durch seine Lage rechtfertigend. Bey dem Weiler Neuram führt abermals ein Doppelweg aus dem Thale durch Jochübergänge; rechts am Lecklebach hinan, unter dem Sonnenkopf vorüber, dies- und jenseits über Gletscher nach Feuchten im Kaunserthale; links am Hundsbach hinan, über das Brendlerjoch, nicht beeist, aber wegen des Gerölles mühsam, nach Lengfelden im Özthale.

Hinter dem Weiler Trenkwald treten die Thalwände wieder zusammen, nur noch mit spärlichen Waldgruppen besetzt, die mehr als sogenannte Bannwälder, heilige Haine, angesehen werden müssen gegen den Sturm der Lawinen.

Plangeros, 3 Stunden von St. Leonhard, mit 14 H. und 36 E., ist der letzte Kirchort des Thales. Über die Weiler Tieflehn und Manndorf, deren Bewohner als kühne Bergsteiger bekannt sind, und von denen einige die Wildspitze, den höchsten Berg des Özthaler Gebirgsstockes, erstiegen, gelangt man nach Mitteldorf, den letzten bewohnten Häusern des Thales, mit einer Kapelle; hier endet der Baumwuchs und beginnt die Verzweigung des Thales. Links führt ein Pfad an dem mehrfach abstürzenden Gletscher vorüber, dann in vielfachen Windungen über das beeiste Jöchl im Angesichte der weitesten und erhabensten Eiswelt. Unter den vielen Eispyramiden, welche hier aus den weiten öden Schneegebirgen noch hoch in den blauen Äther auftauchen, prangt vor Allem als König der Özthaler Eiswelt die Wildspitze 11,910 F. hoch. Jenseits führt der Pfad am Rothenbach hinab, der in vielen Fällen mitten durch Sölden hindurcheilt und daselbst sich mit der Özthaler Ache vereinigt. Der Weg geht eine bedeutende Strecke über Gletscher, dann auf der Gampenalpe eine lange Zeit an Sennhütten vorüber, die sich hier an einander reihen. In dem anderen Thalflügel führt ebenfalls ein Pfad über Alpen; ein großer Gletscher, der durch ein langes Thal herabrückt, nöthigt den Steig, die Thalsohle zu verlassen und auf der untersten Terrasse dicht über dem Geklüft des mächtigen Gletschers hinzuziehen. Dieser ist der Ausguß eines weit ausgedehnten Gletschergefildes, von der Hollwand, dem Brunnkopfe, der Hochwand, der Wildspitze, dem Prochkopfe und dem Urkundenspitze umstanden, welche ihre Eismassen zuerst auf einen gemeinsamen Boden herabsenden, aus welchem sich dann der lange starre Eisstrom ins tiefere Thal hinabsenkt. Der Pfad biegt sich dann von dem Gletscher westlich ab in ein anderes Thal, wo er bald abermals einen Ferner erreicht, der vom Öhlgrubenspitz herabzieht; auf seinem Guferwalle geht es dann empor, über ein Eisjoch in das jenseitige Kaunserthal (siehe oben). Aussicht gegen den Gebatschferner. Das Haupterzeugniß des Thales ist, wie im Özthale, Flachs von vorzüglicher Güte, welcher auch im Thale zu Leinwand verwebt und dann verkauft wird; der Saame, weil er leicht umschlägt, wird aus dem Özthale bezogen. Die Viehzucht ist hier mehr auf Milcherzeugnisse gerichtet, als im übrigen Oberinnthale; daher Handel mit Schmalz und saurem Käse. Die Jagd ist bedeutend, da sie selbst von den Bewohnern geordnet ist; viele Murmelthiere. Roggen, Gerste, Erdäpfel nicht hinreichend. Holz ist nicht im Überfluß und muß an vielen Stellen als Bannwälder geschont werden zum Schutze gegen die Lawinen. Viele Pitzthaler wandern jährlich aus als Zimmerleute und Holzknechte, andere handeln mit Wildpret u. dergl.

5) Das Özthal[1]). Die Größe dieses Ausfluges verlangt wieder wenigstens ein Unterstandquartier. Wir haben oben schon in der übersichtlichen Darstellung die Öztha-

---

1) Land Tirol B. 3, 262. Tirol und Vorarlberg von Staffler Th. 2. B. 1. S. 357 u. s. w. Neue Zeitschrift des Ferdinandeums für Tirol und Vorarlberg 1840. B. 6. S. 95. Nachrichten von den Eisbergen in Tyrol von Jos. Walcher. Groß's Handbuch S. 323.

ler Gruppe kennen gelernt. Es ist das größte Seitenthal des Inns und steigt gegen 18 Stunden nach Süden hinan auf das Joch des großen Ferners. Es ist eine eigenthümliche Welt, durchaus anders als das Zillerthal, sein Nebenbuhler in Ansehung der Größe. Vor allen Nordthälern zeichnet sich das Ötthal durch seine südliche Vegetation aus. Es wird in dieser Hinsicht auf oben verwiesen. Wir treten sogleich unsere Wanderung an. Wie das Pitzthal, hat auch das größere Ötthal eine riesige Schuttmasse vor seiner Mündung aufgehäuft, durch deren Trümmer sich die Ötthaler Ache, welche wir bey der Wanderung durch das Thal, als Hauptbach, die Ache nennen werden, schäumend in vielen Fällen wirft. Kiefern, oft den Pinien ähnlich, umschatten mit ihrem matten Grüne dieses Schuttgebirge. Den Inn überschreitend, der zwischen Felsen eingeengt dahin strömt, gelangt man über Roppen nach Santens, einem lang hingestreckten Dorfe, das sich schon ins Ötthal hineinzieht, mit 1020 E. Gleich am Eingange kömmt links aus dem Stuibenthal der Stuibenbach und bildet bey einer Mühle, die ihn benutzt, bevor er sich in die Ache wirft, einen malerischen Wasserfall, den Stuibenfall. Die Grundmasse des Gebirges ist hier Übergangskalk. Botanisches: Erica vulgaris, carnea; Vaccinium myrtillus; Melampyrum sylvaticum; Homogyne alpina; Orthotrichum Hutchinsiae; Hieracium umbellatum, staticifolium; Peucedanum ores selinum; Galium Tirolense, sylvestre; Collema melaenum; Montia fontana major. Vor dem Stuibenfall: Calamintha nepeta; Cynanchum vincetoxicum; Sempervivum arachnoideum; Sedum dasyphyllum; anacalypta rubella. Hier schließt sich an den Übergangskalk der Glimmerschiefer, in welchem der graue Glimmer oft von dem Quarze ganz verdrängt wird. Auf diesem Glimmerschiefer am Wasserfalle wächst Primula villosa, Saxifraga aizoon, Hypnum commutatum; Climacium dendroides. Bey Santens überschreiten wir die Ache und kommen in den ersten Thalkessel des Ötthales, in welchem das Dorf Öt liegt, dessen Lage um so mehr überrascht, als man im Innthale so oft von dem schiachen Ötthale reden hört. Das Thal biegt sich etwas östlich und wird dadurch vor den Nordwinden geschützt; daher diese unterste Stufe des Ötthales ein wärmeres Klima hat, als das anliegende Innthal; herrliche Nußbäume umstehen den Ort, dessen Flur ringsum von hochragenden Gebirgen eingeschlossen ist; in den Gärten wird Saflor gebaut und an den Häusern Wein gezogen. Nur an dem hohen Achenspitz erinnert eine blaue Eiswand, daß wir im Ötthale sind.

Ein freundliches und reinliches Gasthaus beym Cassianwirth ladet zur Erholung und Nachtruhe, wenn die Zeit es erfordert. Das Dorf Öt hat 1190 E. Von Öt führt ein Pfad durch das vordere Stuibenthal, über die Gemeinde Ochsengarten nach Selrain in 7 Stunden. Dieses Stuibenthal läuft mit dem Innthale parallel und wird von ihm durch die Kette des Birkenkogls (über Stams), 8928 F., getrennt. Beynahe auf der Wasserscheide gegen Selrain liegt Kühthei, von wo sich das Finsterthal südlich emporzieht zum Finsterthalsee, welcher, eine Stunde im Umfang, in einem tiefen Felsenbecken ruht. Bald hinter Öt überschreitet man die Ache und verläßt die Ebene des Thalkessels. Wir kommen bey Habichen an die erste Thalenge; die beyderseitigen Thalwände treten zusammen und versperren mit ihrem Fuße den Weg. Die Felsmasse selbst, welche diesen Riegel bildet, besteht aus Gneus. Hier wachsen: Grimmia apocarpa und ovata; Jungermannia Tamarisci und dilatata; Anictangium ciliatum; Parmelia centrifuga; Peziza epibla stomatica; Pohlia julacea. Die Ache warf den Felsendamm zum Theil nieder und stürzt nun in wilden Fällen aus einer höheren Stufe des Thales herab, während sich die Straße mühsam emporwindet zwischen den Ruinen jenes Dammes. Diese Stufe heißt das Gsteig. Herrlich ist der Rückblick in den üppigen Kessel von Öt und darüber auf die starren Wände des Tschürgant. An einer Glockengießerey vorüber kommen wir nach Dumpen und betreten hiermit die zweyte Thalstufe, die Gemeinde Umhausen. Herrliche Staubbäche stäuben über Dumpen nieder. Die Umhäuser Thalstufe bildet einen geräumigen Thalkessel, aber ohne eigentliche söhlige Fläche; durch Bergstürze von der

Engelswand und besonders durch den Schuttberg, den der Stuibenbach (Staubbach) weithin in die Thalsohle streckt, wird die Ache an die westliche Thalwand gedrängt; auf der etwas unebenen gegen die Ache geneigten Fläche des Thales liegt das große Dorf Umhausen. Noch ehe man dahin gelangt, baut linker Hand die Engelswand in Riesenmassen sich auf, zum Theil selbst überhängend; nicht ohne besorgten Blick nach oben eilt der Wanderer dicht unter ihr hin; die frischen Brüche an ihr, die großen Blöcke unter ihr verrathen nur zu sehr, daß der Weg, wenigstens nicht immer, gefahrlos ist. Die Masse ist ein weißlicher Glimmerschiefer. Hier steigt die Alpenflora in das Thal herab und lebt neben der Thalflora: Juniperus Sabina, Cardamine resedifolia, Saxifraga Aizoon, Rhododendron ferrugineum, Primula villosa, Sempervivum arachnoideum, Thalictrum foetidum, Parmelia ciliaris. Auf der kleinen Hochebene, die sie trägt, schimmern freundliche Hütten herab und mildern den Ernst der Scene. Das Öthal ist eine wahre Schatzkammer von Sagen, welche leider immer mehr ausgerottet werden; es lohnte sich der Mühe eines Sagensammlers, sich das Vertrauen der älteren Thalbewohner zu erwerben, um noch die Goldkörner aufzufinden, die sonst verloren gehen. Wer in der Dämmerung des Abends die Riesenwand von Dumpen her erblickt, während aus der dunklen Schlucht hinter ihr weiße Dampfsäulen aufsteigen und die Wand wie Geister umgaukeln, der wird sich auch erklären, warum diese Wand ein Gegenstand der Volkssage wurde. Unter der Wand stand einst die Burg Hirschberg, jetzt begraben unter den Trümmern an ihrem Fuß. Ein Graf lebte hier glücklich mit seiner Gattin; nur ein Nachkomme fehlte dem Glücke; um sich diesen Segen des Himmels zu erflehen, unternahm er eine Pilgerfahrt nach Jerusalem; ein Jahr nach seiner Rückkehr wurde die Ehe durch ein Knäblein gesegnet. Einst lustwandelten Beyde im Schatten der Felswand, das Kind spielte im Gras; da rauschte es mit Sturmesfittichen durch die Luft; ein Jochgeyer packte das Kind, und schwebte schon hoch mit der Beute in den Lüften, ehe noch die unglücklichen Eltern die Größe des Unglücks erfaßten; namenlos war der Schmerz, laut erhoben sich ihre Klagen zum Himmel, der ihr Flehen nicht unerhört ließ; ein Engel entriß dem Geyer die Beute und legte sie unversehrt zu den Füßen der Eltern nieder; daher die Engelswand.

Umhausen hat 930 E. In der Thalsohle bey Umhausen und am Stuibenfall kommen vor: Myosotis intermedia, Neslia paniculata, Sedum annuum, Herniaria glabra, Chenopodium album, Urtica urens, Peltigera horizontalis, Lecidea lapicida, — geographica und contigua, Leptohymenium filiforme, Hypnum Crista castrensis, Cladonia uncialis, Jungermannia undulata, Peltigera malacea, aphtosa, polydactyla, canina und horizontalis; Sticta fuliginosa, Sphaerophoron compressum, Dicranum longifolium, Poa alpina, Campanula pusilla, polytrichum alpinum. Gute Wirthshäuser gestatten auch einen längeren Aufenthalt. Die Hauptmerkwürdigkeit ist der große Stuibenfall[1], ein prächtiger Wasserfall, der oben unter einer natürlichen Felsenbrücke hervorrauscht, dann einen gewaltigen stäubenden Sprung macht, in einem Kessel sich sammelt, wieder im engen, aber kurzen Felsenbett zu einem zweyten Sturze eilt, wo sein Fall über ein weit vorspringendes gewölbtes Felsendach in großen Bogen schäumt. Besonders malerisch ist der unterste Kessel, in welchem sich der Bach zum Abfluß sammelt, ein Studium für Landschaftsmaler. Schon weithin verrathen die aufwirbelnden Staubsäulen die Gegend des Wasserfalles und erklären seinen Namen, ob er gleich kein Staubbach im eigentlichen Sinne ist wegen der großen Wassermasse. Die Felsenwand des Falles ist Hornblendeschiefer. Hat man die Höhe des Falles erreicht, so betritt man ein höheres Alpenthal, obgleich noch kein Hochthal, das Hairlachthal, in welchem das

1) Stuibe oder auch Stäubi bedeutet Staubbach; es gibt daher mehrere, z. B. die Stuibe oder der Stäubi bey Reute, die kleine Stuibe (unterster Fall der Öthaler Ache), die Stuibe, die bey der im Eingang des Thales erwähnten Mühle herabstäubt, und diese, welche auch die große Stuibe heißt, wie auch die Stuibe im Pitzthal.

Dorf Niederthey[1]) liegt; oberhalb des Ortes zieht es noch eine Stunde im engen Thal fort, breitet sich dann hochthalartig in mehrfache Äste mit flacheren Formen aus und empfängt aus vier Gletschern seine Nahrung, dem Strahlkopfferner mit einem Eissee, dem Grasthaler See, dem breiten Grieskoglferner und dem kleinen Ferner am Reichenspitz. Ein Jochpfad führt über das Gleirscher Joch, jenseits das Gleirscher Thal hinab nach St. Sigismund (Selrainerthal), der nächste Weg von Umhausen nach Innsbruck 10 St., ohne alle Gefahr, sogar bequem.

Westwärts von Umhausen steigt das Alpenthal Leirsch hinan und durch dasselbe ein Pfad in das Pitzthal (s. oben). Bergsteiger werden in den Hochgebirgen der Leirscher Alpen, besonders durch den hochgelegenen Fundes- oder Wetter-see, wie durch die Aussicht von dem Wildgratkogl, 9385 F., nach dem Arlberg im Stanzerthal hinauf, ins Pitzthal und die Gegend von Imst belohnt. Noch sehr gesegnete Roggen- und Waizenfelder schmücken die Umgegend; außerdem ist Flachsbau das Hauptertrágniß und man gewinnt gegen 1500 Centner trefflichen Flachses.

Hinter Umhausen verengt sich das Thal plötzlich wieder und die vortretenden Bergwände bilden wieder eine Thalenge, durch die wir zu einer höheren Thalstufe emporsteigen. Doch ganz anderer Art ist diese Thalenge gegen die vorige. Es ist die grausenerregendste und gefährlichste des Thales; dort unten zwischen Umhausen wurde der Felsendamm, aus Gneus bestehend, niedergeworfen und der Bach schäumt über große Blöcke in kurzer Strecke in die Tiefe hinab; die hohe Achenspitze erscheint nur als ein Wachthurm des Passes. Hier engten Wände, wie die Engelswand, den Abfluß des Lengfelder Sees; er untergrub dieselben, sie stürzten ein und wurden in ihrem Innersten erschüttert; daher das Grauenhafte und Gefährliche dieser langen Thalenge, welche das Maurach heißt, die Ache treibt ihre weißgrauen Wogen schäumend und stäubend über die hier fortwährend zusammenschurrenden Berge; ebenso weiß steigen die beyderseitigen Schurrwände über lockeres Geröll empor zu den noch stehenden, aber geborstenen und den Einsturz drohenden Massen; nur mühsam windet sich die Straße über den treulosen Boden, der mit den eisigen Wogen der Ache kämpft, und überspringt die Ache in mehreren Brücken. Wie stark erschüttert diese Glimmerschiefermasse ist, zeigen auch die Pyramiden, ähnlich denen von Botzen, mit ihren Kiefern auf den Spitzen, ringsum von Regengüssen zugespitzt und abgerieben. Botanisches: Clematis vitalba, Calamagrostis littorea, Salix grandifolia, Rhododendron ferrugineum. Wie dort im Vorlande die Alpenströme zwischen den Geröllwänden oft von großen Schaaren Möven umschwärmt werden, so umflattert diese grause Gebirgswelt eine Schaar böser Geister und Hexen, sie heftet sich an die Füße der die Straße des Schreckens Durcheilenden, sie wirft sie mit Steinen oder verschüttet sie auch ganz. Bey nassem Wetter muß man mit Vorsicht hier durch reisen; die vielen Unglückstafeln am Wege verkünden dieses. Der Weg wird endlich wieder sicherer, wie die schattenden Föhren am Wege beweisen; er zieht sich von der Ache etwas ab links in die Höhe. Hier tritt man plötzlich aus dem Dunkel des Waldes heraus und wird nicht wenig überrascht durch eine herrliche, mehrere Stunden lang hingestreckte Thalfläche, bestreut mit vielen dorfähnlichen Häusergruppen; in der Ferne zeigt sich, umlagert von der größten Häusergruppe, der Lengenfelder Kirchthurm; darüber baut sich der Burgstein, ähnlich der Engelswand, mit senkrechten Wänden auf; von den sonnigen Matten seiner Hochebene leuchten Bauernhäuser herab, rechts erheben sich eine Reihe Granitpyramiden, unten angebaut, höher hinan mit dem Schatten der Wälder umgürtet, über denen die Terrasse der sonnigen Matten sich lagert und emporzieht auf den vielfach gefurchten Rücken, bis der schärfer hervorschneidende Felsen den Pflanzenwuchs völlig vertreibt; die Vordermänner sind in ihren Zinnen nur schneegefurcht, aber aus dem Hintergrunde ihrer Schluchten leuchtet das dicke Weiß des mächtigen Eisrückens

---

1) They, Ascher = Alpe, siehe oben.

zwischen dem Ötz- und Pitzthal hervor; hie und da dringt auch schon ein Gletscherarm herab und lugt neugierig in die grüne Herrlichkeit des Thales herab. Schwer beladene Flachswagen, von kräftigen wildaussehenden Ochsen gezogen, begegnen uns, während aus den umliegenden Häusern ein fortwährendes Geklapper ertönt; es sind Flachsbrechelmühlen, in denen der Flachs im Großen gebrochen wird. Die Kraft des Wassers setzt diese Brechmaschinen in Bewegung; denn auch hier ist Flachsbau Hauptsache des Feldbaues; man erzeugt jährlich 1000 Centner. In vielen Windungen durchzieht und durchblitzt das silberne Band der Ache die weite grüne Fläche. Das ist die Lengenfelder Ebene, von der wir vielleicht schon im unteren Ötzthale manchen Tyroler mit Entzücken reden hörten; noch begeisterter ist der Bewohner des oberen rauheren Ötzthales davon. Die Thalstufe Lengenfeld liegt 3800 F. über dem Meere, ist $2\frac{1}{4}$ Stunden lang und eine halbe Stunde breit. Das Wirthshaus ist gut. Nur der aus der Ostwand vortretende Burgstein und der von dem westlichen Gebirge, dem Feuerkogl, herabziehende Rücken mit der fernschimmernden Kapelle schnüren diese Thalfläche etwas ein. Der Name Lengenfeld oder Längenfeld erklärt sich aus seiner Lage. Das ganze Fußgestell der die Thalmulde umstehenden Berge besteht aus dunkelgrünem Hornblendeschiefer, von Quarzgängen durchzogen, ein Gestein, welches schon am Stuibenfall anfing, dann aber durch die Schuttmassen des Maurachs unterbrochen wurde.

Die Häusergruppen des Ötzthales, besonders der Lengenfelder Thalstufe, gewinnen ein anderes Ansehen, je nachdem man das Thal heraufkömmt oder hinabgeht. Es herrscht hier der Sonnenbau; die Hauptfronte aller Häuser ist gegen Süden, thalaufwärts gerichtet; die hintere, gewöhnlich Stall- und Stadelseite, ist thalabwärts, nach Norden gekehrt. Die südliche Giebelfronte, der bewohnte Theil des Hauses, ist massiv oder wenigstens überworfen, weiß und bunt bemalt mit den in den Alpen eigenthümlichen Verzierungen; die hintere Seite des Hauses ist braunes Balkenwerk. Man glaubt daher, geht man durch ein solches Dorf hinaufwärts und kehrt sich einmal um, in ein anderes Dorf versetzt zu seyn. Thalabwärts erscheint daher die Thalfläche von Lengenfeld mit weißen niedlichen Häusergruppen übersäet, thalaufwärts sind es braune Hütten, die sich dunkel von dem Lichtgrün der Fluren abheben.

Das eigentliche Dorf Lengenfeld oder Längenfeld liegt am Fischbach, der es in zwey Hälften theilt; der Bach ist ein gefährlicher Nachbar durch seine oft plötzlich hereinbrechenden Überschwemmungen. Die Gemeinde, welche sich über die ganze Thalstufe ausbreitet, zählt in 312 H. 1544 E. und vier Schulen. Die Kirche und das Wirthshaus liegen $2\frac{3}{4}$ Stunden von Umhausen, $7\frac{1}{2}$ Stunden von Silz, dem Gerichtssitz. Der weithin von der hohen Thurmspitze funkelnde vergoldete Knopf versammelt die Gemeinde aus der weiten Umgegend zu gemeinschaftlichem Gottesdienst, während für die Häusergruppen die Kapellen in der Woche aushelfen. Die Pfarrkirche ist groß, schön und alt. Längenfeld, der Mittelpunkt des sagenreichen Ötzthales, ist auch der Sitz der Sagenwelt [1]). In der Todtenkapelle zeigt man den ungewöhnlich großen gespaltenen Schädel des verrufensten Roblers des Thales, des Adasbuben; gefürchtet von dem ganzen Thale, durchzog er mit seinen Spießgesellen die weite Umgegend, seinen wilden Lüsten folgend; wer ihm widerstand, wurde unter Hohn und Spott gegen Gott gemordet, Häuser und Kirchen erbrochen und entweiht. Am Burgstein traf ihn sein Strafgericht; ein armer Bauer, dessen Haus er erbricht, ergreift seine Axt und gibt dem eindringenden Adasbuben damit seinen Segen, daß er das Aufstehen vergaß. — Dort in düsterer Einsamkeit liegt ein Acker nicht weit von dem Dorfe; er gehörte einem Kinde, dessen Vormünder, einverstanden mit den ungerechten Richtern, das Gut schändlicher Weise an sich brachten; sie lebten auch und starben im Besitz dieses ungerechten Gutes. Kömmst du in der Mitternachtsstunde hier vorüber, so erblickst du mitten auf dem Acker ein flam-

1) Das Land Tirol B. I, 228.

mitten in den riesigsten Kalk- und Urgebirgsalpen, hier die starren, völlig nackten schnee- und pflanzenleeren 10,000 Fuß hohen Kalkalpen im Norden, dort im Süden die glänzenden Wogen und 12,000 F. hohen Hörner der Eismeere des Urgebirgs. Aus den Tiefen des Fernpasses tritt die Gruppe des Wettersteins mit der 10,000 F. hohen Zugspitze als höchste Zinne der nördlichen Kalkalpen in ihrer ganzen Starrheit und Majestät empor. Gegen Süden erglüht die Pracht der Özthaler, Stubayer und selbst Zillerthaler Ferner; fast gerade im Süden weicht das Gebirge ehrerbietig aus einander (Malser Haide), um selbst dem Ortler mit seinen Trabanten den Zutritt zu diesem großartigen Panorama zu gestatten. Gegen Nordwesten liegt die Lechthaler Gebirgswelt, deren Vordergrund die wild zerrissene hohe Heiterwand bildet; jenseits des Lechthales zeigt sich als Tyroler Grenzwächter gegen das Bayerische Algau (Illerthal) der 9000 F. hohe Hochvogel. Gegen Südwesten überfliegt der Blick die ganze Gebirgswelt des Jamthaler Ferners, dort ins Engadin, hier in Paznaun eindringend. Durch die Lücken der nördlichen Kalkalpen führt der Blick selbst hinaus ins Bayerische Flachland. Endlich über den Sattel von Obsteig, welcher den Tschürgant mit der Kalkwelt des Wettersteins verbindet, und über welchen die Straße von Nassenreit nach Miemingen führt (siehe unten), erreicht das Auge das untere Innthal und gleitet in ihm weit hinab.

3) Der Tschürgant. Wie das Thal von Imst im Westen durch den Bergzug begrenzt wird, dessen höchste Spitze der oben erstiegene Muttekopf ist und der es vom Lechthale scheidet, so wird es im Südosten durch einen anderen Zug von dem Innthale (von Karres bis Telfs) getrennt. Er zweigt sich von der hohen Gruppe des Wettersteins ab, steigt plötzlich nach Art der eigentlichen Kalkalpen von seinen Riesenhöhen auf einen grünen, nicht nur bewaldeten, sondern auch bevölkerten Sattel ab (den Weißland und Obsteig), erhebt sich dann wieder über die Haiminger Alpe und bildet den weithin sichtbaren Rücken des Tschürgant. Dieser Berg ist demnach eine isolirte, sich gegen 5000 F. erhebende Masse, dessen Steilwände gegen das Innthal, gerade der Öffnung des Özthales gegenüber, abstürzen, während gegen das Gurglthal (Imst) die Abdachung sanfter ist. Von Imst aus ist der Weg steiler; wer bequemer steigen will, geht oder fährt nach Tarenz, wo rechts ein Seitenweg über die Haiminger Alpe hinan führt; oder bis Nassenreit und fährt die Poststraße nach Miemingen; wer einen Führer hat, verläßt den Wagen auf der Höhe des Sattels, und steigt auf den Rücken hinan, wo nicht, so nimmt man sich in dem nächsten Orte Obsteig einen Führer. Leider habe ich den Berg nicht erstiegen, obgleich ich einen Anlauf genommen, wobey ich von dem schlechten Wetter zurückgeschlagen wurde. In dem Werke: „Das Land Tyrol" wird zwar bemerkt, daß die Aussicht genußlos sey; aber ich kann dieses nicht glauben wegen der Stellung des Berges; seine isolirte Lage, wenn auch nicht bedeutende Höhe inmitten der höchsten Kalk- und Urgebirgsgebilde; sein kühnes Vortreten ins Innthal, das sich um seinen Fuß windet, die Stellung zu den Hauptthälern, wie auch die Aussage eines Reisenden und meine Erfahrung, daß mich noch nie eine Aussicht getäuscht hat, zu der mich gute Charten führten, veranlassen mich, dem Reisenden, welcher wenigstens den doppelt hohen Muttekopf nicht erklimmen kann, zu rathen, diesen zu besteigen. Man kann für 1000 Fuß eine Stunde Steigen annehmen. Die Höhe von Imst beläuft sich auf 2000 F., die des Tschürgant auf 5000 F., demnach braucht ein nur irgend rüstiger Steiger 2—3 Stunden vom Fuße des Berges. Die Aussicht strahlt in folgende Thäler aus: Südlich gerade ins Özthal hinein und hinauf bis zu seinem Ferner [1]), etwas südwestlicher in die unterste Thalstufe des Pitzthales nach Wens, dann über den Sattel vom Piller und jenseits desselben in derselben Richtung ins obere Innthal hinein bis ins Engadin; westlicher ins Oberinnthal von Imst bis Landeck; östlich das Innthal hinab bis zur Hauptstadt; nördlich das

1) Fast das ganze Özthal hinan erblickt man, so wie man sich nach Norden wendet, die Wand des Tschürgant.

Gurglthal bis Kaffenreit zum Fern. Den Rahmen bildet im Süden der eisige Kranz der Özthaler Ferner, im Norden das graue Gemäuer der höchsten Kalkalpen.

4) Der vierte Ausflug, den wir unternehmen, ist wiederum größer, als der vorige; er führt uns in das sich im Süden, dem Gurglthal gerade gegenüber, jenseits in das Innthal einmündende Pitzthal[1]).

Das Pitzthal ist einer der mächtigsten Vasallen des Özthales; es wird von dem Pitzbache durchrauscht, welcher dem Özthaler Eismeere aus vielen Eishallen entströmt. Wir theilen das ganze Thal in fünf Abtheilungen. Die unterste: Wens, die Seitengegend Piller, die mittlere Thalstufe Ritzenried, die obere Thalstufe Plangeros und die höchste, die Alpenregion. Das ganze Thal hat bis zu den Fernern 11 Stunden Länge. Um von Imst aus dahin zu gelangen, folgen wir zuerst der Straße nach Innsbruck bis zum gastlichen Wirthshause am Brennbühl (Weiler), welches gerade am südwestlichen Fuß des Tschürgant liegt; wer einmal an einem sonnigen Nachmittage hierher kommt, wird sich den Namen Brennbühl leicht erklären können. Die Straße führt nun den Karresser Berg hinan (dem untersten Vorsprung des Tschürgant) nach Karreß, wir aber verlassen dieselbe und überschreiten, einer Seitenstraße folgend, auf der sogenannten Langenbrücke, den Inn, ebenfalls im Kriege 1809 bekannt geworden. Die grünen Fluthen des Inns strömen hier in einem tiefen Felsenbette, von senkrechten Wänden ummauert. Auch der Pitzbach, an dessen Mündung wir jetzt stehen, hat einen so großen Schwall von Gestein mit sich herabgeführt, wie Kanns und Öz, und die Mündung des Thales verstopft. Erst als der Inn den Unrath der Nebenthäler aus seinem Fluthbette wieder weggeräumt hatte, schnitt sich der Pitzbach sein jetziges halb unterirdisches Bett in jenes Getrümm ein. Daher die Eigenthümlichkeit dieser untersten Wenser Abtheilung darin besteht, daß der Bach eine tiefe fast unsichtbare Furche bildet, daß die Ortschaften also nicht in der Thalsohle, sondern auf der ersten Höhe, dem einstigen Flußbette des Baches, sich ausbreiten. Die linke Thalseite dieser Strecke umschließt der 4534 F. hohe Venetberg, dessen Rücken ganz in der Richtung des Tschürgant im Nordosten und des Inn- und Paznauner Zuges im Südwesten liegt; er scheidet hier das Innthal vom untersten Pitzthal.

Da wir daher der Thalsohle unmöglich folgen können, so müssen wir sogleich von der Langenbrücke jene aus Schutt bestehende Stufe ersteigen, auf welcher sich das weitzerstreute Dorf Arzl lagert, weit hinabschauend das herrliche Innthal, wie hinüber nach Imst und hinein nach Wens. Den Namen soll es von Arx haben, einer Burg, deren Überreste man noch sieht. Auf dem Felsen, der die wenigen Überreste jener Burg trägt, hat man den schönsten Überblick der Umgegend. Mit den dazu gehörigen Orten enthält die Gemeinde 205 H. mit 1701 E., nebst vier Schulen, die Kirche neu gebaut (1836). Von Arzl gelangt man nach Wens in 1½ Stunden (von Imst 2¼ Stunden), gutes Wirthshaus bey Hrn. Flir, Mitglied der Ständeversammlung. Der eigentliche Ort zählt 70 H., 653 E.; die ganze Gemeinde 162 H. und 1391 E.; größtentheils reinliche, massive Häuser, zerstreut umherliegend, mit Obsthainen umgeben, schön sprudelnde Brunnen vor den Häusern, ächt Deutscher Volksstamm; zwey Kirchen, die neuere große und die ältere Margarethenkirche; eine Schule; jährlich ein Jahrmarkt. Die alte Burg Hirschberg am Nordende des Dorfes, ehemals den Grafen von Hirschberg, aus Franken stammend, gehörig; durch Verwandtschaft mit den Grafen von Tyrol hatten sie Ansprüche auf die Grafschaft Tyrol, erhielten von Meinhard I. das Innthal und Wippthal (Brenner). Gebhard von Hirschberg verkaufte dieses Besitzthum an Meinhard II. von Tyrol. Darauf brachten Hirschberg die Grafen von Fieger an sich, von welchen es an Joseph von Wörz und von diesem an die Bauern kam. Geburtsort des bekannten Mechanikus und Automatenverfertigers Joseph Christian Tschuggmal 1785, wie des ausgezeichne-

1) Land Tirol. Staffler's Tirol.

ten Bildhauers Schletterer. Rechts an der Abdachung gegen das Innthal liegt die Gemeinde Imsterberg mit 60 H. und 337 E., welche vielen Kirschengeist bereiten. Geburtsort des Bildhauers Joh. Schnegg; seine Werke in Sans-Souci, Wien und mehreren Tyroler Kirchen. Bey Kreith und Jerzens öffnet das Thal, südwestlich zum Pillerjoch hinan und hinüber nach Prutz (siehe oben) ziehend, südöstlich ins eigentliche Pitzthal aufsteigend. Das Thal von Piller liegt noch in derselben Richtung der ersten Strecke, wie auch des oberen Innthales von Prutz bis Finstermünz. Auch der Pillerbach schneidet sich zuerst tief in seinen Grund ein, und man muß erst eine Höhe übersteigen, um wieder eine mit dem Bache gleichliegende Ebene zu erreichen, eine schöne grasreiche Fläche nach ächter Alpensitte, mit unzähligen Heustadeln, hier Bühler (Piller) genannt, bedeckt, daher der Name.

Das Dorf Piller liegt 1½ Stunden von Wens, ganz in der Nähe des Pillerjoches, und 3 Stunden von Prutz; schöne Aussicht vom Joch.

Wir kehren bis Jerzens zurück und wandern ins eigentliche Pitzthal hinein. Die ganze Gemeinde Jerzens zählt 107 H. mit 769 E. Von hier bildet das ganze obere Pitzthal eine große Gemeinde, Pitzthal, 5 Stunden lang in der Thalspalte hingestreut, die Dörfer Zaunhof, St. Leonhard und Plangeros umfassend, 172 H. mit 1143 E.

Die Thalsohle, wenn sie auch kleine Flächen darbietet und öfters durch das gegenseitige Verästen der beiden Thalwände eingeschnürt wird, bietet nicht den Wechsel des Ötzthales von bedeutenden Thalflächen und furchtbaren Engen, sondern ist dem Kaunserthal näher verwandt. Die Thalhänge sind bewaldet; höher hinan ziehen sich Matten, aus denen gewaltige Felsschneiden hinein laufen in die Hochregion des ewigen Schnees; denn beyde Thalrücken bilden lange, von dem großen Ötzthaler Eismeere auslaufende, fast ununterbrochene Eiskämme; bald senken sich die Gletscher herab zwischen den schneidigen Riffen, bald schieben sich die Eismassen auf den Hochebenen hervor und brechen mit den Felsenwänden in die schwindelnde Tiefe ab und nur die dicken Eisbrüche und Wände auf den Kanten der Felsen verrathen die Nähe des großen Eismeeres. Der Bau der beiderseitigen von Süden nach Norden laufenden Bergrücken verhält sich wie im Großen der Bau der Centralkette; wie bey der letzteren der Südabfall der steilere ist, an welchem auch die Gletscherwelt schnell abbricht, während sie nach Norden weit hinab ihre Arme streckt, so bricht hier der Westabfall schnell und steil ab, während der Ostabfall, wenn auch steil, doch stufenweis mit großen Gletschermassen belastet, zur Tiefe steigt. Die westliche Thalwand sendet gegen funfzehn Gletscher auf ihrer Ostseite herab; der Hochkamm der östlichen Thalwand ist der Thalsohle um den dritten Theil näher und daher auch steiler; nur kleinen Gletscheransiedelungen ist es gelungen, sich hier zu behaupten. Auf der Ostseite desselben Rückens aber zum Ötzthale hinab lagern sich bedeutende Gletscherfelder; daher der Reisende, der aus dem Pitzthale nach Kauns hinübersteigt, bis zur Kammhöhe einen weniger steilen, aber eisigen, und jenseits hinab einen steilen, aber weniger eisigen Pfad hat, der ins Ötzthal aus dem Pitzthale gehende dagegen das umgekehrte Verhältniß findet.

Hinter Jerzens, wo der Stuibenfall in großer Wasserfülle vom höchsten Gebirge in äußerst malerischer Umgebung in drey Absätzen herabwallt (nicht mit den beyden gleichnamigen Wasserfällen im Ötzthale zu verwechseln), zeigt sich zum ersten Male die Thalsohle als ein schmaler grüner Streifen, schließt sich aber bey Ritzenried wieder, doch hält sich der fahrbare Weg meistens in der Thalsohle. Von der Häusergruppe Harlach führt ein Pfad rechts hinüber, beym hochgelegenen Grumersee vorüber nach Kaltenbrunn im Kaunserthal; auch östlich führt ein Pfad über ein Joch, dann durch das Lairschthal nach Umhausen im Ötzthale, beyde unbegletschert.

Bey dem Weiler Harlach erweitert sich die Thalsohle wieder bis zur Kirche von St. Leonhard hinauf (1½ St.), nur durch Murbrüche hie und da beengt. Westlich führen aus dieser Weitung zwey Pfade nach Kauns, die sich auf den Eisfeldern des Joches vereinigen. Westlich von St. Leonhard, dem Hauptorte des ganzen Thales, 7¼ Stunden von Imst, mit 18 H. und 105 E., stürzt der herrliche Schwammbachfall unweit der Pfarrwohnung aus sehr großer Höhe herab in einem Bogen, weit und breit Alles benetzend. Hinter dem Dorfe treten die Bergwände wieder zusammen und mühsam schmiegt sich die Straße an und über den Bach hinan. Wegen der geraden Richtung des Thales zeigt sich auch schon im Süden der Mittags-Kogl, der erste Vertreter der innersten Centralkette, mit seinem eisigen Mantel, seinen Namen durch seine Lage rechtfertigend. Bey dem Weiler Neuram führt abermals ein Doppelweg aus dem Thale durch Jochübergänge; rechts am Lecklebach hinan, unter dem Sonnenkopf vorüber, dies- und jenseits über Gletscher nach Feuchten im Kaunserthale; links am Hundsbach hinan, über das Brendlerjoch, nicht beeist, aber wegen des Gerölles mühsam, nach Lengfelden im Oetzthale.

Hinter dem Weiler Trenkwald treten die Thalwände wieder zusammen, nur noch mit spärlichen Waldgruppen besetzt, die mehr als sogenannte Bannwälder, heilige Haine, angesehen werden müssen gegen den Sturm der Lawinen.

Plangeros, 3 Stunden von St. Leonhard, mit 14 H. und 36 E., ist der letzte Kirchort des Thales. Über die Weiler Tieflehn und Manndorf, deren Bewohner als kühne Bergsteiger bekannt sind, und von denen einige die Wildspitze, den höchsten Berg des Oetzthaler Gebirgsstockes, erstiegen, gelangt man nach Mitteldorf, den letzten bewohnten Häusern des Thales, mit einer Kapelle; hier endet der Baumwuchs und beginnt die Verzweigung des Thales. Links führt ein Pfad an dem mehrfach abstürzenden Gletscher vorüber, dann in vielfachen Windungen über das beeiste Jöchl im Angesichte der weitesten und erhabensten Eiswelt. Unter den vielen Eispyramiden, welche hier aus den weiten öden Schneegebirgen noch hoch in den blauen Äther auftauchen, prangt vor Allem als König der Oetzthaler Eiswelt die Wildspitze 11,910 F. hoch. Jenseits führt der Pfad am Rothenbach hinab, der in vielen Fällen mitten durch Sölden hindurcheilt und daselbst sich mit der Oetzthaler Ache vereinigt. Der Weg geht eine bedeutende Strecke über Gletscher, dann auf der Gampenalpe eine lange Zeit an Sennhütten vorüber, die sich hier an einander reihen. In dem anderen Thalflügel führt ebenfalls ein Pfad über Alpen; ein großer Gletscher, der durch ein langes Thal herabrückt, nöthigt den Steig, die Thalsohle zu verlassen und auf der untersten Terrasse dicht über dem Geklüft des mächtigen Gletschers hinzuziehen. Dieser ist der Ausguß eines weit ausgedehnten Gletschergefildes, von der Hollwand, dem Brunnkopfe, der Hochwand, der Wildspitze, dem Prochkopfe und dem Urkundenspitze umstanden, welche ihre Eismassen zuerst auf einen gemeinsamen Boden herabsenden, aus welchem sich dann der lange starre Eisstrom ins tiefere Thal hinabsenkt. Der Pfad biegt sich dann von dem Gletscher westlich ab in ein anderes Thal, wo er bald abermals einen Ferner erreicht, der vom Ohlgrubenspitz herabzieht; auf seinem Guferwalle geht es dann empor, über ein Eisjoch in das jenseitige Kaunserthal (siehe oben). Aussicht gegen den Gebatschferner. Das Haupterzeugniß des Thales ist, wie im Oetzthale, Flachs von vorzüglicher Güte, welcher auch im Thale zu Leinwand verwebt und dann verkauft wird; der Saame, weil er leicht umschlägt, wird aus dem Oetzthale bezogen. Die Viehzucht ist hier mehr auf Milcherzeugnisse gerichtet, als im übrigen Oberinnthale; daher Handel mit Schmalz und saurem Käse. Die Jagd ist bedeutend, da sie selbst von den Bewohnern geordnet ist; viele Murmelthiere. Roggen, Gerste, Erdäpfel nicht hinreichend. Holz ist nicht im Überfluß und muß an vielen Stellen als Bannwälder geschont werden zum Schutze gegen die Lawinen. Viele Pitzthaler wandern jährlich aus als Zimmerleute und Holzknechte, andere handeln mit Wildpret u. dergl.

5) Das Oetzthal[1]. Die Größe dieses Ausfluges verlangt wieder wenigstens ein Unterstandquartier. Wir haben oben schon in der übersichtlichen Darstellung die Oetztha-

---

1) Land Tirol B. 3, 262. Tirol und Vorarlberg von Staffler Th. 2. B. 1. S. 357 u. f. w. Neue Zeitschrift des Ferdinandeums für Tirol und Vorarlberg 1840. B. 6. S. 95. Nachrichten von den Eisbergen in Tyrol von Jos. Walcker. Groß's Handbuch S. 323.

ler Gruppe kennen gelernt. Es ist das größte Seitenthal des Inns und steigt gegen 18 Stunden nach Süden hinan auf das Joch des großen Ferners. Es ist eine eigenthümliche Welt, durchaus anders als das Zillerthal, sein Nebenbuhler in Ansehung der Größe. Vor allen Nordthälern zeichnet sich das Ötzthal durch seine südliche Vegetation aus. Es wird in dieser Hinsicht auf oben verwiesen. Wir treten sogleich unsere Wanderung an. Wie das Pitzthal, hat auch das größere Ötzthal eine riesige Schuttmasse vor seiner Mündung aufgehäuft, durch deren Trümmer sich die Ötzthaler Ache, welche wir bey der Wanderung durch das Thal, als Hauptbach, die Ache nennen werden, schäumend in vielen Fällen wirft. Kiefern, oft den Pinien ähnlich, umschatten mit ihrem matten Grüne dieses Schuttgebirge. Den Inn überschreitend, der zwischen Felsen eingeengt dahin strömt, gelangt man über Roppen nach Sautens, einem lang hingestreckten Dorfe, das sich schon ins Ötzthal hineinzieht, mit 1020 E. Gleich am Eingange kömmt links aus dem Stuibenthal der Stuibenbach und bildet bey einer Mühle, die ihn benutzt, bevor er sich in die Ache wirft, einen malerischen Wasserfall, den Stuibenfall. Die Grundmasse des Gebirges ist hier Übergangskalk. Botanisches: Erica vulgaris, carnea; Vaccinium myrtillus; Melampyrum sylvaticum; Homogyne alpina; Orthotrichum Hutchinsiae; Hieracium umbellatum, staticifolium; Peucedanum ores selinum; Galium Tirolense, sylvestre; Collema melaenum; Montia fontana major. Vor dem Stuibenfall: Calamintha nepeta; Cynanchum vincetoxicum; Sempervivum arachnoideum; Sedum dasyphyllum; anacalypta rubella. Hier schließt sich an den Übergangskalk der Glimmerschiefer, in welchem der graue Glimmer oft von dem Quarze ganz verdrängt wird. Auf diesem Glimmerschiefer am Wasserfalle wächst Primula villosa, Saxifraga aizoon, Hypnum commutatum; Climacium dendroides. Bey Sautens überschreiten wir die Ache und kommen in den ersten Thalkessel des Ötzthales, in welchem das Dorf Ötz liegt, dessen Lage um so mehr überrascht, als man im Innthale so oft von dem schiechen Ötzthale reden hört. Das Thal biegt sich etwas östlich und wird dadurch vor den Nordwinden geschützt; daher diese unterste Stufe des Ötzthales ein wärmeres Klima hat, als das anliegende Innthal; herrliche Nußbäume umstehen den Ort, dessen Flur ringsum von hochragenden Gebirgen eingeschlossen ist; in den Gärten wird Safflor gebaut und an den Häusern Wein gezogen. Nur an dem hohen Achenspitz erinnert eine blaue Eiswand, daß wir im Ötzthale sind.

Ein freundliches und reinliches Gasthaus beym Cassianwirth ladet zur Erholung und Nachtruhe, wenn die Zeit es erfordert. Das Dorf Ötz hat 1190 E. Von Ötz führt ein Pfad durch das vordere Stuibenthal, über die Gemeinde Ochsengarten nach Selrain in 7 Stunden. Dieses Stuibenthal läuft mit dem Innthale parallel und wird von ihm durch die Kette des Birkenkogls (über Stams), 8928 F., getrennt. Beynahe auf der Wasserscheide gegen Selrain liegt Kühethei, von wo sich das Finsterthal südlich emporzieht zum Finsterthalsee, welcher, eine Stunde im Umfang, in einem tiefen Felsenbecken ruht. Bald hinter Ötz überschreitet man die Ache und verläßt die Ebene des Thalkessels. Wir kommen bey Habichen an die erste Thalenge; die beyderseitigen Thalwände treten zusammen und versperren mit ihrem Fuße den Weg. Die Felsmasse selbst, welche diesen Riegel bildet, besteht aus Gneus. Hier wachsen: Grimmia apocarpa und ovata; Jungermannia Tamarisci und dilatata; Anictangium ciliatum; Parmelia centrifuga; Peziza epibla stomatica; Pohlia julacea. Die Ache warf den Felsendamm zum Theil nieder und stürzt nun in wilden Fällen aus einer höheren Stufe des Thales herab, während sich die Straße mühsam emporwindet zwischen den Ruinen jenes Dammes. Diese Stufe heißt das Gsteig. Herrlich ist der Rückblick in den üppigen Kessel von Ötz und darüber auf die starren Wände des Tschürgant. An einer Glockengießerey vorüber kommen wir nach Dumpen und betreten hiermit die zweyte Thalstufe, die Gemeinde Umhausen. Herrliche Staubbäche stäuben über Dumpen nieder. Die Umhäuser Thalstufe bildet einen geräumigen Thalkessel, aber ohne eigentliche söhlige Fläche; durch Bergstürze von der

Engelswand und besonders durch den Schuttberg, den der Stuibenbach (Staubbach) weithin in die Thalsohle streckt, wird die Ache an die westliche Thalwand gedrängt; auf der etwas unebenen gegen die Ache geneigten Fläche des Thales liegt das große Dorf Umhausen. Noch ehe man dahin gelangt, baut linker Hand die Engelswand in Riesenmassen sich auf, zum Theil selbst überhängend; nicht ohne besorgten Blick nach oben eilt der Wanderer dicht unter ihr hin; die frischen Brüche an ihr, die großen Blöcke unter ihr verrathen nur zu sehr, daß der Weg, wenigstens nicht immer, gefahrlos ist. Die Masse ist ein weißlicher Glimmerschiefer. Hier steigt die Alpenflora in das Thal herab und lebt neben der Thalflora: Juniperus Sabina, Cardamine resedifolia, Saxifraga Aizoon, Rhododendron ferrugineum, Primula villosa, Sempervivum arachnoideum, Thalictrum foetidum, Parmelia ciliaris. Auf der kleinen Hochebene, die sie trägt, schimmern freundliche Hütten herab und mildern den Ernst der Scene. Das Ötzthal ist eine wahre Schatzkammer von Sagen, welche leider immer mehr ausgerottet werden; es lohnte sich der Mühe eines Sagensammlers, sich das Vertrauen der älteren Thalbewohner zu erwerben, um noch die Goldkörner aufzufinden, die sonst verloren gehen. Wer in der Dämmerung des Abends die Riesenwand von Dumpen her erblickt, während aus der dunklen Schlucht hinter ihr weiße Dampfsäulen aufsteigen und die Wand wie Geister umgaukeln, der wird sich auch erklären, warum diese Wand ein Gegenstand der Volkssage wurde. Unter der Wand stand einst die Burg Hirschberg, jetzt begraben unter den Trümmern an ihrem Fuß. Ein Graf lebte hier glücklich mit seiner Gattin; nur ein Nachkomme fehlte dem Glücke; um sich diesen Segen des Himmels zu erflehen, unternahm er eine Pilgerfahrt nach Jerusalem; ein Jahr nach seiner Rückkehr wurde die Ehe durch ein Knäblein gesegnet. Einst lustwandelten Beyde im Schatten der Felswand, das Kind spielte im Gras; da rauschte es mit Sturmesfittichen durch die Luft; ein Jochgeyer packte das Kind, und schwebte schon hoch mit der Beute in den Lüften, ehe noch die unglücklichen Eltern die Größe des Unglücks erfaßten; namenlos war der Schmerz, laut erhoben sich ihre Klagen zum Himmel, der ihr Flehen nicht unerhört ließ; ein Engel entriß dem Geyer die Beute und legte sie unversehrt zu den Füßen der Eltern nieder; daher die Engelswand.

Umhausen hat 930 E. In der Thalsohle bey Umhausen und am Stuibenfall kommen vor: Myosotis intermedia, Neslia paniculata, Sedum annuum, Herniaria glabra, Chenopodium album, Urtica urens, Peltigera horizontalis, Lecidea lapicida, — geographica und contigua, Leptohymenium filiforme, Hypnum Crista castrensis, Cladonia uncialis, Jungermannia undulata, Peltigera malacea, aphtosa, polydactyla, canina und horizontalis; Sticta fuliginosa, Sphaerophoron compressum, Dicranum longifolium, Poa alpina, Campanula pusilla, polytrichum alpinum. Gute Wirthshäuser gestatten auch einen längeren Aufenthalt. Die Hauptmerkwürdigkeit ist der große Stuibenfall[1]), ein prächtiger Wasserfall, der oben unter einer natürlichen Felsenbrücke hervorrauscht, dann einen gewaltigen stäubenden Sprung macht, in einem Kessel sich sammelt, wieder im engen, aber kurzen Felsenbett zu einem zweyten Sturze eilt, wo sein Fall über ein weit vorspringendes gewölbtes Felsendach in großen Bogen schäumt. Besonders malerisch ist der unterste Kessel, in welchem sich der Bach zum Abfluß sammelt, ein Studium für Landschaftsmaler. Schon weithin verrathen die aufwirbelnden Staubsäulen die Gegend des Wasserfalles und erklären seinen Namen, ob er gleich kein Staubbach im eigentlichen Sinne ist wegen der großen Wassermasse. Die Felsenwand des Falles ist Hornblendeschiefer. Hat man die Höhe des Falles erreicht, so betritt man ein höheres Alpenthal, obgleich noch kein Hochthal, das Hairlachthal, in welchem das

1) Stuibe oder auch Stäubl bedeutet Staubbach; es gibt daher mehrere, z. B. die Stuibe oder der Stäubl bey Reute, die kleine Stuibe (unterster Fall der Ötzthaler Ache), die Stuibe, die bey der im Eingang des Thales erwähnten Mühle herabstäubt, und diese, welche auch die große Stuibe heißt, wie auch die Stuibe im Pitzthal.

Dorf Niederthey[1]) liegt; oberhalb des Ortes zieht es noch eine Stunde im engen Thal fort, breitet sich dann hochthalartig in mehrfache Äste mit flacheren Formen aus und empfängt aus vier Gletschern seine Nahrung, dem Strahlkopfferner mit einem Eissee, dem Grasthaler See, dem breiten Grieskoglferner und dem kleinen Ferner am Reichenspitz. Ein Jochpfad führt über das Gleirscher Joch, jenseits das Gleirscher Thal hinab nach St. Sigismund (Selrainerthal), der nächste Weg von Umhausen nach Innsbruck 10 St., ohne alle Gefahr, sogar bequem.

Westwärts von Umhausen steigt das Alpenthal Leirsch hinan und durch dasselbe ein Pfad in das Pitzthal (s. oben). Bergsteiger werden in den Hochgebirgen der Leirscher Alpen, besonders durch den hochgelegenen Fundes- oder Wetter-see, wie durch die Aussicht von dem Wildgratkogl, 9385 F., nach dem Arlberg im Stanserthal hinauf, ins Pitzthal und die Gegend von Imst belohnt. Noch sehr gesegnete Roggen- und Waizenfelder schmücken die Umgegend; außerdem ist Flachsbau das Haupterträgniß und man gewinnt gegen 1500 Centner trefflichen Flachses.

Hinter Umhausen verengt sich das Thal plötzlich wieder und die vortretenden Bergwände bilden wieder eine Thalenge, durch die wir zu einer höheren Thalstufe emporsteigen. Doch ganz anderer Art ist diese Thalenge gegen die vorige. Es ist die grausenerregendste und gefährlichste des Thales; dort unten zwischen Umhausen wurde der Felsendamm, aus Gneus bestehend, niedergeworfen und der Bach schäumt über große Blöcke in kurzer Strecke in die Tiefe hinab; die hohe Achenspitze erscheint nur als ein Wachthurm des Passes. Hier engten Wände, wie die Engelswand, den Abfluß des Lengfelder Sees; er untergrub dieselben, sie stürzten ein und wurden in ihrem Innersten erschüttert; daher das Grauenhafte und Gefährliche dieser langen Thalenge, welche das Maurach heißt, die Ache treibt ihre weißgrauen Wogen schäumend und stäubend über die hier fortwährend zusammenschurrenden Berge; ebenso weiß steigen die beyderseitigen Schurrwände über lockeres Geröll empor zu den noch stehenden, aber geborstenen und den Einsturz drohenden Massen; nur mühsam windet sich die Straße über den treulosen Boden, der mit den eisigen Wogen der Ache kämpft, und überspringt die Ache in mehreren Brücken. Wie stark erschüttert diese Glimmerschiefermasse ist, zeigen auch die Pyramiden, ähnlich denen von Botzen, mit ihren Kiefern auf den Spitzen, ringsum von Regengüssen zugespitzt und abgerieben. Botanisches: Clematis vitalba, Calamagrostis littorea, Salix grandifolia, Rhododendron ferrugineum. Wie dort im Vorlande die Alpenströme zwischen den Geröllwänden oft von großen Schaaren Möven umschwärmt werden, so umflattert diese grause Gebirgswelt eine Schaar böser Geister und Hexen, sie heftet sich an die Füße der die Straße des Schreckens Durcheilenden, sie wirft sie mit Steinen oder verschüttet sie auch ganz. Bey nassem Wetter muß man mit Vorsicht hier durch reisen; die vielen Unglückstafeln am Wege verkünden dieses. Der Weg wird endlich wieder sicherer, wie die schattenden Föhren am Wege beweisen; er zieht sich von der Ache etwas ab links in die Höhe. Hier tritt man plötzlich aus dem Dunkel des Waldes heraus und wird nicht wenig überrascht durch eine herrliche, mehrere Stunden lang hingestreckte Thalfläche, bestreut mit vielen dorfähnlichen Häusergruppen; in der Ferne zeigt sich, umlagert von der größten Häusergruppe, der Lengenfelder Kirchthurm; darüber baut sich der Burgstein, ähnlich der Engelswand, mit senkrechten Wänden auf; von den sonnigen Matten seiner Hochebene leuchten Bauernhäuser herab, rechts erheben sich eine Reihe Granitpyramiden, unten angebaut, höher hinan mit dem Schatten der Wälder umgürtet, über denen die Terrasse der sonnigen Matten sich lagert und emporzieht auf den vielfach gefurchten Rücken, bis der schärfer hervorschneidende Felsen den Pflanzenwuchs völlig vertreibt; die Vordermänner sind in ihren Zinnen nur schneegefurcht, aber aus dem Hintergrunde ihrer Schluchten leuchtet das dicke Weiß des mächtigen Eisrückens

1) Thej, Tschey = Alpe, siehe oben.

zwischen dem Ötz- und Pitzthal hervor; hie und da dringt auch schon ein Gletscherarm herab und lugt neugierig in die grüne Herrlichkeit des Thales herab. Schwer beladene Flachswagen, von kräftigen wildaussehenden Ochsen gezogen, begegnen uns, während aus den umliegenden Häusern ein fortwährendes Geklapper ertönt; es sind Flachsbrechelmühlen, in denen der Flachs im Großen gebrochen wird. Die Kraft des Wassers setzt diese Brechmaschinen in Bewegung; denn auch hier ist Flachsbau Hauptsache des Feldbaues; man erzeugt jährlich 1000 Centner. In vielen Windungen durchzieht und durchblitzt das silberne Band der Ache die weite grüne Fläche. Das ist die Lengenfelder Ebene, von der wir vielleicht schon im unteren Ötzthale manchen Tyroler mit Entzücken reden hörten; noch begeisterter ist der Bewohner des oberen rauheren Ötzthales davon. Die Thalstufe Lengenfeld liegt 3800 F. über dem Meere, ist $2\frac{1}{4}$ Stunden lang und eine halbe Stunde breit. Das Wirthshaus ist gut. Nur der aus der Ostwand vortretende Burgstein und der von dem westlichen Gebirge, dem Feuerkogl, herabziehende Rücken mit der fernschimmernden Kapelle schnüren diese Thalfläche etwas ein. Der Name Lengenfeld oder Längenfeld erklärt sich aus seiner Lage. Das ganze Fußgestell der die Thalmulde umstehenden Berge besteht aus dunkelgrünem Hornblendeschiefer, von Quarzgängen durchzogen, ein Gestein, welches schon am Stuibenfall anfing, dann aber durch die Schuttmassen des Maurachs unterbrochen wurde.

Die Häusergruppen des Ötzthales, besonders der Lengenfelder Thalstufe, gewinnen ein anderes Ansehen, je nachdem man das Thal heraufkömmt oder hinabgeht. Es herrscht hier der Sonnenbau; die Hauptfronte aller Häuser ist gegen Süden, thalaufwärts gerichtet; die hintere, gewöhnlich Stall- und Stadelseite, ist thalabwärts, nach Norden gekehrt. Die südliche Giebelfronte, der bewohnte Theil des Hauses, ist massiv oder wenigstens überworfen, weiß und bunt bemalt mit den in den Alpen eigenthümlichen Verzierungen; die hintere Seite des Hauses ist braunes Balkenwerk. Man glaubt daher, geht man durch ein solches Dorf hinaufwärts und kehrt sich einmal um, in ein anderes Dorf versetzt zu seyn. Thalabwärts erscheint daher die Thalfläche von Lengenfeld mit weißen niedlichen Häusergruppen übersäet, thalaufwärts sind es braune Hütten, die sich dunkel von dem Lichtgrün der Fluren abheben.

Das eigentliche Dorf Lengenfeld oder Längenfeld liegt am Fischbach, der es in zwey Hälften theilt; der Bach ist ein gefährlicher Nachbar durch seine oft plötzlich hereinbrechenden Überschwemmungen. Die Gemeinde, welche sich über die ganze Thalstufe ausbreitet, zählt in 312 H. 1544 E. und vier Schulen. Die Kirche und das Wirthshaus liegen $2\frac{3}{8}$ Stunden von Umhausen, $7\frac{1}{2}$ Stunden von Silz, dem Gerichtssitz. Der weithin von der hohen Thurmspitze funkelnde vergoldete Knopf versammelt die Gemeinde aus der weiten Umgegend zu gemeinschaftlichem Gottesdienst, während für die Häusergruppen die Kapellen in der Woche aushelfen. Die Pfarrkirche ist groß, schön und alt. Längenfeld, der Mittelpunkt des sagenreichen Ötzthales, ist auch der Sitz der Sagenwelt [1]. In der Todtenkapelle zeigt man den ungewöhnlich großen gespaltenen Schädel des verrufensten Roblers des Thales, des Adasbuben; gefürchtet von dem ganzen Thale, durchzog er mit seinen Spießgesellen die weite Umgegend, seinen wilden Lüsten folgend; wer ihm widerstand, wurde unter Hohn und Spott gegen Gott gemordet, Häuser und Kirchen erbrochen und entweiht. Am Burgstein traf ihn sein Strafgericht; ein armer Bauer, dessen Haus er erbricht, ergreift seine Axt und gibt dem eindringenden Adasbuben damit seinen Segen, daß er das Aufstehen vergaß. — Dort in düsterer Einsamkeit liegt ein Acker nicht weit von dem Dorfe; er gehörte einem Kinde, dessen Vormünder, einverstanden mit den ungerechten Richtern, das Gut schändlicher Weise an sich brachten; sie lebten auch und starben im Besitz dieses ungerechten Gutes. Kömmst du in der Mitternachtsstunde hier vorüber, so erblickst du mitten auf dem Acker ein flam-

1) Das Land Tirol B. I, 298.

mendes Gastmahl auf glühendem Tische, an welchem die ungerechten Richter und Vormünder, auf glühenden Stühlen sitzend, unter Zank, Geschrey und Gebrüll theilnehmen. Jenseits der Ache unter dem hohen Feuerkogl liegt ein anderer Acker, das Gottesgut genannt wegen seiner ehemaligen Fruchtbarkeit. Der Bach erhielt durch eine Überschwemmung eine andere Richtung und das Gottesgut wurde unfruchtbar; der Besitzer wollte den Bach wieder in sein altes Bett leiten, kam darüber in Streit mit den Nachbaren und das diesen günstige bestochene Gericht sprach dem Besitzer sein Recht ab; er verarmte und starb aus Gram; doch ihm folgten auch bald die ungerechten Richter; die halten noch jetzt in dem alten Bette der Ache bis zum jüngsten Tag jede Nacht ihren schauerlichen Todtentanz. Wo sich die weite Thalfläche von Lengenfeld aufwärts wieder verengt und das Thal sich wieder in düstere Schatten hüllt, stehen in nicht groser Ferne von einander zwey einsame Hütten; die eine in dunkler Seitenschlucht, von Föhren und Lärchen beschattet; hier brachte ein Mädchen in der Einsamkeit zu, da ihr Geliebter am Tage ihrer erzwungenen Hochzeit mit einem andern, aus Gram an dieser Stelle gestorben war. In der anderen Hütte, unweit einer uralten Kapelle, lebte eine geizige Bäuerin, welche ihr zusammengekargtes Gut in einem alten Küchenkasten barg; sie starb, und als ihr Mann von ihrem Grabe zurückkehrte, kam ihm beym Eintritte in sein Haus der alte Küchenkasten auf den Schuhen seiner Frau knurrend entgegen; dieses wiederholte sich so lange, bis der Mann das Geld unter die Armen vertheilt hatte. — Oben im Lochwald verbrachte ein Bube mit seiner Dirne während des Gottesdienstes die Zeit; als die Glocke zum Gebete rief, mahnte ihn das Mädchen an seine Pflicht, in die Kirche zu gehen; als er nicht auf ihre Worte hörte, fuhr ein Blitz hernieder, einen Baum vor ihnen niederschmetternd; ihn verließ der Frieden seiner Seele. — Über Lengenfeld ragt aus weiten Eisfeldern das Felsenhaupt, der Morin, empor; dort ist der Pallast der drey seligen Fräulein, welche den gewöhnlichen Menschen nur unter der Gestalt gewaltiger Jochgeyer erscheinen, die Hörner der Hochwelt umkreisend und die Gemsen als ihre Hausthiere beschützend; daher hassen und verfolgen sie die Jäger, während sie den Hirten Gutes erzeigen. Ein Lengenfelder Hirte hatte Zutritt in dem herrlichen Pallaste unter der Bedingung eines völligen Schweigens darüber und nie eine Gemse zu jagen. Als er aber einst doch unvorsichtiger Weise etwas gegen seinen Vater äußerte, fand er den Eingang nicht wieder; aus Gram zehrte er ab und wurde aus Verzweiflung Gemsjäger; doch auf der ersten Jagd, als er auf eine Gemse anlegte, trat eine jener Feen zwischen ihn und die Gemse; geblendet von dem Glanze stürzte er in den Abgrund.

Seitenwege und Ausflüge von Lengenfeld. Westlich öffnet sich das Lehnthal und steigt zum Pitzthaler Rücken hinan voller Alpen, in der höheren Region wilde Felsschneiden und dazwischen ödes Felsengeröll oder Eisfelder; ein Wildsee, der Weißensee, hoch oben unter dem Gamskogl in wilder Umgebung; von der Schneide hat man eine schöne Aussicht ins Pitzthal und die Gebatschferner. Oberhalb Lengenfeld führt ein Pfad über das wild zertrümmerte Bradler Joch ins Pitzthal unterhalb Plangeros.

Der Fischbach, welcher von Osten herab Lengenfeld durchtost, bildet ein bedeutendes Nebenthal, ähnlich dem vordersten Stuibenthal bey Ötz und dem grosen Stuibenthal bey Umhausen; auch hier liegt auf der ersten Terrasse des Sulzthales, welches der Fischbach durchfließt, ein Dorf, Gries; von da zieht das Thal südöstlich hinan in die Eisregion, welche es vom Selrainer- und Stubaythal scheidet. Zehn Ferner senken ihre Eismassen herab und geben dem Fischbach seine Nahrung. Nur spärliche Lärchenhaine sind durch das obere Alpenthal zerstreut. Zwey Pfade führen durch dieses Thal; der eine von Gries, das Hauptthal verlassend, im Winnebacher Graben aufsteigend, führt oben eine Stunde lang über den Grieskoglferner unter der Spitze des Grieskogls vorüber jenseits hinab ins oberste Melachthal, Lisens genannt; von Lengenfeld der nächste Weg nach Innsbruck. Der andere Pfad geht von Gries im Hauptthale fort bis an das oberste Ende, steigt dann den Sulzferner hinan zur Schneide unter dem Pockkogl und geht jenseits am Glammgruber Ferner, dem Ritterberger Hochsee vorüber in die Wildgrube, dem innersten Stubaythal. Dieser Pfad ist zum Theil beschwerlich und erfordert einen geübten Bergsteiger, bietet aber die erhabensten Hoch- und Eisgebirgsscenen.

Wir wandern wieder im Ötzthale hinan, von Lengenfeld aufbrechend. Unter der senkrechten Wand des Burgsteins kommen wir nach Hube, einem Dorfe eine Stunde hinter Lengenfeld mit 340 E. Jetzt treten die Thalwände wieder näher zusammen; die Ache rauscht dicht zur Rechten; die Thalwände beschatten Lärchen; einsame Kapellen im düstern Schatten beengen auf diesem Wege das Gemüth. Endlich verschließen die Wände, größtentheils aus Eklogit, lauchgrün mit braunen Granaten, und Hornblendefels bestehend, das Thal völlig; die Straße schwingt sich über die Ache auf ihr linkes Ufer und zieht durch Waldesdunkel am Abhange in die Höhe. Wo sich der Wald lichtet, führt auch der Weg wieder abwärts und wieder in die Glimmerschieferregion; der melancholisch gewordene Wanderer wird, indem er die Thalstufe von Sölden, 4373 F. über dem Meere, erreicht, durch eine neue Scene überrascht. Oben in der Einleitung wurde bey der Schilderung der Ötzthaler Gruppe der innerste Theil derselben der Hochkranz genannt, jener Eisgebirgsrücken, welcher die höchsten Thäler der Gruppe Gurgl und Fend umschließt. Sölden liegt am oberen Ende des unteren Ötzthales, gleich den obersten Anfängen und Hintergründen des Pitz-, Kaunser-, Stubay- u. s. w. Thales. Dadurch aber, daß sich jene 6000 F. hoch gelegenen Thalkessel von Gurgl und Fend, einst Hochseen, ihre Bahn nach Sölden hin abbrachen, wurde dem Ötzthal die Krone der ganzen Gruppe übertragen und daher benannten wir auch die Gruppe nach diesem Thale. Wir treten daher hier bey Sölden an die Außenseite jenes gewaltigen Hochkranzes, der die innerste Ötzthaler Hochwelt umstarrt, und diese Riesenberge, welche jetzt das Thal verschließen oder zu jenem Hochgebirge gehören, treten uns jetzt mit ernster Erhabenheit entgegen. Es ist eine Scene, welche sich in mehreren größeren Thälern der Centralkette wiederholt, der zweyte Aufzug derselben, das Auftreten der innersten Riesenkette (Gastein bey Hofgastein, Kriml über dem obersten Wasserfall, Zillerthal bey Zell u. s. w.). Botanisches auf dem Wege von Lengenfeld nach Sölden: Juniperus Sabina, Umbilicaria vellea, Parmelia ventosa chrysoleuca und oreina, Rosa rubrifolia, Filago arvensis, Laserpitium hirsutum, Thalictrum foetidum, Galium lucidum, Alsine laricifolia, Artemisia campestris, Allium fallax, Racomitrium canescens, Ceratodon purpureus, Stereocaulon alpinum, Peltigera polydactyla und malacea, Hypnum compressum und splendens, Woodsia ilvensis, Didymodon glaucescens, Erigeron alpinus, Jungermannia pinguis, Dicranum squarrosum, Bartramia falcata, Bryum pallens und punctatum, Dicranum subulatum, Alnus alpina, Rhododendron ferrugineum, Racomitrium incurvum, Grimmia ovata, Encalypta ciliata, Syntrichia ruralis, Dicranum gracilescens, Didymodon obscurus, Cladonia squamosa, cornucopioides, rangiferina, uncialis, furcata, gracilis, pyxidata und fimbriata, Sphaerophoron compressum, Parmelia physodes obscurata, Stereocaulon paschale, Umbilicaria cylindrica und polyphylla, Campanula pusilla, Linaria alpina, Parmelia pallescens, saxicola, sordida, glaucoma, chrysoleuca und oreina, Saxifraga aspera, Primula villosa, Lecidea atrovirens und fusco = atra, Herniaria glabra, Montia fontana.

Der Thalkessel von Sölden lacht nicht mehr mit den Reizen von Lengenfeld, es sind schon die scharfen Charakterzüge eines ausdrucksvollen Gesichtes. Rechts und links ziehen die Thalwände hinan; in der Tiefe noch angebaut[1]; doch nur wie bunte Lappen liegen die Saatfelder zerstreut umher; ein nicht breiter Waldgürtel, der hie und da ganz fehlt, verhüllt die niederen Theile; der größte Theil steigt alpenhaft hinan, häufig von Klip-

---

1) Roggen (der letzte thalaufwärts), Gerste, Hafer, Erdäpfel und Rüben.

pen unterbrochen, über welche zahlreiche Wasserfälle herabrauschen aus den Eisfeldern, welche die Gipfel umhüllen. In der Mitte des Thales, wo sich jene Thalwände erniedrigen, baut sich jener Gebirgsstock auf, welcher Gurgl und Fend scheidet und eigentlich dem Gemälde seinen Charakter gibt. Der Rader- oder Röderkogl ist der Flügelmann; er bildet eine große graubraune Pyramide, von deren Schneespitze zahllose Schneefelder herabhängen, hie und da Ferner bildend, nur in der Tiefe überziehen sich die scharfen Felsrücken mit dem grünen Schimmer des Graswuchses. Hinter den Schultern des Raderkogls beginnt die Fernerwelt des Özthales mit dem Stockferner; ein Eishaupt droht über dem anderen. Der Reisende hört so viel von dem Özthaler Ferner, ehe er noch das Özthal selbst kennt, so daß Özthal und Ferner fast gleichbedeutend werden; er glaubt schon beym Eintritt von großen Gletschern begrüßt zu werden, und wundert sich, statt dessen ein wohlangebautes fruchtbares Thal zu finden, dann und wann freylich unterbrochen durch furchtbare Engen; die Fernerwelt wagt nur verstohlen, hie und da herein zu blicken. Wer daher die Özthaler Eiswelt kennen lernen will, muß wenigstens bis Sölden, eigentlich aber nach Gurgl und Fend und noch weiter hinan steigen. Sölden in der Abendbeleuchtung nach der düstern Enge zu erblicken, ist ein Alpengenuß. Man überschreitet die Ache noch zweymal und erstaunt über die Murbrüche der Wände[1]). Sölden (Sölden heißt die ganze Gemeinde, das Dorf mit der Kirche und dem Wirthshause Rettenbach) liegt von Lengenfeld 3 Stunden, hat 912 E. Das Wirthshaus ist gut, wenn auch einfach. Bis hierher ist das Thal zur Noth fahrbar.

Wir brechen von Sölden auf, um das innerste Heiligthum der Özthaler Gebirgswelt zu besuchen. Die Thalenge von hier nach Zwieselstein ist die wildeste des ganzen Thales. Zwey Bergrücken ziehen von beyden Seiten herab, um der Ache den Ausgang zu verwehren; auf den östlichen Rücken steigt man, nach Überschreitung der Ache, oberhalb Sölden mählig hinan und kömmt ziemlich unvermerkt zu einer bedeutenden Höhe, die man aber nicht eher sieht, als bis sich der Weg, um die Thalwand herum schwingt, wo man plötzlich nicht ohne Schaudern in den nächtlichen Abgrund blickt, in welchem nur die weißschäumende Eisfluth der Ache einiges Licht bringt. So tief der Abgrund hinabgeht, so hoch ragen die drohenden Wände in die Höhe; kaum begreift man, wie es Menschen gewagt haben, hier einen Weg an die schwindelnden Wände zu hängen. Hie und da bricht der Weg völlig ab und mußte durch Brücken ersetzt werden, deren Pfeiler oft nur die schwankenden Wipfel einer Lärche, auf welcher die Balken befestigt sind, ausmachen. Votivtafeln verkünden die nicht selten hier vorkommenden Unglücksfälle. Hier, wo der Abgrund am schwärzesten ist, betete einst eine Mutter in der Kapelle, während ihr Kind auf dem schmalen Wege saß; da kömmt ein Betrunkener, das Kind will entfliehen, wird aber von jenem in den Abgrund gestoßen; die herzueilende Mutter will es noch halten, stürzt aber nach. Bald darauf wandert jener Unglücksstifter wieder dieses Weges, erblickt den drohenden Geist der Mutter in der Tiefe, schwindelt und findet sein Grab ebenfalls da unten. Seitdem erscheinen nächtlich auf diesem Pfad die Mutter und ihr Kind und warnen vor dem Mörder, der dem Wanderer Unheil zuzufügen sucht. Auf dem Wege findet der Botaniker: Equisetum arvense, Cornicularia tristis, Parmelia ventosa atrovirens und chrysoleuca.

Kaum vermuthet man, in den tiefen Kessel oder Tobel hinabsteigend zur Ache, daß hier Menschen hausen; dennoch liegen hier die zerstreuten Hütten eines Dorfes an die Wände geklebt, Zwieselstein (das Thal zwieselt, spaltet sich). Nur die durchkreuzenden Wege verschiedener Thalgemeinden mögen hier eine Ansiedelung veranlaßt haben. Die Thäler Fend, Gurgl, Timbl und (unteres) Özthal treffen in diesem Trichter zusammen. Rechts führt der Pfad in das Thal Fend, aus dessen Hintergrund hier die Wildspitze, 11,910 F., der höchste Berg nach dem Ortler und Glockner in unseren Alpen,

1) Ein einziger Regentag versperrte mir hier fast die Rückkehr.

hereinleuchtet. Gerade entgegen kommt uns das Gurgler Thal, der zweyte Hauptast des obersten Öthales. Ein Seitenzweig des Gurglerthales ist das Timblthal, welches vom Timblerjoch oder Paukersjoch herabzieht. Ein Saumweg, mehr für Träger geeignet, führt über dieses vielbesuchte Joch, da es der einzige unbegletscherte Jochübergang aus der Öthaler Gruppe in das Etschthal zwischen Norden und Süden ist. Bis auf die Höhe des Joches rechnet man 3½ und jenseits hinab zu den ersten Häusern, nach Schönau 4 Stunden. Von Sölden nach den ersten Häusern im Passeyr, Schönau oder Moos, rechnet man 9 Stunden.

Wir folgen zuerst dem Gurgler Thal. Wer über das Timblerjoch nach Passeyr und in das Etschthal will, muß in Zwieselstein sich links halten, d. h. auf dem rechten oder östlichen Ufer des Gurgler Baches. Wir überschreiten diesen und steigen im Dorfe hinan, am Fuße des Raderkogls. Noch geht es eine Strecke steil und eng hinan, dann über eine Brücke, wo links ein schöner Staubbach herabstäubt; hierauf treten wir in das Gurgler Hochthal. Der düstere Ernst verschwindet; eine erhabene Größe, heitere, sonnige Gegend, sanftere Thalgehänge, baumlos, mit dem Schmelz der Triften überzogen, treten an die Stelle. Den weitern hügeligen, selbst bergigen Thalboden durchfurcht das tiefeingeschnittene, unten selbst gewölbte Felsenbett der Ache; kühne, eigenthümliche Brücken überspringen die Abgründe, einzelne sibirische Zedern bilden die Brückenköpfe; auf isolirten Felsenhügeln, oft kühn die Ache überhängend, liegen die ersten Häuser der Gemeinde Gurgl, auch Pillberg genannt; bey ihnen überschreitet der Wanderer auf kühner Brücke[1]) die Ache, welche im Felsenbette tost. Jetzt erst gewinnt die Eiswelt die Oberhand; überall zeigen sich Schnee- und Eisgipfel und im Hintergrunde des Thales ist die ganze Thalsohle mit Eisquadern gepflastert; es ist der große Öthaler Ferner im engeren Sinne. Den Mittelgrund nimmt ein grüner Felsenhügel ein; man glaubt unmittelbar hinter ihm auf die Eisfläche des Gletschers zu treten; kaum hat man aber jenen Thalhügel links umgangen, während rechts von ihm (aufwärts gesehen) die Ache vorbeyrauscht, so liegt auf sonnigem Gehügel, wie hingezaubert, die alte Gothische Kirche von Gurgl vor uns, umschaart von einer Gruppe brauner Hütten, einer der äußersten Vorposten des Innthales gegen die Eiswelt. Ringsum prangen die Eishäupter im Silberglanze. Die Gast- und Wirthshäuser haben hier (6000 F. über dem Meere) aufgehört. Der Wanderer muß daher bey den Geistlichen einkehren, die in manchen Gegenden, namentlich hier, schon darauf vorbereitet sind[2]). Der Reisende, der die oft prächtigen Pfarrwohnungen des Unterlandes kennt, wird freylich mit den Augen diese Wohnung fast umsonst aus der braunen Häusergruppe suchen; erst auf der Südseite zeigt sie, wie die Öthaler Häuser der unteren Thalregion, ein freundlicheres weißes Angesicht. Auch die Kirche überrascht als ein fensterloser Bau, und gleicht einem grauen Felsen; nur gegen Süden und Osten finden sich Fenster. So reizend es ist, an heiterem, sonnigem Abende das Bild von Gurgl zuerst zu erblicken, so möchte dennoch der dunkle Abend, die Abenddämmerung oder gar ein Mondabend einen tieferen unauslöschlichen Eindruck machen im Gegensatz der unteren Thalstrecken. Der Wanderer durch das Öthal muß sich erst, wie der, welcher in eine Mühle zieht, an das fortwährende Rauschen der Ache gewöhnen, um zu verstehen und verstanden zu werden; von beyden Seiten dringt das Geräusch der Ache ins Ohr, hier unmittelbar aus der Ache, dort von den Felsenwänden; bald umdüstern schaurige Wände, bald dunkle Wälder den Pfad. Hier oben ist Alles anders; die Ache grollt nur noch als ferner Donner eines abziehenden Gewitters; ihr Bett hat sie sich tief eingeschnitten und sich dadurch selbst unüberschreitbare Schranken gesetzt; keine Überschwemmung kann hier den Frieden des

1) Die Art der Brücken, wie die Häuser, erinnern noch treuen Bildern ganz an die des Himalaya.

2) In einer neueren Reise wird die theure Zeche bey dem Geistlichen in Gurgl getadelt; der Verfasser, welcher freylich einige Jahre vorher daselbst war, konnte die Forderung nur äußerst billig, die Bewirthung sehr gut finden; wahrscheinlich ein anderer Geistlicher.

Thales stören. Doch auch kein Baum, kein Strauch unterbricht hier die hügeligen Matten, keine Felsenwand schwebt drohend über dem Wege. Statt der dunkeln Wälder leuchten die Ferner herab, statt der schwarzen Wände überzieht ein lichtgrüner Rasenteppich die Hügel und Gehänge des Thales. Man erwartet höchstens eine einsame Sennhütte und hört plötzlich die ernsten Töne einer Glocke aus Gothischem Kirchthurme. Doch die Gefühle, der Wechsel der Zeiten an dieser Stelle sind schon oben bey den Bildern der Oetzthaler Gruppe ausgesprochen. Der Reisende, welcher wieder zurückkehrt durch das Oetzthal und nur seine Ferner sehen will, macht von hier noch folgenden, nicht ganz einen Tag kostenden Ausflug. Am frühen Morgen verläßt er Gurgl und steigt links [1]) hinan über Matten, welche bald von Geröll überschüttet, bald auch durch lebendiges Gestein durchbrochen werden. Nachdem man die erste Ecke der Thalwand umstiegen hat, wird man überrascht durch das links (östlich) sich hineinziehende Rothmoosthal, dessen ganze Thalsohle von dem Rothmoosferner erfüllt wird, welcher sich muschelförmig, wie die meisten Gletscher, ausbreitet; links über ihm erheben als glänzende Eisfirsten der Granatenkogl, Kirchenkogl, die Krystallwand und die Söberspitze ihre Häupter. Nachdem wir den Bach des Rothmoosferners auf einem Stege überschritten haben, führt der Pfad, immer felsiger werdend, wieder hinan. Muntere braune Schafe umklettern die Felsen, zwischen denen hie und da die Hütte eines Hirten versteckt liegt, einem Steinhaufen gleichend. Wir biegen noch um eine Ecke und erblicken links unter uns den Gurgler Eissee, gerade vor uns den Großen Oetzthaler Ferner, rechts unter uns einen sehr ehrwürdigen Zirbenhayn, nachdem wir schon lange die Baumvegetation verlassen haben, über uns die Schneehäupter der Bergriesen. Der Eissee entstand durch das Vorrücken des Großen Oetzthaler Ferners im Hauptthale; er verschloß dem Langthal und dessen Ferner den Ausgang zuerst 1717 und verursachte im Anfang Schrecken durch das ganze Thal, so daß wöchentlich Messe auf dem Ferner gelesen wurde; allein er verschaffte sich seitdem jährlich einen natürlichen allmähligen Abzugsgraben durch das feste Fernereis im Gegensatz zu dem Eissee im benachbarten Rofenthale, der durch Eisgebröckel entstanden war. Der See hat demnach ein sehr verschiedenes Aussehen, je nachdem man ihn vor oder nach dem Ausbruche, welcher gewöhnlich Johanni statt findet, sieht. Am groteskesten erscheint er nach dem Ausbruch, wenn sich auch sein Spiegel erniedrigt hat; denn dann zeigen sich die hohen Eiswände des Großen Ferners, welche das westliche Gestade des Sees bilden, in ihrer ganzen Größe, dann ragen kleine Eisberge, die durch Unterfressen abgebrochenen Eismassen des Großen Ferners, auf, bald als blaugrüne Pyramiden und Obelisken, bald als hohe Triumphthore, kühn und abenteuerlich gewölbt, in dem herrlichsten Farbenspiele der Eiswelt schimmernd. Den Hintergrund des Seethales umschließt der Langthalferner; sein südliches Gestade bilden die schwarzgrauen Gneusschichten des Schwarzen Berges, der seinen Namen inmitten der schimmernden Eiswelt mit Recht verdient. Über den Großen Ferner zieht eine Reihe von Eiskolossen hin, unter ihnen der Schalfkogl, die Firmianspitze und Karlsspitze; nur an den steilsten Wänden bricht der Eismantel in blaugrünen Stufen ab und zeigt graues verwittertes Glimmerschiefergeröll. — Von diesem Standpunkte aus führen zwey Eispfade ab, der eine hinab auf den Großen Ferner, auf diesem dann hinan, den See links lassend. Bald über dem See verläßt man das Eis auf einige Zeit und klettert über lockeres Schiefergeröll des Schwarzen Berges zum Steinernen Tischbilde, einem Rastplatze der über den Ferner Wandernden, wo eine große Felsplatte einen Ruhesitz und Tisch darbietet; ein Heiligenbild weiht den Ort zum Heiligthume. Der Ferner wird wieder betreten, nachdem man seinen stärksten Absturz umgangen hat; nach 2 starken Stunden zwischen tiefen Klüften hindurch, doch ohne sehr starkes Ansteigen, erreicht man zwischen dem Fal-

1) Die Führer wählen gewöhnlich den kürzeren Weg rechts (auf dem linken Ufer der Ache); doch ist dieser Weg nicht für alle Reisende räthlich, während unser Pfad ganz ohne Gefahr auch für den Schwindelnden ist, und außerdem auch selbst mehr zum Hauptzweck führt, dem Eissee.

schangspitz und Schroffenstein das Joch. Gegen Süden bricht nun das Gebirge sehr steil ab, so daß kein Eis mehr haftet und sehr mühsam klettert der Pfad die Wand hinab zum Eishof, den ersten Häusern im schauerlichen Fossenthal (fossa) (Gebiet des Thales Schnals, welches bey Naturns zur Etsch geht). Über St. Katharina kann der Reisende nun ins Etschthal oder der berglustige kühne Wanderer von der Karthause aus in das obere Schnalser Thal steigen, voll der erhabensten Bilder, und von da entweder über das Niederjoch oder den Hochjochferner, um durch Fend ins Özthal zurückzukehren[1]. Ein anderer Pfad führt von unserem Standpunkt links östlich ab, längs dem nördlichen Gestade des Eissees hin, ziemlich beschwerlich durch die starke Verwitterung und Auflösung des Gesteins zum Theil in Schlamm. Zwey Stunden geht dann der Weg über den Langthaler Ferner bis zum Langthaler Joch, unter der Hochwildspitze vorüber und jenseits am unbegletscherten Abhang hinab in das oberste Pfelderthal (Passeyrgebiet bey Meran zur Etsch) nach Planz; noch vor Plan dreyfache Theilung des Pfades, westlich über den Grubenferner ins Fossenthal, südlich durch das Lasinzerthal und über das Joch nach Burg Tyrol und Meran; östlich das Pfelderthal hinab ins Passeyrthal. Eben dahin führt auch ein Steig unterhalb der Kirche von Gurgl an dem Königsbach hinauf, an den Schwenzer Hochseen vorüber und jenseits des Joches im Säberthal hinab nach Schönau im Passeyrthal.

Aus Gurgl bis Zwieselstein zurückgekehrt, wandern wir nun den zweyten obersten Thalzweig, das Fenderthal hinan. Das Thal Fend liegt im eigentlichen Heiligthume des Özthales; hier zeigt sich die Fernerpracht in ihrer ganzen furchtbaren Größe und Erhabenheit. Über zwanzig Gletscher starren von den Wänden herab, bewacht von den höchsten Zinnen der Özthaler Eiswelt. Troz der hohen Lage und des rauhen Klimas, das keinen Baum mehr aufkommen läßt, sind dennoch die Bewohner dieser höchsten Thalgegenden wohlhabend, indem viele Bauern aus dem Vermiethen ihrer Weideplätze einen reinen Gewinn von 4—500 fl. ziehen, ohne dabey ihren eignen Viehstand zu beschränken.

Wer von Sölden nicht ins Gurglerthal gehen will, kann einen nähern Pfad über den Vorsprung des Bergrückens einschlagen, welcher die Gegend von Sölden von dem untersten Theile des Fenderthales trennt. Bey den ersten Häusern des Thales steigt man herab zu dem Wege, welcher von Zwieselstein heraufzieht. Der Weg hängt an der linken Thalwand, so daß man aufwärts die Ache zur Linken in der Tiefe hat. Diese ist zum Theil ein furchtbarer Schlund, bisweilen von kühnen Brücken überspannt. Bey der Häusergruppe Freystädl erweitert sich die Thalsohle etwas, so daß sich der Weg auf ihr hinziehen kann. Doch bald muß er wieder zur Höhe steigen, von neuen Engen verdrängt. Auf dieser Höhe liegt die Häusergruppe Heiligenkreuz mit einer Kirche. Botanisches von Zwieselstein bis Heiligenkreuz: Parmelia sordida und chlorophana, Lecidea atrovirens und contigua, Verrucaria umbrina, Bartramia Oederi, Didymodon obscurus, Hypnum cupressiforme, Clavaria abietina, Carum carvi, Silene inflata, Ranunculus acris, Cirsium heterophyllum, Saxifraga aspera, Hieracium albidum, Laserpitium hirsutum, Primula villosa. Bey Heiligenkreuz letzter Getraidebau (Gerste und Hafer). Hinter den Häusern zieht ein Weg auf hoher Brücke über den Abgrund hinüber nach der Häusergruppe Winterstall; der Reisende bleibt aber auf der linken Seite. Die Bildung der Gebirge wird nun, wie bey Gurgl, sanfter; große Eisköpfe und Gletscher zeigen sich, darunter der Ramol sich vorzüglich links hervorhebt.

Auf dem Wege, der bergauf, bergab über Steinmuren führt, zeigt sich links an der jenseitigen östlichen Thalwand eine furchtbare Felsenkluft, die vom Stockferner herabzieht; sie ist der Herd der so verderblichen Windlawinen, welche durch von oben in sie herabstürzende Schnee- und Eismassen entstehen; ein alles niederwerfender Schneesturm stürzt dann aus der Klamm hervor. Wer die Erscheinung kennt, kann sich vielleicht zu-

1) Siehe Schnals.

vor noch bergen. Hier gedeihen: Leontodon pyrenaicus, Meum Mutellina, Vaccinium uliginosum, Erica vulgaris, Imperatoria Ostruthium, Pinus pumilio; Alnus viridis, Allosorus crispus, Aspidium dilatatum.

Nach vier Stunden von Sölden zeigt sich die Kirche von Fend, 6048 F., eine sehr malerische Scene. Eine doppelte Perspective eröffnet sich dahinter, rechts ins Rosenthal, links ins Spieglerthal, welche durch den begletscherten Felsengrath des Thaleitsspitz getrennt werden. In Fend muß man, wie in Gurgl, beym Geistlichen einkehren. Fend oder Vent ist eigentlich der Mittelpunkt für den Fernerwanderer Tyrols. Da, wo sich die genannten obersten Thäler Rosen- und Spiegler- oder Niederthal gabeln, liegt noch eine einsame Kapelle. Man kann links oder rechts im Rosenerthal hinan; links (rechte Thalseite) würde rathsamer seyn, da der andere Pfad an der Stelle, wo der Vernagtferner einst herabzog und das Rosenthal schloß, unterbrochen wird. Der Rosenerhof, ¾ Stunden von Fend, mag wohl, die Wormserjochstraße abgerechnet, der höchste im Winter bewohnte Ort in Deutschland seyn, gegen 7000 F. Bis zu ihm erstrecken sich noch zerstreute Zirbenhayne. Der Besitzer desselben, Kuzo, nahm zur Zeit Friedrichs mit der leeren Tasche diesen während seiner Flucht von Constanz auf und längere Zeit war ihm diese Einsamkeit eine sichere Zuflucht; aus Dankbarkeir bestätigte und erweiterte er den schon von Ludwig dem Brandenburger, zweyten Gemahl der Margarethe Maultasche, ausgestellten Freyheitsbrief, nach welchem der Hof einen Burgfrieden, das Recht des Asyls, Steuerfreyheit und unmittelbare Unterordnung unter den Landeshauptmann an der Etsch erhielt. Diese durch ihre Entstehung ehrwürdige Bevorzugung hörte 1783 auf.

Die Ache hat sich wieder ein tiefes Felsenbett eingeschnitten. Über Rosen erhebt sich fast nördlich die höchste Spitze der ganzen Özthaler Gruppe, die Wildspitze, 12,000 F. Ehe man noch das oberste Ende des Thales an den Fernern erreicht, erblickt man rechts unter dem 9756 F. hohen Plattenkogl die Schlucht, durch welche der Vernagtferner seine Eisblöcke herabrollt, um das ganze Thal zu verrammeln. Dieser Eisdamm spielt in der Geschichte des Özthales eine große Rolle und nicht mit Unrecht; denn er verheerte es schrecklicher, als der blutigste Krieg [1]). Schon vor 250 Jahren sendete der steilabfallende Vernagtferner seine ersten Eisblöcke herab und seitdem öfters; dadurch entstand ein Eisdamm und Eissee, der viel verderblicher war, als der Gurgler See, dessen solider Eisdamm keinen plötzlichen Durchbruch gestattete. Im J. 1600 zu Jacobi brach der aufgestaudete See zum ersten Mal durch und verwüstete das Özthal; denn die Engen des Thales dienten nur dazu, die Wuth des Elementes zu vergrößern. Im J. 1677 war der Eisdamm wieder und somit auch der See gewachsen. Durch das ganze Özthal wurde um Abwendung der Gefahr gebetet, ohne deßwegen die Hände in den Schoos zu legen; der Ausbruch erfolgte den 16. Juli in der Nacht. Furchtbar waren die Verheerungen desselben; doch außer einem Kinde, das in seiner Wiege von den Wogen herabgetrieben kam, verlor kein Mensch das Leben, weil man vorbereitet war; aber viele und gerade die solidesten Häuser des Thales, Kirchen und Pfarrwohnungen, gingen zu Grunde. In Lengenfeld kam noch das Unglück dazu, daß der Fischbach, durch eine Mure angeschwollen, zugleich durchbrach. Der Schaden für Sölden, Lengenfeld und Umhausen wurde zu 182,000 Gulden berechnet (Sölden 22,000 fl., Lengenfeld 115,000 fl., Umhausen 45,000 fl.). Sobald als möglich zogen nun die Gemeinden des Özthales in Procession zum Ferner und auf seiner Eisdecke wurde Messe gelesen. 1680 erfolgte ein neuer Ausbruch, der noch gräßlicher war, als der vorige. Jetzt wurde nicht nur das Özthal, sondern auch das Innthal verwüstet und selbst nach Wien sollen große Eisblöcke geschwommen seyn, als Zeugen des Unglücks. Der Ferner staudete zwar noch mehrere Jahre hinter einander die Fluthen, allein sie flossen ohne bedeutenden Schaden

1) Nachrichten von den Eisbergen in Tyrol, von Joseph Walcher, Wien 1773.

ab. Jetzt ist der Ferner in seinen Hinterhalt zurückgewichen; schiebt er seine Eismassen aber wieder hervor zum Rande, wo sie abbrechen, so drohen neue Gefahren.

Zwey gangbare, aber dennoch ziemlich unsichtbare und veränderliche Pfade führen den kühnen Eiswanderer an der Hand oder dem Stricke guter Führer von Fend in die oberste Region des Schnalserthales.

Wir wandern zuerst durch das Rosenthal bis zur Schlucht des Vernagtferners und gelangen gleich darauf an eine Gabeltheilung, eigentlich an das Zusammentreffen dreyer Hoch- und Eisthäler, welche ihre Gletscherarme herabstrecken bis zu unserem Standpunkte. Rechts steigt ein Riesenferner durch ein langes Eisthal herab, von der Hinteren Wilden-Eisspitze, oder Weißkugl oder Schweinserjoch, 11,840 F. hoch, zwischen blanken Eisbergen. Mit diesem Ferner vereinigt sich ein anderer, vom Gebatscher Eismeere herabkommend; nur die Schuttmauer oder Guferlinie in der Mitte dieses gewaltigen Eisstromes bezeichnet die Grenzgebiete bey der Gletschermasse. Dieser Ferner heißt im hinteren Eis. Die Eismeere, welche dieses Eisthal umlagern, sondern es ab von den Thälern Schnals, Matsch, Langtaufers und Kauns; in der Mitte liegt die gewaltige Eisplatte des Gebatschferners. Ein gangbarer Jochübergang findet jetzt wenigstens nicht mehr statt, obgleich früher es der Fall war. Wir eilen daher vor diesem Gletscher vorüber und kommen fast unmittelbar darauf an den mehr links gerade nach Süden ansteigenden Hochjochferner; auf beschwerlichem Pfade steigen wir eine Strecke längs seinem Eisgestade hin, rechts unter drohenden Wänden, an denen doch das Auge haftet, geblendet von der weiten Eiswüste. Beschwerlicher ist vom Hochjoch das Absteigen auf den jenseitigen Ferner in die höchste Thalregion von Schnals.

Der zweyte Eispfad führt von Fend durch das Spiegler- oder Niederthal. Die Ache tost links in tiefem Felseneinschnitt; auf der gegenüberliegenden Wand erheben sich die Schneehäupter, welche wir vorhin vom Gurgler Eissee jenseits des großen Ferners erblickten, der Ramolkopf, Spiegelkopf, Firmisanspitz, Schalfkogl u. s. w., von denen fast jeder einen Ferner herabsendet. Der 11,424 Fuß hohe Similaunspitz ist der Beherrscher des Thales; prächtige Ferner umhüllen sein Fußgestell, gewaltige Eisrücken sind seine Schultern. An dem Ausgusse des Murzollferners, in welchen sich der Schalfferner ergießt, vorüber, kommen wir an den Niederjochferner. Bis zu diesem findet man von Fend aus: Polygonum aviculare, Lecidea geographica und contigua, Umbilicaria cylindrica und proboscidea, Parmelia atra, oreina und chrysoleuca, Polytrichum hercynicum, Hypnum aduncum, Cirsium spinosissimum, Aconitum Koellanum, Cardamine amara, Saxifraga aizoides, Azalea procumbens, Juniperus nana, Juncus trifidus, Agrostis rupestris, Phyteuma hemisphaericum, Primula glutinosa, Luzula spadicea, Meum Mutellina, Salix herbacea, Cherleria sedoides, Soldanella pusilla, Polytrichum sexangulare, Weisia crispula, Jungermania julacea. Auch hier führt der Weg eine kleine Strecke neben dem Gletscher über loses Getrümmer hinan bis zum Kreuze, wo man das Eis betritt, aber nicht mehr weit zum Joche hat. Der jenseitige eislose Abfall ist steil, aber nicht so anhaltend, wie am Großen Ferner. Durch das Tissenalpenthal, links die hohe vierkantige Similaunspitze über sich, gelangt man nach Obervernag, der ersten Thalweitung im obersten Schnalserthal. — Die Özthäler, 6530 in 1112 H., sind Schwäbischen Stammes, ähnlich den Bewohnern von Schnals, Sarnthal und Ulten. Das Thal Fend gehörte sonst zum jenseitigen Schlanders, die Kirche nach Unserer lieben Frau in Schnals, trotz aller Ferner; erst neuester Zeit ist es zum Innthal geschlagen. Es scheint, als ob der Schwäbisch-Alemannische Stamm aus dem Etschthale über die Jöcher ins Özthal gedrungen sey, während vom Innthal her der Bojoarische Stamm hereinzog. Die Thalenge Maurach zwischen Lengenfeld und Umhausen war lange Zeit die Grenze zwischen beyden Volksstämmen. Merk-

Tyroler Producte. Von Jruck und Bermen.

[illegible] ist, daß der höchste Ort des Thales, Fend, der [illegible] ist. [illegible] Ueberschwemmungen aus südlich anliegenden Thälern in die höchsten Thalstrecken [illegible]. Die [illegible] [illegible] (Valtelin in Graubünden, siehe die Einleitung). Die [illegible] (Veyer), [illegible] [illegible] im Ganzen kräftig, besonders [illegible] bekannt als [illegible] Tyroler Wein, Brannt- [illegible] und heiter. Ein beliebtes Getränk ist der Tyroler [illegible] gebraut wird. Im Sommer [illegible] über das [illegible] im Winter [illegible] und Loden- [illegible] und [illegible] Hauptbeschäftigung.

[illegible] des Thales erzeugt Waizen, Mais und andere Getreidearten, [illegible] Längenfeld Roggen und Gerste, Sölden nur [illegible] nur sehr kleine [illegible]. Ein Haupter- [illegible] Die [illegible] Umhausen und Längenfeld [illegible] ist der Flachs, von feinerer und [illegible] Umhausen ist der [illegible] theils wird er [illegible] und [illegible] der [illegible] Magazine, [illegible] Ausfuhr von [illegible] (nach der [illegible] Jahre Flachs [illegible] Gerste, im [illegible] [illegible] beginnt. In [illegible] besonders [illegible] Alpen [illegible] verfertigt; [illegible]

[illegible] welcher von [illegible] Oetzwald und [illegible]

[illegible]

[illegible]

[illegible]

Gegend, Römischen Ursprungs. Geburtsort des Malers Joh. Matt. Schermer, nach dessen Zeichnung das Denkmal Hofers ausgeführt wurde. In der Nähe (östlich) die Bley- und Galmeygruben des Feigensteins und Roßbachs, jährlich 500 Gentner Bley und 400 Ctr. Galmey. Das nahe liegende Darmenz oder Dormiz (dormitio) ist der älteste Ort der Gegend. Hier wurden einst die Todten aus dem Ötzthale und einem Theile des Lechgebietes begraben. Die westlichen, ins Lechthal hinüberschauenden Bergspitzen Dirsendritt und Lorea sollen schöne Aussichten darbieten; an ihnen Gypsbrüche, neben ihnen Jochübergänge ins Lechthal. Eine halbe Stunde hinter Nassereit beginnen die Scenen, um derentwillen jeder Maler und Naturfreund diesen Ausflug machen sollte. Kotzebue nannte den Fern esprit de la nature, Tiedge ein Epos. Der Reiz dieser kurzen Strecke (eine Poststation bis Lermos) besteht in der Reihenfolge bald düsterer Scenen, unterbrochen von wundersamen Seespiegeln, bald lachender Thalebenen, umstarrt von den riesigsten und großartigsten Gebilden der Kalkalpenwelt. Das Erste, was in der bis hierher öden eintönigen Gegend überrascht, sind zwey herrliche grünblaue Seespiegel am Fuße des Ferns, gebettet zwischen Fels und Wald; auf einem in den unteren See vorspringenden Felsenriff ruht die alte Sigmundsburg, ursprünglich zur Bewachung des Fernpasses bestimmt, später ein Lieblingsaufenthalt des Erzherzogs Sigmund, der Jagd und Fischerey wegen. Von hier zieht die Straße zum Fernpaß hinan, einem niedrigen, breiten Bergrücken, eines Theils zwischen dem Gebiete des Inns und der Loisach, andern Theils zwischen den Kalkgruppen der Lorea und des Wettersteins. Kurz vor der Höhe erreicht man den eigentlichen Paß, Fernstein mit einem Wirthshause, in früheren Zeiten öfters der Schauplatz blutigen Kampfes (Moritz von Sachsen). Die Straße führt ziemlich steil aufwärts durch das Klausenthor des Passes, wo sich auch eine Kapelle befindet. Ein metallenes Denkmal von dem bekannten Gregor Löffler macht auf den Erbauer der Straße, Ferdinand I., aufmerksam (1543). Bald darauf gelangt der Wanderer zu einer äußerst interessanten Scene auf der Höhe des Berges, auf dem sich die Straße nun fast eine Stunde hinzieht; links in düsterer Tiefe die grünblaue Fluth eines Seespiegels, rings ummauert von hohen Felsenwänden (Kalk), die einen dunkeln Schatten auf das acherontische Gewässer werfen; darüber aber schweben, gleich ätherischen Gebilden, die weißröthlichen von unten bis hinan zu ihren Zinnen völlig pflanzenleeren und schneelosen, 10,000 F. hohen Kalkmassen der Zugspitze und des Sonnenspitzes. Die Straße führt auf einen großen Theil der Ringmauer des Sees hin, der keinen sichtbaren Abfluß hat. Kaum hat man diesen, den Blindsee, verlassen, so blickt der Wanderer rechts hinab in den Weißensee und auf seine Felseninseln, links den Mittersee liegen lassend. Der ganze Bergrücken des Ferns ist bewaldet, und ohne jene Tief- und Hochblicke würde der Weg einförmig seyn. Nach einer Stunde erreicht man den nördlichen Abhang des Berges zum Loisachthal. Dieses bildet hier eine große Thalweitung, den Boden eines ehemaligen Sees, was theils die Horizontalfläche des Bodens, theils die kleinen rundlichen begrasten Hügel, die ehemaligen Inseln (wie im benachbarten Eibsee), theils der feuchte moosige Boden verrathen.

Die Straße senkt sich hinab nach Biberwier ins Loisachthal, um diese Thalfläche sogleich wieder zu verlassen und nach Lermos hinanzusteigen, einer Poststation mit gutem Wirthshause. Hinter Lermos steigt sie bis Lähn sanft aufwärts, von wo sie sich wieder zum Lechgebiet hinabsenkt. Der Reisende, der nur einen Ausflug macht, bleibt in Lermos, um hier die erhabenste Ansicht der höchsten Kalkalpen (der nördlichen Kalkalpen) zu genießen. In der Tiefe die bedeutende Thalfläche, in welcher die großen Gemeinden Ehrwald und Biberwier liegen; sie wird aber zusammengezogen und erscheint kleiner, als sie ist, durch die Größe der Riesengruppe des Wettersteins. Hier die 10,000 F. hohe Zugspitze, dort der pyramidale, nicht viel niedrigere Sonnenspitz umstarren in magischem Zauber dieses Bild. Am besten thut

4 *

würdig ist es, daß der höchste Ort des Thales, Fend, der älteste ist. Wir haben schon ähnliche Übersiedelungen aus südlich anliegenden Thälern in die höchsten Thalstufen nördlicher Thäler kennen gelernt (Galthür in Paznaun, siehe die Einleitung). Die Oezthaler sind im Ganzen kräftig, besonders ehedem bekannt als Robler (Boxer), gutmüthig, gesprächig und heiter. Ein beliebtes Getränk ist der Tyroler Wein, Branntwein, welcher in bedeutender Menge über das Timbler Joch gekraxt wird. Im Sommer ist Feld- und Alpenwirthschaft Hauptbeschäftigung, im Winter Leinwand- und Lodenweberei.

Der Vordergrund des Thales erzeugt Waizen, Mais und andere Getraidearten, die Thalstufen Umhausen und Lengenfeld Roggen und Gerste, Sölden nur dann und wann Gerste, Gurgl und Fend nur sehr kleine Rüben. Ein Haupterzeugniß der Thalstufen Lengenfeld und Umhausen ist der Flachs, von seltener Schönheit. Man baut zwey Arten, den weißen gröberen und den grauen feineren und längeren; Umhausen hat den besten, der dem Brabanter gleich ist; theils wird er roh verkauft, theils verarbeitet und auf die Märkte Sinigaglias, Livornos und Siciliens verführt. Ausfuhr jährlich gegen 25,000 Ellen Leinwand, außerdem Ausfuhr von rohem Flachs und Leinsamen. Auf einem Felde wird zwey Jahre Flachs gebaut (nach der Flachserndte noch Gemüsebau), im dritten Jahre Waizen, im vierten Gerste, im fünften Erdäpfel; dann ist es fünf Jahre Wiese, worauf der Flachsbau wieder beginnt. In den oberen Thalregionen tritt an die Stelle des Feldbaues die Viehzucht; besonders werden viele Schafe aus Schnals über den Ferner auf die Gurgler und Fender Alpen getrieben. Aus der Wolle wird Loden zu eignem Bedarf und zur Ausfuhr verfertigt; gemästete Schafe werden weithin vertrieben. Die Heuerndte ist nach Himmelfahrt, zu welcher die ganzen Gemeinden auf die Berge ziehen und nur des Nachts kehren zwey Männer als Wächter zurück; im Winter wird das aufgeschoberte Heu auf Schlitten herabgeführt.

6) Ausflug auf den Fern und nach Lermos. Der Reisende, welcher von Imst nördlich reist, entweder über Reute und Füssen oder über Ehrwald und Germisch nach Bayern, besucht ohnehin diese interessante Gegend; wer aber durch das Innthal reist, läßt sie nördlich liegen. Wegen der außerordentlichen, malerischen und großartigen Scenen, und zwar wieder ganz anderer Art, als die vorigen, verdient der Fern, wobey man nicht an Ferner denken darf, einen besonderen Ausflug. Von Imst nach Lermos sind es zwey Poststationen und der beste Rath für den Reisenden ist, diesen Weg in einem Tage zu Fuß zu machen, oder vielleicht von Imst bis Nassereit zu fahren, die übrigen drey Stunden aber zu Fuß zurückzulegen; denn Gemälde reiht sich an Gemälde und zwar in der buntesten Abwechselung. Von Lermos fährt dann der Reisende mit einspänniger Extrapost zurück nach Nassereit, und gedenkt er, das Innthal hinab zu reisen, von hier sogleich links weiter nach Miemingen. Bis auf die Höhe des Fernes gehört die Gegend zum Gebiete des Pigerbaches (bei Imst), also zum Innthal, jenseits bis Lermos zum Loisach-Isargebiet. Auf der Straße nach Nassereit läßt der Reisende links an dem schauerlichen Absturze der Kalkwände des Muttekopfes die wenigen Überreste von Alt-Starkenberg, der Wiege der in Tyrol einst mächtigen Starkenberger, bis sie durch Friedrichs Entschlossenheit zum Heile Tyrols vernichtet wurden. In der Nähe liegt das später wieder hergestellte Neu-Starkenberg; letzteres ist jetzt ein Vergnügungsort der Imster. Über das große Dorf Tarenz (torrens), am wild aus dem Salvesenthal hervorstürmenden Salvesenbache, nach dessen Vereinigung mit dem Gurglbach der Bach Pigerbach genannt wird. Tarenz hat 104 H. und 972 E., die ganze Gemeinde 137 H. und 1215 E., welche Sensen und Sicheln verfertigen. Der nächste bedeutende Ort ist Nassereit (naß und rext), Poststation, 1077 E., 1 Knaben-, 1 Mädchenschule und 2 Jahrmärkte, wahrscheinlich, wie andere Orte der

Gegend, Römischen Ursprungs. Geburtsort des Malers Joh. Matt. Schermer, nach dessen Zeichnung das Denkmal Hofers ausgeführt wurde. In der Nähe (östlich) die Bley- und Galmeygruben des Feigensteins und Roßbachs, jährlich 500 Centner Bley und 400 Ctr. Galmey. Das nahe liegende Darmenz oder Dormiz (dormitio) ist der älteste Ort der Gegend. Hier wurden einst die Todten aus dem Ötzthale und einem Theile des Lechgebietes begraben. Die westlichen, ins Lechthal hinüberschauenden Bergspitzen Dirsendritt und Lorea sollen schöne Aussichten darbieten; an ihnen Gypsbrüche, neben ihnen Jochübergänge ins Lechthal. Eine halbe Stunde hinter Nassereit beginnen die Scenen, um derentwillen jeder Maler und Naturfreund diesen Ausflug machen sollte. Kotzebue nannte den Fern esprit de la nature, Tiedge ein Epos. Der Reiz dieser kurzen Strecke (eine Poststation bis Lermos) besteht in der Reihenfolge bald düsterer Scenen, unterbrochen von wundersamen Seespiegeln, bald lachender Thalebenen, umstarrt von den riesigsten und großartigsten Gebilden der Kalkalpenwelt. Das Erste, was in der bis hierher öden eintönigen Gegend überrascht, sind zwey herrliche grünblaue Seespiegel am Fuße des Ferns, gebettet zwischen Fels und Wald; auf einem in den unteren See vorspringenden Felsenriff ruht die alte Sigmundsburg, ursprünglich zur Bewachung des Fernpasses bestimmt, später ein Lieblingsaufenthalt des Erzherzogs Sigmund, der Jagd und Fischerey wegen. Von hier zieht die Straße zum Fernpaß hinan, einem niedrigen, breiten Bergrücken, eines Theils zwischen dem Gebiete des Inns und der Loisach, andern Theils zwischen den Kalkgruppen der Lorea und des Wettersteins. Kurz vor der Höhe erreicht man den eigentlichen Paß, Fernstein mit einem Wirthshause, in früheren Zeiten öfters der Schauplatz blutigen Kampfes (Moritz von Sachsen). Die Straße führt ziemlich steil aufwärts durch das Klausenthor des Passes, wo sich auch eine Kapelle befindet. Ein metallenes Denkmal von dem bekannten Gregor Löffler macht auf den Erbauer der Straße, Ferdinand I., aufmerksam (1543). Bald darauf gelangt der Wanderer zu einer äußerst interessanten Scene auf der Höhe des Berges, auf dem sich die Straße nun fast eine Stunde hinzieht; links in düsterer Tiefe die grünblaue Fluth eines Seespiegels, rings ummauert von hohen Felsenwänden (Kalk), die einen dunkeln Schatten auf das acherontische Gewässer werfen; darüber aber schweben, gleich ätherischen Gebilden, die weißröthlichen von unten bis hinan zu ihren Zinnen völlig pflanzenleeren und schneelosen, 10,000 F. hohen Kalkmassen der Zugspitze und des Sonnenspitzes. Die Straße führt auf einen großen Theil der Ringmauer des Sees hin, der keinen sichtbaren Abfluß hat. Kaum hat man diesen, den Blindsee, verlassen, so blickt der Wanderer rechts hinab in den Weißensee und auf seine Felseninseln, links den Mittersee liegen lassend. Der ganze Bergrücken des Ferns ist bewaldet, und ohne jene Tief- und Hochblicke würde der Weg einförmig seyn. Nach einer Stunde erreicht man den nördlichen Abhang des Berges zum Loisachthal. Dieses bildet hier eine große Thalweitung, den Boden eines ehemaligen Sees, was theils die Horizontalfläche des Bodens, theils die kleinen rundlichen begrasten Hügel, die ehemaligen Inseln (w.e im benachbarten Eibsee), theils der feuchte moosige Boden verrathen.

Die Straße senkt sich hinab nach Biberwier ins Loisachthal, um diese Thalfläche sogleich wieder zu verlassen und nach Lermos hinanzusteigen, einer Poststation mit gutem Wirthshause. Hinter Lermos steigt sie bis Lähn sanft aufwärts, von wo sie sich wieder zum Lechgebiet hinabsenkt. Der Reisende, der nur einen Ausflug macht, bleibt in Lermos, um hier die erhabenste Ansicht der höchsten Kalkalpen (der nördlichen Kalkalpen) zu genießen. In der Tiefe die bedeutende Thalfläche, in welcher die großen Gemeinden Ehrwald und Biberwier liegen; sie wird aber zusammengezogen und erscheint kleiner, als sie ist, durch die Größe der Riesengruppe des Wettersteins. Hier die 10,000 F. hohe Zugspitze, dort der pyramidale, nicht viel niedrigere Sonnenspitz umstarren in magischem Zauber dieses Bild. Am besten thut

4 *

der Reisende, wenn er Mittags von Imst abfährt nach Nassereit, dann am Nachmittag, während der schönsten Beleuchtung, die zweyte Station zu Fuße wandert nach Lermos und dann am andern Morgen nach Nassereit zurückkehrt.

Ehe wir die Gegend von Imst verlassen, geben wir noch einen Überblick dieses Gebietes.

Das Landgericht Imst [1]), welches $11\frac{1}{2}$ Q.M. umfaßt, zählt 1379 H., 11,237 Seelen (1834), darunter 5461 männlichen und 5776 weiblichen Geschlechts, 2158 Familien, 30 Priester, 34 Beamte, 10 Adelige, 539 Gewerbsleute, 5446 Bauern, 423 Taglöhner und 542 Dienstboten, 1 Markt, 20 Dörfer, 46 Weiler. Das Klima ist rauh, da die Gegend im Norden durch das tiefe Gebirgsthor des Fernpasses nicht gegen die Nordstürme geschützt ist und die warmen Südwinde durch die Ferner des Ötzthales, welche den ganzen Süden umlagern, erkältet werden. Auch hier ist der bey weitem größte Theil Hochgebirge, von dem wiederum Fels- und Eiswüsten einen großen Raum einnehmen. Nur schmale Streifen anbaufähigen Landes durchziehen die Tiefen. Das Verhältniß zur Aussaat steht bey Mais von 1 zu 40—60, bey Roggen und Gerste wie 1 zu 12—50, bey Hafer wie 1 zu 8, bey Erdäpfeln wie 1 zu 12. Jährlich werden an 26,700 Wiener Metzen Getraide und gegen 51,000 M. Erdäpfel gewonnen, dagegen 13,600 M. Getraide eingeführt. Die Viehzucht ist beträchtlich, doch beschränkt sie sich hauptsächlich auf Zucht- und Zugrindvieh von 1—3 Jahren, ohne auf Mast Rücksicht zu nehmen. Man zählte 1834 222 Pferde, 3568 Ochsen, 4486 Kühe, 6381 Schafe, 2910 Ziegen. Die besten Alpen liegen am Gebatschferner und im Pfafflar (Lechgebiet). Käse und Butter werden nur zum eigenen Bedarf bereitet. Pitzthal verkauft solche. Der Mittelpreis für ein Joch Ackerfeld ist 265 Gulden, Wiesgrund 223 Gulden; am Imsterberg das erstere 300, letzteres 500 Gulden. Von einem Joche Ackerfeld (1000 Quadratklafter) erndtet man $10\frac{4}{7}$ M. Getraide und $38\frac{1}{2}$ M. Erdäpfel. Die Wiesen sind zweymähdig und liefern das Joch 14 Centner Heu. Wie aus den meisten Alpengegenden, wandern auch aus diesem Gebiete viele als Holzarbeiter, Maurer und Steinmetzen aus, welche zusammen durchschnittlich 25,000 Gulden zurückbringen. Der Imst gegenüberliegende Venetberg gibt der Umgegend von Imst das Zeichen zur Erndte. In seinen obersten Felsenschluchten häuft sich der Schnee im Winter sehr an; wenn im Frühjahr und Sommer die Sonne denselben wegschmilzt, nimmt der zurückbleibende Schnee durch die zufällige Bildung des Geklüftes die Gestalt einer Sichel mit einem Griffe an; wenn diese Gestalt an schärfsten sich ausgebildet hat, ist es Zeit, die Sichel im Thale zu ergreifen.

Von Nassereit gegen das Innthal gesehen, zeigt sich der Rücken des Tschürgant mit seiner ganzen Breite; rechts und links um ihn führt die Straße in das Innthal; rechts oder südlich über Imst hinaus, und von dort entweder rechts das Innthal hinauf, wo wir vorhin herkamen, oder links das Innthal hinab über Stamms und Silz nach Telfs; links östlich über Miemingen nach Telfs, wo beyde letztgenannte Straßen zusammentreffen.

Wir wandern wieder auf der Straße fort, die uns schon zweymal aus der Gegend von Imst führte, als wir das Pitzthal und Ötzthal besuchten und folgen ihr jetzt über den Brennbühl nach Karres, welches Dorf dem Karreser Berg den Namen gab, dem Fuße des Tschürgant, über welchen sich die Straße herumschlägt. Auf der Höhe links über der Straße liegt das Dorf Karrösten mit 32 H. und 263 E. Nur wenige Überreste sind noch von dem Stammschlosse der erloschenen Herren von Karrösten vorhanden. Dem Dorfe

1) Land Tirol, B. I. S. 780.

Roppen gegenüber erreicht die Straße einen der interessantesten Punkte des Innthales. In der Tiefe gleicht das Thal einer Wüste; das Ötzthal hat hier das obere Innthal mit seinen Schuttmassen verdämmt, die es an die Wände des Tschürgant trieb. Doch die Ötzthaler Ache mußte selbst erst diesen Damm wieder durchwühlen und den Fluthen des Inns helfen zu ihrem Durchbruche; daher an den Betten des Inns und der Ötz öde Kiesstrecken und düster umnachtete Schutthöhen lagern. Nicht weit bringt der Blick in das große Ötzthal hinein; dagegen eilt er wohl 8—10 Stunden das prächtige Innthal hinab, das eigentlich hier zum ersten Mal sich in seiner Herrlichkeit zeigt. In mehrfachen Windungen liegt vor uns die herrlich angebaute Thalfläche, seine bevölkerten Terrassen, darüber links die weißen Kalkgiganten der hohen Mundi und des Solsteins, 9000 F. hoch, die Lage der Hauptstadt anzeigend; die kühne Martinswand, darunter die Kirche von Zirl; rechts die grünen Urberge. Wir haben mit Karres das Landgericht Silz betreten; das Gericht hatte sonst seinen Sitz in Petersberg. Es hat 21 Q. M. 14,399 E., 2093 H., 60 Priester, 4 Adelige, 12 Beamte, 412 Gewerbsleute, 1850 Bauern, 390 Taglöhner, 1004 Dienstboten, 33 Dörfer, 111 Weiler. Getraide, am meisten Mais. Flachs und Obst werden ausgeführt. Viehzucht: 275 Pferde, 803 Ochsen, 7121 Kühe, 3263 Zuchtkälber, 9696 Schafe (im Sommer wohl 18,000).

Die Straße steigt hinab aus dem Kampfe der Elemente und im behaglichen Mayerbacher Wirthshause erreichen wir das Ende der Verwüstung. Die Innbrücke überschreitend, wandern wir durch das freundliche Dorf Haimingen mit 94 H. und 710 E. (die ganze Gemeinde 208 H., 1323 E.) nach Silz. Ehe wir aber dahin kommen, lassen wir rechts eine der ehrwürdigsten Burgen Tyrols, den Petersberg oder die Welfenburg. Schon die Lage ist äußerst romantisch. Auf einem Felsenhügel, welcher dem darüber ragenden höheren Gebirge entstürzt zu sein scheint, ruht die noch wohlerhaltene Burg. Besonders erfreut auch den gemeinen Tyroler der Schmuck der ehrwürdigen Linden, welche den Hügel umschatten und nur hie und da ein Streiflicht durchfallen lassen auf das herrliche Grün, das die Felsen überzieht. Die Burg kam von den Grafen von Sempt und Ebersberg an die Welfen; daher Welfenburg genannt, dann an die Stauffen, von diesen an die Tyroler Landesfürsten, die Grafen von Görz und Tyrol, und war gewöhnlicher Aufenthalt des Hofes der Margarethe Maultasche; hier wurde sie auch später von den Böhmen (der von ihr vernachlässigte Gemahl war Johann von Böhmen) gefangen gehalten. Hierauf kam Petersberg an die Bischöfe von Brixen, die Ritter von Freundsberg, die Grafen Klari (in Böhmen) und von diesen durch Heirath an die Grafen von Wolkenstein-Rodeneck, die es noch besitzen und im Sommer bewohnen. Das Dorf Silz ist ein schönes Tyroler Dorf, eine lange Gasse bildend, durch welche die Straße führt; gute Wirthshäuser. Es ist der Sitz des genannten Landgerichtes. Die Gemeinde zählt 136 H. mit 1787 E., 3 Jahrmärkte. 5 Stunden von Imst, 10½ Stunden von Innsbruck. Hier befindet sich auch die Schießstätte des Gerichtes.

Von Silz nach Stambs wandernd, lassen wir links Mötz (meta), Grenze der Flößfahrt auf dem Inn; abwärts Holz, aufwärts Salz. Schöner Wasserfall von dem Mieminger Berge herab. Stambs, Stams, Stamms[1]), (ad stirpes, von den Eichenstämmen, die einst hier wuchsen), das Escorial Tyrols. Elisabeth, die Mutter des unglücklichen Konradins, Tochter Ottos des Erlauchten von Bayern, die erste Gemahlin des Kaisers Konrad IV., dann Meinhards II., Grafen von Tyrol, stiftete in tiefem Schmerz über den Mord ihres Sohnes dieses Kloster 1271; es kam an die Stelle einer uralten Wallfahrtskapelle im düsteren Eichenforste; anfangs eine einfache Ansiedelung von 12 Bernhardiner Mönchen in hölzernen Hütten um die alte Kapelle Johannes des Täufers. Nach ihrem Tode 1273 wurde die Stifterin in der Kapelle beygesetzt. Durch reiche Schenkungen erwuchs das Stift zu einem ansehnlichen steinernen Klostergebäude 1284. Elisabeth und vier ihrer Kinder, nebst 12 Ahnen des Tyroler Fürstenstammes, wurden aus der Burg Tyrol hier beygesetzt. Der große Friedrich mit der leeren Tasche beförderte das Gedeihen. Maximilian I. hielt sich 1497 mit seinem ganzen kaiserlichen Hofstaate hier auf, und empfing auf dem sonnigen Grasplatze vor dem Stifte die merkwürdige Gesandtschaft des Türkischen Sultans Bajazeth, welcher um Maximilians Schwester Kunigunde werben ließ, indem er versprach, ein Christ zu werden. Daher das Stift der Mittelpunkt vieler Festlichkeiten, besonders großer Jagden wurde. Nach der Reformation trafen das Stift harte Schläge; Plünderungen des Bauernkrieges, Überschwemmungen, Krankheiten, Heuschrecken, der Durchzug des Churfürsten Moritz von Sachsen, Feuersbrunst 1593, wodurch das Kloster und die Kirche zerstört wurde. Durch weise Verwaltung bestand es diesen Kampf glücklich. Die Abtey ist jetzt ein großes pallastähnliches Gebäude, überragt vom Hochgebirge, umringt von Waldgruppen, doch nur wenigen Überresten des alten Eichenforstes. Mineraliensammlung, physikalisches Cabinet, der Kunstnachlaß des berühmten Tyroler Malers Schöpf, in seinen Handzeichnungen und Studien bestehend. Die Kirche ist groß; unter ihr die Fürstengruft, durch eine Kapelle in der Kirche mit derselben in Verbindung; sie enthält die Särge der meisten Tyroler Fürsten, deren vergoldete Holzbildnisse und Wappen in der Kapelle befindlich sind, 20 an der Zahl, darunter viele geschichtliche Personen. In drey Hauptabtheilungen ist die Gruft geschieden, die ältere, mittlere und neuere, oder die der Meinharde, Friedrichs und Sigmunds, Namen, welche auch die Geschichte Tyrols in Perioden theilen. In dem ersten Raume liegen die zwölf aus der Burg Tyrol hierher übergesetzten Leichname: Albert III. (letzter Graf von Tyrol) † 1254; Juta seine Gemahlin; Albert I., Graf von Görz, † 1253; Meinhard I. † 1258; Meinhard II., des vorigen Sohn, Stifter, † 1295; Eli-

---

1) Das Land Tyrol B. 1. S. 731. Staffiers Tirol Th. II. B. 1. S. 348.

sabeth, seine Gemahlin, † 1273, die Mutter des unglücklichen Konradin; Reinhards II. 4 Söhne: Albert, Ludwig, Otto und Heinrich, König von Böhmen, Vater der Margaretha Maultasche, † 1335; des Letzteren 3 Gemahlinnen: Anna von Böhmen, Adelheid von Braunschweig und Beatrix von Savoyen. — Die zweyte Abtheilung enthält die Familie Friedrichs m. d. l. T., nämlich: Friedrich IV. m. d. l. T. † 1439, seine 2 Gemahlinnen: Elisabeth, Kaiser Ruprechts Tochter, Anna von Braunschweig; Wolfgang, sein Sohn, und seine 3 Töchter: Elisabeth, Margaretha und Hedwig. Die dritte und neueste Abtheilung ist die Sigmundische Gruft: Sigmund der Münzreiche † 1494, seine Gemahlin Eleonora von Schottland, Wolfgang, sein Sohn, Maria Blanka, Maximilians I. zweyte Gemahlin, † 1510, Rudolph, Fürst von Anhalt, † 1515, Severin, Herzog von Sachsen (Moritzens Bruder), † 1533, Johann, Sohn Ferdinands I., † 1539, Ursula, Ferdinands I. Tochter, † 1543, Friedrich, Maximilians II. Sohn, † 1563. Die Kirche enthält 14 Altäre mit zum Theil schönen Gemälden; Wolker aus Augsburg ist der Hauptschöpfer der hiesigen, sowohl Öhl-, als auch Frescogemälden, 1682. Innerstes Heiligthum ist die Heiligen-Blutskapelle, am prächtigsten ausgestattet. Frescogemälde von Schöpf in der Kuppel; Hochaltarblatt von Bußjäger. Die Kapelle des Krankenhauses hat ein Altarblatt von Schöpf, aus dem Anfange seiner Zeit. Schöner Klostergarten. Neben dem Kloster steht die Pfarrkirche, von Heinrich, König von Böhmen, 1373 erbaut, mit der größten Glocke Tyrols. 40—45 Ordensgeistliche, nach der Regel des heiligen Benedicts, reformirt vom heiligen Bernhard zu Zisterz, daher Bernhardiner oder Zisterzienser genannt, haben hier ihren Sitz.

Von Stambs führt ein Pfad unter dem trigonometrisch gemessenen 8600 F. hohen Birkenkogl und der Stambser Alpe Sta. Maria vorbey, nach Ochsengarten im Ötzthaler Gebiet, und von da rechts hinab nach Ötz im Ötzthale, links nach dem Wirthshause und Hof Kühethey, 5000 F. hoch, und in das Selrainer Thalgebiet.

Über Rietz, ein großes Dorf von 154 H., 1167 E. und 3 Kirchen, das oft von den Überschwemmungen des Rietzermurbachs heimgesucht wird, kommen wir, den Inn nochmals passirend, nach Telfs, 1979 F. Dieses ist ein großes, schöngelegenes Dorf, im Norden geschirmt durch die weißen Wände der hohen Mundi, deren nackte Starrheit und Steilheit mitten in dem Grüne der lieblichen Gegend einen seltsamen Gegensatz bildet, aber derselben ihren Charakter gibt; Sitz eines Landgerichtes von 9 Q. M., 8½ St. von Imst, 7 St. von Innsbruck; schöne Kirche mit Gemälden von dem hier gebornen Anton Zoller; Franziskaner Kloster, 5 Gasthäuser, die Post zwischen Miemingen und Zirl, 181 H., 2000 E. (die Gemeinde 224 H., 2257 E.), Spital, 1 Arzt, 2 Wundärzte, 1 Baumwollenspinnerey, 1 Jahrmarkt, 1 Schießstand. Schöne Aussicht vom Calvarienberg. Wildschauerliche Schluchten durchziehen von der Hohen Mundi herab deren üppig grünende untere Bergstufe, vor Allem die Straßberger oder Mörderklamm und Erzbergerklamm (der untere Theil der Mundi heißt auch Erzberg, wegen mehrerer Bleygruben), darüber Birkenberg mit Wallfahrtskirche (Gemälde von Schöpf) und schöner Aussicht. Noch höher hinan die Bauernhöfe Buchen auf dem niedrigen Sattel, welcher mitten zwischen hohen Kalkgebirgen hinabführt in die Leutasch (Seitenthal der Isar bey Mittewald). Ein anderer Pfad führt über Brand, Balerhof und die Möser (eine Häusergruppe) hinan nach Seefeld, mit schönen Aussichten; dann die Seefelder Straße hinab nach Zirl. Hauptgegenstand des Feldbaues ist Mais, der beste in Tyrol. Telfs ist Geburtsort der Maler Anton Zoller, Joseph Schöpf, der Bildhauer Urban Klieber, Franz Gaßler, Kriesmayr und des Dichters Joseph Weißenbachs. Die Straße von Imst, auf der wir herkamen, heißt die Salzstraße.

Wir kehren nach Imst zurück, um auch auf der Poststraße nach Telfs zu wandern. Den Weg von Imst nach Rassereit, eine Station, kennen wir schon; von hier folgen wir der rechts in eine Schlucht ziehenden Straße, die sich bald darauf schneckenartig auf einem lockeren Gebirge, dem sogenannten Roßbache, hinanwindet und sich dann nach Obsteig etwas hinabzieht. Von hier aus kann man, wie oben bemerkt, den Tschürgant am besten besteigen.

Links bleibt der Weiler Weißland, von wo ein Steig durch die öden Scharten des Mieminger Hochgebirges ins Geißthal nach Bibermier und Ehrwald führt. Auf diesem Wege kömmt man hoch oben in den Steinkahren des Gebirgs an dem schönen klargrünen Drachensee vorüber, überragt von den grauen Zacken des Sonnenspitzes, Marienberges und der Platte. Jenseits, etwas abwärts, erreicht der Steig gleich darauf noch einen See, den Sebersee, beyde von Saiblingen belebt.

Hinter Obsteig treten wir, der Poststraße folgend, aus dem Schatten des Tschürgant hinaus, der uns rechts vom Innthal scheidet, und befinden uns auf einer schönen, fruchtbaren Bergterrasse, links die Hohe Mundi, von Lärchenhaynen umgürtet und ihre östliche Fortsetzung, aus welcher in der Ferne der hohe Solstein sich besonders hervorhebt, rechts in der Tiefe das herrliche Innthal, dann und wann durch eine Schlucht sichtbar; darüber die südliche Bergwelt der Centralkette. Diese schöne Terrasse heißt der Mieminger Berg. Die ganze Region ist sehr fruchtbar und alpenreich. Von Obsteig zieht rechts eine tiefe Schlucht hinab ins Innthal nach Möz, welche nicht nur die Gewässer der Terrasse hinab zum Inn führt, sondern auch eine alte Straße; denn einst war Möz, wie oben bemerkt, die Grenze der Floßfahrt auf dem Inn; daher hier die Salzstraße nach Reute und bald darauf eine Hauptstraße herauffführte, bewacht von der Burg Klamm, deren noch stehender Thurm einen malerischen Mittelgrund der Landschaft bildet. Erste Besitzer waren die Herren von Klamm, dann die Milser von Schloßberg, Raubritter, nicht besser, als ihre Nachfolger, die Starkenberger, ganz ähnlich den Jochgeyern der hohen Mundi. Erst Friedrich machte dem Unwesen ein Ende; jetzt ein Gut. Ehe wir Miemingen erreichen, zeigen sich links die Reste von Freundsheim, der Burg der Freundsberger, dann Sigmunds, der überall zu finden, wo es zu fischen und zu jagen gab; dann Eigenthum des Stiftes Stambs. In der Nähe ein kleiner See.

Miemingen ist eine große Gemeinde von 1595 E. in 187 H., welche gruppenweis als Ober- und Unter-Miemingen, Mötz, Barwies, See, Tabland, Zein, Viecht, Krebsbach, Frohnhausen und Freundsheim weithin zerstreut umherliegen. In Ober-Miemingen, 2817 F. üb. d. M., ist die Post ein recht behagliches Gasthaus, einladend zu längerem Aufenthalte. In der Kirche Gemälde von Schöpf; Geburtsort des Kupferstechers Maria Hirn. Schöne alte Kirche in Unter-Miemingen, mit Gemälden von Schöpf und Knoller. Links oben 1 St. von Ober-Miemingen liegt das Dorf Wilder-Miemingen unter den Judenköpfen in großer reizender Gegend, mit 70 H. und 420 E. Aussicht bis Innsbruck. Geburtsort des genialen Bildschnitzers Augustin Scharmer. Die Straße senkt sich nun ostwärts hinab zwischen Hügeln und Lärchenwäldern, deren Einsamkeit kaum das nahe belebte Innthal ahnen läßt, bis man plötzlich aus dem lichten Schatten der Lärchen hinaustritt, mitten in das lebhafte Telfs, das wir schon kennen. Wie von Imst zwey Straßen nach Telfs führen, so können wir auch jetzt von Telfs einen Doppelweg einschlagen, entweder links des Inns auf der Hauptstraße, oder rechts desselben auf einer Nebenstraße. Wir folgen zunächst dem linken Ufer, der Hauptstraße, nach Zirl. Das Innthal macht von Telfs nach Zirl ein Knie nach Norden, ehe der Inn von Süden herüber an die nördliche Thalwand gedrängt wird; die Straße durchschneidet geradlinig den ebenen Thalboden bis dahin, wo der Inn der Straße keinen Raum mehr übrig läßt und sie sich an die Wand anschmiegen muß, den Inn rechts in der Tiefe lassend. Doch bald darauf steigt sie wieder in die Thalsohle hinab nach Platten und Petneu, einem obstreichen Dorfe mit 317 E. Thyrsenbach, der nächste Ort, soll nach der Volkssage seinen Namen von dem Riesen Thyrsus erhalten haben, welcher hier von dem Riesen Heimon, dem Stifter des Klosters Wilten, erschlagen seyn soll. Darauf erreichen wir Zirl.

Die andere, die sogenannte Salzstraße, führt von Telfs auf der rechten Seite des Inns hinüber nach Zirl.

Von Telfs, den Inn überschreitend, kommen wir zunächst auf dieser Straße nach Pfaffenhofen, einem ansehnlichen Dorfe, von dem noch jetzt das Landgericht zu Telfs seinen Namen hat; die darüber aufragende Burg Hörtenberg war zuerst eine Welfische Burg, dann den Grafen von Eschenlohe gehörig, von denen es an Meinhard II. von Tyrol, den König Heinrich von Böhmen, Liebhart von Aheim, Berchthold von Ebenhausen, Ulrich von Matsch, Fieger und Spaur überging, welche ihre Gerichtsbarkeit dem Staat abtraten. Die Straße zieht über einen großen Schuttberg, welchen das hier sich öffnende Kanzthal einst in das Innthal geworfen hat; gegenwärtig ist dieser Trümmerhaufen wieder gut angebaut und bewohnt. Auf der Höhe desselben hat man eine schöne Übersicht des Innthals aufwärts und abwärts gegenüber auf die Wände und Schneiden des Kalkhochgebirgs (Mundi). Noch auf der Höhe des Schuttes liegt das große Dorf Flauerling, mit 66 H. und 641 E., schon 764 bekannt;

die Kirche mit einem Gemälde von Flatz aus Vorarlberg (jetzt in Rom); schöne Aussicht vom Calvarienberg; im Hintergrunde des Kanzthales der Hochederspitz, 8827 F. hoch, über schöne Alpen, leicht ersteiglich und eine herrliche Rundsicht darbietend, da er inmitten der Ur- und Kalkgebirgswelt hoch aufgebaut ist aus Glimmerschiefer, daher südlich in die Ötzthaler und Stubayer Fernerwelt, nördlich gegen die starren Kalkmassen der Wetterstein- und Solsteingruppe, dazwischen hineingebettet der ganzen Länge nach das Innthal mit seinen Dörfern und Städten. Alaunschiefer- und Gneusplattenbruch. Auch hier soll sich Friedrich mit der leeren Tasche in der Pfarre längere Zeit verborgen gehalten haben; gutes Wirthshaus. Über Pollingen und Hattingen kommen wir nach Inzingen; auf dem Gottesacker das Grab des Blasius Huber, des vorzüglichsten Schülers und Gehülfen Peter Anichs. Er starb hier 1814. Gutes Wirthshaus. In einer halben Stunde überschreiten wir den Inn nach Zirl, 4½ St. von Telfs. In Zirl, einem großen Dorfe mit 190 H. und 1693 E., laden gute Wirthshäuser (die Post), wie mehrfache Ausflüge zur Rast. Eine halbe Stunde abwärts, links von der Straße, befindet sich am Geistbühel ein Bruch von hydraulischem Kalke, welcher zu Wasserbauten verwendet wird; rechts der Martinsbühel, ein Vorsprung gegen den Inn, mit den Trümmern eines Jagdschlosses Max I. und dem Martinskirchlein. Herrliche Aussicht. Das Schloß soll an der Stelle eines Römerkastells gestanden haben. Im J. 1709 fiel hier an der Seite des Churfürsten Max Emanuel sein Adjutant der Graf Arco. Vierfacher Straßenknoten: 1) Salzstraße, 2) Poststraße nach Telfs, 3) Poststraße nach Seefeld, 4) Poststraße nach Innsbruck.

Ausflüge. 1) Auf den Solstein, 9106 F., eine der höchsten Spitzen der Kalkalpen, der steil in Riesenstufen in das Innthal abstürzt, aber trotz seiner Höhe, im Vergleich mit anderen viel niedrigeren Kalkalpen, in kurzer Zeit und ohne Gefahr bestiegen werden kann; in 6—7 Stunden ist von Zirl aus der Gipfel erreicht. Zwey Wege sind zu wählen, nämlich links über den Vorberg und die Galtalpe und dann rechts hinauf; dieses ist der bequemere und kürzere Steig von Zirl aus. Etwas weiter, aber belohnender dürfte der andere seyn; von Zirl auf der Straße nach Innsbruck bis zum Wirthshause Kranebitten, jenseits der Martinswand, von hier zum Theil auf Leitern durch die merkwürdige Klamm, das Schwefelloch genannt, zur Zirler Alpe hinan, wo man übernachten kann, wenn man Abends von Zirl aufbricht (siehe oben die Reiseregeln); die Zirler Alpe ist die Hochebene auf der Martins-Wand; die herrliche Aussicht ist schon allein des Ausfluges werth. Von hier auf den Solstein. Die Aussicht ist wegen der Lage interessant, sowohl malerisch, als geographisch; gegen Norden in das von dem wilden Karwendelgebirge umstarrte oberste Isarthal, darüber hinaus in die dämmernden Flächen Bayerns bis zu dessen Hauptstadt; westlich in die Riesengruppe des Wettersteins mit der 10,000 F. hohen Zugspitze, und in das obere Innthal; östlich in das ganze untere Innthal, aus welchem Hall, Schwaz und Rattenberg vorzüglich hervorleuchten; südlich in unendlicher Tiefe abermals in das Innthal, die Gegend der Hauptstadt, darüber die Eintiefung des Brennerthales; rechts von dieser die ganze Ötzthaler Eisgruppe, links der Zillerthaler Eisrücken. Ein äußerst buntes Gemisch von Farben und Tönen, das grelle Grün der üppigen Fluren des Innthales, gemildert durch den Duft der Tiefe, übersäet mit unzähligen Häusergruppen, die glänzenden Sandkörnern gleichen, das schillernde Band des Inns, dessen Lauf man wohl gegen 20 Stunden lang verfolgen kann; nur in der nächsten Tiefe entwindet er sich den Blicken unter dem Fuße des Berges, um erst in einiger Ferne wieder hervorzuströmen. Über das wärmere Grün der Matten sind die Waldgruppen zerstreut, wie blaue Wolkenschatten; hier steigt aus ihnen das starre, grimmige Gebiß des Hochkalkes schneegefurcht empor; dort im Süden umwallt ein faltenreicher Schneemantel die Rippen des Hochgebirgs der Urwelt.

2) Nach Seefeld 2¼ St. Die meisten Reisenden kommen aus Bayern über Mittewald und Scharnitz (an der Isar) über den Seefelder Berg nach Zirl und Innsbruck, daher der Ort hierdurch bekannt ist. Von Zirl erhebt sich die Straße dahin in einigen Windungen den steilen Berg hinan, um zu dem breiten Thore zu gelangen, welches die Hohe Mundi im Westen und der Solstein im Osten hier zu mehrfachen Übergängen offen lassen. Gleich rechts am Wege, am rauschenden Bache, auf dem kümmerlich bewachsenen Kalkgebirge, zeigen sich die Ruinen von Fragenstein, öfters der Aufenthalt Maximilians I. bey seinen Jagden; daher die dahinter aufragende Höhe der Kaiserstand. Über Leiten und Reit, wo man Römische Meilensteine [1]) fand (66 H., 507 E.), gelangt man auf die Hochebene von Seefeld. Seefeld mit 66 H., 507 E., 1 Schule, 1 Wundarzt, 2 Bierbrauereyen, hat seinen Namen von zwey hier einst befindlichen Seen, die jetzt ganz unbedeutend sind. Wegen der hohen Lage ist das Klima rauh; Postwechsel zwischen Zirl und Mittewald. Ruine Schloßberg. Für den Geognosten mögen noch die Steinöhlbrennereyen wichtig seyn am Harmelesjoch, (östlich), Lehnspitz ob dem Wald, Eibel, Schlagbrand, Luchsfellkopf, Ochsenlehn und Weinerthal. Der Stein, aus welchem das Steinöhl gewonnen wird, ist kohlensaurer bituminöser Kalk. Es können jährlich 80 Centner Öhl gewonnen werden, der Centner zu 9 — 10 fl. [2]).

3) Selrainer Thal. Das Stubaythal und seine Gruppe ist als ein untergeordnetes Glied der Ötzthaler Gruppe, das Selrainer Thal wieder als ein äußeres Glied der Stubayer Gruppe anzusehen.

Vom Hochfreuele auf der mittleren Hauptkette läuft ein hoher blanker Eisrücken nördlich gegen das Innthal und trennt das obere Ötzthal vom oberen Stubaythal. Auf dem Alpeiner Ferner erhebt sich ein hoher Eisberg, wo jener Rücken sich wieder in zwey Äste spaltet, deren einer nordöstlich zieht gegen Innsbruck, während der andere nördlich nach Ochsengarten geht; der dadurch entstandene Winkel öffnet sich nördlich gegen das Innthal und seine Thäler laufen auch dahinwärts; allein ein Querrücken lagert sich von der Mündung des Ötzthales bis zu der des Sillthales vor die Öffnung jenes Winkels, parallel mit dem Innthale, wodurch die erst nördlich herabkommenden Thäler entweder östlich oder westlich gewiesen werden. Das östliche Gebiet bildet das Selrainerthal, das westliche das vordere Stuibenthal (Ötzthal); bey Kühethey ist der Sattel, durch welchen sich das hintere Gebiet mit dem genannten Querrücken verbindet. In dem innersten Winkel zieht sich das bedeutendste und besuchteste Thal hinan zum Lisnitzer oder Lisenzer Ferner, als einer der nächsten und zugänglichsten Gletscher von der Hauptstadt aus. Daher gehört Selrain zu den Ausflügen der Hauptstädter, wer aber in Zirl ist, besucht dieses Thalgebiet leichter von hier aus, da das Thal Zirl gegenüber mündet.

Von Zirl bringt uns zunächst die Innbrücke auf das rechte Ufer des Flusses, an dem wir hinabwandern. Das im Süden den Inn begleitende Schuttgebirge springt hier etwas vor, und scheint den Strom herauszufordern; dieser nimmt die Fehde an und dringt mit seiner ganzen reißenden Wucht auf die Bergwand ein, die er unterwühlt, während ihn die einschurrende Wand mit ihren Geröllen zu begraben droht. Auf dem

---

1) Der eine steht noch, der andere befindet sich in der Sammlung des Ferdinandeums.

2) S. Zeitschrift für Tyrol und Vorarlberg V. B. 1829. S. 285.

höchst unsicheren Kampfplatz beyder Elemente führt der Weg hin und der Reisende blickt nicht ohne Besorgniß bald rechts hinan zu der den Einsturz drohenden Schuttwand, bald auf die mit Sturmeseile neben ihn hintreibenden eisigen Fluthen des Stromes; öfters muß man von einem Steine zum anderen springen, denn der Weg geht nur auf den Geschieben hin, welche die Wand in den Strom entsendete. Daher ist dieser Weg nur bey trockenem Wetter wegen der herabkommenden Steine, und bey niedrigem Wasserstande zu rathen. Bey schlechtem Wetter hält man sich daher rechts und über die vorgeschobene Höhe, auf welcher die Gemeinde Rangen liegt, mit 52 H. und 421 E.; die schöne Kirche mit Gemälden von Zoller lassen wir rechts und berühren nur den Weiler Ihel. In Oberperfus vereinigt sich dieser Weg mit dem vorigen. Diese große Gemeinde von 159 H. und 1065 E. lagert sich über einen großen Theil des Schuttgebirges, welches die Seitenthäler des Inns ausgeworfen haben, und das der mächtige Inn wallartig gegen sein Thal abgeschnitten hat. Den Namen soll der Ort von einem einst hier befindlichen Schlosse Bärenfuß erhalten haben. Der Boden ist fruchtbar, und außer den gewöhnlichen Erzeugnissen gedeiht noch Mais, vorzüglicher Flachs und allgemein verbreitet ist der Kirschbaum. In der Kirche das Grabmal des merkwürdigen hier geborenen und gestorbenen Peter Anich mit der Inschrift: Rusticus idem ac Tornator, Cosmographus, Astronomus, Geographus, Geometra, Chalcographus, Mechanicus, per omnia excellens. Er lebte und starb als Bauer, und seine Charte von Tyrol gilt noch immer als die genaueste. Wer da weiß, mit welchen Schwierigkeiten die Vermessung eines solchen Gebirgslandes, wie Tyrol, für viele Ingenieure hat, die überall nach Kräften von den Umwohnern unterstützt werden müssen, wird gewiß dieses Riesenwerk eines einzelnen Tyroler Bauern anstaunen. Er verfertigte auch in seiner Hütte eine große Erd- und Himmelskugel, welche jetzt die Universität Innsbruck besitzt. Er starb 1766. Sein Verdienst wurde erst nach seinem Tode theilweise anerkannt. Auch seine beyden Schüler, die sich ebenfalls in jenem Fache auszeichneten, Blasius Hueber und Anton Kirchebner, waren hier geboren (letzterer starb hier 1831, 81 Jahre alt). Man hat von der Höhe von Oberperfus eine herrliche Aussicht über das Innthal. In der Nähe ist ein Bad mit nothdürftiger Einrichtung; die Bestandtheile des Wassers sind schwefelsaure Erden- und Eisentheile. Der Ort liegt auf der vorspringenden Ecke, welche Inn und Melach (Milchbach) bey ihrer Vereinigung zugeschnitten haben. Wir biegen daher hier rechts südwestlich in das Selrainer Thal ein. Seine grünen, abgerundeten Urgebirgsmassen von Matten, Wald- und Häusergruppen übersäet, machen einen überraschenden Eindruck, nachdem so lange das Auge auf die kahlen Kalkschroffen geheftet war. Noch mehr überrascht wird man, wenn man in dem tiefen Abgrunde das Dorf Selrain eingeklemmt erblickt. Steil und jäh führt der Pfad zwischen vereinzelten Häusern zur Tiefe. Mit dem Eintritte in das Thal hat man den Kreis Unterinnthal betreten (siehe unten). Das Dorf heißt eigentlich Rothenbrunn, wegen des rothen Wasserniederschlages des hiesigen Gesundbrunnens, und der Name Selrain kömmt der ganzen Gemeinde zu, welche das untere Thalgebiet umfaßt bis Gries, daher auch nur diese untere Strecke des Thales, sein Stamm, Selrainer Thal genannt wird. Die Gemeinde zählt 118 H. mit 866 E. Im Dorfe ist die neuere Annenkirche, darüber 3749 F. über dem Meere die alte, wegen ihrer Bauart, merkwürdige Quirinuskirche, wo man zugleich eine herrliche Aussicht hat. Der erwähnte Gesundbrunnen, welcher erdige, salinische und eisenhaltige Theile führt, wird hauptsächlich als Mittelpunkt von Landparthien der Hauptstadt, der Sommerfrischgäste u. s. w. benutzt. Das Wirthshaus ist daher gut. Geburtsort Peter Jordans, Professors der Naturgeschichte und Ökonomie zu Wien.

Von Rothenbrunn südlich kömmt in das fast westlich hinanziehende Selrainer Thal das Fatscher Thal herein, in dessen Hintergrunde sich der durch seine schöne Aussicht bekannte Billerspitz erhebt (siehe unten). Das Thal ist unbewohnt und nur von Alpen belebt. Es stürzt in einem großen Absatz in das Selrainer Thal. In der Nähe bildet der Saigesbach einen schönen Wasserfall unweit Rothenbrunn.

Im Hauptthale fortwandernd, findet der Landschaftsmaler schöne Mühlenstudien am Bache. Etwa 1½ Stunden aufwärts liegt das Dorf Gries mit 12 H. und 88 E. (die Gemeinde 65 H., 465 E.) an sonniger Stelle vor uns, 3650 Fuß über dem Meere. Der Name Gries kömmt in dieser Gegend, namentlich zwischen hier und dem Ötzthal, oft vor. Hier theilt sich das Thal unter dem Eckpfeiler Freyhut, 7831 Fuß hoch, mit dem schönsten Grün überzogen. Das Thal westlich heißt das Oberthal, das andere Thal, welches gerade nach Süden gerichtet ist, wird von der Melach durchflossen. Sehen wir in diesem Thale hinauf, so erblicken wir einen Riesen aus der höheren Urgebirgswelt; stolz erhebt sich dort die schwarze Felsenpyramide des 10,000 Fuß hohen Fernerkogls mit einer Schneekuppe; denn seine anderen Seiten sind mit Schnee und Eis weit herab belastet. Von diesem Anblick, der den erfahrenen Alpenwanderer noch Größeres erwarten läßt, aufs Neue belebt, eilen wir dieses Thal hinan. Es erhebt sich stärker und an einigen Bauernhöfen vorüber geht es über eine Brücke. Hier wird der Reisende zum ersten Mal überrascht durch den luftigen Eispallast der Fernerwelt; doch ehe es der neugierige Wanderer in seiner Eile zu erfassen vermochte, verschwindet jenes eigenthümliche Wesen wieder, als ob es nur ein zauberisches Trugbild gewesen wäre. Um dasselbe wieder zu erhaschen, eilt er die steilere Bahn über den Kniepiß hinan und übersieht fast die herrlichen Wasserfälle, welche die Melach macht; nur der Maler läßt sich nicht fortreißen, sondern sammelt die schönen Fälle in sein Buch. Plötzlich wird es still, die Stürze brausen in der Tiefe unter und hinter uns; ein stilles, großes Alpenthal liegt vor uns; ruhig gleitet der Bach durch den ebenen Thalboden. Dieser ist auf beyden Seiten von hohen, doch meistens grünen Bergen umschlossen; im Hintergrunde aber thürmt sich die kahle Felsenwelt des Urgebirgs auf, rechts im feyerlichen Ernst der schneegekrönte Fernerkogl; von ihm spannt sich links herab der Lisnitzer Ferner, zwischen dem Fernerkogl und einem anderen Felsenstocke zur Linken bis zur Thalsohle in blaugrünem Gewürfel herabsteigend. Darunter zeigt sich das stattliche Alpenhaus der Lisnitzer oder Lisenzer Alpe, wie dieser ganze 5024 Fuß über dem Meere liegende Thalboden heißt. Die Alpe ist dem Stifte Wilten gehörig und dient den Stiftsherren zur Sommerfrische. Das Haus ist groß und faßt in sich die Kapelle Sta. Magdalena. Man findet daher auch hier mehr, als in gewöhnlichen Sennhütten und Tauernhäusern. Der Ferner, welcher vorhin dicht hinter dem Hause herabzuhängen schien, ist noch eine Stunde entfernt, und so tief er aus der Ferne herabzugehen schien, so hoch schweben jetzt seine blauen Abbrüche über der senkrechten Wand.

Ein sehr interessanter Ausflug von hier ist die Ersteigung des Fernerkogls, welcher sich 10,125 Fuß erhebt. Doch nur sehr geübte, starke und schwindelfreye Gletscherwanderer dürfen diese unternehmen. Der als Bergsteiger bekannte Professor Thurwieser aus Salzburg, mit dessen Hülfe wir noch manchen Hochgipfel ersteigen werden, erstieg ihn den 24. August 1836. Wir folgen seiner Führung [1]). Führer waren Philipp Schöpf, ein Jäger, und Lipp Koffler aus Praxmar bey Lisenz. Man brach 4¾ Uhr auf; bey der Sägemühle ging es auf das rechte Ufer und bald darauf über den Fernerbodensteg wieder auf das linke Ufer. Der Fernerboden ist der letzte Weideplatz, eine Stunde von dem Hause, und bis hierher gehen die meisten Reisenden, welche den Ferner in der Nähe sehen wollen. Den jähen Fernerabsturz muß man auf dem Schuttgerölle, womit der Fernerkogl seinen Fuß umschanzt hat, umsteigen. Nach 2¼ Stunden vom Hause aus konnte man, von dem Fuße des Kogls sich links entfernend, den nun etwas ebener gewordenen Gletscher betreten, mußte sich aber dennoch in der

1) Tyroler Zeitschrift des Ferdinandeums B. 6. 1840.

Nähe des Koglabsturzes halten, bis die Klüfte hier zu groß und häufig wurden; nun erst wendete man sich links der Mitte des Ferners zu. Aber auch hier war der Ferner steil und sehr zerklüftet. Nach vierstündiger Wanderung auf dem Ferner oder in 6 Stunden vom Hause erreichte man den aus dem Thale sichtbaren Eiskamm, welcher sich rechts zum Kogl hinanzieht und sich jenseits auf den großen Alpeiner Ferner des Stubaythales hinabsenkt. Man befand sich hier 3664 Fuß über Lisenz und 8668 Fuß über dem Meere. Nun ging es rechts, westlich den Eisgrat hinan, ein 1½ stündiger gefährlicher Steig, aber voll der prächtigsten Blicke in die grauenvollen grünblauen Abgründe des Gletschers. Jetzt befand man sich im Rücken des Kogls. Über eine jähe Felsenwand kletterte man nun zu einem zweyten Ferner empor, der anfangs voller verdeckter Klüfte war; diese verschwanden, so wie man höher kam. Nach einer mühevollen beschwerlichen Stunde erreichte man die Schneide, welche die Doppelgipfel des Berges verbindet (in der Tiefe decken sich diese beyden Gipfel). Von hier aus wurde endlich in einer halben Stunde über gefährliches abrollendes Gestein der Gipfel erreicht. Die Besteiger brauchten mit der Ausruhezeit 9 Stunden. Wahrhaft erhaben ist die Aussicht vor Allem in und über die Eisgebirge des Ötzthales und Stubaythales. Östlich erblickte man das Eismeer des Venedigers im Salzburgischen mit seinen Hochgipfeln, näher die Zillerthaler Eisriesen; die Südtyroler Dolomitmassen, nördlich die ganze Kette der Kalkschroffen von der Zugspitze bis zum fernen Dachstein. Westlich fuhr der Blick im Innthal hinan bis in die Alpen der Schweiz. — Zum Rückweg wählte man einen anderen Steig, der zwar steiler, aber ohne Eis war, durch das Längenthal. In 6½ Stunden erreichte man auf diesem das Alpenhaus Lisenz wieder. — Noch führen zwey Steige für rüstige Alpensteiger rechts westlich hinüber in das Ötzthal, links oder östlich in das Stubaythal. Der erstere zieht von dem Fernerboden rechts ab in das Längenthal und rechts an dessen pflanzenreichen Wänden empor. Mit dem Joche betritt man den jenseits hinabziehenden Grieskoglferner, welcher nicht gefährlich seyn soll. Man kömmt über ihn nach Gries im Sulzbachthal und an dem dasselbe durchströmenden Fischbach nach Lengenfeld im Ötzthal. Der andere Steig ist lang und sehr beschwerlich bis aufs Joch, welches wir, da mir kein Name genannt wurde, das Stubayer Joch nennen wollen. Über mehrere Bergstufen geht es steil empor; glaubt man endlich nach dreystündigem Stieg die Jochhöhe erreicht zu haben, so erblickt man zwey graue Felsriesen, rechts den Hornspitz, links den Billerspitz, welche den weiteren Weg zu versperren scheinen; doch zwischen ihnen öffnet sich eine Scharte, vielleicht entstanden aus dem Einsturz dieser Hörner; denn ein furchtbares Chaos von Felsblöcken aller Größen füllt diese Scharte bis herab auf den grünen Boden aus und äußerst mühsam ist von hier an über dieses lockere Gerölle die letzte Stunde; auch die größten Blöcke, wenn man an ihnen sich forthelfen will, fangen wegen der äußerst geneigten Fläche an zu schurren; man ist froh, wenn man die festen Wände erreicht, um längs ihnen sicherer emporklimmen zu können. Hat man endlich die Höhe des Joches erreicht, so eröffnet sich ein schöner Blick gegen die Zillerthaler Eisgebirge; gegen Lisenz ist die Aussicht aber sehr beschränkt. Jenseits hinab geht es anfangs nicht besser, doch schneller[1]). Ein über das Oberberger Thal hinausgeschobener Rücken trägt eine äußerst liebliche Alpe in luftiger sonniger Höhe, von großen Tiefen umgeben.

Auf einem pfützenartigen Weiher hatten sich zwey Hirtenknaben ein Floß gemacht und führten während der Mittagsrast des alten Hirten eine Seeschlacht auf. Von hier aus kann man den mehrerwähnten Billerspitz ersteigen, welcher wegen seiner sehr schönen Aussicht auf die Stubayer und Ötzthaler Ferner bekannt ist. In einem kleinen steilen Seitenthälchen geht der vielgewundene Alpenweg in die Tiefe des Oberberger Thales (obersten Seitenast des Stubaythales), dessen schönen von Eisbergen umgebe-

1) Der Verfasser sah hier die Entstehung einer Gletscherbildung, oder die Verwandlung des Schnees in Gletschereis recht schön in einer bedeutenden Masse.

nen und Sennhüttengruppen dorfartig belebten Alpenboden man bey der Alpe Ober-Isse erreicht. Von hier kann man den grossen und schönen Alpeiner Ferner besuchen, der nur eine Stunde entfernt liegt; thalabwärts gelangt man in 3 Stunden nach Neustift, dem ersten oder auch letzten Dorfe des Stubaythales (siehe unten Stubaythal). Reisende, welche von Innsbruck einen Ausflug in das Hochgebirge machen wollen, wählen diesen Weg; wandern den ersten Tag nach Lisenz, den zweyten über das genannte Joch auf die Ober-Issealpe, von wo sie den Alpeiner Ferner besuchen, und gehen noch nach Neustift, wo sie die zweyte Nacht bleiben; drängt die Zeit, so können sie das Stubaythal hinab fahren, und erreichen in 3 Stunden die Post Schönberg an der Brennerstraße, eine Station von Innsbruck, so daß sie den dritten Mittag wieder in Innsbruck eintreffen.

Wir kehren von Lisenz nach Gries an die Theilung des Thales zurück, um noch in der westlichen Fortsetzung des Thales, dem Oberthale, unsere Reise fortzusetzen. In diesem Thale ist St. Sigismund, 1½ Stunden von Gries, 4787 Fuß über dem Meere, der letzte Ort. Da der Weg in so kurzer Zeit 1000 Fuß ansteigt, so ist seine starke Erhebung erklärlich. Die ganze Gemeinde zählt nur 32 H. mit 198 E. (Lisenz und Praxmar gehören auch hierher). Im Winter ist der Weg wegen der Lawinen nicht ohne Gefahr. Hier vereinigt sich der von Süden aus dem Gleirscher Ferner durch das Gleirscher Thal strömende Gleirscherbach mit dem westlich herkommenden Zirmbache zum Oberthalerbach. Durch das alpenreiche Gleirscher Thal führt ein Steig, ehe man den Ferner erreicht, rechts ab über das Gleirscher Jöchl nach Niederthey und von dort entweder rechts an den großen Wasserfall der Stuibe hinab nach Umhausen im Öthal, oder links ab in die Lengenfelder Ebene, der kurze Verbindungsweg zwischen Innsbruck und dem inneren Öthale. Westlich in der Fortsetzung des Thales geht es durch eine Enge am Zirmbache eine Stufe hinan nach dem Weiler Haggen, nur aus 5 Höfen bestehend, 1½ Stunde von St. Sigismund, 5081 Fuß über dem Meere. Auch von hier geht noch südlich ein Thälchen, das Kraspesthal, mit einem Ferner im Hintergrunde, ab. Nördlich geht ein Weg am Hochederspitz vorüber, durchs jenseitige Kanzerthal nach Flauerling im Innthal. Gerade aus gelangt man über das nahe Joch nach Kühethey, dem obersten Thalkessel des vorderen oder unteren Stuibenthales, das seine Gewässer ebenfalls in einen schönen Wasserfall bey der Mühle von Öt ins Öthal schüttet.

Im Selrainerthalgebiete muß man Außer- oder Selrainerthal und Inner- oder Oberthal und Selrain unterscheiden. Das Klima ist rauh; wegen der steilen Bergabhänge sind anhaltende Regengüsse durch die häufigen Murbrüche gefürchtet. Der Menschenschlag ist gesund und kräftig; ein Bursche muß eine Tracht Heu, Buhr genannt, 150—200 Pfund schwer, sich selbst aufladend, die Höhe herabtragen. Es herrscht kein Überfluß, aber auch keine Armuth. Die Sprache nähert sich der Oberinnthaler. Ein besonderes Gewerbe besteht in den großen Bleicheryen. Ein großer Theil des Innthales läßt hier bleichen und die Hauptstadt waschen. Man bleicht jährlich in Selrain 540,000 Ellen Leinwand.

Der Ackerbau kann nur von Menschen betrieben werden wegen der Steilheit der Wände. Man hat 150 Joch Getraideland (Roggen, Gerste, Waizen, Hafer und Kartoffeln). Einige Bauern verkaufen, die meisten kaufen, und kaum deckt die Erndte den Bedarf. Auch der Viehstand ist mittelmäßig; nur die kleinere Hälfte wird als Mastvieh verkauft. Man rechnet im Außerthal 10 Pferde, 13 Ochsen, 352 Kühe, 434 Schafe und Ziegen und 32 Schweine. Das Oberthal ist der Bevölkerung nach einer jener Reste der über die Gebirge übergeschlagenen Völkerwogen, aus dem Öthale und Oberinnthale, anfangs Hirten-, später bleibende Niederlassungen. Der Getraidebau ist sehr gering. Nach der ersten Erndte werden noch Steckrüben gesäet und oft erst unter dem Schnee heraus gethan. Hauptnahrungsquelle ist die Viehzucht, und zwar in jeder Hinsicht. — Vom Eingang des Thales bis Gries herrscht der Glimmerschiefer vor. Im Lisenzer Thal hinauf verändert sich der Glimmerschiefer; Andalusit und Buchholzit kommen in ihm vor; Glimmer, Quarz, Feldspath und Andalusit bilden knollige Parthien. Die Gebirgsart, auf welcher der Ferner ruht, nennt Leopold von Buch Fernergranit. Mit dem Anstieg von Gries gegen St. Sigismund tritt der Gneus auf, an dessen Stelle erst auf dem Wege ins Özthal bey Ochsengarten der Glimmerschiefer wieder erscheint.

Wir wandern nun von Zirl wieder im Hauptthale des Inns der nahen Hauptstadt zu. Der Inn tritt, von der jenseitigen Bergwand zurückgewiesen, wieder an die linke Seite heran und engt den Straßenzug ein, indem hier das Fußgestelle des Solsteins, die mächtige und durch die Sage gefeyerte Martinswand, in kühnen Formen hervortritt. Senkrecht und glatt erhebt sich diese Wand 1776 Fuß über den Strom und 1560 Fuß über die Straße.

Die bekannte Sage läßt den Kaiser Maximilian sich hier versteigen und an der Hand eines Engels herabsteigen. Lewald und der Verfasser des Landes Tyrol geben die natürliche Erzählung, aus welcher erst später jene Sage gebildet wurde. Der kühne Gemsjäger Zips war es, welcher den Kaiser in angstvoller Lage erblickte und, an der Wand wohl bewandert, den Kaiser wieder glücklich herab zu dem in der Tiefe versammelten Volke führte. Oswald Zips wurde in den Adelstand erhoben mit dem Namen Hollauer von Hohenfelsen; Zips wird noch später unter den Günstlingen des Kaisers erwähnt. Eine höhlenartige Nische, die Maximiliansgrotte, in der halben Höhe der Wand, wird für den Stand des Kaisers ausgegeben, daher hier ein Crucifix 18 Fuß hoch mit lebensgroßen Figuren angebracht ist, das, aus der Tiefe gesehen, sehr klein erscheint. Ein Pfad führt jetzt hinan zu jener Wölbung und nur hier oben erst bemerkt man die Höhe der Wand, welche in der Ferne durch die Massen des Solsteins und in der Nähe durch ihre Steilheit verkleinert und verjüngt wird. Unter der Wand hinziehend, verlassen wir bey einem alten Marksteine das Oberinnthal und treten in das Unterinnthal. Der Flächeninhalt des Kreises Unterinnthal beträgt 97¼ Q. M. und umfaßt das ganze übrige Nordtyrol, 11 Landgerichte und die Hauptstadt, 158 Gemeinden, 18,109 H., 26,028 Familien und 128,992 E. Das einsame Wirthshaus Kranabiten, welches wir zunächst hinter der Martinswand erreichen, hat seinen Namen von dem hier die nächsten Höhen überziehenden Wachholder, welcher in dem größten Theile der deutschen Alpen Kranabiten heißt. Reisende, welche nicht schon bey der Besteigung des Solsteins die Klamm, das Schwefelloch oder auch Harterklamm besuchten, versäumen nicht, diesen merkwürdigen Schlund von hier aus zu sehen. Ein Fußweg leitet durch Föhren hinan in die Kluft, welche ein gewaltiger Felsen plötzlich schließt; auf Leitern übersteigt man denselben und gelangt in die Hundskirche, wo sich die Felsen hoch oben völlig an einander legen; bald fällt wieder Licht in die Felsengasse und man kömmt in den Sulzbach, der sich hier aber in dem Griesboden verliert. Von hier erreicht man in 1½ St. durch den Schoberwald die sonnigen Zirler Alpenmatten.

Von Zirl erreichen wir in drei kleinen Stunden die schöne und herrlich gelegene Hauptstadt Tyrols, Innsbruck, unter dem 47° 15′ 30″ d. n. Br. und 29° 3′ 23″ der Länge. Die mittlere Barometerhöhe nach Zailinger 26″ 3,39‴; mittlerer Thermometerstand 7,46; die größte Wärme den 21. July, die größte Kälte den 15. Januar, 239 trockne, 128 nasse, 60 windige Tage, 11 Gewitter. Der Südwind ist der vorherrschende. Ein eigner Südwind ist der Sirocco oder warme Wind, welcher zwar Kopfweh verursacht, aber nothwendig ist, um die ungeheuren Schneemassen schnell wegzuschmelzen. 1816 Fuß über d. M. Die Einwohner besitzen 66 Joch Äcker, 430 Morgen Wiesen, 78 Pferde, 17 Ochsen, 203 Kühe, 62 Schafe und 75 Schweine. Heiter und sonnig liegt diese Gebirgsstadt im Schooße erhabener Gebirge, die aber trotz ihrer Höhe und Wildheit dennoch so verschiedene Thore öffnen, daß man ziemlich ungehindert nach allen Weltgegenden hin auf herrlichen Straßen ziehen kann, daß die Sonnenstrahlen nicht nur freien Zutritt haben, sondern, durch die steile Nacktheit der Kalkalpen aufgefangen, in den Straßen der Stadt und auch in deren Umgebung ihre Gluth verdoppeln; gerade im Süden ziehen die Massen der Centralkette hin; es treten aber daselbst zwey Hauptgruppen, die Ötzthaler- und Zillerthalergruppe, von Westen und Osten her an einander, ohne zu einem Hochjoche zusammenzufließen; ihr gegenseitiger Fuß berührt sich nur in der Tiefe, um den niedrigen Sattelrücken des Brenners zu bilden; daher hat der Südwind und Sirocco nicht die Mauthlinie der Fernerketten zu durchziehen. Innsbruck ist ein Brennpunkt des Tyroler Lebens von jeher gewesen und zugleich ein Anziehungspunkt großer Herrscher. Daher überstrahlt es auch der Kaiserglanz des Mittelalters in schöner eigenthümlicher Weise. Innsbruck ist ein herrliches Bild des Mittelalters, und seine reizende, erhabene Umgegend der passendste Rahmen. Von der Innquelle her war Telfs der nördlichste Punkt des Thales; von hier an bringt die Masse der Kalkalpen mit der Gruppe des Solsteins südwärts vor, indem der sich wieder südlich ziehende Rand der Ötzthaler Gruppe und der erst in einiger östlicher Entfernung wieder vortretende Rand der Zillerthaler Gruppe dieses gestattet. In dem südlichsten Einbug, an einer der breitesten Stellen des Thales, liegt Innsbruck, größtentheils auf der rechten, südlichen Seite des Inns, im Norden umstarrt von den Wänden des Solsteins, die im Schatten, gleich blauen Gewitterwolken, hoch über allen Häusern schweben und im Süden, sanft umkreist von dem Mittelgebirge, welches jene beyden Gebirgsgruppen durch ihre Fluthen zwischen sich erzeugten, und gleich einem mächtigen Gletscher vom Brenner herab ins Innthal schoben; aber wie ein alter Lavastrom trägt es jetzt die herrlichsten Fruchtgefilde, von der Sonne und ihrem Spiegel, dem Solstein, doppelt erleuchtet und erwärmt. Die Sillspalte gleicht einer Gletscherkluft. Der einstige Schlammstrom des Brenners breitete sich, so wie die beyderseitigen Schranken der Centralkette zurückwichen, im Innthale aus, wie ein Gletscher, und verdämmte auf einige Zeit das Thal, bis es der Wucht des Stromes gelang, den Schutt hinwegzuräumen. Auch auf der linken Thalseite blieb ein kleiner Theil, die Terrasse von Hötting, an den Kalkalpen hängen. Im Süden überragen das grüne Mittelgebirge drey Bergriesen, welche vereinzelt stehen; im Südosten die Kuppel des Patscherkofls, im Südwesten die Dolomitpyramide der Rockspitze und gerade im Süden die gleichgestaltete Waldrasterspitze. Der Theil der Stadt, welcher am linken Ufer des Inns hinzieht, St. Nikolaus, eine Häuserreihe längs des Inns bildend, ist der älteste Stadttheil; erst später siedelte sich die jetzige eigentliche Stadt jenseits an, und zieht gegenwärtig durch die Neustadt hinüber nach Wilten, durch die ganze Breite des Thales.

Die Stadt zählt gegenwärtig [1]) 26 Gassen, 5 öffentliche Plätze, 612 H. und 10,850 E. (ohne Soldaten, Studenten und Fremde).

Gasthöfe: Die Goldene Sonne, der Goldene Adler, das Weiße Kreuz, der Goldene Hirsch, der Goldene Löwe, der Graue Bär in der eigentlichen Stadt und jenseits der Brücke (linkes Ufer) die Traube und der Goldene Stern. Letztern kann der Verfasser aus eigener öfterer Erfahrung besonders empfehlen. Vergnügungsorte: 34 Weinhäuser, 27 Bierhäuser, 7 Kaffeehäuser, 2 Speisehäuser, außer diesen werden auch in den Gewächshäusern des Hofgartens Getränke verabreicht, das Nationaltheater, das Lesecasino (dem Fremden offen), der Hofgarten und Rennplatz und die Anlagen bis zur Mühlauer Brücke, Kunstgärten der Hofgärtner Eschenlohr und Diechtl.

Gebäude und andere Kunstmerkwürdigkeiten: In Hinsicht der Kunst und des Kunstgehaltes steht die Heilige-Kreuz-Franziskaner- oder Hofkirche oben an; sie ist nicht nur der merkwürdigste Kunsttempel Tyrols, sondern einer der vorzüglichsten Deutschlands. Der Bauplan soll vom Kaiser Maximilian ausgegangen seyn und wurde von seinem Enkel Ferdinand I. ausgeführt. Im Jahre 1553 wurde der Bau von dem Baumeister Thuring begonnen und 1563 vollendet. Schönes, doch etwas verstecktes Portal. Der innere Bau besteht in einem Gothischen Gewölbe. Doch nicht der Bau macht diese Kirche merkwürdig, sondern ihr Gehalt. In der Mitte erhebt sich Kaiser Maximilians I. Denkmal, mit seinen Umgebungen ein großartiges Ganzes. Auf drey Stufen von Marmor steht der große Sarkophag aus Marmor, auf dessen Decke der Kaiser in seinem Ornate betend kniet, in Lebensgröße, aus Erz gegossen von Ludwig del Duca. Auf den vier Ecken um ihn die Genien der Gerechtigkeit, der Klugheit, Stärke und Mäßigkeit. Die Seitenflächen des Sarkophages sind durch 16 Pfeiler von schwarzem Marmor in 24 Felder von Carrarischem Marmor getheilt, mit herrlichen Basreliefs geschmückt. Die vier ersten Tafeln wurden von den Brüdern Bernhard und Arnold Abel aus Köln, die anderen besseren von Alexander Collin aus Mecheln verfertigt für den geringen Preis von 240 fl. die Tafel. Sie stellen die Hauptzüge aus dem romantischen Leben Maximilians dar. Überall Treue der Gegenden, Bildnisse, Trachten; die Gesichtszüge des Kaisers falten sich nach den Stufen des Alters. Der Inhalt der 24 Tafeln ist: 1) Vermählung Maximilians mit Maria von Burgund, 1477; 2) Sieg über die Franzosen bei Guinegate, 1479; 3) Erstürmung von Arras, 1492; 4) Krönung M.s. zum Römischen König, 1486; 5) Sieg der Tyroler bei Calliano an der Etsch über die Venezianer, 1487; 6) Einzug M.s. in Wien, 1490; 7) Erstürmung von Stuhlweißenburg, 1490; 8) Empfang seiner Tochter Margaretha, 1493; 9) Vertreibung der Türken aus Croatien; 10) Bündniß M.s. mit dem Papste, Venedig und dem Herzoge von Mailand gegen Karl VIII. von Frankreich; 11) Belehnung des

---

[1]) Land Tirol S. 248. Staffler B. 1. Heft 2, 407.

Herzogs Ludovico Sforza mit Mayland; 12) Vermählung Philipps, Ms. Sohn, mit Johanna von Spanien, 1496; 13) Sieg Ms. bey Regensburg über die Böhmen, 1504; 14) Belagerung von Kufstein, 1504; 15) Einnahme von Geldern, 1505; 16) Ligue von Cambray, 1508; 17) Einzug in Padua, 1509; 18) Vertreibung der Franzosen aus Mayland, 1512; 19) zweyte Schlacht bey Gutnegate gegen die Franzosen, 1513; 20) Bewillkommnung des mitkämpfenden Englischen Königs Heinrichs VIII. auf dem Schlachtfelde; 21) Schlacht bey Vicenza gegen die Venezianer, 1513; 22) Schlacht bey Murano gegen die Venezianer, 1514; 23) Wechselheirath Ferdinands (I.) mit Anna von Ungarn, und Ludwigs von Ungarn (Wladislaus Sohn) mit Marie von Österreich (Enkelin Ms.), 1515; 24) Vertheidigung Verona's gegen die Venezianer und Franzosen, 1516. Gleich Wächtern des Grabes umstehen das Denkmal 28 kolossale Bildsäulen, aus Erz gegossen, auf nicht hohen Fußgestellen, merkwürdige Helden und Frauen, welche entweder wirklich dem Hause Maximilians verwandt waren oder auch in romantischer Beziehung zu dem romantischsten Helden seiner Zeit stehen. Sie haben zum großen Theil Kunstwerth, besonders auch die kleineren, von denen hernach die Rede seyn wird. Hervorgegangen sind sie aus der Werkstätte der Erzgießer Stephan und Melchior Godls, Gregor Löfflers und Hanns Lendenstreichs zu Mühlau bey Innsbruck. Von Letzterem wurde nachher Büchsenhausen, eine Stückgießerey bey Innsbruck, angelegt. Vom Eingange der Kirche links anfangend, sind es folgende Bildsäulen, welche den Ehrenkranz um das Grabmal bilden[1]: 1) Johanna von Spanien, Schwiegertochter Maximilians, vermählt mit Philipp I., † 1555, gegossen 1528; 2) Ferdinand von Aragonien, Vater der Johanna; 3) Kunigunde, Tochter des Kaisers Friedrichs III., Gemahlin Herz. Albrechts IV. von Bayern, Schwester Ms., † 1520; 4) Eleonore, Friedrichs III. Gemahlin, Mutter Ms., Prinzessin von Portugal, † 1467; 5) Maria von Burgund, erste Gemahlin Ms., Tochter Karls des Kühnen, † 1482; 6) Elisabeth, Gem. Kais. Albrechts II., Tochter des Königs Sigmund von Ungarn und Böhmen, † 1442, gegossen 1529; 7) Gottfried von Bouillon, gegossen 1533; 8) Albrecht I., ermordet 1308, gegossen 1527; 9) Friedrich IV. von Österreich, Graf von Tyrol (mit der leeren Tasche), † 1439; 10) Leopold III., Herz. von Österreich, Urgroßvater Maximilians, † in der Schlacht bey Sempach 1439; 11) Graf Rudolph von Habsburg, Großvater Rudolphs I. von Habsburg, † 1232; 12) Leopold der Heilige, Markgraf von Österreich, † 1136, Schutzheiliger Österreichs; 13) Kaiser Friedrich III., Vater Ms., † 1495; 14) Kaiser Albrecht II., † 1439 im Kampfe gegen die Türken; 15) Philipp der Gute von Burgund, Vater Karls des Kühnen, Stifter des Ordens des Goldenen Vließes, † 1467; 16) Karl der Kühne, Herz. von Burgund, Schwiegervater Ms., † 1477 in der Schlacht bei Nancy; 17) Cymburgis von Massovien, Gem. Herz. Ernst des Eisernen, † 1429; 18) Margaretha, Tochter Ms., † 1530; 19) Blanka Maria Sforza, zweyte Gem. Ms., † 1540, gegossen 1525; 20) Sigmund, Erzherzog von Österreich und Graf von Tyrol, † 1496; 21) Arthur, König von England (Tafelrunde), † 542, gegossen 1513; 22) Theodebert, Herz. von Burgund, † 640, gegossen 1555; 23) Ernst der Eiserne, Herz. von Österreich und Steyermark, Großvater Ms., † 1421; 24) Theoderich, König der Ostgothen, † 526, gegossen 1513; 25) Albrecht II., Herzog, Urgroßvater Ms., † 1358, gegossen 1528; 26) Kaiser Rudolph I. von Habsburg, † 1291; 27) Philipp I., Sohn Ms., König von Spanien und Vater Karls V., † 1506; 28) Clodwig, der erste christliche König der Franken, † 511.

Schon erwähnt sind die 23 kleineren Bildsäulen, welche leider dem unbewaffneten Auge in ihrer Schönheit entzogen, auf dem Gesimse der silbernen Kapelle hoch oben aufgestellt sind, ob sie gleich gerade in die Nähe gerückt zu werden verdienen. Hoffentlich wird der überall und auch hier wieder erwachte Schönheits- und Kunstsinn die Verbann-

1) Sehr schön ist dieser Kreis in seiner künstlerischen Idee und Einheit von Beda Weber in seinem Lande Tirol dargestellt.

hängen. Im Süden überragen das grüne Mittelgebirge drey Bergriesen, welche vereinzelt stehen; im Südosten die Kuppel des Patscherkofls, im Südwesten die Dolomitpyramide der Rockspitze und gerade im Süden die gleichgestaltete Waldrasterspitze. Der Theil der Stadt, welcher am linken Ufer des Inns hinzieht, St. Nikolaus, eine Häuserreihe längs des Inns bildend, ist der älteste Stadttheil; erst später siedelte sich die jetzige eigentliche Stadt jenseits an, und zieht gegenwärtig durch die Neustadt hinüber nach Wilten, durch die ganze Breite des Thales.

Die Stadt zählt gegenwärtig [1]) 26 Gassen, 5 öffentliche Plätze, 612 H. und 10,850 E. (ohne Soldaten, Studenten und Fremde).

Gasthöfe: Die Goldene Sonne, der Goldene Adler, das Weiße Kreuz, der Goldene Hirsch, der Goldene Löwe, der Graue Bär in der eigentlichen Stadt und jenseits der Brücke (linkes Ufer) die Traube und der Goldene Stern. Letztern kann der Verfasser aus eigener öfterer Erfahrung besonders empfehlen. Vergnügungsorte: 34 Weinhäuser, 27 Bierhäuser, 7 Kaffeehäuser, 2 Speisehäuser, außer diesen werden auch in den Gewächshäusern des Hofgartens Getränke verabreicht, das Nationaltheater, das Lesecasino (dem Fremden offen), der Hofgarten und Rennplatz und die Anlagen bis zur Mühlauer Brücke, Kunstgärten der Hofgärtner Eschenlohr und Diechtl.

Gebäude und andere Kunstmerkwürdigkeiten: In Hinsicht der Kunst und des Kunstgehaltes steht die Heilige-Kreuz-Franziskaner- oder Hofkirche oben an; sie ist nicht nur der merkwürdigste Kunsttempel Tyrols, sondern einer der vorzüglichsten Deutschlands. Der Bauplan soll vom Kaiser Maximilian ausgegangen seyn und wurde von seinem Enkel Ferdinand I. ausgeführt. Im Jahre 1553 wurde der Bau von dem Baumeister Thuring begonnen und 1563 vollendet. Schönes, doch etwas verstecktes Portal. Der innere Bau besteht in einem Gothischen Gewölbe. Doch nicht der Bau macht diese Kirche merkwürdig, sondern ihr Gehalt. In der Mitte erhebt sich Kaiser Maximilians I. Denkmal, mit seinen Umgebungen ein großartiges Ganzes. Auf drey Stufen von Marmor steht der große Sarkophag aus Marmor, auf dessen Decke der Kaiser in seinem Ornate betend kniet, in Lebensgröße, aus Erz gegossen von Ludwig del Duca. Auf den vier Ecken um ihn die Genien der Gerechtigkeit, der Klugheit, Stärke und Mäßigkeit. Die Seitenflächen des Sarkophages sind durch 16 Pfeiler von schwarzem Marmor in 24 Felder von Carrarischem Marmor getheilt, mit herrlichen Basreliefs geschmückt. Die vier ersten Tafeln wurden von den Brüdern Bernhard und Arnold Abel aus Köln, die anderen besseren von Alexander Collin aus Mecheln verfertigt für den geringen Preis von 240 fl. die Tafel. Sie stellen die Hauptzüge aus dem romantischen Leben Maximilians dar. Überall Treue der Gegenden, Bildnisse, Trachten; die Gesichtszüge des Kaisers falten sich nach den Stufen des Alters. Der Inhalt der 24 Tafeln ist: 1) Vermählung Maximilians mit Maria von Burgund, 1477; 2) Sieg über die Franzosen bei Guinegate, 1479; 3) Erstürmung von Arras, 1492; 4) Krönung Ms. zum Römischen König, 1486; 5) Sieg der Tyroler bei Calliano an der Etsch über die Venezianer, 1487; 6) Einzug Ms. in Wien, 1490; 7) Erstürmung von Stuhlweißenburg, 1490; 8) Empfang seiner Tochter Margaretha, 149[illegible]; 9) Vertreibung der Türken aus Croatien; 10) Bündniß Ms. mit dem Papste, Venedig und dem Herzoge von Mailand gegen Karl VIII. von Frankreich; 11) Belehnung des

1) Das Land Tirol S. 248. Staffler B. 1. Heft 2, 407.

Herzogs Ludovico Sforza mit Mayland; 12) Vermählung Philipps, Ms. Sohn, mit Johanna von Spanien, 1496; 13) Sieg Ms. bey Regensburg über die Böhmen, 1504; 14) Belagerung von Kufstein, 1504; 15) Einnahme von Geldern, 1505; 16) Ligue von Cambray, 1508; 17) Einzug in Padua, 1509; 18) Vertreibung der Franzosen aus Mayland, 1512; 19) zweyte Schlacht bey Guinegate gegen die Franzosen, 1513; 20) Bewillkommnung des mitkämpfenden Englischen Königs Heinrichs VIII. auf dem Schlachtfelde; 21) Schlacht bey Vicenza gegen die Venezianer, 1513; 22) Schlacht bey Murano gegen die Venezianer, 1514; 23) Wechselheirath Ferdinands (I.) mit Anna von Ungarn, und Ludwigs von Ungarn (Wladislaus Sohn) mit Maria von Österreich (Enkelin Ms.), 1515; 24) Vertheidigung Verona's gegen die Venezianer und Franzosen, 1516. Gleich Wächtern des Grabes umstehen das Denkmal 28 kolossale Bildsäulen, aus Erz gegossen, auf nicht hohen Fußgestellen, merkwürdige Helden und Frauen, welche entweder wirklich dem Hause Maximilians verwandt waren oder auch in romantischer Beziehung zu dem romantischsten Helden seiner Zeit stehen. Sie haben zum großen Theil Kunstwerth, besonders auch die kleineren, von denen hernach die Rede seyn wird. Hervorgegangen sind sie aus der Werkstätte der Erzgießer Stephan und Melchior Godls, Gregor Löfflers und Hanns Lendenstreichs zu Mühlau bey Innsbruck. Von Letzterem wurde nachher Büchsenhausen, eine Stückgießerey bey Innsbruck, angelegt. Vom Eingange der Kirche links anfangend, sind es folgende Bildsäulen, welche den Ehrenkranz um das Grabmal bilden [1]): 1) Johanna von Spanien, Schwiegertochter Maximilians, vermählt mit Philipp I., † 1555, gegossen 1528; 2) Ferdinand von Aragonien, Vater der Johanna; 3) Kunigunde, Tochter des Kaisers Friedrichs III., Gemahlin Herz. Albrechts IV. von Bayern, Schwester Ms., † 1520; 4) Eleonore, Friedrichs III. Gemahlin, Mutter Ms., Prinzessin von Portugal, † 1467; 5) Maria von Burgund, erste Gemahlin Ms., Tochter Karls des Kühnen, † 1482; 6) Elisabeth, Gem. Kais. Albrechts II., Tochter des Königs Sigmund von Ungarn und Böhmen, † 1442, gegossen 1529; 7) Gottfried von Bouillon, gegossen 1533; 8) Albrecht I., ermordet 1308, gegossen 1527; 9) Friedrich IV. von Österreich, Graf von Tyrol (mit der leeren Tasche), † 1439; 10) Leopold III., Herz. von Österreich, Urgroßvater Maximilians, † in der Schlacht bey Sempach 1439; 11) Graf Rudolph von Habsburg, Großvater Rudolphs I. von Habsburg, † 1232; 12) Leopold der Heilige, Markgraf von Österreich, † 1136, Schutzheiliger Österreichs; 13) Kaiser Friedrich III., Vater Ms., † 1495; 14) Kaiser Albrecht II., † 1439 im Kampfe gegen die Türken; 15) Philipp der Gute von Burgund, Vater Karls des Kühnen, Stifter des Ordens des Goldenen Vließes, † 1467; 16) Karl der Kühne, Herz. von Burgund, Schwiegervater Ms., † 1477 in der Schlacht bei Nancy; 17) Cymburgis von Massovien, Gem. Herz. Ernst des Eisernen, † 1429; 18) Margaretha, Tochter Ms., † 1530; 19) Blanka Maria Sforza, zweyte Gem. Ms., † 1510, gegossen 1525; 20) Sigmund, Erzherzog von Österreich und Graf von Tyrol, † 1496; 21) Arthur, König von England (Tafelrunde), † 542, gegossen 1513; 22) Theodebert, Herz. von Burgund, † 640, gegossen 1536; 23) Ernst der Eiserne, Herz. von Österreich und Steyermark, Großvater Ms., † 1424; 24) Theoderich, König der Ostgothen, † 526, gegossen 1513; 25) Albrecht II., Herzog, Urgroßvater Ms., † 1358, gegossen 1528; 26) Kaiser Rudolph I. von Habsburg, † 1291; 27) Philipp I., Sohn Ms., König von Spanien und Vater Karls V., † 1506; 28) Clodwig, der erste christliche König der Franken, † 511.

Schon erwähnt sind die 23 kleineren Bildsäulen, welche leider dem unbewaffneten Auge in ihrer Schönheit entzogen, auf dem Gesimse der silbernen Kapelle hoch oben aufgestellt sind, ob sie gleich gerade in die Nähe gerückt zu werden verdienen. Hoffentlich wird der überall und auch hier wieder erwachte Schönheits- und Kunstsinn die Verbann-

[1]) Sehr schön ist dieser Kreis in seiner künstlerischen Idee und Einheit von Beda Weber in seinem Lande Tirol dargestellt.

5 *

ten aus ihrem Exile zurückrufen [1]). Sie sind nur 2 Fuß hoch und sämmtlich Heilige, welche dem Habsburgischen Hause verwandt sind. Die zwey aus Bley gegossenen Bildsäulen des h. Franziskus und der h. Klara sind von Balthasar Moll aus Innsbruck (Prof. der Malerakademie zu Wien).

Auf einer Marmortreppe, unter welcher die Erzherzogl. Hofmeisterinnen, die Gräfin Piccolomini und Kath. von Loxan ruhen (ersterer Bildniß, von Collin, befindet sich an ihrem Grabe), gelangt man in die silberne Kapelle, von der silbernen Madonna so genannt. Diese Kapelle wurde vom Erzherzog Ferdinand, zweitem Sohne Ferdinands I., 1578 gebaut, und ist besonders merkwürdig durch zwey herrliche Grab- und Denkmäler, nämlich: Ferdinands, des Stifters, und seiner Gemahlin, der berühmten Philippine Welser; meisterhaft sind die ruhenden Bildsäulen Beyder in Lebensgröße; die schönen Basreliefs, vier Tafeln, welche wichtige Momente aus Ferdinands Leben darstellen: 1) Gefangennehmung des Churfürsten von Sachsen in der Schlacht bey Mühlberg, wo Ferdinand an der Seite des Kaisers focht; 2) Ferdinand als Statthalter von Böhmen; 3) Belagerung von Sigeth, 1556; 4) eine Scene aus dem Zuge Max II. gegen die Türken, und Mosaikwappen, der Wechsel des schwarzen und weißen Marmors, wahrscheinlich von Collin. Besonders interessiren wird gewiß Jeden das reizende Marmorbild der Philippine Welser. Auch die Orgel darin ist eine Merkwürdigkeit, sie ist aus Cedernholz und soll ein Geschenk des Papstes Julius II. seyn. Neben dem Grabmale Maximilians ruhen jetzt auch an der Stelle eines Altars die Gebeine des biedern Andreas Hofer, der ein ehrwürdiger und edler Märtyrer seiner Sache wurde und wohlverdient hat er seine Grabstätte, wie sein Denkmal, das sich darüber erhebt. In der malerischen Tracht seines Volkes steht er auf felsenfestem Grunde. Seine Leiche wurde 1823 von Mantua, wo er den 20. Februar 1810 erschossen und begraben wurde, nach Innsbruck ins Servitenkloster gebracht, von wo sie von sechs Waffenbrüdern an die jetzige Stelle getragen wurde. Hofers Denkmal gegenüber ist das Denkmal der von 1796 bis 1809 für ihr Vaterland gefallenen Tyroler, errichtet 1838, entworfen von Kriesmayr, der während der Arbeit in Rom starb. Über einigen Stufen erhebt sich der Sockel mit der Inschrift: „Seinen in Befreiungskämpfen gefallenen Söhnen das dankbare Vaterland 1838.“ Auf demselben steht ein einfacher Sarkophag von weißem Schlanderser Marmor, an der Vorderseite Büchse und Schwerdt, durch einen Lorbeerkranz verbunden. Auf beyden Seiten die Genien von Österreich und Tyrol. Auf dem Sarkophage sitzt der Engel des Todes, eine Tafel haltend mit der Inschrift: „Absorpta est mors in victoria.“ Darüber in Relief die Kreuzabnahme. An dem Feste bey der Enthüllung nahmen 200 Veteranen jener Kämpfe Theil, unter ihnen der Kapuziner Haspinger und Straub. Das Altarblatt ist ein Öhlgemälde von Auerbach in Wien. In dieser Kirche entsagte endlich die Königin Christina, des großen Gustav Adolphs Tochter, dem Glauben ihrer Väter öffentlich den 3. Nov. 1654.

Nur durch die Hofburg geschieden von dieser für den Reisenden wichtigsten Kirche ist die Pfarrkirche. Im Jahre 1438 erbaut, litt sie durch mehrere Erdbeben von 1667—1689 so sehr, daß sie größtentheils niedergerissen und 1717 wieder neu aufgebaut werden mußte. Sie wurde 1721 vollendet, im Italienischen Style mit einer Kuppel über dem Kreuze. Gemälde von Lukas Kranach, ein Geschenk des Churfürsten Johann Georg von Sachsen an Leopold (ein wunderthätiges Marienbild); dieses Hauptgemälde des Hoch- oder Silbernen Altares wird von einem anderen von Schöpf umrahmt; an den Seitenaltären Gemälde von Egyd Schor aus Innsbruck, Grasmayr, Strickner; Frescomalereyen von Damian Asam aus Tyrol; Grabmal Maximilians des Deutschmeisters, leider später verunstaltet, indem man das Ganze in zwey Theile trennte

---

1) Sie sind jetzt wirklich in die silberne Kapelle versetzt worden zwischen die Gräber Ferdinands und seiner Philippine, ob sie gleich zu dem Ganzen des Grabmals Maximilians gehören.

und mit dem einen Theil die Thüre der Sakristey schmückt, wodurch jede Hälfte des Kunstwerkes sinnloses Stückwerk wurde.

Die Jesuiten- oder Dreifaltigkeits- oder Universitätskirche, 1640 erbaut; Gemälde von Joachim Sandrart (Hauptaltar), an den Nebenaltären Gemälde von Storer, Sing, Schönfeld und Schor; in der Sakristey der schöne Grabstein des Brixnerischen Weihbischofs Johann Naas, von Collin; außerdem Gemälde von Albrecht Dürer, Haller (aus Innsbruck) und Cignaroli.

Unter der Kirche die Gruft der Landesfürsten und Jesuiten (Leopold und seine Gemahlin Claudia, deren Söhne, Ferdinand Carl und Sigmund Franz u. A.). Der ehemalige Klostergarten wurde später botanischer Garten.

Das Kapuzinerkloster in Innsbruck ist schon deßhalb merkwürdig, weil es das erste in Deutschland war, 1594. Maximilian der Deutschmeister baute in demselben eine Einsiedeley, in welcher er jährlich eine gewisse Zeit zubrachte und sich streng an die Regel der Mönche hielt. In der Kirche Gemälde von Cosmus Piazza, Polak, Lukas Kranach, Funk (aus Wilten), Pußjäger (Meran). Das Merkwürdigste ist die Einsiedeley Maximilians; ein getäfeltes Vorzimmer, dahinter mehrere kleinere mit Tropfstein überkleidete Zellen mit einer kleinen Küche; aus einer derselben erblickt man den Hochaltar. Noch sieht man die einfachen, meistens von ihm selbst verfertigten, hölzernen Geräthe, z. B. Bettstelle, Stuhl, Tintenfaß u. s. w.; das Gärtchen Maximilians hinter seiner Einsiedeley. In dieser interessante Bildnisse Maximilians, des Kaisers Matthias, seiner Tochter Anna, der Erzherzogin Magdalena (Ferdinands I. Tochter). Im Kloster Gemälde von Metzl und Grasmayr. Schöner Klostergarten. Die Kirche zu den drey Heiligen in der Kohlstadt, 1612 erbaut; Gemälde von Stöbl, Grasmayr; Frescomalereyen von Strickner (Innsbruck). Grab Collins.

Das Servitenkloster in der Neustadt, 1614. In der Kirche Gemälde von Polak, Knoller, Amiconi, Grasmayr, Pögl; die Deckengemälde von Schöpf (letztes Werk). In dem Kloster selbst Gemälde von Grasmayr, Bibliothek; schöner Klostergarten.

Spitalkirche, 1705. Gemälde von Waldmann (Innsbruck), Glantschnig (Botzen), Grasmayr; Fresken von Waldmann. Mit dieser Kirche ist das Krankenhaus verbunden, welches jährlich gegen 50 Kranke verpflegt, sowie die Bruderhausstiftung für 36 Arme. Hinter dem Krankenhause der städtische Gottesacker, mit Arkaden eingefaßt. Die meisten Geschlechter Tyrols haben hier ihre Erbbegräbnißstätte. Die besten Denkmäler stammen aus der Collinischen Zeit; von ihm selbst sein eignes Grabmal, doch nicht sein Grab, die Erweckung des Lazarus; das Hohenhauserische; aus seiner Zeit: das Geschwendtnerische Grab und das schöne Grabmal des Grafen Paris von Wolkenstein, von Joh. Huber aus Innsbruck. Aus der neuesten Zeit, die sich wieder vortheilhaft über die Geschmacklosigkeit der letztverflossenen Zeit erhebt: das Tschurtschenthalerische von Kriesmayr, Dipaulische von Streicher, das gräflich Bissingensche von Kriesmayr u. a.

Ursulinerkloster. In der Kirche, von 1705, Gemälde von Carlone und Andreas Pozzo (Trient). Kirche des heiligen Nepomuk, 1735. Deckengemälde von Schöpf [1]), Gemälde von Grasmayr. Die hölzernen Bildsäulen statt der Altarblätter sind von Lechleitner aus Grins und Föger aus dem Oberinnthale. Hinten an der Kirche findet man das Zeichen des hohen Wasserstandes 1789.

Die Mariahülfkirche jenseits des Inns, zum Andenken an die Erlösung aus den Drangsalen des dreyßigjährigen Krieges 1660 erbaut. Gemälde von Paul Schor, Schönfeld, Philipp Schor, Philipp Haller, Socher und Zehender; die Fresken von Kaspar Waldmann; Bildsäulen von Urban Klieber und Klucker aus Zirl. Die St. Nikolauskirche, 1662. Gemälde von Waldmann.

1) Das beste, was er nach seinem eignen Urtheile auf Kalk gemalt hat.

Die kaiserliche Burg, drey Stock hoch, ein Viereck, mit der Hauptseite dem Rennplatze zugekehrt. In ihr: der Sitz des Gouverneurs, die sogenannten Prunkgemächer für die kaiserliche Familie, darunter der Riesensaal mit Gemälden von Maulbertsch (die Bildnisse des kaiserlichen Hauses), die Hofkapelle, von der Kaiserin Maria Theresia an der Stelle errichtet, wo ihr Gemahl Kaiser Franz I., aus dem Theater kommend, 1765 verschied; darin Gemälde von Grasmayr.

Das Goldene Dachl, die ehemalige Fürstenburg, 1425 von Friedrich mit der leeren Tasche erbaut; daran ein sehr schöner Gothischer Erker, dessen Dach mit kupfernen vergoldeten Ziegeln gedeckt ist; Friedrich wollte dadurch den ihm von seinen Feinden gegebenen Spottnamen „mit der leeren Tasche" widerlegen. Durch Reparaturen, welche mehrere Erdbeben nöthig machten, verlor die Burg manchen Schmuck. Das Haus gehört jetzt der Stadt und ist an Privatleute vermiethet. Im Innern des Erkers alte Mauergemälde; an der äußeren Wand unter dem Gesimse drey Figuren um einen Tisch sitzend, Maximilian und seine zwey Gemahlinnen; darunter sieben Wappenschilde des Kaisers.

Die Ottoburg an der Innbrücke war älteste Residenz der Tyroler Fürsten und ist gegenwärtig Privatwohnung.

Am Ende der Neustadt bildet die Triumphpforte das Thor, das zum Berg Isl und dem Brenner führt; 1765 erbaut zur Feyer der Ankunft der Kaiserin Maria Theresia und ihres Gemahls Franz I. und der Vermählung ihres Sohnes Leopold II. mit der Spanischen Prinzessin Maria Ludovika, welche hier vollzogen wurde. Da Franz I. während dieser Festlichkeiten hier plötzlich starb, so wurde der ursprüngliche Plan dieser Freudenpforte von dem Baumeister (Moll aus Tyrol) so verändert, daß die Außenseite, welche die Fürstlichkeiten bey ihrem Einzuge begrüßte, der Freude, die Innenseite der Trauer geweiht wurde. Die Bildnisse der betreffenden Personen und die auf das Freudenfest, wie den traurigen Schluß desselben sich beziehenden Basreliefs schmücken Innund Außenseite des schönen Thores.

Auf dem Rennplatze steht die Roßbildsäule des Erzherzogs Ferdinand, von dem Glockengießer Reinhardt aus Mühlau (bey Innsbruck) und Gras, auf Leopolds Befehl gegossen. An und für sich schön, nur zu klein.

Pallastähnliche Gebäude sind außerdem noch mehrere in der Stadt, als: das Neugebäude mit dem Rathssaale des Appellationsgerichtes, das Ball- und Mauthhaus mit der Reitschule, das Universitätsgebäude, das Landhaus (landschaftliche Haus) in der Neustadt, mit Deckengemälde von Damian Asam, und der Georgskapelle, mit Gemälde von Grasmayr, das Rathhaus auf dem Stadtplatze, das Gebäude des Grafen von Taxis, mit Deckengemälde von Mart. Knoller (hier ist das Postamt) in der Neustadt, das Trapp'sche, Ferrari'sche, Sarnthein'sche mit einer Hauskapelle, welche ein schönes Altarblatt von Christoph Unterberger hat, das Pfeifersberg'sche, Tannenberg'sche, die Heidenburg und Albersheim.

Innsbruck ist Sitz des Landesguberniums und dessen Hülfsämter. Der Pfarrer an der St. Jakobskirche ist Dekan der Stadt und des Landgerichtes Wilten. Von den vier Jägerbataillonen Tyrols liegen zwey in der Hauptstadt mit dem Stabe. Die Mannschaft wird in drey Kasernen untergebracht.

Zu den Bildungsanstalten der Stadt gehören: die Hochschule, mit dem Befugnisse, Doctoren der Philosophie und Rechtsgelehrsamkeit zu ernennen, nebenbey besteht eine medicinisch-chirurgische Schule, da Wundärzte in einem solchen Berglande mehr gesucht werden, als anderwärts, daher auch hier allerwärts das umgekehrte Verhältniß der Wundärzte und anderer Ärzte; sie führt den Namen Leopold-Franzensuniversität. Sie besitzt eine Bibliothek, ein anatomisches Museum, physikalisches Cabinet, Naturaliencabinet und einen botanischen Garten. Das Gymnasium, in den Händen der Jesuiten, die Theresianische Ritterakademie, in denselben Händen, die Muster-Hauptschule für Knaben, die Zeichnungsschule. In der Vorstadt Dreyheiligen und der unteren Innbrückenstraße bestehen besondere Schulen; den Mädchenunterricht besorgen Ursuliner Nonnen. Mit der Muster-Hauptschule ist ein pädagogischer Curs zur Bildung von Lehrern verbunden. An der Stadtpfarre besteht eine Singschule. In den Vorstädten bestehen Industrieschulen und Kleinkinderbewahranstalten.

Wohlthätigkeitsanstalten sind: das städtische Hospital, dessen Sanitäts-Personal aus zwey Ärzten, zwey Wundärzten und einer Hebamme besteht. Die Verpflegung besorgt der ehrwürdige Orden der Barmherzigen Schwestern. Eingerichtet ist es für 150 Kranke, mit einer Abtheilung für unheilbare Irren und einer anderen für Gebärende; Stiftung 1307. Die Armenversorgungsanstalt für 1000 Hülfsbedürftige; das Kapital betrug (1839) 133,198 fl. Unterstützt wird diese Anstalt durch ein trefflich eingerichtetes, eines Besuches werthes Arbeitshaus und eine Armenküche, Werke des Innsbrucker Handelsstandes. Ebenfalls mitwirkend ist das Kaiserspital (von Max I. 1508 gestiftet), aus welchem 16 altersschwache Männer, jährlich jeder 104 fl. C. M. und freye ärztliche Hülfe, erhalten. Eine ähnliche Stiftung stammt von dem Erzherzog Maximilian, dem Deutschmeister, in einem Kapital von 26,000 fl. Das Brüderhaus; eine Anstalt für alte Bürgerswittwen und alte treue Dienstmägde, mit einem Fond von 58,479 fl. C. M. und zwey Häusern, für 59 Personen Wohnungen enthaltend. Die Sparkasse.

Anderweitige Anstalten sind: Das Ferdinandeum oder Nationalmuseum. Der Stifter dieser Anstalt, welche kein Reisender unbesucht lassen darf, ist der bekannte Graf Chotek, zuletzt Burggraf von Böhmen. Ihren Namen erhielt sie von dem damaligen Erzherzoge, jetzigem Kaiser Ferdinand. Ihr Zweck ist Beförderung der Landeskunde in jeder Hinsicht. Jährlich wird von den Mitgliedern eine Zeitschrift herausgegeben, welche schon oft angeführt wurde, deren Abhandlungen wichtige Beyträge zur Landeskunde Tyrols sind. Die Sammlung, welche aus Gemälden der bekanntesten Tyroler [1]), wie auswärtiger Meister [2]), werthvollen Handzeichnungen, Gypsabgüssen [3]) von Antiken, vielen kunstvollen Holzschnitzereyen [4]), deren Meister in Tyrol so zahlreich sind, Meisterwerke des Tyroler Gewerbfleißes, namentlich Stubayer Eisenwaaren, Unterinnthaler Messing-, Kupfer- und Stahlwaaren u. s. w., merkwürdigen Mineralien und Gebirgsarten Tyrols, namentlich aus dem Kohlenlager von Häring, dem Fassathale, Selrain u. s. w., einer Sammlung von Versteinerungen aus Tyrol, von in- und ausländischen Pflanzen, einigen, doch noch zu wenigen Stellvertretern des Thierreichs, besteht, ist Montags, Mittwochs und Sonnabends von 9 — 11 und 3 — 4 Uhr offen und befindet sich gegenwärtig noch in den Sälen des Universitätsgebäudes. Auch wichtige Handschriften (Oswald von Wolkensteins Gedichte; Fabeln, wahrscheinlich von Konrad dem Vintler in Runglstein, Hofers Briefe vor seinem Tode, eine Bibel aus dem zwölften Jahrhundert), Urkunden, Alterthümer (Münzen und Steine, in Tyrol gefunden) u. s. w. werden gezeigt. Im dem Herbste 1842 wurde jedoch ein zu einem neuen Gebäude für diese wichtige Anstalt von dem Erzherzog Johann, auf seiner Rückreise von der Grundsteinlegung des Kölner Domes, der Grundstein gelegt und von einer treffenden Rede begleitet.

Mit dem Ferdinandeum steht der montanistisch-geognostische Verein in Verbindung, unter dem Schutze des Erzherzogs Johann. Zweck ist Auffindung für das Land nützlicher Steinarten, so wie geognostische Kenntniß des Landes. Geognosten und

1) Koch, Degler, Anderseg, Neubauer, Stadler, Mayr.
2) Bassano, P. Veronese, Tizian, Salvator, Rosa.
3) Auch von Tyrolern: Haller, Mahlknecht, Kriesmayr.
4) Jos. Hell.

bergkundige Mitglieder werden zu diesem Zwecke auf Reisen geschickt, um das Land kennen zu lernen. Gestiftet wurde er 1837. Auch werden chemische Vorlesungen gehalten.

Der landwirthschaftliche Verein, 1838 gestiftet, hat hier seinen Hauptsitz und in den Kreisstädten Filialvereine. Er steht unter dem Schutze des Erzherzogs Johann.

Der Musikverein, zur Beförderung der Tonkunst, 1818 gestiftet (1831 208 Mitglieder zählend). Die Einnahme betrug 1835 1486 Gulden. Fähige Schüler erhalten ohne Rücksicht auf Zahlungsfähigkeit Unterricht in allen Zweigen der Musik; 7 Lehrer halten wöchentlich 66 Stunden; vermögliche Schüler bezahlen Unterrichtsgeld. Zu den 4 musikalischen Aufführungen jährlich haben die Mitglieder freyen Zutritt. Eine Bibliothek, dem Zwecke entsprechend, ist schon bedeutend herangewachsen.

Das Casino. Das Nationaltheater, 1653 gestiftet, soll jetzt neu erbaut werden. Die Schießstätte befindet sich im Norden des Inns. Buchhandlungen: Wagner (Besitzer Schumacher), Rauch und Pfaundler. Zeitschriften: Provinzial-Gesetzsammlung (jährlich ein Band), Provinzial-Schematismus (ein Staatshandbuch), Zeitschrift des Ferdinandeums; von dem Landwirthschaftsverein werden herausgegeben: die Zeitschrift (halbjährig): Landwirthschaftliches Wochenblatt und landwirthschaftlicher Volkskalender; die medicinisch-chirurgische Zeitung (die älteste der Art unter den jetzt bestehenden in Deutschland, 52 Jahre alt). Der Bothe von und für Tirol und Vorarlberg ist die Deutsche Landeszeitung Tyrols, und erscheint zwey Mal in der Woche; mit ihm ist ein Amts- und Intelligenzblatt verbunden. Eine Schriftgießerey (Schumacher), Antiquarhandlung, eine Leihbibliothek (Pfaundler), 4 Lithographien, 3 Kunst- und Musikalienhandlungen. Sehr wichtige Privatbibliotheken besitzen: der Appellationspräsident Freyherr von Dipauli (Bibliotheca Tirolensis), die Bibliothek des ständischen Archivars Dr. Schuler. Andere Privatsammlungen: das Münzcabinet des Freyherrn von Reinhart, die Kupferstichsammlung des Grafen von Enzenberg (namentlich reich an Dürer).

Rechtsgeschäfte besorgen 6 Advocaten, zugleich Wechselnotare und zwey diplomatisirte Agenten; die Gesundheitspflege 2 Stadtphysiker, 18 andere Ärzte, 7 Wundärzte, 10 Hebammen, 2 Thierärzte und 3 Apotheken.

Gewerbe. Vorzüglich merkwürdig ist die große Seidenband-Maschinen- und Baumwoll-Spinnfabrik in zwey großen Gebäuden von 109 Fuß Länge und 5—6 Stock Höhe. Sie enthält 30 eiserne Bandwebmaschinen, wovon jede 24 bis 44 Bandläufe hat, zu deren Bedienung 260 Menschen gehören; Mohr, Taffet und Atlasbänder sind Haupterzeugnisse. In der hier ebenfalls befindlichen Maschinenfabrik, welche 100 Mechaniker beschäftigt, werden alle Maschinenbestandtheile nach den neuesten Erfindungen geliefert. In der ebenfalls mit dieser großartigen Anstalt verbundenen Spinnerey sind 16—20,000 Spindeln in Bewegung, welche Baumwollengarne liefern (im Assortiment von Nro. 8—48, täglich 21 Centner, jährlich 6300 Ctr. Beschäftigt werden 310 Arbeiter. Hier wird auch auf 7020 Spindeln das Englische Wassergarn (Water-Twist) erzeugt. Die Unternehmer dieser wahrhaft großartigen Anstalt sind: Karl von Ganahl und Lorenz, Anton und Franz Rhomberg. Besonders wichtig ist es, daß aller Stoff mit Ausnahme der Baumwolle, aus Tyrol bezogen wird.

Merkwürdige Künstler, welche hier geboren wurden, sind: Dominik Martinell, Architekt, 1650 geb., zuerst zu Wien, später Custos an der Akademie von S. Lucas und Lehrer der Perspective und Architektur in Rom. Christoph Gump, 1600, Architekt und Maler. Seine Söhne: Joh. Mart. Gump, 1643, folgte seinem Vater als Ingenieur und Hofbaumeister; Joh. Bapt. Gump, Kupferstecher; Joh. Mart. Gump der Jüngere, Ingenieur-Major und Meister des heil. Grabes zu Wilten; Georg Ant. Gump, des vorigen Bruder, Baumeister; Anton Gump,

Maler in München, 1702 (Gemälde in der Theatiner Kirche und das Deckengemälde in Schleißheim). Phil. Haller, 1698, Maler, gebildet zu Venedig. Nikolaus Moll, Bildhauer, 1717, aus Vorarlberg. Seine 3 Söhne waren: Joh. Nik. Moll, Bildhauer; Ant. Cassian Moll, desgl. (Meister des Grabdenkmals Dhauns in der Todtenkapelle bey der Hofkirche zu Wien); Balthasar Ferd. Moll, der vorzüglichste unter ihnen; von seinem Meisel sind die vorzüglichsten Bildhauerarbeiten an der Triumphpforte zu Innsbruck.

Franz Joh. Texton, eigentlich ein Schwabe, lebte aber als Künstler in Innsbruck, Maler, 1741. Franz Edmund Weirotter, 1733, Maler und Kupferstecher, und zwar im Fache der Landschaft. Er lebte zuerst in Wien, dann in Maynz, Paris, Rom und kehrte zuletzt nach Wien zurück, als Professor an der Akademie. Michael Köck, 1760—1825, Maler, in Mayland gebildet und lebte größtentheils in Rom. Joh. Lang, Graveur, 1776, Mitglied der kaiserlichen Akademie, wie der zu Carrara, Obergraveur zu Wien. Franz Altmutter, Maler, zwar ein Wiener von Geburt, aber seit seiner Jugend in Innsbruck ansässig, wo er auch 1817 starb. Er malte in allen Gegenständen und auf alle Weisen. Viele Kirchen Tyrols sind von ihm ausgemalt. Placidus Altmutter, des vorigen Sohn, Maler (Volksscenen) † 1819. Joseph Klieber, Bildhauer, Director der Graveurschule zu Wien (Relief an Hofers Bildsäule). Joh. Nep. Haller, Bildhauer, † 34 Jahre alt 1826, nachdem er für den König von Bayern nach Rom gereist war (Philoktet im Ferdinandeum). Meister Wilhelm von Innsbruck, war Baumeister des schiefen Thurmes in Pisa.

Zu den Schriftstellern, deren Vaterstadt Innsbruck ist, gehört vor allen der rühmlichst bekannte Geschichtschreiber Joseph Freyherr von Hormayr, dessen Vorfahren aus Bayern unter Max I. nach Tyrol kamen. Geb. den 20. Januar 1781, begann er schon in seinem 11. Jahre zu schreiben; in seinem 15. Jahre gab er sein erstes Werk (Versuch einer pragmatischen Geschichte der Grafen von Andechs) heraus. Er studirte zu Innsbruck, ward 1801 Landrechts-Auscultant, diente 1797—99 unter den Landesschützen gegen die Franzosen, erhielt die Tapferkeitsmedaille, wurde 1802 Hofconcipist zu Wien, 1803 Hofsecretär, 1805 Director des geh. Staats-, Hof- und Hausarchivs, 1808 Ritter des Leopoldordens, 1809 Hofcommissär in Tyrol und Hofrath, 1816 Geschichtschreiber des kaiserl. Hauses, trat 1828 in Bayrische Dienste als Ministerialrath, wurde 1832 Ministerresident in Hannover, 1838 dasselbe in Bremen. Seine Schriften sind bekannt.

Die Stadt Innsbruck bildet mit ihrem Gebiete einen besondern Bezirk des Unterinnthales. So wie wir die Neustadt verlassen, betreten wir das Landgericht Wilten, gegen 7 Q.M. groß, mit 13,330 Einwohnern. Schon die Triumphpforte steht auf dem Gebiete jenes Landgerichtes, und ursprünglich ganz Innsbruck, das sich erst später auf dem Boden des Stiftes Wilten ansiedelte.

Wir machen nun unsere Ausflüge in die Umgegend. Der Reisende wird von denselben vielleicht öfters in die Stadt zurückkehren, während wir eine zusammenhängende Rundreise um die Hauptstadt machen, den herrlichen Kranz durchmusternd, welchen Natur, Geschichte und Sage um dieselbe geflochten haben.

Wir ziehen von der Brücke links hinauf, beym Goldenen Dach vorüber durch die Jesuitengasse hinaus ins Freye, den geraden Weg über die Kohlstadt nach Ambras, durchwandern dessen Umgegend und ersteigen einige Hochgipfel; gehen nach Wilten hinab, das erste Viertel der Rundreise mit dem Übertritt über die Sill verlassend, und das zweyte, das südwestliche, betretend, welches den Berg Isl, die Gallwiese und Unterpersfuß einschließt, mit einigen Gipfeln. Die Brücke von Zirl führt uns auf das nördliche Ufer des Inns, wo wir, das schon Bekannte durcheilend, die Bergstufe der Kalkalpen überwandern, den Höttingerberg, und am Inn wieder angekommen, in die Stadt zurückkehren. Reisende, welche wirklich diese äußerst genußreiche Rundreise machen wollen, bedürfen wohl hierzu, den Solstein mit eingerechnet, 5—7 Tage. Der erste Ort, den wir jenseits der Vorstadt Kohlstadt erreichen, ist Pradl (pratellum), ein alter Ort, vielleicht schon Römischen Ursprungs. Im J. 1180 kömmt Kunz von Pradl vor bey den Verhandlungen wegen der Versetzung des Marktes Innsbruck vom linken auf das rechte Ufer des Inns, und die Wolkensteiner sehen die Herren von Pradl als ihre Stammväter an. Die Kirche ist klein. In einer halben Stunde kommen wir von hier nach Ambras (Amras). Das Dorf liegt am Abhange des Paschberges, wie die ganze Bergstufe im Osten des Schlundes der Sill heißt, hat 76 H. und 590 E. (die Gemeinde 125 H., 1140 E.), rings von herrlichen Maisfeldern umgeben (der hiesige Mais trägt 80fach) und gegen Nordost von einem schilfreichen See bespült, einst der Hauptort eines eignen Gerichtes, die Probstey Ambras genannt. Die Einwohner besitzen 158 Joch Äcker, 309 Morgen Wiesen, 24 Morgen Gärten, 38 Morgen Sumpfgründe, 24 Morgen Hutweiden, 38 Pferde, 404 Kühe, 113 Schafe und Ziegen und 79 Schweine. 3 Jahrmärkte. Über dem Dorfe erhebt sich auf einem schönen Hügel das berühmte, einst glänzende Schloß Ambras, wahrscheinlich einst ein Römerkastell, zum Schutz des großen darunter lagernden Veldidena (Wilten). Daraus erwuchs später die Hauptburg der mächtigen Gaugrafen des Innthales, vom Stamme der Andechser. In der Fehde des Grafen Otto von Andechs-Wolfratshausen mit dem Herzoge Heinrich dem Stolzen von Bayern, wurde sie 1136 erstürmt und verbrannt. Bald erhob sich die Feste wieder und wanderte als Lehen und Pfand nach dem Aussterben der Andechser in die Hände Tyrolischer Edelherren. Kaiser Ferdinand I. löste sie 1563 wieder ein und schenkte sie seinem Sohne Ferdinand II., Landesfürsten von Tyrol, dem Gemahle der schönen Philippine Welser, welche sich gewöhnlich hier aufhielt. Jetzt begann die Glanzperiode dieser Burg; das Schloß wurde verschönert und neue Gebäude mit großen Sälen und Gemächern wurden angebaut. Der Kunst und Wissenschaft liebende Fürst sammelte hier reiche Schätze aus dem weiten Gebiete der Wissenschaft, Kunst und Natur. Merkwürdig waren die Bibliothek, die Kupferstich-, Gemälde- und Handschriftensammlung, das Kunst- und Wundercabinet (Naturmerkwürdigkeiten, wie kunstvolle Werke, namentlich Erfindungen enthaltend), die Rüstkammer, welche über 100 Leibharnische und viele Waffen der berühmtesten Fürsten und Helden der Vor- und Mitzeit enthielt. An dem Hofe zu Ambras lebten damals: Konrad Decius von Weidenberg, Gerard de Roo (schrieb die Annalen des Hauses Österreich), Jakob Schrenk von Notzingen, Ferdinands Geheimschreiber, welcher die Sammlungen sehr genau beschrieb und mit treuen Abbildungen versah, der Geschichtsforscher Christoph Wilhelm Putsch und der gelehrte Buchdrucker Joh. Agricola. Die reizende Natur der Umgebungen wurde durch Anlagen verschönert; herrliche Obst- und Weingärten, Thiergehäge, Fischteiche, Springbrunnen, künstliche Wasserleitungen, Labyrinthe, Paradiese, Grotten u. s. w. waren genannt. Nach Ferdinands Tode kam die Burg an den Markgrafen Karl von Burgau, einen der Söhne Philippinens und Ferdinands, unter der Bedingung, daß er und seine Erben die Burg und ihre Sammlungen erhalten sollten. Da er keine Nachkommen hatte, verkaufte er sie an Kaiser Rudolph II. für 170,000 Gulden, doch unter der Bedingung, unter welcher er sie erhalten. Unter dem Erzherzog Maximilian, dem Deutschmeister, so wie dem Erzherzog Leopold und dessen gebildeter Gemahlin Claudia, blühte die Burg nochmals in ihrem alten Glanze auf. Als aber die Tyrolisch-Österreichische Nebenlinie 1665 erlosch, wurde der Kaiser Leopold I. Herr des Landes und der Burg. Der neue Herr in seiner Hofburg zu Wien stand dem reichen Schatze zu ferne; auch mochte das Zeitalter der Geschmacklosigkeit, das so viele herrliche Schätze früherer Zeit verschlang, eine mitwirkende Ursache seyn, kurz der alte Glanz erlosch sehr schnell. Anfangs entzog man einzelne Seltenheiten, um sie nach Wien zu schaffen, später ging Vieles durch Nachlässigkeit verloren; endlich wurde in den Französischen Kriegen, zum Glück, die ganze Sammlung nach Wien geschafft, um sie den habgierigen Krallen der Fremdlinge zu entreißen. Das schöne ehrwürdige Schloß wurde Militärspital und ist noch jetzt eine Kaserne. Die Sammlung wird aber noch unter dem Namen Ambraser Sammlung in Wien, als eine der ersten werthvollsten Sammlungen nicht nur Wiens, sondern auch Deutschlands, besonders aufbewahrt im Belvedere. Auch sind ihr größtentheils die früher entzogenen Schätze wieder zugetheilt worden. Meisterhaft beschrieben wurde die Sammlung von Alois Primisser 1819. Tyrol der schönste und romantischste Gau Deutschlands durch seine Natur, wie durch seine geschichtlichen Denkmäler aus allen Zeiten unserer Geschichte, enthält unzählige Burgen, wie kein anderes Land, und Ambras gehört mit zu seinen gefeyertsten, daher ist es nicht nur ein Wunsch der Tyroler, sondern auch vieler Reisenden, es möchte sich ein Erzherzog der verwaisten, mitten im herrlichsten Schmucke der Natur trauernden Burg annehmen, und dieselbe in dem Sinne, wie Hohenschwangau vom Kronprinzen von Bayern hergestellt wurde, wieder ausschmücken, ja vielleicht auch jene einzige Sammlung wieder in ihren alten Räumen aufstellen. Ein Edelstein unter einem Haufen anderer Edelsteine wird nicht so beachtet, als wenn er allein liegt; ein Gemälde von einem großen Meister in einer großen Gemäldesammlung wird gewiß flüchtiger angesehen, als ein vereinzeltes Bild von demselben Meister, das man vielleicht in einer entlegenen Dorfkirche aufsucht. Die Kaiserstadt würde nicht viel an ihrem Glanze verlieren, Ambras, ja ganz Tyrol, würde dadurch gewinnen. Bey dem jetzt erwachenden höheren Sinn für Denkmäler und Kunstwerke der Vorzeit würde Ambras ein Heiligthum mehr, ein Palladium Tyrols werden, noch dazu, da es durch die Siege der Tyroler über die Franzosen am angrenzenden Berge Isl auch neuester Zeit geweiht wurde. Jetzt sieht es freylich keinem Heiligthum ähnlich; nur die große herrliche Natur hat allen Zeiten getrotzt. Man zeigt jetzt noch das Badestübchen, in welchem der Fabel nach der Philippine Welser die Adern geöffnet wurden und sie ihren Geist aufgab; man sieht das Bogenfenster im Tafelsaale, in welchem einst Wallenstein, noch als Edelknabe Ferdinands, einschlief und hinab in die Tiefe stürzte. Es werden auch noch Reste der einstigen Sammlung gezeigt, allein sie sind zu unbedeutend, um deßhalb erst die Erlaubniß des in Innsbruck wohnenden Burgvogtes einzuholen. Für den Reisenden ist nichts mehr merkwürdig, als die malerische Burg und die Aussicht, die man auf ihrem Thurme hat. Besonders schön ist der Blick nach Innsbruck und auf die hinter demselben sich aufthürmenden Kalkmassen des Solsteins, wie auf die Riesenstufen der Martinswand. Unter der Burg liegt der versumpfende Ambraser See. Eine halbe Stunde südöstlich in einer Bucht des Mittelgebirges, ruht das Bad Egerbach mit reizenden Umgebungen und guten Einrichtungen für Wannen-, Schwitz- und Dampfbäder, mit denen eine Molkenkuranstalt verbunden ist. Die schöne Lage, die Nähe von Innsbruck und Hall, die reizenden Ausflüge, wie auch die Wirksamkeit der Quelle laden um so mehr ein. Das Wasser führt (nach Beda Weber in seinem Land Tirol B. 1. S. 344) schwefel- und salzsaure Erden (nach Kranz in Staffler) Kalkerde, Eisenerde und kalkiges Kochsalz, und hat sich als heilsam bewährt bey Störungen in den Unterleibsorganen, Glieder-, Nerven- und Hautkrankheiten. Schon mit Ambras haben wir eine Ortsgruppe betreten, welche sich auf dem Fußgestelle des Patscherkofls zusammenschaart durch Ähnlichkeit der Namen: Ambras, Ampaß, Altrans, Rans, Lans, Sistrans mit vorherrschendem a; während im Westen der Sill Natters, Mutters, Mieders, Götzens, Grinzens u. s. w. vorkommen. Ampaß, 2118 F., liegt schon im Landgerichte Hall, 1 Stunde von dieser Stadt, 1½ Stunde von Innsbruck, ein alter Ort, wo die Salzstraße von Hall in dem Mittelgebirge durch eine Schlucht sich auf dasselbe erhebt und dann im Wippthale über die sogenannten Ellbögen auf der Ostseite der Sill hinanzieht nach Matrey, wo sie sich mit der Hauptstraße von Innsbruck über den Brenner vereinigt, indem der Schlund der Sill keine frühere Vereinigung zuläßt (siehe unten). Das Dorf zählt 915 E., welche 296 Joch Ackerland (Roggen), 418 Morgen Wiesen, 15 Pferde, 7 Ochsen, 325 Kühe, 88 Schafe und 68 Schweine besitzen. Die Pfarrkirche auf dem Palmhügel liegt 2118 F. über dem Meere, weit ausblickend in die Ebene des Innthales. Der eine Thurm, von dem anderen getrennt, ist älteren Ursprunges und hatte einst wahrscheinlich eine andere Bestimmung. Der Salzstraße nun folgend, erreichen wir in Altrans die erste Stufe des Mittelgebirges und befinden uns wieder im Landgericht Wilten; die Gemeinde zählt 51 H. und 409 E., welche 95 Joch Ackerland, 447 Morgen Wiesen, 8 Morgen Gartenland und 10 Morgen Hutweide, 16 Pferde, 2 Ochsen, 152 Kühe, 51 Schafe und Ziegen und 22 Schweine besitzen. 2291 F. üb. d. M. Die Kirche ist vom Jahre 1482 und die sehenswerthen Kreuzbilder von Grasmayr[1]). Darüber ragt der alte Ansitz Brandhausen, dessen Geschlecht ausgestorben ist. Im Verfolge der Straße kommen wir nach Lans, einst Lannes, eine Gemeinde von 41 H. und 262 E., 2595 Fuß üb. d. M., ½ Stunde von Altrans, 1½ Stunden von Ampaß, 1½ Stunden von Wilten. Es besteht hier eine Kirche, 1 Schule, 1 Wundarzt und jährlich wird ein Jahrmarkt gehalten; die Gemeinde besitzt 194 Joch Ackerland, 564 Morgen Wiesen, 19 Morgen Gärten, 9 Morgen Sümpfe, 8 Morgen Hutweiden, 18 Pferde, 110 Ochsen, 250 Kühe, 31 Ziegen und 22 Schweine. Eine halbe Stunde nordwestlich von Lans gegen Innsbruck, gerade über Wilten, erheben sich die höchsten Gipfel des Paschberges, die Lanser Köpfe, von hier aus nur Hügel, aber wegen ihrer vortheilhaften Lage eine herrliche Aussicht gewährend und daher häufig von der Stadt aus besucht. Der östliche Kopf bietet den zweckmäßigsten Standpunkt. Die Aussicht ist ausnehmend reizend; dort die nahe Hauptstadt mit ihren glänzend weißen Häusern, hier die alte Salzstadt, unten das weite herrliche Innthal, darüber die grauen Kalkkolosse in unabsehbarer Reihe; südlich zunächst in der Tiefe der Spiegel des kleinen Lanser Sees und dann der Blick über das liebliche mit Ortschaften und Häusergruppen überstreute Mittelgebirge, überthront von der grauen Kuppel des Patscherkofls. Überhaupt gehören diese wohlangebauten Bergstufen oder Mittelgebirge zu den eigenthümlichen Reizen der Alpenthäler, namentlich in Tyrol und wir werden noch oft auf ihrem wellenförmigen, von Thälern vielfach durchschnittenen Gebiete hinwandern von einem lieblichen Örtchen zum anderen. Von Innsbruck über Wilten hat man nur 1½ Stunden bis auf die Köpfe. — In Lans verlassen wir die Salzstraße, indem wir, uns südlich nach Sistrans wendend, den Weiler Rans links liegen lassen. Die Gemeinde zählt 56 H. und 406 E., welche 159 Joch Ackerland, 362 Morgen Wiesen, 5 Morgen Gärten, 8 Morgen Hutweiden, 18 Pferde, 110 Ochsen, 250 Kühe, 17 Schafe und Ziegen und 22 Schweine besitzt. Der Ort liegt 2691 F. üb. d. M. ½ St. von Altrans, 2 St. von Wilten. Der Ort ist alt. Von hier aus besuchen wir den Patscherkofl, nach Weber 6343 F., nach Staffler 7098 F. über dem Meere. Er ist ein schöner sanftgewölbter kuppelförmiger Berg, ähnlich dem Ansehen nach dem Gaisberge bey Salzburg. Manche gerade nicht hohe Berggipfel scheinen vom Schöpfer hingestellt, um von ihnen aus den Gebirgsbau in seinen Fugen zu überschauen, um von ihrem Throne in fast alle Schlupfwinkel des Gebirgs mit dem Blicke dringen zu können; obgleich von viel höheren Bergfirsten umragt und umwallt, sind diese doch nicht im Stande, diese Gipfel zu verdecken; denn sie dienten beym Baue der Thäler dem Baumeister zur Richtschnur. Ein solcher ist der Patscherkofl. Vom Brenner herabkommend, schwebt uns seine Kuppel immer vor; wandern wir das Stubanthal hinan bis zu seinen Gletschern, so verlieren wir, so oft wir uns umsehen, seinen Scheitel nicht aus den Augen; übersteigt man das Eisjoch aus dem obersten Oetzthal nach Stubay am Schaufelspitz vorüber, so grüßt sein Haupt den Wanderer mitten

1) Von Wilten und Ambras führt eine gut gebahnte Straße gerade herauf nach Altrans.

auf weiten Schneewüsten zuerst; von Imst aus über Obsteig auf dem Miemingerberg in das untere Innthal schauend, verkündet er in 12stündiger Ferne die Lage der Hauptstadt, und von letzterer thalabwärts ziehend winkt uns sein Gipfel noch weit hinab das Lebewohl der lieb und werth gewordenen Stadt zu. Daher läßt sich auch auf eine prachtvolle Rundsicht schließen. Außerdem wird die Aussicht noch dadurch interessant, daß er aus der Urgebirgskette weit heraustritt mitten in die Gebirgswelt der Ur- und Kalkberge. Der Berg besteht aus Glimmerschiefer. Wer ihn von Innsbruck aus ersteigt, geht über Wilten und Lans nach dem Heiligen Wasser, oder er folgt uns von Sistrans aus, den nächsten, wenn auch beschwerlicheren Steig, der uns in 3 Stunden auf den Gipfel bringt. Am Todsünden-Marterle und dem Fürstenbründl vorüber, wo einst die Fürsten auf ihren Jagden ruhten, gelangt man auf den Grünbühel, bis wohin noch die Alpenrose üppig wuchert, dann geht es über einige Absätze, wo das Felsengetrümmer immer mehr überhand nimmt, zum Gipfel, welcher mit Felsblöcken übersäet ist, aus denen Besucher Pyramiden erbaut haben. Gerade im Norden zieht die Mauer der gräßlich zerrissenen Kalkschroffen, aus deren Reihe der 9000 Fuß hohe Solstein gleich einem Flügelmann hervortritt; links von ihm zeigt sich die kalkweiße Hohe Mundi, hoch über die grünenden Fluren des Mieminger Berges aufragend; rechts führt der Blick längs der ganzen Riesenmauer der Kalpalpen hinab bis Kufstein, 16—18 Stunden weit; unter dieser starren und nackten Kette bettet sich breit und majestätisch das prächtige Innthal von Telfs herab über Innsbruck und Hall bis Schwatz, 12 Stunden lang fast ganz enthüllt, weiter hinab sich theilweise verbergend; ein einziger Anblick durch das schillernde Band des mächtigen Stromes, wie der Menge von Städten und Dörfern, von Kirchen und Klöstern, Burgen und Schlössern. Südwestlich gewendet, hat man in der Tiefe das Gehügel von Patsch und des Schönberges, über dem sich das Stubaythal öffnet; in ihm gleitet der Blick ungehindert über die niedlichen Orte bis zu dem Saume seiner Ferner hin. Stolz und majestätisch erheben über sie die Eiszinnen ihre Häupter, einen glänzenden Kranz über die dunklern Vorberge spannend. Den Brenner hinan erscheint das Wippthal anfangs als ein breites, hügeliges Thal, da man die Kluft der Sill fast ganz übersieht und die beyderseitigen Mittelgebirge als zusammenhängend erscheinen. Gegen Südost ragen die Salzburger und Zillerthaler Eishörner über die Vorberge. — Durch den Morgenkopf hängt der Patscherkofl mit dem Glunkeser zusammen, den wir später ersteigen werden. — Herabwärts wählt man den bequemeren Steig über Heiligen Wasser, einer Wallfahrtskirche, nebst einem Wirthshause, wo man auch auf dem Hinanweg übernachten kann. Der Ort liegt 3623 Fuß üb. d. M. Von hier steigen wir nach Patsch hinab auf dem Fußgestelle des Patscherkofls. Von Patsch an, wie jenseits des Sillschlundes von Schönberg an, heißt das Sillthal auch Wippthal, und zwar das Untere, während das jenseits des Brenners hinabziehende Eisackthal bis Stilfs, namentlich der Thalkessel von Sterzing, das Obere Wippthal genannt wird. Patsch, Paschberg, Patscherkofl erinnern an das Vintschgau, dessen meiste Ortsnamen diesen ähnlich sind. Das Dorf ist schon sehr alt und hatte bereits 1254 einen Pfarrer. Die Gemeinde zählt 60 H., 450 E., welche 158 Joch Ackerland (Roggen), 346 Morgen Wiesen, 2 Morgen Gärten, 52 Morgen Hutweiden, 16 Pferde, 16 Ochsen, 113 Kühe, 105 Schafe und Ziegen und 31 Schweine besitzen. Der Ort liegt 2984 F. üb. d. M., $2\frac{1}{4}$ St. von Innsbruck. (Reisende, welche in die Rundreise von hier aus das Stubaythal und Selrain mit aufnehmen wollen, steigen in den Abgrund der Sill hinab, wo eine stegartige Brücke über die Sill, und ein steiler Weg hinauf nach Schönberg bringt, von wo sie das Stubaythal hinanwandern, vom Neustift rechts ab in das Oberberger Thal, zum Alpeiner Ferner gehen, über den Billerspitz nach Lisenz, Selrain, Oberperfuß u. s. w. nach Innsbruck zurückkehren). Von Patsch kommen wir zunächst nach Igls mit 39 H. und 224 E., 2542 F. üb. d. M., $1\frac{1}{4}$ St. von Wilten, 1 St. von Patsch, auf heiterer lachender Fläche.

unweit des Ortes, etwas östlich, ragen die Trümmer der Hohenburg auf mit Wirthschaftsgebäuden. In den Ruinen fand man eiserne Wurfspieße und Pfeile, welche auf Römischen Ursprung deuten. Die Burg war Eigenthum der Landesherren, später Heinrichs des Perchtingers, dann der Philippine Welser, jetzt der Herren von Riccabona. Südwestlich liegt das Sommerhaus die Taxburg mit Vogelfang, Eigenthum der gräflichen Familie Taxis. Nur eine Viertelstunde unterhalb Igls bringt uns der Weg nach Vill mit 27 H. und 169 E., 2410 F. üb. d. M., 55 Joch Ackerland, 183 Morgen Wiesen, 1 Morgen Gartenland, 9 Morgen Sumpfboden, wo sich ein gutes aber unbenutztes Torflager befindet, 6 Morgen Hutweiden, 11 Pferde, 3 Ochsen, 67 Kühe, 53 Schafe und Ziegen, 17 Schweine. Die Flur und der Viehstand von Igls beträgt ohngefähr das Doppelte. Schule und Kirche haben beyde Orte gemeinschaftlich. Unweit Vills, gegen die Sill hinab, sind die wenigen Reste der Burg Straßfried, einst den Herren von Helbling, später den Herren von Freysing gehörig. Von Vill führt ein fahrbarer Gemeindeweg in 1 Stunde nieder zur Sill und nach Wilten hinaus, wo wir wieder anhalten.

Wilten (Wiltau), das Veldidena der Römer, später Welendein, Wiltein, gehört unstreitig zu den geschichtlich merkwürdigsten Punkten Tyrols, eine Folge seiner geographischen Lage; im Süden das große Völkerthor der Alpen zwischen Süden und Norden, im Westen das Oberinnthal mit seinen Thoröffnungen nach Südwest-Deutschland und Schweiz, im Norden ein niedriges Joch nach Bayern, im Osten die Thore nach Bayern und Österreich. Daher wurde diese Stätte bald gepflegt, bald vielfach umstürmt. Welche Erinnerungen erwachen bey dem gar nicht so alterthümlich aussehenden Orte? Die Römer, welche mit seltenem geographischem Scharfblicke ihre Niederlassungen gründeten, legten hier eine große Pflanzstadt, Veldidena, an, eine Stadt, welche ihrer Erstreckung nach zu den ersten des Alpenlandes gehörte. Doch eben deßwegen war sie den erschütternden Stürmen der Völkerwanderung ausgesetzt; Attila in den Katalaunischen Feldern zurückgeschlagen, zog um so wüthender zurück und auch Veldidena wurde dem Erdboden gleichgemacht. Doch seine Lage konnte ihm nicht genommen werden. Schnell blühte es im Mittelalter nach diesem Hagelsturme wieder auf, durch den Handelszug aus Italien nach Deutschland. Daher blühte auch hier die romantische Sage auf. Als Dietrich von Bern mit seinen Helden den Zug nach Worms unternahm, um den Rosengarten der Königin Chriemhild zu erobern, befand sich auch unter seinem Gefolge der Riese Haymon (Heimo), welcher 9 Fuß groß war und im Wappen einen weißen Balken in grünem Felde führte. Dieser erlegte zu Worms den Riesen Schrudan. Auf dem Heimwege von Seefelden herab ins Innthal bey Tirschenbach (Thyrsenbach), begegnete ihm der Innthaler Riese Thyrsus; zwischen beyden kam es zum Kampfe. Thyrsus erlag. Noch jetzt erblickt man an der Stelle an einer Wegkapelle zwey Riesen abgemalt. Sein bisheriges wüstes Leben bereuend, kam er nach Veldidena und baute auf den Trümmern der heidnischen Römerstadt ein Kloster. Doch allnächtlich brach aus dem Schlunde der Sill ein Drache oder Lindwurm hervor und zerstörte die Bauwerke, welche täglich aufgeführt wurden. Da zog Heimon gegen ihn aus und tödtete ihn; zum Beweis brachte er die 3 Fuß lange Zunge des Unthieres mit und legte dieselbe zum Denkmal auf dem Altare nieder. Wahrscheinlich ist das Ganze ein mythisches Bild, den Sieg des Christenthums über das Heidenthum darstellend, wie anderen Theils den Nutzen anzeigend, welchen damals die Klöster wirklich auf verschiedene Weise stifteten, durch Urbarmachung großer Wildnisse, Ausrottung wilder Thiere und besonders durch Anlegung von Wasserbauten und Wasserleitungen. In den östlichen Alpen werden die verwüstenden Gießbäche Lindwürmer genannt, welche aus ihren Schlupfwinkeln hervorbrechen, um alle Ansiedelungen zu vernichten. Die Sill hat aber trotz ihrer Größe und vielen Zubäche die letzten 5 Stunden ein solches enges schlundartiges Bett, daß bey Anschwellungen oder Gletscherausbrüchen u. dgl. kein Schutt unterwegs abgesetzt werden kann;

bey dem großen Raume aber ihres Gebietes können solche Fluthen öfters veranlaßt werden. Bey Wilten öffnet sich ihr Schlund in die Ebene des Innthales, daher mußte sie hier oft furchtbare Verwüstungen anrichten. Der Klostererbauer hatte daher Noth, diesem Ungethüm einen Zaum anzulegen, den Lindwurm zu tödten. Ungestört wuchs nun der neue Bau empor, gegen die Verwüstungen der Fluthen gesichert, und wurde mit Benedictinermönchen bevölkert. Heimon lebte selbst noch 18 Jahre als Büßer unter ihnen und starb 878. Man begrub ihn im Chor, zur Rechten des Hochaltars. Das ist die Sage des Heldenbuches. Im Jahre 1644 wollte man das Grab untersuchen, untergrub aber den Grund des Thurmes, so daß derselbe einstürzte. Nach 878 sagt die Geschichte nichts mehr von dem Stifte bis ins 12. Jahrhundert. Doch soll es schon wieder von Mönchen, welche aus Bayern wegen der Einfälle der Ungarn flüchteten, 909 — 965, bevölkert worden seyn. Im J. 1119 wurden aber die vom Heiligen Norbert gestifteten Prämonstratenser hierher berufen, und mit bedeutenden Schenkungen versehen. Später erst entstand Innsbruck auf dem Gebiete von Wilten, daher das Stadtgebiet noch jetzt rings von dem Landgerichte Wilten umschlossen ist. Auch später hatte das Stift manche Drangsale zu dulden, als Feuersbrünste (1230, 1646 und 1806), Pest (1589) und Aufhebung (1807). Seit 1816 besteht es wieder. Es zählte 46 Äbte. Das Dorf Wilten steht auf einem Theile der alten Veldidena, welche sich nicht nur viel weiter nach Westen, sondern auch nach Osten und Norden ausdehnte, über den Boden des jetzigen Innsbrucks. Wahrscheinlich war es die Hauptstadt des Römischen Rhätiens, wenigstens einer der wichtigsten Orte desselben. Hier trafen die Straßen von Laureacum (Lorch oder Ens bey Linz), Oenipons (Öttingen) und Aquileja zusammen. Den letzteren Straßenzug von Vipitenum (Sterzing) über den Brenner, bezeugen noch viele Meilensteine aus den Zeiten Marc Aurels, Severs, Julians, Caracallas und Decius. Sie wurden theils nach Ambras gebracht und 2 werden noch in Wilten aufbewahrt. Gegenwärtig hängt Wilten durch eine schöne Häuserreihe mit der Stadt zusammen. Das Dorf zählt 116 H. und 1295 E. (die Gemeinde 133 H., 1547 E.). Es liegt mitten in üppigen Maisfeldern und dreymähdigen Wiesen. Zwischen der Stiftskirche und Pfarrkirche steht das Landgericht, ¼ St. von der Stadt. 132 Joch Ackerland (Mais), 336 Morgen Wiesen, 92 Morgen Gärten, 90 Morgen Hutweiden, 20 Pferde, 6 Ochsen, 300 Kühe, 88 Schafe und Ziegen und 20 Schweine. Ein Jahrmarkt. Vorspann. Die Pfarrkirche ist neuern Ursprungs, von dem bekannten Pfarrer Penz aus Telfs im Stubay (siehe unten) erbaut. Der Hochaltar besteht aus vier freystehenden Säulen und einer darüber schwebenden Krone, unter welcher eine uralte Sandsteinbildsäule (nach Einigen eine der Steingußbilder Thiemo's; siehe Salzburg), die Mutter Gottes unter den vier Säulen von den Wallfahrern genannt. Schon 1140 war dieses Bild aufgestellt. Gemälde von Ignaz Unterberger und Grasmayr. Grabmal des hier verstorbenen Malers Grasmayr von Zauner, gesetzt vom Freyherrn von Sperges. Der Kanzel gegenüber interessirt den Geschichtsforscher das Votivbild Friedrichs m. d. l. T., das er in seiner Bedrängniß gelobte. Die Stiftskirche wurde 1651 — 1665 erbaut; am Haupteingange stehen die Bildsäulen der Riesen Heimon und Thyrsus. Die Altäre haben schwarze Fassung und Blätter von Egyd Schor, Grasmayr, Pußjäger, Anderlag u. A. Der infulirte Abt ist zugleich kaiserlicher Erb-, Hof- und Hauskaplan, und sitzt im großen ständischen Ausschuß-Congresse auf der geistlichen Bank. Unmittelbar hinter dem Stifte bricht die Sill aus ihrer nächtlichen Schlucht hervor, ihr Ungestüm ist aber durch ein Wehr, das zugleich einen Seitengraben zur Stadt ableitet, gebrochen. Der Sturz über das Wehr wird meistens als ein schöner Wasserfall dargestellt und die Reisenden dorthin gewiesen; doch dieses durch die Kunst steif gewordenen Wasserfalles wegen hierherzugehen, lohnt der Mühe nicht. Die Straße von Wilten nach Ambras, der sogenannte Fürstenweg, führt dem Wasserfall gegenüber über die Sill. Östlich unweit des Stiftes steht eine uralte Kapelle in Rundform mit vielen alten Holzgemälden, dem Apostel Bartholomäus geweiht. Auf dem Kirchhofe sieht man das Grabmal des berühmten Orgelbauers Daniel Herz, eines Zeitgenossen und Freundes des berühmteren Geigenmachers Stainer von Absam. Die Grabschrift lautet: Hier liegt mein Leib und der ist todt. Meine Werke leben und loben Gott. In Wilten lebt auch der Landschaftsmaler Joh. Georg Schädler.

Jetzt ersteigen wir das Mittelgebirge im Westen des Einschnittes der Sill, dessen Haupt die Rockspitze ist. Ein Theil dieses Mittelgebirges ist der berühmte Berg Isl und zwar im weitern Sinne von der Sill bis zum Geroldsbach, im engeren Sinne jedoch nur der Theil, welcher zwischen der Sill und der zum Brenner hinanführenden Straße liegt. Der Berg Isl, vom jenseitigen Innufer gesehen, erscheint als ein unbedeutender flacher, waldiger Rücken, welcher vom Fuße des Patscherkofls hinüber zum Fuße der Rockspitze gespannt ist. Den engen Einschnitt des Sillthales bemerkt man nicht. Kömmt der Reisende aber hinan, dann wundert er sich über das Labyrinth von Waldgruppen, Thälchen, Höhen, die anderwärts Berge heißen, Landhäuschen und anderen Häusergruppen. Denn hier haben viele Innsbrucker ihre Sommerfrischen und Vogelherde. Und wirklich, es gibt nichts Reizenderes, als diese Bergpartien. Kurz der ganze Berg ist ein 3 Stunden langer Naturpark, wie ihn selten eine Gegend aufzuweisen hat. Zugleich ist der ganze Berg Isl im weitern Sinne klassischer Boden Tyrols, ja Deutschlands. Von Wilten läuft westlich ein Feldweg durch Maisfelder nach dem Bade Ferneck, gewöhnlich auch Hußlhof genannt, ¼ Stunde von Wilten, auf einer vorspringenden Höhe gelegen. Wegen der herrlichen Aussicht über Ober- und Unterinnthal nach Innsbruck u. s. w. ein vielbesuchter Vergnügungsort der Innsbrucker; ein gutes Gasthaus trägt außer der Quelle noch mehr zum Besuche bey. Die Quelle enthält nur kohlensauren Kalk und hat sich bey Hautausschlägen bewährt. Von hier erreicht man in einer halben Stunde auf bequemem Wege die Gallwiese, ebenfalls auf einer niedrigen Vorhöhe, wie Ferneck gelegen. Nach Beda Weber von Gall, gellen (Nachtigall), Schall so genannt, wegen des schönen Echo's im nahen Walde; nach Staffler von Galt (Galtvieh, junges Zuchtvieh auf den Alpen). Die Gallwiese war einst Eigenthum des Stiftes Wilten und bestand aus einem Meyerhofe und einem Thurme des Waldhüters. Bald wurde das Gut vergabt. Unter Maximilian I. wurde der Besitzer, Mäntelberger, in den Adelstand erhoben und der Hof hieß nun Mäntelberg oder Mäntelhof. Ein späterer Besitzer, Christoph von Küebach, verwandelte den Thurm 1639 in eine Kapelle, welcher er ein altes Bild schenkte, wodurch der Ort eine Wallfahrt wurde. Später kam es nochmals an Wilten, worauf der Stiftsökonom Markus Egle, später Prälat, alles von Grund auf neu bauen ließ. Nach der Aufhebung des Stiftes 1839 kam die Gallwiese an den Gastwirth zum goldnen Hirsch in Innsbruck (Franz Unterberger) und ist ein beliebter Vergnügungsort der Innsbrucker, wie das darüber liegende Waldhüterhüttchen. Von diesem gelangen wir, steil aufwärts steigend, auf die Höhe des Mittelgebirges selbst, wo wir wieder unerwartet eine bedeutende Bevölkerung in mehreren Ortschaften angesiedelt finden. Das erste Dorf, das wir erreichen, ist Natters mit 59 H. und 362 E., welche 135 Joch Ackerland, 344 Morgen Wiesen, 5 Morgen Gärten, 528 Morgen Hutweiden, 5 Pferde, 40 Ochsen, 160 Kühe, 70 Schafe und Ziegen und 40 Schweine besitzen. Eine Kirche und Schule. 1¼ St. von Wilten. Der Edelsitz Waidburg war unter Max I. und Sigmund ein Jagdhaus. In der Nähe das Bleichbrünnlein, ein sehr reines, frisches Wasser, welches schon vor Alters gebraucht wurde, ist heilsam gegen Rheumatismen und bey verhaltner Monatsreinigung. Eine Viertelstunde weiter das Dorf Mutters, in kirchlicher Hinsicht mit dem vorigen verbunden, mit 44 H. und 228 E. (die Gemeinde 90 H. und 505 E.), Kirche und Schule. Auf dem Kirchhofe liegt der im Kampfe für Tyrol gefallene Graf Stachelburg begraben. ¾ Stunde über Mutters gelangen wir zu den Rockhöfen, welche schon eine weite Aussicht das Innthal hinab gewähren. Höher hinan quillt ein Gesundbrunnen, der bey chronischen Leiden, Magenschwäche und Nervenüberreiz sich heilsam bewährt hat. Auch befindet sich zu diesem Behufe eine Anstalt hier auf schon frischer Alpenhöhe, oft von Sommerfrischgästen besucht. Darüber ragt in gleicher Höhe mit dem jenseits der Sill liegenden Patscherkofl (7000 F.), aber scharfkantig und gezackt die Rockspitze oder Saileberg auf, 6813 F. üb. d. M., die Spitze gehört zu den Dolomitkuppen, deren es westlich, südwestlich und südlich mehrere giebt und die sich schon von ferne durch Gestalt und Farbe von dem Urgebirge, auf dem sie aufsitzen, unterscheiden. Von Mutters aus erreicht man in 2½ Stunden die Spitze, welche eine herrliche Aussicht, ähnlich der des Patscherkofls darbietet. Der Berg ist ein Vorgebirge des Zuges, der sich am Stubayer-Eisenzerjoch von dem Eisgebirge losmacht und über den Villerspitz zwischen Selrain und Stubay hierher zieht.

Von Natters zieht unser Weg westlich unter der Rockspitze eine Stunde durch ein wald- und buschreiches Gebiet wieder auf eine freyere, herrliche Ebene des Mittelgebirges, auf welcher sich die drey schönen Dörfer Götzens, Birgitz und Axams sonnen. Kurz vor Götzens überschreitet man den wilden Geroldsbach oder Götzenser Bach. Durch sein unbändiges Ungestüm versumpft er hie und da die Gegend. Das Dorf zählt 82 H. und 690 E., welche 170 Joch Ackerland, 466 Morgen Wiesen, 5 Morgen Gärten, 326 Morgen Hutweiden, 18 Pferde, 210 Kühe, 200 Schafe und Ziegen und 36 Schweine besitzen. Ein Armen- und Krankenhaus, 2 Jahrmärkte. Unter dem Dorfe auf einsamem Hügel, auf dem Wege nach Axams, die wenigen Reste zweyer Burgthürme, der Burg Vellenberg. Die Vellenberger blühten im 12. und 13. Jahrh. als mächtige Dienstmannen der Grafen von Tyrol. Nach ihrem Aussterben kam es an die nächsten Verwandten, die Liebenberger; daher noch jetzt der eine Thurm der Vellenberger, der andere der Liebenberger genannt wird. Der mächtige Peter von Liebenberg nahm an dem Adelsbund, der bekannten Elephantenbrüderschaft gegen Friedrich m. d. l. T. und sein Streben, dem Bauernstand aufzuhelfen, Theil; dieses brachte ihm wie vielen Anderen den Untergang. Vellenberg wurde nun Gefängniß. Der berühmteste Gefangene hier war Oswald von Wolkenstein, der bekannte Minnesänger, den wir noch in seiner Burg besuchen werden. Die Ursache seiner Gefangenschaft war dieselbe, sein Streben, den Adel auf Kosten des Fürsten- und des Bauernstandes zu erheben. Er wurde jedoch später begnadigt. Jetzt ist die verfallene Burg das Eigenthum eines Bauern. Eine Viertelstunde von Götzens liegt Birgitz mit 48 H. und 378 E. Gebiet und Viehstand um den dritten Theil geringer, als des vorigen Dorfes. Über den Einschnitt des Wildenbaches setzend, kommen wir schon in einer halben Stunde nach Axams, einem großen und schönen Dorfe mit 177 H. und 1247 E. 3½ St. von Innsbruck. Eine Knaben- und eine Mädchenschule, 2 Jahrmärkte, 2 Wundärzte, 203 Joch Ackerland, 420 Morgen Wiesen, 18 Morgen Gärten, 116 Morgen Hutweiden, 22 Pferde, 5 Ochsen, 250 Kühe, 300 Schafe und 140 Ziegen. Das vorzüglichste Felderzeugniß ist der Flachs, von dem jährlich 1000 Centner gewonnen werden. Der meiste wird roh verkauft, vieler verarbeitet, und besonders Handel mit dem Samen getrieben, indem der Axamser Samen der nachhaltigste ist; wenn auch anderwärts sehr guter gebaut wird, muß er doch, um nicht auszuarten, durch Axamser aufgefrischt werden. In der schönen neuen Kirche ist ein schätzbares Hochaltarblatt von Grasmayr; das Deckengemälde ist von Arnold in Innsbruck (1841). Bey der Pfarrkirche ist das Michaeliskirchlein. Im Norden führt ein Weg an der St. Sebastianskapelle vorbey zu dem Weiler Omes, welcher auf der Kante des Mittelgebirges liegt und daher eine schöne Aussicht hat, dieser Weiler ist auch der Geburtsort (30. Dec. 1792) des durch sein trauriges Schicksal in der politischen Welt bekannten Professor Jordan in Marburg. Anfangs Schusterlehrjunge bey seinem Vater, erwachte plötzlich in ihm die Liebe zum geistlichen Stande. Er trat ins Gymnasium zu Innsbruck, 1809 ging er nach München, änderte jedoch seinen Plan, indem er sich dem Rechtsfache zuwandte; er studirte zu Landshut und Wien die Rechte. Später wurde er Privatdocent in Heidelberg, 1821 Professor in Marburg.

der Grund seines gegenwärtigen Unglücks ist in finsteres Dunkel gehüllt. — Jenseits Axams erreicht der Wanderer die Gemeinde Grinzens mit 77 H. und 475 E., wo sich das Senderser Thal hinanzieht in die Alpen. Grinzens liefert 100 Centner rohen Flachs, 1000 Ellen Leinwand; im Übrigen beträgt der Acker- und Viehstand die Hälfte desjenigen von Axams. Von Innsbruck nach Selrain führt der schönste Weg über Wilten, Gallwiese, Götzens und Axams.

Von Axams wandern wir am Wildenbach hinab nach Völs am Inn. 1½ St. von Wilten mit 52 H. und 408 E., welche 98 Joch Ackerland, 180 Morgen Wiesen, 2 Morgen Gärten, 50 Morgen Hutweiden, 10 Pferde, 6 Ochsen, 240 Kühe, 30 Schafe und 40 Schweine besitzen. Neben dem Dorfe erhebt sich der schöne St. Blasienberg, ein schmal durch Schluchten zugeschnittener Vorsprung des Mittelgebirges, von manchen Seiten als ein vereinzelter Berg sich darstellend; ehemals eine Einsiedeley und Wallfahrtsort. Der Geistliche von Völs hat seinen Wohnsitz oben neben der Kirche. In der Kirche St. Blasii ein aus Erz gegossenes 6 Centner schweres Crucifix; die daneben stehenden Maria und Johannes sind von Holz und bronzirt. Die Inschrift heißt: Von Blasius Hölzl, Kammerrath und Pfleger von Völlenberg, 1522 gesetzt. In der Umgegend heißt es das Schwarze Kreuz. Einst stand auf dem Scheidewege nach Völlenberg und Völs, von Gallwiese kommend, in einer nischenartigen Kapelle, der sogenannten Schwarzen Kapelle, jenes große Kreuz, woher noch jetzt jener Scheidepunkt der Wege am Schwarzen Kreuze heißt. Nach der Sage des Volkes soll ein Ritter, den hier ein furchtbares Gewitter traf, vielleicht jener Hölzl, das Gelübde gethan haben, ein Kreuz aus Erz gießen zu lassen, das so schwer, wie er mit seinem Rosse sey. Joseph Hell, der berühmte Bildschnitzer, zu Vomp geboren 1792, gehörte dieser Gemeinde an. In ¾ Stunden kommen wir über schöne Gründe nach Kematen, in einer reizenden Bucht des Mittelgebirges, aus deren Hintergrunde die Melach hervorstürzt und einen Wasserfall bildet. Die zerstreuten Häuser liegen, von Obstbäumen umschattet, in reicher Getraideflur; namentlich wird viel Mais gebaut. 77 H., 606 E. mit dem Dörfchen Afling. Ein sehr gutes Gasthaus ladet zur Einkehr, auch zum Anhaltpunkt für die Reise nach Selrain. 1 Schule, 1 Wundarzt, 2 Jahrmärkte. In der Nähe der romantisch gelegene Burghof, dem Grafen Lodron gehörig, und eine Pulvermühle. Nur durch die Melach getrennt, zeigt sich Unterperfuß mit Kematen, in kirchlicher Hinsicht eine Gemeinde bildend, aber schon dem Oberinnthaler Kreise, dessen Grenze hier die Melach macht, gehörend. 12 H., 107 E., welche mit denen von Kematen 102 Joch Ackerland, 317 Joch Wiesen, 12 Morgen Gärten, 13 Morgen Sümpfe, 16 Pferde, 4 Ochsen, 250 Kühe, 24 Schafe und Ziegen und 30 Schweine besitzen. Von hier aus kann der Reisende nach Oberperfuß hinan, oder längs dem Inn auf jenem nicht immer gefahrlosen Wege, dem Reißenden Rangen, den wir schon auf dem Ausfluge von Zirl ins Selrainer Thal kennen lernten, zur Zirler Brücke und hinüber nach Zirl; oder er läßt sich auch über den Inn setzen, um auf kürzerem Wege nach Zirl zu gelangen.

Das nordwestliche Viertel der Umgebungen Innsbrucks, Zirl, die Martinswand, das Schwefelloch, die Zirler Alpe und den Solstein, haben wir schon auf der Reise nach Innsbruck kennen gelernt; übrig bleibt uns nun noch das nordöstliche Viertel. Im Süden schiebt das Urgebirge ein breites Mittelgebirge als Stufe gegen das Innthal vor und nur allmählig ist der Übergang von diesem bevölkerten und wohlangebauten Mittelgebirge zu den grünenden Alpen. Hochgipfel von 9—10,000 Fuß finden sich erst in einem Abstand von 4—6 Stunden, während auf der Nordseite die Hochgipfel von 8 bis 9000 Fuß nur eine Stunde vom Inn abstehen; daher kann bey diesem jähen Abfall das Mittelgebirge gar nicht, oder nur sehr schmal auftreten; auch findet, wie gewöhnlich in den Kalkalpen, fast kein Übergang, keine Ausgleichung statt; an die üppigst umgrünte Stufe, einem lockeren Schuttgebirge, welches einst der Inn und seine Zubäche schufen und zum Theil wieder hinwegtriffen, grenzt unmittelbar das jäh aufsteigende kahle Kalkgebirge; nur das Krummholz macht den jetzigen Vermittler; es klimmt an den Schutthalden der Kalkschroffen unverdrossen empor, für die Nachkommenschaft arbeitend. Im Süden erschließt das Urgebirge große weite Thäler, zwischen denen die Berge herantreten als vereinzelte Vorposten; hier erscheint eine zusammenhängende Kalkmauer, nur von Schluchten zerrissen.

Auf dieser sonnigen Stufe lagert sich, fast unmittelbar über der Hauptstadt, namentlich deren Vorstadt St. Nikolaus, das große Dorf Hötting, so wie Wilten, älter als Innsbruck, wahrscheinlich Römischen Ursprungs, nach den vielen Alterthümern zu urtheilen. Die Römerstraße führte von Veldidena aus über die jetzige Innbrücke, aber dann sogleich auf die Höhe von Hötting, wo sie durch ein Kastell gedeckt war. Auch der untere Theil des Kirchthurmes soll ein Überrest eines Römertempels gewesen seyn. Nach dem Untergange des Römerreiches blieb Hötting noch Sitz des Richters für die Umgegend, unter dem Namen Hetening en (nach B. Weber von Het = Haupt, Ininga = Ansitz), woher sodann ein Geschlecht dieses Namens entstand, die Herolde (Gemeinderichter) von Hötting, in dem das Richteramt erblich wurde. Auch nach dem Aussterben dieses Geschlechtes 1337 behielten die Pfleger des Gerichtes Sonnenburg (jetzt Wilten) ihren Sitz hier. Außerdem siedelten sich auch wegen der herrlichen sonnigen Lage manche Herren hier an, so wie auch Gewerke, um den Fall der stürzenden Bäche zu benützen. Von Zirl kommend, wenden wir uns ohnweit der Mariahilfkirche und der Innsbrucker Schießstätte links und erreichen sogleich darauf Hötting. Das Dorf zählt 223 H. und 2125 E. (die Gemeinde 266 H., 2524 E.), welche 412 Joch Ackerland, 440 Morgen Wiesen, 1526 Morgen Hutweiden, 30 Pferde, 12 Ochsen, 220 Kühe, 54 Schafe und Ziegen und 10 Schweine besitzen. Ein anderer Gewinn ist die Hausmiethe, da viele Innsbrucker hier wohnen, wenigstens zeitweise; ebenso ist der Absatz wichtig, den die Erzeugnisse der Bewohner in der Hauptstadt finden. Die Umgegend ist fruchtbar, da sie die Sonnenstrahlen und Südwinde empfängt und vor den rauhen nördlichen Winden völlig geschützt ist. Daher gedeihen hier alle Früchte sehr früh. Man findet hier eine Schule, 1 Wundarzt und 1 Schießstätte. Die Kirche ist alt, der Thurm, auf Römischen Grundmauern errichtet, wankt beym Glockenläuten bedeutend hin und her in den umgekehrten Schwingungen der Glocken. Die größte Merkwürdigkeit der Kirche ist das wohlverdiente eherne Grabdenkmal des Erzgießers Gregor Löffler. Es ist immer ein Zeichen der höchsten Blüthezeit der Kunst, wenn sich der Künstler selbst nicht seines hohen Werthes bewußt ist, wenn die Zeitgenossen, mitten in der Kunst, in Sitte, Kleidung, Geschmack u. s. w. so leben und weben, daß sie den Künstler nicht als Abgott verehren, daß sie nicht eine so große Kluft zwischen sich und ihm bemerken. Er spricht nur die Gefühle, Denkweise und den Geschmack seiner Zeit in seinen Werken aus. Peter Vischer in Nürnberg und Gregor Löffler galten zu ihrer Zeit für schlichte Erzgießer. Löfflers Denkmal wurde ihm von seinen beyden Söhnen Elias und Christoph gesetzt. Auch auf dem Kirchhofe sind manche gute Denkmäler, namentlich diejenigen der Grafen von Trautmannsdorf, Fuchs, Firmian und von Lama. Westlich der Ortskirche liegt das Schloß Lichtenthurm, im 16. Jahrhunderte den Freyherren von Schneeberg gehörig, jetzt den Herren von Schneeburg eigen. Das Schloß ist im neueren Style erbaut. Unweit davon befindet sich im Kirschenthale eine Badeanstalt, ein Staatsgut. Die Quelle führt erdige Salztheile, Alaun und viele Kohlensäure, und ist heilsam gegen Übel der Galle, Hautausschläge, Verstopfungen. Nördlich davon auf einsamer Flur, vom Walde umsäumt, steht 876 Fuß über Innsbruck die Kapelle mit dem Höttinger Bilde, einer besuchten Wallfahrt. Wiederum östlich davon befindet sich die Brunnenstube zur Kaiser-Kronbadquelle, eine theils künstliche, theils natürliche Höhle mit schönen Tropfsteingebilden. Über eine brandverödete Waldregion steigen die Höttinger Alpen hinan zu dem Gebirgsamphitheater, welches von dem 7423 F. hohen

6 *

Brandjoch, der berüchtigten 6492 F. hohen Frauhütt und dem Hohen Sattel, 6637 F. hoch, umschlossen wird. Sie gehören zu der Kette, welche das Inn- und Isargebiet scheidet und vom Solstein östlich herabsteigt. Zur Zeit Noahs wanderten Riesen ins Innthal, ihre Königin war Frauhütt. Sie erbaute sich hier einen stolzen Marmorpallast. Alles, was jetzt kahler Fels ist, war übergrünt mit fetten Alpen. Einst besudelte sich ihr Söhnchen und sie reinigte es mit Brod. Da stürzte ihr Pallast unter Donnerkrachen zusammen und begrub unter seinen Trümmern die übermüthigen Bewohner; alle Fluren verödeten und die Königin selbst starrt, in Stein verwandelt, empor, wie wir sie jetzt noch sehen, ihren Sohn in den Armen haltend. — Das Vor- oder Mittelgebirge besteht von Hötting her aus zwey Stufen, die bis Mühlau stärker hervortreten. Östlich vom Höttinger Bilde befindet sich noch ein bedeutender Nagelfluhe- und Wetzsteinbruch mit jährlichem Ertrage von 450 Gulden. Nicht weit davon befindet sich das Brunnbad, schon im 15. Jahrhunderte bekannt; die Quelle enthält erdig-salzige Bestandtheile und hat sich heilsam bewährt bey Blutflüssen, Hysterie, Rheumatismen und Hautausschlägen. Darunter auf der unteren Stufe liegt der Ansitz Büchsenhausen. Im 16. Jahrhunderte kam es an den bekannten Erzgießer Gregor Löffler, der ihm diesen Namen gab, weil seine Gußwerkstätte dabey stand. Seine Söhne und Nachkommen erhielten vom Kaiser das Recht, sich Edle von Büchsenhausen nennen zu dürfen. Allein sie verkauften den Ansitz an die Landesregierung; die Erzherzogin Claudia an ihren Hofkanzler Wilhelm von Biener, welcher die hier gegründete Bierbrauerey sehr in Aufnahme brachte. Biener ist durch sein trauriges Schicksal bekannt geworden. Sein hoher Stand, die Liebe seiner Fürstin, die in ihm einen großen Staatsmann besaß, machten ihn rücksichtslos; dazu kam sein Hang zur Satyre, seine Abneigung gegen Adel und Geistlichkeit. Wenn er daher auch bey Fürst und Volk beliebt war, so haßten ihn jene Stände um so mehr. Kaum war die Fürstin, seine Beschützerin, gestorben, so traten seine Feinde offen auf; er wurde seines Amtes entsetzt, seine Wohnung wurde untersucht und aus seinen Papieren, die man willkührlich zusammensetzte, ein Pasquill, angeblich auf die Fürstin, entdeckt. Es wurde ihm der Proceß auf Tod und Leben gemacht; seine Richter waren seine Ankläger und ärgsten Feinde. Ohne die Anklage beweisen zu können, wurde er von ihnen zum Tode verurtheilt; er rief die Gnade des Landesfürsten an, welcher ihn auch sogleich begnadigte; seine Feinde hielten den eilenden Boten gewaltsam auf, so daß derselbe erst nach der Hinrichtung kam.

Als ein gerechtes Strafgericht Gottes sah es das Volk an, als bald darauf der Kammerpräsident Schmaus, derselbe, welcher den Boten aufgehalten hatte, starb. Bieners Frau fiel über jene schreckliche Verspätung in Wahnsinn. Noch jetzt geht sie in einem Nebengebäude von Büchsenhausen als schwarzgekleideter Geist um, Rache fordernd für den Mord ihres Mannes. Obgleich alle Güter Bieners an den Staat fielen, so stellte sie der Landesherr Ferdinand Karl 1659 sogleich seinen Kindern wieder zu. Später kam Büchsenhausen an die Familie von Lama. Der jetzige Besitzer, Joh. Mahl-Schedl, ist der Mann der letzten weiblichen Erbin jenes Geschlechtes. Gegenwärtig ist es ein vielbesuchter Vergnügungsort der Innsbrucker wegen des trefflichen Bieres. Eine herrliche Aussicht hat man auf die Stadt. Sehenswerth ist die Schloßkapelle mit dem schönen Hochaltarblatt von M. Knoller und die 12 Apostel von Kasp. Waldmann. An der Mauer neben der Treppe das Bildniß des Benedikt Biener, des Sohnes jenes unglücklichen Kanzlers. — Auf derselben Stufe fortwandernd zwischen Häusergruppen, gelangt man zu der nahen Weyerburg oder Weiherburg, von schönen ehrwürdigen Baumgruppen umschattet. Die vordere Seite ist sehr fest und alt und wird von manchen für Römerwerk gehalten. Der älteste bekannte Besitzer ist der Ritter Tänzl von Tratzberg 1450. Später kam es an Sigmund von Österreich. Sein Nachfolger Max I. erhob es 1490 zum Edelsitze und bewohnte es oft als Sommersitz. Hier empfing er auch 1509 die um Frieden bittenden Gesandten Venedigs. Von jetzt ging das Schloß durch fürstliche, geistliche und Privathände. Gegenwärtig besitzt es Herr von Altmayr. In der Burgkapelle Gemälde von Strickner, die Marmorarbeiten von Klieber. In den Zimmern schätzbare Gemälde: der Öhlberg von Holbein dem Jüngeren, Marmorbasreliefs, Gemälde von Rubens (Zeitenflug) und Kranach (Madonna); der Thronhimmel, unter welchem Max I. die Venezianer empfing, Becher und schöne Glasmalereyen. Besonders schön ist die Aussicht. Kein Naturfreund versäume es, einen kleinen Spaziergang bis hierher wenigstens zu machen, um Innsbruck auch von dieser Seite in seiner Herrlichkeit zu erblicken. — Von Weyerburg wandert man über den tiefen Einschnitt des Mühlauergrabens, der hier die Grenze der Landgerichte Wilten und Hall bildet, nach dem nahen Mühlau. Das Dorf zählt in 67 H. 512 E. (die Gemeinde 73 H., 582 E.). Sie haben 1 Schule, 1 Wundarzt und 1 Jahrmarkt, 200 Joch Ackerland, 212 Morgen Wiesen, 21 Pferde, 14 Ochsen, 90 Kühe, 20 Schafe und 60 Schweine. Es bestehen hier zwey Schlösser, ein gräflich Lodronisches Ehrenreiz und Baron von Sternbachisches Grabenstein. Die Mutter des jetzt lebenden Freyherrn Karl von Sternbach war eine Heldin in mehrfacher Hinsicht in dem denkwürdigen Jahre 1809. Sie opferte fast ihren ganzen Viehstand dem Vaterlande auf; sie selbst ritt, mit Pistolen bewaffnet, allenthalben umher, doch besonders in der guten weiblich ehrenhaften Absicht, vorkommenden Unordnungen zu steuern und die Bauern nicht nur zu begeistern, sondern auch im Zaume zu halten. Lefebre, erzürnt über seine an dem Muthe der Tyroler gescheiterten Pläne, ließ, um doch Etwas gethan zu haben, die Baronin nebst dem Grafen Sarnthein und dem Baron Schneeburg gefangen nehmen. Sie wurde aus eben dem Grunde höchst unwürdig behandelt, so oft sie auch eigentliches Unheil selbst vom Feinde entfernt hatte; allein durch keine Schmähungen und Drohungen ließ sie sich zu einer Herabwürdigung bewegen. Erst im Wiener Frieden erhielt sie zu Straßburg ihre Freyheit. — Es befinden sich hier noch 1 Papiermühle, 10 Getraidemühlen (daher der Name), 1 Knoppernmühle, 2 Hammerschmieden. Neuerer Zeit ist eine umfassende Badeanstalt gegründet; dieselbe besteht aus einem Kaltwasserbade, einer Turnschule, Schwimmanstalt, einem Russischen Dampfbade, Molken- und Kräutersaftkuren. Hiermit verbunden sind Douche-, Regen- und Spritzbäder, so wie Schwungdouche- und Wellenbäder. 1841 waren 110 Badegäste hier. Zu den zwey hier gestorbenen Gästen gehört der berühmte Schauspieler Eßlair (10. Nov. 1840). Es soll ihm ein würdiges Denkmal gesetzt werden. Da der Ort nur ½ Stunde von Innsbruck liegt, so ist das Gasthaus zugleich Vergnügungsort der Hauptstadt.

Über die Mühlauer Brücke und durch den Hofgarten kehren wir von unserer Rundreise zurück. Nach derselben werden wir auch die hier stattgehabten Kriegsereignisse von 1809 um so leichter verstehen. Innsbruck, die Hauptstadt des Landes geworden durch seine geographische Lage, war auch der Brennpunkt des heldenmüthigsten Tyrolerkampfes, nicht in Engpässen, sondern Mann gegen Mann gefochten.

So wie manche Gegenden vorzugsweise der Tummelplatz der Gewitter sind, so sammeln sich auch immer vorzugsweise über gewissen Gegenden die Kriegswolken, um sich furchtbar zu entladen. Wer kennt nicht die blutgetränkten Felder zwischen der Saale und Elster? So überschritten auch wir schon die vielfach umkämpfte Pontlatzer Brücke. Hier aber, wo schon seit den ältesten Zeiten vielfache Interessen bedeutende Orte ins Daseyn riefen, umkreiste auch der heftigste Kampf den Mittelpunkt, wie in der Völkerschlacht bey Leipzig.

Wir geben hier einen Auszug nach den unparteiischen Angaben Stafflers [1]). Der Aufstand war, obgleich allen Gemeinden bekannt, doch so geheim gehalten worden, daß der Feind nichts erfahren hatte. Ebenso gingen am 10. April 1809, nachdem das Volk bey Brunecken zuerst am Tage vorher die Waffen ergriffen hatte, die Laufzettel zum Auf-

1) Stafflers Tirol B. 1. H. 2. S. 871 u. s. w.

ruf durch das ganze Innthal, ohne daß dem Feinde Kunde davon wurde. Die Gemeinde Axams weigerte sich zuerst, Rekruten zu stellen. Der Oberst Dietfurt, der Sache nicht trauend, ließ ein starkes Piket bey der Gallwiese, ein anderes gegen Zirl aufstellen. Georg Bucher, Wirth in Axams und ein Vertrauter Hofers, griff sogleich nach Empfang des Laufzettels eine Patrouille bey der Gallwiese an; allein da er zu schwach war, zog er sich in den Wald zurück, überließ den Befehl dem Tiefenbrunner und sammelte in der Nacht so viel als möglich Mannschaft, während er nach Stuben, Selrain und Oberinnthal Boten sendete. Schon am Morgen des 11. Aprils erschien er wieder mit bedeutender Verstärkung; zugleich trafen 350 Stubayer Schützen ein. Auch die Bayern zogen jetzt (das Regiment Kinkel) mit einer Abtheilung gegen Zirl, mit der anderen unter Dietfurt nach dem Berge Isl. Bey Ferneck und Gallwiese entspann sich der erste Kampf. Die Bayern wurden von den Höhen zurückgedrängt, und zwar sowohl von der Gallwiese, als vom eigentlichen Berg Isl her. Nachmittags begann auch das Feuern auf den Höhen des Paschberges. Die Bayern zogen sich Abends in die Stadt zurück. Auch von Zirl her waren die Bayern wieder zurückgedrängt. Die Nacht vom 11. auf den 12. April war erleuchtet von zahllosen Wachtfeuern der Tyroler auf dem ganzen von uns durchwanderten Kranze, indem jetzt nicht nur der Pasch- und Islsberg, sondern auch die Höttinger Höhen dicht über der Hauptstadt von den Tyrolern besetzt waren. Die Bayern hatten die Straße nach Wilten und dieses Dorf selbst besetzt. Unterdessen waren auch die Oberinnthaler angekommen und hatten sich mit den Höttingern vereinigt. Die Bayern auf dem linken Innufer wurden von ihnen über die Brücke in die Stadt gedrängt. Von beyden Ufern wurde gegen einander gefeuert, wo die ferntreffenden Tyroler im Vortheile waren; ihr Hauptziel waren die Kanoniere an der Brücke. Zugleich drängten jetzt die Bauern vom Islsberg und Paschberg herab und engten die Bayern auch von dieser Seite in der Stadt ein. Kinkel wollte unter der Bedingung freyen Abzugs capituliren; die Unterhandlung zerschlug sich. Jetzt drangen die Höttinger auf der Brücke vor, doch wegen des starken Feuers von jenseits einzeln; durch das Geländer und die Laternenpfähle gedeckt, suchten sie durch das Hinwegschießen der Kanoniere die Kanone zum Schweigen zu bringen; ein Theil kroch selbst auf den längs der Brücke angebrachten Brunnenröhren hinüber. Mit dem Tode des letzten Kanoniers ward die Brücke erstürmt. Die Bayern zogen sich zur Hauptwache zurück. Zu derselben Zeit drangen auch von Süden die siegenden Bauern in die Stadt ein. Nochmals begann ein blutiger Kampf um die Hauptwache. Die Bauern besetzten die umliegenden Häuser und feuerten auf die Bayern, welche den heldenmüthigsten Widerstand leisteten; erst nachdem der Oberst Dietfurt nach der neunten empfangenen Kugel vom Kampfplatze hinweggebracht werden mußte, löste sich die Ordnung auf; es wurde zwar noch in den Straßen gekämpft, allein nicht lange. Jetzt sprengte auch die Reiterey, von den Schützen getrieben, durch die Neustadt herein durch die Stadt, rechts über den Rennplatz wieder hinaus, setzte über die Mühlauer Brücke, mußte sich aber auf der Haller Aue den von Hall herkommenden Schützen unter dem Major Straub ergeben. Um 10 Uhr Vormittags war dieser Kampf beendigt und Alles, was nicht den Tod gefunden hatte, gefangen. Allgemein war der Jubel des Volkes in der Stadt; doch kehrte ein Theil der Schützen gegen Abend in ihre Thäler zurück. Da traf Abends ein neuer Laufzettel vom Brenner herab ein, daß eine zweyte Feindesmasse von 2500 Mann von Bayern und Franzosen, von den Passeyrer Schützen getrieben, über den Brenner herankomme. In Südtyrol war man im Ganzen planmäßiger zu Werke gegangen, insofern dem Unternehmen ein Plan zum Grunde lag und ein Anführer befehligte. Hier in Nordtyrol war kein Anführer und kein eigentlicher Plan, sondern nur Ein Wille, die Eroberung der Hauptstadt und Vertreibung der Feinde, und Beydes gelang durch die Kraft des Willens. Jener Laufzettel war an die Befehlshaber der Tyroler um Innsbruck adressirt, die aber Niemand kennen wollte, bis er in die Hände des Schützenmajors

Martin Teimer kam, der schnell nach Eilboten in die Nachbarschaft aussendete, um die Schützen auf den Kampfplatz zurückzurufen. Der Schützenmajor Straub aus Hall besetzte noch in der Nacht die Höhen des Paschberges und die Sillbrücke bey Wilten, während man die Triumphpforte mit Weinfässern, Wagen und Dünger sperrte. Mit Anbruch des Tages erschien auch das gemeldete feindliche Bayrisch-Französische Corps, aus einem Französischen Regimente, zwey leichten Bayrischen Bataillons, zwey Escadrons Bayrischer Reiterey und zwey Kanonen bestehend, das Ganze unter Befehl des Französischen Generals Bisson, auf den Höhen des Berges Isl. Unaufgehalten kam diese Abtheilung auf die Ebene. Die Nachhut wurde zuerst von den Schützen aus Mutters, Natters, Völs und Kematen angegriffen, niedergemacht oder gefangen genommen. Aber weder dieses, noch die Besitznahme der Stadt am Tage vorher durch die Bauern hatte Bisson erfahren. Nach kurzem Halt ritt derselbe mit anderen Offizieren nach Wilten und erkundigte sich, ob Kinkel noch in der Stadt sey; da er sich aber nicht von der Wahrheit der ihm gegebenen Auskunft überzeugen konnte, schickte er sogleich den Bayrischen Lieutenant Margreiter nach der Stadt. Ein Schuß aus der Triumphpforte verwundete ihn schwer und seine Begleiter brachten eilends die Bestätigung jener Aussage zurück. Margreiter selbst mußte in ein benachbartes Haus gebracht werden. Jener Schuß war aber der Generalmarsch für die Schützen in der Stadt; sie drangen durch die Gärten der Neustadt rechts und links vor, während vom Paschberg Straub seine Bauern gegen Wilten vorschob, Bucher von der Gallwiese und Ferneck und die Stubayer Schützen von der Höhe des Berges Isl herab drängten, so daß die Feinde bald auf der Ebene von Wilten von den Bauern umkreist waren. Bisson schickte eine Deputation in die Stadt, um mit Kinkel zu reden und sich zugleich um die Sachlage zu erkundigen. Er erkannte seine verzweifelte Lage und wollte capituliren, aber nicht mit Bauern. Um ferneres Verzögern zu vermeiden, da die aufgeregten Bauern nirgends mehr im Zaume zu halten waren, steckte sich Teimer schnell in eine Österreichische Uniform und so kam mit seines Namens Unterschrift dieselbe zu Stande. 4600 Mann mußten sich ergeben, außerdem fielen zwey Kanonen und das Gepäck in die Hände der Tyroler. Franzosen und Bayern verloren durch die Verzögerung der Unterhandlungen noch 100 Todte, die Tyroler 24 Todte und 50 Verwundete.

Im May drangen die Feinde abermals das Innthal herauf und besetzten am 17. May Innsbruck. Hofer, bisher nur Südtyrol vertheidigend, erließ, so wie er Kunde von den Vorfällen in Nordtyrol erhielt, sogleich einen Aufruf, der von großem Erfolge war. Chasteler, Befehlshaber der Österreicher, zog aber ab, blos 2380 Mann unter dem General Buol auf dem Brenner zurücklassend. In und bey Innsbruck lagerte die Division Deroy. Straub und Speckbacher organisirten den Aufstand im südlichen Gebirge und sperrten die Innbrücke bey Hall und Volders. Am 24. May überschritt Hofer mit 6000 Schützen den Brenner, wurde aber von Buol nur mit 800 Österreichern und sechs Kanonen unterstützt. Die Macht des Feindes zählte 8000 Mann Infanterie, 800—900 Reiter und 20 Kanonen. Dießmal war es ein geordneter Plan; Hofer kam in drey Abtheilungen das Wippthal herab; er selbst befehligte unter Leitung des Oberstlieutenants Ertl die Mitte, welche auf den Höhen links des Sillschlundes gegen den Berg Isl vordrang; der rechte Flügel rückte auf der Ellbögener Straße gegen den Paschberg, rechts der Sill, vor; der linke Flügel zog sich von Greit über Mutters und Natters gegen die Gallwiese. Speckbacher eilte das Innthal herauf, um sich mit den Schützen auf dem Paschberge zu vereinigen. Der Feind hatte dieses Mal die Höhen schon durch Pikets besetzt. Um 4 Uhr Nachmittags begann der Kampf mit großer Erbitterung, so daß Bayern und Tyroler oft handgemein wurden; die ganze Artillerie des Feindes war in fortwährender Thätigkeit. Die Höhen wurden erstürmt und wieder genommen. Wegen Mangel an Munition mußten sich Abends die Tyroler zurückziehen und die Bayern besetzten ihre ersten Stellungen wieder. Unter den gefallenen Tyrolern befand sich der

Graf Stachelburg aus Meran, der letzte seines Stammes. Hofer hatte sein Hauptquartier in Matrey, während seine Vorposten Patsch und Schönberg besetzt hielten. Sein zweyter Angriff war auf den 29. May festgesetzt. Unterdessen erhielten die Feinde auf Ansuchen Deroy's Hülfe von Salzburg her, indem das 10. Linienregiment und die Batterie Peters schon am 28. May bey Innsbruck ankam. Die Zahl der Tyroler war auf 9000 gestiegen, die der Bayern auf 11,000 Mann. Der Schlachtplan war derselbe, wie der erste, nur daß der Kampf schon am frühesten Morgen begann. Speckbacher und Straub vertrieben die Bayern von der Haller und Volderser Brücke; die Österreicher unter dem Oberstlieutenant Reissenfels, von einem Haufen Tyroler unterstützt, nahmen vom Paschberg herab Ambras. Die Bayern wurden meistens nach tapferem Widerstande von den Höhen herabgetrieben; am heftigsten war der Kampf am Berg Isl. Ein neuer allgemeiner Sturm der Bayern, unterstützt von einem heftigen Kartätschenfeuer, gelang theilweise; namentlich wurden die Österreicher von Ambras vertrieben; nur die Tyroler wichen hier nicht und deckten den Rückzug der Österreicher. Als aber die Bayern auch auf dem Isl sich festzusetzen drohten, schob Ertl noch zwey bis jetzt im Rückstand gebliebene Abtheilungen der Tyroler vor, welche den Feind auch in die Ebene hinabtrieben. Nachmittags 4 Uhr fingen die Kriegsvorräthe auf beyden Seiten an auszugehen. Ertl, der die Ankunft der Oberinnthaler erwartete, suchte durch Unterhandlungen Zeit zu gewinnen; Deroy, der in der Nacht sich zurückziehen wollte, schlug die verlangte Ergebung aus. Unterdessen traf Teimer mit 500 Oberinnthalern von Zirl her bey Kranabitten im Rücken der Feinde ein; den größten Theil seiner Mannschaft hatte er nach Scharnitz abschicken müssen. Um 6 Uhr endigte der Kampf überall. Auf allen Höhen zunächst um die Stadt loderten in der Nacht die Wachtfeuer der Tyroler. Deroy benutzte die Dunkelheit, um sich eiligst durch das Unterinnthal nach Salzburg zurückzuziehen. Die Bayern hatten an diesen Schlachttagen 1500 Mann an Todten und Verwundeten, 200 Mann Gefangene, 5 Kanonen und 13 Vorrathswagen verloren (am letztgenannten 29. May 3—400 Todte und Verwundete; die Tyroler an diesem Tage 60 Todte, 97 Verwundete; die Österreicher 25 Todte und 59 Verwundete). An demselben Tage fochten die Tyroler mit gleichem Erfolge bey Seefeld, in der Leutasch und bey Scharnitz, durch welche Päffe eine Bayerische Heeresabtheilung unter dem Grafen Arco sich mit Deroy verbinden wollte. Endlich wurde eine andere feindliche Heeresabtheilung an demselben Tage bey Hohenems im Rheinthale von den Vorarlbergern zurückgeschlagen.

In Folge des Znaimer Waffenstillstandes am 12. July 1809 verließ auch der Rest der noch in Tyrol stehenden Österreicher dieses Land, und Lefebre, Herzog von Danzig, zog von Salzburg nach Innsbruck, wo er am 30. July seinen Einzug hielt. Von hier schickte er die Division Reynier mit den herzoglich Sächsischen Truppen über den Brenner, um dieses den Franzosen feindliche und verderbliche Gebiet in Besitz zu nehmen. Allein es gelang nicht und Lefebre, der selbst nach Sterzing eilte, um sich zu überzeugen und durch seinen Einfluß, wie er meinte, der Sache eine andere Wendung zu geben, mußte nicht ohne Demüthigung am 11. August nach Innsbruck zurückkehren (siehe Eisackgebiet). Schnell hatte sich nach jenen ersten Siegen in der Oberau und bey Mittewald wieder eine größere Anzahl Bauernschützen auf Andreas Hofers Aufgebot um ihn gesammelt. Am 13. August stand Hofer mit 18,000 Tyrolern wieder auf dem Berg Isl; die Feinde zählten 25,000 Mann nebst 40 Kanonen. Der Plan war derselbe, wie am 29. May. Den rechten Flügel der Tyroler, welcher vom Paschberge bis zur Volderser Brücke reichte, befehligte der kühne Speckbacher; den Oberbefehl des linken Flügels, der sich über Mutters, Natters und die Gallwiese zog, leitete der Kapuziner Haspinger; in der Mitte stand Hofer; jenseits des Inns mußten die Oberinnthaler die Höttinger Höhen besetzen. Mit den Tyrolern vereinigten sich noch 300 nicht mit abziehende Österreicher. Um 8 Uhr waren die feindlichen Pikets von den Höhen verdrängt, worauf ein allgemeiner Sturm von Seite des Feindes erfolgte. Anfangs war das Gefecht am heftigsten bey der Gallwiese. Mit der größten Tapferkeit und Erbitterung wurde von beyden Seiten gekämpft. Unterdessen begann auch das Gefecht im Norden von Innsbruck und am Paschberg. Den Bayern gelang es nach großer Anstrengung, die Tyroler von dem Höttinger Berg bis Kranabitten zurückzudrängen, weil hier die Tyroler zu schwach waren, indem sie, um ihren Rücken zu decken, eine große Abtheilung über Seefeld gegen die Scharnitz hatten senden müssen. Weiter aber als Kranabitten konnten die Bayern nicht vordringen. Ohne den mindesten Erfolg ließ der Herzog von Danzig, welcher in Wilten selbst den Kampf leitete, die Höhen stürmen; hatten sie die Bayern auch einmal erreicht, so wurden sie bald wieder in die Tiefe zurückgetrieben. Die Nacht erst machte diesen blutigen Stürmen ein Ende. Der Herzog, untröstlich über diese Niederlagen, beschloß den Rückzug, ließ jedoch zuvor noch einige Gebäude bey Wilten durch Feuer zerstören. Trotz des furchtbaren Kampfes verloren die Tyroler am 13. August nur 210 Mann an Todten und Verwundeten; da der Feind seine Todten in die von ihm angesteckten Häuser warf, so läßt sich sein Verlust nicht angeben. Seit dem 4. August aber wird der Verlust des feindlichen Heeres an Todten und Verwundeten auf 4—5000 Mann, an Gefangenen auf 6000 Mann angegeben. In der Nacht auf den 15. August, den Napoleonstag, hatte sich der Herzog in aller Stille durch das Unterinnthal nach Salzburg zurückgezogen, und Hofer zog mit seinen Schützen an demselben Tage in Innsbruck ein.

Doch schon am 17. October rückten drey Bayrische Divisionen das Innthal herauf. Schnell waren auch die Tyroler wieder auf den Höhen rings um ihre Hauptstadt vereinigt. Der Französische General Drouet ließ Hofern den zwischen Österreich und Frankreich geschlossenen Frieden bekannt machen. Allein da diese Botschaft von einer feindlichen Armee überbracht wurde, zweifelte man nicht mit Unrecht an der Wahrheit. Der Feind kam den 25. October nach Innsbruck, zog sich aber wieder auf die Haller Aue zurück. Am 26. October rückten die Bayern über die Innbrücke von Hall aus, um die Bauern von den südlichen Höhen zu vertreiben, fanden aber einen sehr kräftigen Widerstand, so daß sie an 100 Mann verloren; im nahen Zimmerthale fielen 300 Mann in die Gefangenschaft der Bauern. Am 27. October kam ein angeblicher Friedenscourier aus Villach vom Vicekönig von Italien, und es wurde den Tyrolern Amnestie versprochen, wenn sie die Waffen niederlegten. Allein der Datum vom 25. October und das noch feuchte Druckpapier, zumal da der Courier nicht auf geradem Wege kam, erregte wieder Verdacht. Der kleine Krieg wurde daher fortgesetzt. Aus unglaublichen Fernen stutzten die Tyroler die feindlichen Offiziere weg; wie z. B. von der Höhe von Büchsenhausen zwey Offiziere beym Löwenhause jenseits des Inns getödtet wurden. Hofers Hauptquartier war um diese Zeit in Schönberg und zwar in dem Wirthshause von Unterschönberg, da, wo der aus dem Stubanthal hervorrauschende Rutzbach von einer Brücke überspannt ist, über welche die Straße zieht, um sich sogleich den steilen Schönberg hinan nach Oberschönberg zur Post zu erheben. Hier überbrachte ihm am 29. October der Freyherr Jos. von Lichtenthurn aus dem kaiserlichen Lager von Totis nebst jener Bekanntmachung des Vicekönigs ein Handschreiben des Erzherzogs Johann, in welchem der Friede bestätigt und der Wunsch des Kaisers ausgedrückt war, die Tyroler möchten sich ferner nicht mehr aufopfern. Der Friedenscourier, Freyherr von Lichtenthurn, schon von Jugend an mit der Epilepsie behaftet, bekam, als er die niederschlagende Botschaft verkündete, einen so heftigen Anfall, daß er mit einem Schrey zu Boden stürzte. Hofer hielt eine Versammlung, in welcher die Gewißheit des Friedensabschlusses anerkannt wurde. Es wurden in Folge dieses Abberufungsschreiben an die Befehlshaber der Volksmassen, wie Friedenserklärungen an die feindliche Macht erlassen. Eben wollte Hofer selbst nach Hall, in das Bayrische Hauptquartier, um sich dem Kronprinzen von Bayern, jetzigem Könige, zu dem das Volk Vertrauen hatte, vorstellen zu lassen. Da trat die Wendung des Tyroler Krieges ein, welche den Tyrolern Unglück brachte. Dieser zweyte Theil wird von Vielen hart getadelt, doch möchte der Haupttadel nicht die Sache, sondern die Art ihrer Ausführung treffen. Die Sache war so gut, wie der Freiheitskrieg von 1813 auch und hatte nur den Fehler, daß sie unglücklich ausfiel. Es kam wohl weniger jetzt darauf an, ob Tyrol Österreichisch oder Bayrisch bleiben sollte, als darauf, ob das Volk, welches in Tyrol auch eine Stimme hat, von einer fremden Macht geradezu einem anderen Herrn zugetheilt werden könne. Denn die Tyroler sprachen selbst aus, daß sie von jetzt an für sich fechten wollten. Daß jedoch auch der Fanatismus in Anspruch genommen wurde, beweist schon dieses, daß es der Kapuziner Haspinger war, welcher Hofers Gesinnung plötzlich umwandelte. Auf jenes Abberufungsschreiben kam derselbe in größter Eile nach Schönberg, gerade als Hofer nach Hall fahren wollte, erklärte die ganze Botschaft für Erdichtung und führte namentlich den Anfall des Freyherrn von Lichtenthurn als ein Strafgericht Gottes an. Durch das Feuer seiner begeisterten Rede war Hofer bald umgestimmt und fuhr, statt nach Hall, mit Haspinger nach Matrey, trotz aller Protestationen der anderen Häupter. In Matrey wurde er von dem Mönche noch mehr bearbeitet; am meisten wirkte aber die Erinnerung, daß die Amnestie ein Versprechen Napoleons sey. Es wurde demnach hier die Fortsetzung des Krieges beschlossen. Eilends gingen Gegenbefehle an die Volksanführer. Allein viele Massen hatten sich schon in Folge des ersten Abberufungsbefehles zerstreut und in ihre Heimath begeben, ihre Begeisterung war dadurch gedämpft; ein neuer Aufruf konnte sie nicht herstellen. Begeisterung und Einigkeit, die Hauptstützen eines solchen Lebenskampfes gegen eine überlegene Macht, fehlten von jetzt an; daher der unglückliche Ausgang des Kampfes am 1. November. Dazu kam auch die viel bedeutendere Masse der Feinde. Der Kampfplatz war derselbe. Durch einen starken Nebel begünstigt, griff der Feind die Tyroler mit 40 Kanonen am Berg Isl an und brachte sie bald zum Weichen. Ebenso wurden auch die Tyroler vom Höttinger Berg nach Kranabitten verdrängt, hauptsächlich durch ihren verspäteten Angriff. Nur der tapfere Speckbacher hielt sich den ganzen Tag über bey Hall und zog sich erst Abends nach Rinn ins Südgebirge zurück, Hofer nach Steinach. So endigten die Kämpfe auf dem von uns durchwanderten reizenden Höhenkranz. Jeder Vaterlandsfreund, selbst der Bayer, wenn auch damals gezwungener Feind, wird nun die Rundreise um die Hauptstadt mit um so größerem Interesse machen. Er wird auch den gefallenen Landsleuten, welche für Deutschlands Feinde fochten, im Geiste ein Denkmal setzen, wie es Bayerns König seinen in Rußland gefallenen Bayern in München errichtete. *Auch sie starben für das Vaterland.*

Die Lage Innsbrucks an der Einmündung der Sill in den Inn fordert uns noch zu einem größeren Ausfluge auf, nämlich in das Gebiet dieses mächtigen Baches, eines der größten Seitenbäche des Inns. Nicht mit besonderem Interesse wird der Fremde an dem Falle der Sill bey Wilten verweilen; hat derselbe aber mit uns das ganze Gebiet dieses Baches durchwandert, hat der Maler Studien und Landschaften, der Botaniker seltene Pflanzen, der Mineralog schöne Steine, der Geognost und Geolog reiche Erfahrungen mitgebracht, dann weilt er nicht ohne große Theilnahme bey dem Abschied dieser Bergnymphe aus ihrem lieben Heimathslande. Wie der Reisende sich freut, einen biederen Hochländer, der vielleicht sein Führer war oben in der einsamen Heimath der Gemsen, Adler und Murmelthiere, im Getreibe einer Stadt zu begegnen, und mit ihm sich nochmals jener Augenblicke zu erinnern, die uns ewig unvergeßlich bleiben werden, so ruft auch jede Welle der Sill, welche hier zum letzten Mal brausend ihr Berglied anstimmt, alle die Scenen lebhaft zurück, die wir oben in den Provinzen ihres Reiches erlebten.

Das Thal und Gebiet der Sill oder das Untere Wippthal [1]).

Dieses Thal läßt sich durchaus nicht mit seinen beyderseitigen Nachbarn, dem Ötz- und Zillerthale, vergleichen. Wandern wir in jenen Thälern hinauf, so wird zuletzt der Weg durch ein Querjoch gesperrt, über welches sich ein Steig windet. Wenn dagegen hier der Reisende den Schuttwall erstiegen, dann thaleinwärts auch einige Engen und eine Stiege passirt hat, so kömmt er zuletzt auf eine Thalfläche, wo er den Lauf des Wassers nicht unterscheiden kann, und indem er rechts und links an den Bergen das Joch des berühmten Brenners sucht, geht es unvermuthet wieder abwärts. Mag man dagegen rechts oder links in ein Thal abbiegen, so führen nur hohe Jochübergänge in die anliegenden Thäler.

Das Sillthal spaltet die Ötzthaler und Zillerthaler Gruppe, es geht gleichsam durch die Centralkette ohne Joch. Ob es gleich nur 9 Stunden lang ist, so ist sein Gebiet um so größer, als die östlichen Seitenthäler der Ötzthaler Gruppe und die westlichen der Zillerthaler Gruppe in dasselbe ausstrahlen. Wie wir an dem Ausgange jedes Seitenthales einen Schuttberg, der aus dem Thale hervorgetrieben war, fanden, so finden wir hier eine Anhäufung solcher Schuttberge oberhalb des Berges Isl, weil viele Thäler sich hier erschließen, gerade wie oben im Eisgebirge die Gletschermeere, wo mehrere Gletscher sich vereinigen. Gewöhnlich hat man die Höhe dieser Halden in einer Viertelstunde erstiegen und erreicht ihr Ende, und somit den inneren Thalboden in einer Stunde, bald nach der klammartigen Öffnung des Thales. Hier zieht die Straße 3 Stunden hinan auf die Höhe des Schönbergs und dann geht es noch 2 Stunden lang neben dem Schlunde der Sill hin, bis man im Thalboden neben diesem Bache den Weg weiter fortsetzen kann. Außerdem sammelte und häufte sich der Schutt noch an und durch die Felsenmassen von Urschiefer an der Mündung des Thales. Man sieht sie am Berg Isl und weiterhin vereinzelt aus dem Schutte aufragen. Die Sill selbst bildet von Matrey an einen 5 Stunden langen Schlund; auf dem Wege von Schönberg nach Matrey erblickt sie der Reisende links in nächtlichem Abgrunde. Da sich dieser gewaltige Trümmerhaufen auch vor das Stubaythal lagerte, mußte ihn auch dessen Bach, der Rutzbach, durchwühlen. Die durch den Rutzbach und die Sill nördlich scharf zugeschnittene Schuttmasse heißt der Schönberg, auf welchen sich von Unterschönberg am Rutzbache aus die Straße steil hinanhebt, nachdem sie von Innsbruck aus bis hierher den Berg Isl überstiegen hat. Schon seit den ältesten Zeiten war diese Durchgangspforte der Alpen ein Völkerthor, durch welches die Völker aus- und einströmten, bald in verheerenden Kriegszügen, bald in friedlichen, Wohlstand und Bildung mit sich führenden Handelscaravanen. Daher denn auch die Reihe schöner Städte, Märkte und Dörfer von Innsbruck bis Botzen.

Wanderung durch das Gebiet der Sill.

Von Innsbruck aus folgen wir der großen Südstraße, durch die Neustadt, wo wir uns nochmals umwenden, um hoch über den weißen Häusern dieser breiten und schönen Straße die jähen, in der duftigen Morgenbeleuchtung Gewitterwolken gleichenden Kalkwände anzustaunen. Von Wilten an erhebt sich die alte Straße steil, die neue sehr allmählig, indem sie erst weit nach Westen zieht, um die steileren Abhänge des Berges Isl zu umgehen. Auf der alten Straße gelangt man bald zu dem Denkmale der Zusammenkunft der Kaiserin Maria Theresia mit der Spanischen Prinzessin Ludovica, deren Vermählung mit Leopold II. in Innsbruck vollzogen wurde. Zur Verherrlichung des Einzuges erhob sich die schöne Triumphpforte. Im Aufstiege hat man fortwährend eine herrliche Übersicht von Innsbruck und seiner Umgegend. Auf einem bewaldeten Glimmer-

1) Der oberste Thalkessel des Eisackthales ist das Obere Wippthal. — Das Land Tirol B. 1, 421. 847. B. 3, 392. Zeitschrift des Ferdinandeums 1825. B. 1, 166. (das Thal Stubay). Neue Zeitschrift des Ferdinandeums 1848. B. 6, 73. Tirol von Staffler B. 1. Heft 2. S. 212 u. s. w.

schieferfelsen sind noch die wenigen Reste von Sonnenburg zu sehen, von welcher noch jetzt das Landgericht Wilten seinen Namen hat. Einst war Sonnenburg ein Römerkastell. Nachdem die Straße die Höhe des Berges Isl, eine Vorstufe des westlichen Mittelgebirges, erstiegen hat, zieht sie, Innsbruck verlierend, thaleinwärts, links die Sill in der Tiefe, rechts in der Höhe das Mittelgebirge. Der Weg durch die waldigen Höhen würde langweilig seyn, wenn nicht die gerade über dem Hintergrunde schwebende Kalkpyramide der Waldrasterspitze, die eine Hauptzierde, gleichsam die Nase der Physiognomie der Innsbrucker Gegend ist, fortwährend ein unterhaltendes Schauspiel darstellte. Nach einer starken Einbiegung in eine Schlucht des westlichen Mittelgebirges, wo der Bach von Mutters herabkömmt, erblickt der Wanderer in düsterem Schatten eine Häusergruppe, vor welcher der aus dem Stubaythal wild hervorrauschende Rutzbach durch eine Brücke überspannt ist. Ein lärmendes Leben von Fuhrleuten, durch dessen Gedränge man sich kaum durcharbeiten kann, ist vor dem Wirthshause. Es ist Unternberg oder Unterschönberg, das Hauptquartier des Sandwirthes während der Kämpfe am Berg Isl.

Der Rutzbach fällt nicht weit unterhalb Unternberg in die Sill; zwischen beyden erhebt sich, meist aus Schuttgebirge bestehend, ein sehr schmaler und steiler Bergrücken halbinselartig, von bedeutender Höhe; an seinem Westabhange steigt äußerst steil, rechts in der Tiefe den Rutzbach habend, die große Straße nach Oberschönberg hinan; daher hier die große Vorspann, indem die Vorspann über den Berg Isl hier wieder abspannt und neue stärkere für den Schönberg genommen wird. So wie die Straße über den Berg Isl verlegt und verbessert ist, so soll jetzt auch diese, wenigstens für das Fuhrwerk, verbessert werden, wenn auch der Reisende wohl den schönsten Punkt der Brennerstraße verliert. Diese neuere Straße soll nämlich da, wo bey dem noch zu nennenden Denkmale die alte Straße rechts an der Westwand hinansteigt, links ziehen, dann um die Ecke biegen, unter welcher sich der Rutzbach in die Sill wirft, und sich darauf an dem Ostabhange jenes Bergrückens immer längs der Sill in der Tiefe zur Linken, rechts die Wände des Schönbergs emporziehen nach Matrey, wo die Sill in ihre Engen tritt. Wir folgen jedoch, wie auch jeder Reisende, dem es um etwas zu thun ist, der ein Freund großer und erhabener Naturscenen ist, der alten Straße.

Bey der genannten Wendung der Straße nach Süden erblickt der Reisende eine Marmorplatte, welche kurz die Geschichte dieser Straße darstellt. Einst war sie Römerstraße, wie die 1616 bey einem Neubau der Straße aufgefundenen Meilensteine (Marc Aurel, Sever, Julian, Caracalla und Decius) und Römisches Straßenpflaster bezeugen. Mit dem Römerreiche zerfiel auch sie und erst im 16. Jahrhunderte unter dem Erzherzog Ferdinand II. (1582—84) wurde sie wieder hergestellt. Wegen der zu großen Steilheit wurde 1777 unter der Kaiserin Maria Theresia die jetzige angelegt. Der Fußweg führt die alte Straße hinan. Da die jetzige Straße in einer Stunde noch immer fast 1000 Fuß steigen muß (nach L. v. Buch nur 750 F.), so läßt sich leicht daraus ihre Steilheit abnehmen. Nach einem mühsamen Stieg wird es lichter und mit Freuden begrüßen wir das wie eine Alpe liegende Oberschönberg, 3245 F., dessen Lage seinen Namen rechtfertigt. An dem Posthause vorüber ladet das freundliche, am schönsten Punkt der Straße liegende Wirthshaus zur willkommenen Rast. Postwechsel zwischen Innsbruck und Steinach. Die Gemeinde zählt 50 H. und 272 E., welche 25 Pferde, 32 Ochsen, 205 Kühe, 88 Schafe und Ziegen und 25 Schweine besitzen. Das Straßenfuhrwesen bringt 2—3000 fl. ein. Die Kirche wurde von dem als Kirchenbaumeister bekannten Pfarrer Penz erbaut. Von ihm wurden außer dieser noch die Kirchen zu Telfs im Stubaythal, Steinach, Gschnitz, Schmirn, Gossensaß, Brixen, Zilliach, Amras, Arzl, Weyerburg und Wilten erbaut, so wie die von Mieders und Gnadenwald hergestellt. Auch von fünf Pfarrwohnungen ist er der Baumeister. Seine meisten Werke versah er noch mit Stiftungen. — In der Kirche ein Deckengemälde von Franz Leitersdorfer aus Reute und von Joseph Mages aus Imst. Auf der Ruhebank vor dem Wirthshause sieht man nördlich die ganze Kette der Kalkalpen, östlich den sanft gewölbten Patscherkofl. Reitzender ist aber die Aussicht entweder hinter dem Wirthshause oder auf dem Rain jenseits der Straße in das sich hier weit und offen erschließende Stubaythal mit seinen grünen Bergmatten, reinlichen Dörfern und majestätischen Eisbergen, von denen die Gletscherströme herabsteigen. Diese Aussicht ladet uns zu einem Ausfluge in dieses große, in vielfacher Hinsicht merkwürdige Thal.

Das Stubaythal. Gletscher, Wasserfälle, Mineralien, herrliche Alpen und Gewerbe ziehen in diesem Thale vorzüglich die Aufmerksamkeit des Reisenden auf sich. Das Thal zieht in südwestlicher Richtung in die Centralkette, und zwar zu dem eisigen Hochkranz der Özthaler Gruppe hinan. Obgleich im Schooße des Urgebirges liegend, sitzen auf vielen seiner Vorberge hohe Kalk- oder Dolomitkuppen. Die beyden Eingangspfeiler dieser Art sind zur Linken die Waldrasterspitze (auch Serlesspitze oder Sonnenstein genannt), 8570 F., eine ungeheure Kalkpyramide, mit welcher eine Reihe hoher Kalkgipfel beginnt; zur Rechten die Saile- oder Rockspitze, 7587 F., deren Dolomitgipfel wir schon erstiegen. Das Hauptthal streckt sich von Schönberg fast geradlinig 10 Stunden weit hinan, ohne den Blick durch Thalengen zu hindern. So hoch wir auch von Innsbruck aus bis hierher gestiegen sind, so zieht doch die Thalstraße von Schönberg aus nur unbedeutend abwärts in das Thal hinein, und zwar auf dessen Thalsohle. Das Landgericht Mieders, etwas über 6 Quadratmeilen groß, umfaßt ohngefähr gerade das ganze Thal. Schon in einer halben Stunde begrüßt uns, thaleinwärts wandernd, das erste Dorf des Thales, das gastliche Mieders, mit 70 meist massiven H. und 482 E., welche 11 Pferde, 98 Ochsen, 242 Kühe, 74 Ziehkälber, 36 Schweine, 220 Schafe und 37 Ziegen besitzen. Ein großes und gutes Wirthshaus die blaue Traube beym Lener, da sich viele Sommerfrischgäste hier aufhalten. Sitz des Landgerichtes. Bad; die Quelle enthält schwefelsaure Bittererde, kohlensaure Bitter- und Kalkerde, Chlorkalium und salpetersaure Magnesia, heilsam gegen Rheumatismen, Verstopfungen, Hautausschläge und Drüsenleiden. Molkenkur. Die Kirche, von dem genannten Penz erneuert, besitzt das Waldraster Marienbild. Gemälde von Geyer; die Kreuzwegbilder und Deckengemälde von Jenewein aus Mieders. Das Dorf liegt 2978 F. üb. d. M., 1212 F. über Innsbruck und 267 F. unter Schönberg. Ausflüge werden von hier nach Gleins, einer Häusergruppe mit wundervoller Aussicht, und der ehemaligen noch höher liegenden berühmten Waldrast gemacht, wovon die hohe Serlesspitze auch Waldrasterspitze genannt wird. Der Kalte Bach durchstürzt das Ende des Dorfes, von Sägemühlen belebt. Nicht weit von Mieders schneidet sich der Rutzbach in ein tiefes von Wald umschattetes Bett, um sich in die Schluchten des Schönberges zu stürzen. Desto heiterer lacht von der jenseitigen Höhe das heitere Telfs auf dem sonnigen Mittelgebirge der Rockspitze, hier Saile genannt, mit 75 H. und 519 E., 1 Stunde von Mieders. Der Viehstand zählt 13 Pferde, 32 Ochsen, 258 Kühe, 68 Kälber, 48 Schweine, 286 Schafe und 41 Ziegen. Hier lebte der Kirchenbaumeister Penz als Pfarrer 1748—1771, aus Navis gebürtig. Die Altar- und Deckengemälde von Joh. Bergmüller, die vierzehn Nothhelfer von Grasmayr und die Stationen von Jenewein. So wie Mieders der Sitz des Landgerichtes ist, so ist das nächste Dorf, welches wir von dort in einer Stunde erreichen, Fulpmes, 2898 F., der Hauptort des Thales in gewerblicher Hinsicht. Die Straße dahin leitet im Angesicht der Schneeberge im Thale hinauf; vor dem Orte setzt sie über den Rutzbach. Das Dorf zählt 96 H. und 798 E. (die Gemeinde 131 H., 964 E.), 1 Schule, 1 Armenhaus, 1 Wundarzt und 1 Jahrmarkt. Der Viehstand: 24 Pferde, 24 Ochsen, 253 Kühe, 26 Ziehkälber, 37 Schweine, 314 Schafe und 133 Ziegen. In der Kirche sind vier Gemälde von der Margaretha Mösl[1]). Ehemalige Eisengruben im Thale führten zu Eisengewerben, welche, wenn

1) Dieses Bauernmädchen mußte bey den Kirchen, welche Penz erbauen und ausmalen ließ, die

der Bergsegen längst erloschen ist, noch fortblühen, indem theils rohes Eisen, theils Eisenwaaren eingeführt werden. Der Verfasser fand selbst Eisenwaaren aus seinem Vaterlande. Alles hämmert und pocht hier; 93 Schmiedemeister (1838) verarbeiten mit 120 Gesellen und 100 Gehülfen das Eisen zu allen möglichen Waaren, von dem gröbsten Feldgeräthe bis zu den feinsten Galanteriewaaren. Daß hier verhältnißmäßig die Zahl der Gesellen und Gehülfen gegen die der Meister gering ist, mag eine Folge des erfinderischen Sinnes und mechanischen Talentes der Tyroler seyn. Als ein Beyspiel hierzu mag der Kupferschmiedmeister Joseph Kremser bey Telfs (denn auch dort wird, wenn auch nur vereinzelt, geschmiedet) dienen. Sein Häuschen ist 22 Schuh lang, 18 Fuß breit und liegt an einem Bache, der ihm manche Hand erspart. Der Bach, welcher nur 7 Zoll breit und 2 Zoll tief ist, treibt drey Räder. Im innern Raume des Häuschens befinden sich ein Hammerwerk mit sechs kleinen und einem großen Hammer, zwey Messingdrehmaschinen, ein Kohlenmagazin, eine Schleif-, Mahl- und Polirmühle, eine Feueresse mit Amboß, eine Schlafkammer mit Ofen. Mit drey Gehülfen verarbeitet er hier jährlich 40 Centner Messing und 4 Centner Kupfer, besorgt nebenbey seinen Haushalt mit vier Kühen und zwey Ochsen, spielt die Flöte, die Klarinette, das Fagot und gibt behufs der Kirchenmusik Unterricht. Das Eisen, (1838) 2200 Centner, kömmt aus Kärnthen und Steyermark; nur der neunte Theil wird aus Tyrol bezogen. Messing, Kupfer und Tombak liefert Achenrain im Innthal; die Kohlen werden theils im Thale selbst gewonnen. Der Betrag der außerhalb des Thales bezogenen Rohstoffe, als Eisen, Kohlen, Ebenholz, Elfenbein, Schildkrot, Perlmutter u. s. w., beläuft sich jährlich auf 61,000 Gulden. Dazu werden für 15,000 Gulden fremde Eisenwaaren eingeführt, um wieder als Stubayer verkauft zu werden. Ausgeführt werden im Ganzen für 115,000 Gulden. Aus dem ehemaligen Kraxen-[1]) und Kärnerhandel ging der Stubayer Eisenhandel hervor. Es finden sich Niederlagen in Linz, Wien, Grätz, Brünn, München, Augsburg, Ulm, Lausanne und Frastanz in Graubündten. Die Handelsgesellschaften bestehen aus einem Vorstande, welcher den Namen gibt, den Ganz- und Halbkameraden und Knechten oder Lehrjungen. Viele dieser periodischen Auswanderer siedelten sich zuletzt im Auslande an, Andere kehrten, nachdem sie sich in der Fremde durch zeitweise Niederlassungen etwas erworben hatten, in die liebe Heimath mit dem Gewinne zurück; doch merkwürdig genug, in das schöne Stubaythal wenigere, als die Auswanderer anderer Thäler. Den Ort zeichnen alte und schöne Gebäude aus. Das Wirthshaus beym Lutzwirth ist gut. Von Norden kömmt der Schlickbach herab und treibt die meisten Werkstätten, und in seinem obersten Gebiete sollen einst die meisten Eisengruben bestanden haben. So förderlich er aber auch dem Gewerbfleiße der Bewohner ist, so raubt er ihnen dennoch bisweilen durch seine stürmischen Fluthen den Fleiß vieler Jahre. Nur die Unverdrossenheit des Älplers vermag solche Unglücksfälle zu ertragen und, ohne zu verzweifeln, durch eisernen Fleiß den Schaden wieder gut zu machen. Im Jahre 1807 riß der Bach zwey Wohnhäuser, zehn Schmieden, vier Schleifmühlen, drey Scheunen, zwey Kohlhütten hinweg und überschüttete das Land mit Steinen und Schutt. Der Schaden dieser einzigen Fluth betrug 101,501 fl. Durch einen festen Wasserbau hat man bis jetzt die Wuth des Baches im Zaume gehalten. Mit dem Schlickbache, welcher gerade von einem Joch im Norden zwischen dem Ampferstein und Saile (Nockspitze) herabkömmt, vereinigt sich von Nordwesten her der Kalkbach, der mit Recht seinen Namen führt. Über die herrliche Voralpe Froneben, eine halbe Stunde von Fulpmes, gelangt man in den großen Thalkessel der Schlickalpe. Den grünen Boden der Alpe umschließt eine Reihe von Kalk- und Dolomitfelsengipfeln, welche zur Linken süd-

---

Farben reiben und wurde dadurch ohne allen Unterricht Malerin, und aus diesem Gesichtspunkte müssen ihre Gemälde angesehen werden.

1) Kraxe, Krage (Kragse), Reff, das gewöhnlichste Geräth der männlichen Älpler zum Tragen; daher hier auch Hosenkraxe = Hosenträger.

lich mit dem Hohen Burgstall beginnen, über die Kalkkögel fortsetzen und mit dem Ampferstein endigen. Zwey Steige führen durch die Scharten dieses Felsengurtes, der eine links am Burgstall vorüber in das Oberberger Thal (Seitenthal von Stubay), rechts der andere in das Sendeser Thal und nach Selrain. Endlich bringt noch ein Jochsteig zwischen dem Ampferstein und Saile von Fulpmes in 5 Stunden nach Axams. — Von Fulpmes thalaufwärts weiter ziehend, wird die Gegend auf einige Zeit ernster, zugleich groſsartig. Der Bach drängt die Straſse hart an eine morsche Wand hinan, zur Linken öffnet sich das Pinnesthal, von hohen senkrechten Kalkschroffen umstellt, deren Fuſs zum Theil in Schneefelder, gröſstentheils aber in Trümmerhalden gehüllt ist[1]. Pinnes von Stubay scheidend, tritt, von Südwest herkommend, eine Gebirgsmasse scheinbar in die Mitte des Thales vor, dasselbe, aufwärts gesehen, gleichsam spaltend; dennoch erscheint dieser hohe Gebirgszug nur als eine südwestliche Fortsetzung der ganzen rechten Thalwand, welche mit der Waldrasterspitze, in Fulpmes Sonnenstein genannt, beginnt. Von Neustift abwärts gesehen, liegt auch dieser Zug in einer Linie mit der unteren Fortsetzung. Die Angabe, als ob das Pinnesthal die Grenze der Waldraster Kalkgruppe sey, möchte, wenigstens dem äuſseren Ansehen nach, nicht richtig seyn, indem der erste Felsengipfel dieser Kette, der Elferkogl, offenbar, wie die südwestliche Fortsetzung, eine auf dem Glimmerschiefer aufgesetzte Dolomit- oder Kalkmasse ist. Durch diesen Doppelblick, links in das starre Pinnesthal, rechts in das zwar in sanftere Formen gehüllte, aber durch den Glanz seiner Ferner ebenfalls ernste Hauptthal, getrennt durch die gewaltige Masse der fernerbelasteten Habichtspitze, möchte dieser Standpunkt einer der malerischsten von Stubay seyn. Jenseits der Rutz liegt der Weiler Medraz mit einem Sauerbrunnen, Geburtsort des Bischofs Georg von Brixen, Sohn des Taglöhners Ruprecht Knaus. Er war als Chorherr Kanzler Friedrichs m. d. l. T., dann Geheimschreiber Kaiser Friedrichs III. Zu dem Weiler Röder führt links eine Brücke über die Rutz und ins Thal Pinnes. Zwar lockt uns ein Ausflug dahin, allein wir eilen zuvor in ein nahes Hauptquartier, von wo für den Freund groſser erhabener Scenen die Thäler und Wege dreyfach ausstrahlen. In einer Stunde von Fulpmes, dem gröſsten Dorfe des Thales, erreichen wir Neustift, die gröſste Gemeinde des Thales, obgleich ein kleines Dorf. Das Dorf zählt nur 19 H. und 148 E., die Gemeinde 216 H. und 1357 E. In Ansehung der Steuerpflichtigkeit zerfällt es in die Steuerstäbe: Rain, Röder, Unterberg, Milders und Oberberg. Die Gemeinde dehnt sich 7½ Stunden weit aus. Neustift selbst ist das letzte Dorf im Thale und liegt an der Stelle, wo die beyden Hauptthaläste, Unterberg (Fortsetzung des Hauptthales) und Oberberg, zusammentreffen, in schöner Gegend. 4 Schulen, 1 Wundarzt, 1 Jahrmarkt. Ursprünglich stand hier eine von Max I. gestiftete Kapelle; an ihre Stelle trat 1746 die jetzt in Ruinen zerfallende Kirche, welche bey der schnell steigenden Bevölkerung bald zu klein war; daher wurde 1779 die jetzige heitere und groſse Kirche erbaut, das letzte Werk des Pfarrers Penz. Sehenswerth sind die schönen Schnitzarbeiten von dem bekannten älteren Niſsl aus Fügen. Die Figuren an den Altären sind von Kleber, Berger und Gratl, die Altarblätter von Henrici, die Deckengemälde von Keller aus Füssen, Jos. Zoller, Haller aus Passeyr und Fr. Altmutter. 1824 besaſs die Gemeinde 17 Pferde, 400 Ochsen, 500 Kühe, 200 Ziehkälber, 160 Schweine, 2000 Schafe und 400 Ziegen. Das Wirthshaus ist gut, so daſs der Reisende es zum Standpunkte seiner Ausflüge machen kann, da, wenn auch einzelne Häuser, dorfähnlich zusammen gruppirte Sennhütten noch allenthalben hin zerstreut umherliegen, doch kein Wirthshaus mehr angetroffen wird. In Fulpmes und Neustift findet der Reisende Führer und Auskunft.

Drey Thäler laden zu Ausflügen ein, die wir jetzt unternehmen. Zuerst besuchen

---

1) Aus der Ferne gesehen, gleichen sie vollkommen den Dolomitpfeilern von Fassa.

wir das Thal Pinnes und ersteigen die Habichtspitze unter der Leitung des uns schon bekannten Thurwiesers. Das Thal Pinnes steigt aus dem Stubaythal zu dem Bergrücken, dem Pinneser Joch, hinan, welcher es vom Thal Gschnitz, auch einem Seitenthal der Sill, trennt. Dort, wo sich der oben schon erwähnte Seitenrücken, der das Thal im Westen begleitet und es vom oberen Stubaythal scheidet, an den Pinneser Jochrücken anlegt, steigt der gewaltige Hager oder die Habichtspitze empor, daher den Thälern Stubay, Pinnes und Gschnitz angehörig. Wie so manche Berge durch ihre auffallende Stellung oder Gestalt oder andere Umstände in den Ruf großer Höhe kamen oder noch stehen, so hieß auch einst ein Sprichwort: „Der Hager in Gschnitz, und der Willerspitz und die Martinswand sind die höchsten im ganzen Land.“ Die Habichtspitze erblickt der Reisende von Schönberg aus als eine weit in das Thal vortretende begletscherte Bergmasse; desgleichen zeigt sie sich auf der Straße von Innsbruck nach Hall links neben der Rockspitze. Nur muthige, geprüfte Gletscher- und Bergsteiger dürfen die Besteigung unternehmen, da der Berg äußerst jäh ist. Thurwieser hatte den Feilenhauer Ingenuin Krößbacher aus Fulpmes, gewöhnlich Hiesenjeni genannt, zum Führer. Er brach den 31. August 1836 um 6 Uhr Abends von Fulpmes auf. Der Weg ging über das Fulpmesser Feld, bey Medraz über die Rutz, worauf bald der Fahrweg verlassen wurde, um dem Gangsteig durch Äcker, Waldgruppen und über scharfes Gries zu folgen. Um 7 Uhr war die Mündung des Thales oberhalb Röder erreicht. Der Bach wurde dreymal überschritten, zuletzt nach einem Anstiege. Durch steile Mähder (Bergwiesen, die gemäht werden) gelangte man gegen $7\frac{1}{4}$ Uhr zu den sechs nachbarlich zusammenstehenden Hütten der Alpe Herzeben. Nach einer Rast von 4 Minuten wurde der Marsch fortgesetzt und nach 12 Minuten war die liebliche, nur von einem Hause belebte Thalfläche, der Issenanger, erreicht. Der Weg wurde nun beschwerlicher durch Gestrüpp und Bachkies, zumal da die Sterne schon am Himmel glänzten und nur noch ein schwacher Abendschimmer die beeiste Habichtspitze überhauchte. Bey einem gewaltigen abgestürzten Felsblock, dem Großsteine, erblickte man die Sennhütte der Pinneser Alpe, 4705 F. üb. d. M. und 1807 F. über Fulpmes; bey der Ankunft war es $8\frac{1}{4}$ Uhr; also von Fulpmes gegen $2\frac{1}{4}$ St. Herrlich war die Nacht, da der Mond die einsam stille Gegend erleuchtete, und als noch Alles dämmerte, leuchtete schon der erste rosige Morgengruß von den Eisfeldern des Riesen herab. Die ganze Gräthe von der Habichtspitze bis zum Elferspitz, das Pinnesthal vom oberen Stubaythal trennend, heißt hier der Kamp; er trägt gute Viehweiden, Wälder, durch Lawinenstreifen getheilt, und auf seinen Höhen die oben erwähnten Kalkmassen. Viel wilder und schroffer ist die östliche Thalwand gebildet. Schon von Röder erblickten wir diese Kalkschroffen, welche von der Waldrasterspitze über die Kessel- und Kirchspitze, das Kirchdach u. s. w. zum Pinneser Joch fortsetzen; ihre jähen, oft senkrechten Abstürze sind von weiten Schutthalden umhüllt. Wegen des vielen Grieses läuft der Pinneser Bach oft unterirdisch, eine in den Kalkalpen häufige Erscheinung. Um $\frac{3}{4}$ nach 5 Uhr wurde aufgebrochen. An einem Lawinenrest und der Ochsenhütte vorüber gekommen, begann das Reich des Krummholzes, hier, wie im Innthal, Zunder genannt. Hier fing das Kahr an, die Jochhöhe. Über einige Schneelagen wurde ohne Schwierigkeit das Pinneser Joch oder Alfachjöchl gewonnen, 7164 F. üb. d. M., also noch 2889 F. unter der Spitze. Man war 20 Minuten nach 7 Uhr auf dem Joche angelangt; hier wurde bis 8 Uhr gerastet. Jenseits Gschnitz stieg ebenfalls eine hohe Bergkette auf, deren Höhe jedoch nicht die Habichtspitze erreicht. Von hier aus sieht man von letzterem Berge nur die jähen Felsabhänge, welche wegen ihrer Nähe und Steilheit die höchsten Eisfelder verbergen. Um 8 Uhr wurde wieder vom Joche aufgebrochen, und man hielt sich nun rechts auf dem Kamme der Kette, so daß rechts in der Tiefe Pinnes, links Gschnitz lag. An der Speikgrathhöhe wurde links abgebogen. Am Langen Lähner, der hintersten, von der Habichtspitze furchtbar jähen, mit Schnee ausgefüllten

Schlucht, in welche man nicht ohne Schwindel hinabblickt, erreichte man wieder den Kamm und erblickte die Pinneser Alphütte. Nun begann der äußerst steile Aufschwung des Berges; über Felsplatten bald, bald über loses Geröll mußte mit Händen und Füßen geklettert werden. An einem Bächlein, welches aus dem Schnee in den langen Lähner hinabrieselte, wurde um 9¼ Uhr wieder gerastet, da weiter aufwärts kein so passender Standpunkt zu finden war. Die Aussicht war schon sehr schön. Die Quelle hatte 1,65° R. Kurz vor 10 Uhr wurde der Weg fortgesetzt. Über Felsen zwischen Schnee- und Eisfeldern wurde um 10¼ Uhr das K ö p f l erreicht. Hier änderte sich die Beschaffenheit des Weges; weit hingestreckt lagen die Eisfelder und erhoben sich steil zum Doppelgipfel. Von diesem zieht ein Fernergrath, einem steilen Kirchendache ähnlich, zum Köpfl, und über diesen Eiskamm mußte man eine Strecke, sich die Hände reichend, hinan, bis sich der Gletscher flacher gestaltete. Man verließ den Eiskamm, um die ansteigende Eisfläche schräg zu durchschneiden. Klüfte unterbrachen den Gang fast gar nicht, allein sehr lästig waren die Strahlen der Mittagssonne durch Wärme und Schneeglanz. Auch wurde der Ferner sehr steil und bildete, wo er sich an die Wände der Spitze anlegte, eine lange und 5 Fuß breite Spalte, ein Hinderniß, welches oft bey hohen Bergen nahe am Ziele eintritt. Zum Glück leitete über den schwarzen Abgrund dieser Spalte eine Schneebrücke. Nach 11 Uhr wurde das letzte Geschröff erreicht, aus Schiefer bestehend und von außerordentlicher Steilheit, bisweilen überhängend. Wegen der Brüchigkeit und dem Gerölle mußte die größte Vorsicht angewendet werden. Um 11¼ Uhr endlich betrat man den Gipfel. Die Belohnung war groß, denn kein Wölkchen trübte den Gesichtskreis, dessen wichtigste Punkte, mit N.N.W. anfangend und rechts herumgehend, folgende sind: Dort erblickt man zunächst Seefeld mit seiner Kirche, die Leutasch und den Wetterstein, darüber hinaus die sanfteren Voralpen; rechts folgt der Solstein, dahinter das Kahrwendelgebirg, dann die Frauhütt, darunter die Nockspitze; in der Tiefe im grünen Thale Fulpmes, darüber im Innthale Mühlau; über dem Eiferspitz, dem Vorgebirge der Habichtspitze, zeigen sich Telfs, Igels, Vill und Arzl, dann Mieders, Patsch, Lans, Rum, Taur und Absam. Darüber hin die langgestreckte Mauer der Kalkalpen im Norden des Innthales, über deren Köpfe aber noch ein Gewirr von Kalkfelsen auftauchte. Die Kette fällt mit dem Pendling bey Kufstein in das Innthal und setzt jenseits mit dem Grenzhorn und dem großen Kaisergebirge fort zu dem großen Kalkfelsenstock von Lofer und Berchtesgaden mit seinen Hörnern; fernher leuchten die Eisfelder der Übergossenen Alpe und des Thorsteins bey Hallstadt. In der nächsten Tiefe darunter zieht das grüne Thal Gschnitz hinaus ins Sillthal, wo man das freundliche Steinach und darüber Navis erblickt. Rechts glänzen die Massen des Duxer Ferners und daneben die ganze Eiswüste des Venedigers und des Zillerthales. Gegen Südost streift der Blick über ein Gehöckel ohne besondere Gestalten bis nach Krain, wo das plötzliche Abbrechen der Berge die umflorten Ebenen Venedigs vermuthen ließen. Etwas rechts beginnt aber nun das Gezack und Gewänd der Dolomitmassen von Fassa; hoch über alle schwebte die beeiste Vedretta Marmolata; deutlich erkannte man den Absturz des Schlern. Durch Passeyr eilt der Blick nach Meran ins Etschthal hinaus, ohne einen Ort unterscheiden zu können; die geradlinigen Formen des Mendelzuges zeigen die Lage des Nonsberges. Gegen Südwest beginnt die hohe Eisgebirgskette, welche Tyrol vom Veltlin scheidet; da aber hier zugleich auch in der Nähe die gewaltigen noch ungemessenen Eisberge von Stubay auftreten, so lugen jene weiten Fernerhäupter nur stellenweis hervor. Der Ortler war nicht sichtbar. Aus dem hinteren, westlichen Özthale tauchen die Wildspitzen über die Stubayer auf. Entschädigt für den Mangel an Fernsicht in dieser Richtung wird man durch den Anblick der ungeheuern Schnee- und Eiswüste Stubay's, welche sich bis in ihre hintersten Winkel entfaltet. Deutlich sieht man die weiten und weißen Eismeere zwischen den Eishörnern des Hochfreuelers, Wilden Pfaffen, der Schaufelspitze, des Daunkopfs und Bockkogls, wie sie herabstiegen als blaugrüne Eisströme zwischen Wänden und

Grethen. An dem erst vor Kurzem erstiegenen Fernerkogl sah man noch die Spuren. Rechts vom Billerspitz entwickelt sich die Gegend von Rassereit, die Tiefe des Fernpasses zwischen den Kalkschroffen, der Hohen Mundi und der Zugspitze mit dem Plattacher Ferner. Die Flächen Bayerns waren in Duft gehüllt. Während des ganzen Aufenthaltes von 4½ Stunden war das herrlichste Wetter, völlige Windstille. Wärme im Schatten zwischen 7,25° und 7,66° R. Die Höhe des Berges, mit dem Barometer gemessen, beträgt 10,053 P. F. Der von Schnee entblößte Gipfel besteht aus Glimmerschiefer, welcher öfter mit vielem Quarz gemengt und dem des Fernerkogls ganz ähnlich ist. Ein Steinmannl (ein aufgerichteter Steinhaufe) bezeugte, daß der Berg schon vorher erstiegen sey [1]). Die Besteigung Thurwiesers hat noch den besonderen Werth, daß dadurch wenigstens einer der höheren Berge von Stubay gemessen wurde; denn es ist auffallend, daß man in dieser Gruppe, wie in der des Zillerthales, fast gar keine Höhenmessungen hat, ob sie gleich mit zu den höchsten des Landes gehören. — Es wurde 10 Minuten vor 4 Uhr wieder aufgebrochen. In etwas mehr als einer halben Stunde war das Köpfl, und in einer anderen halben Stunde die Quelle erreicht, wo eine Viertelstunde gerastet wurde; um 6 Uhr 20 Minuten stand man auf dem Pinneser Jöchl. Um 7¼ Uhr erfrischte man sich mit Milch an der Ochsenhütte 4 Minuten lang; 7¾ Uhr wurde in der Pinneser Alphütte eingekehrt und der Aufgang des Mondes erwartet, worauf man um 10¼ Uhr aufbrach und um 12¾ Uhr in Fulpmes eintraf. Demnach wurden zur Ersteigung des Gipfels von Fulpmes aus (ohne die Rast) 9 Stunden, mit den Ruhepunkten auf dem Joch und an der Quelle 10 Stunden 10 Minuten gebraucht: 2½ bis zur Pinneser Hütte, 2½ aufs Joch, 1¼ zur Quelle und 1¾ auf das Köpfl und 1 Stunde auf den Gipfel. Abwärts dagegen nur 4 Stunden bis zur Hütte und 6½ Stunden bis Fulpmes.

Das Oberberger Thal oder der Oberberg. Dieses und das Unterberger Thal oder der Unterberg sind die zwey Hauptäste des Thales, und durch das Zusammenfließen ihrer Bäche bey Neustift entsteht der Rutzbach. Der Natur nach ist jedoch der Unterberg das Hauptthal. Von Neustift aus wandern wir noch eine Viertelstunde im Hauptthale fort. Der Blick in demselben hinan läßt vermuthen, was man dort finden wird. Die Thalsohle erscheint als ein breiter Wiesenteppich; der grüngraue Felsen, welcher sich im Hintergrunde aufbaut, ist der Maierspitz; links von ihm der hohe, von oben bis herab in ein glänzendes Gletschergewand gehüllte Berg ist der Hochgrindl; rechts vom Maierspitz breiten sich die Gletscher und Eishörner aus, die wir schon von Schönberg her im Auge behielten. Jetzt öffnet sich uns zur Rechten der klammartige Eingang des Oberberges. Da, wo der Pfad um die Ecke biegt, ist er schmal, oben von überhängenden Felsen, unten vom unterwühlenden Bache bedroht. Jenseits des Baches liegt der Weiler Milders mit 21 H., welcher, obschon hoch liegend, das mildeste Klima im ganzen Thale hat, weßhalb seine Getraideflur die gesegnetste im Thale ist. Bey einigen malerischen Mühlen und schönen Wasserstürzen vorüber gelangt man auf das rechte Ufer des Thalbaches. Hinter den Mühlen wendet man sich um und erblickt die geognostisch merkwürdige Felskette, welche von der Habichtspitze bis zum Elferspitz zieht. Der größte Theil der Masse ist grün bemattet und nur gegen die Höhe tritt der schwarzgraue Schiefer hervor, auf dessen Rücken sich eine von hohen bethürmten Mauern umgebene Stadt zu lagern scheint, und diese Mauer hat eine vom Hauptgebirge wesentlich unterschiedene weißgraue Farbe; es ist der schon erwähnte Kalkaufsatz. Noch etwas weiter thalaufwärts stellt sich auch die Habichtspitze in ihrer ganzen Majestät dar. Eine Brücke bringt uns wieder auf das linke Ufer. Jenseits liegt ein Bauernbad, das Bärenbad, ein einzelnes elendes Haus; die Quelle ist ein Eisensäuerling, heilsam bey Anschoppungen und Stockungen im Unterleib, Schwäche des

1) Mein Führer aus Neustift zum Alpeiner Ferner wollte den Berg mit noch einigen Bauern aus Neustift erstiegen haben; ich war vor Thurwiesers Ersteigung in Stubay.

Nervensystems und der Verdauung, skrophulösen und arthritischen Leiden. Das von hier stark ansteigende Thal ist eine furchtbare Steinwüste; in gräßlicher Unordnung liegen da Granit-, Gneus-, Glimmerschiefer- und Kalkblöcke unter einander; denn die Höhen rechts oben gehören zu dem Kalkringe, welcher die schon erwähnte Schlickalpe umschließt. Der Hohe Burgstall erhebt sich unmittelbar rechts über uns. Hinter demselben, da, wo sich auf der anderen Seite der Rücken gegen das Senderser Thal hinabsenkt, liegt ein Wildsee, aus welchem hoch oben der Kasbach unterirdisch hervorbricht und dem hauptsächlich die Verwüstung dieser Thalstrecke zugeschrieben wird. Die Stubayer fürchten einen völligen Ausbruch dieses Sees. Das Thal, welches bisher nordwestlich emporstieg, wendet sich nun rechtwinkelig nach Südwesten, parallel mit dem Unterberg. Auf diese Ecke stürmte ebenfalls die Wuth jenes Baches und trieb durch seine Trümmerhaufen den Hauptbach so gegen die Ecke, daß daselbst der Weg völlig unterbrochen wurde[1]). Man muß daher über den Abhang zur Linken klettern. Die nun jenseits des Baches liegenden Weiler Wohlauf, Jäger und Haasen vermögen die trüben Bilder, aus deren Bereich man heraustritt, noch nicht zu mildern, wenn auch die Zerstörung sich mindert und der Thalboden sich ebnet; allein die Schatten dunkler Tannenwälder hemmen jede Aussicht. Doch bald ändert sich die Scene in der nun höheren Thalstufe; die erste Gruppe von Sennhütten der Alpe Seduk zeigt sich, und obgleich auch jetzt nochmals hohe Tannen den Boden des höheren Thales verdecken, so glänzen doch schon gewaltige Eisberge über den dunkeln Wipfeln der Bäume. Neugierig, zu sehen, was jene neidischen Tannen verbergen, eilt der Wanderer weiter. Jetzt tritt er aus dem Schatten des Waldes und wird von einer großen malerischen Scene überrascht. Zwischen vereinzelten Riesenblöcken, auf deren Moose hohe Tannen ihre Wurzeln geschlagen haben, drängt sich der schäumende Gletscherbach in schönen Fällen hindurch; links steigen im herrlichsten Schmelze Wiesen hinan, vielleicht gerade belebt vom bunten Getreibe einer Heuerndte; hoch darüber im grauflimmernden Höhendufte gewaltige senkrechte Schieferwände. Den Hintergrund umspannen, tief in Schnee und Eis gehüllt, die Firnen der Hochwelt in den auffallendsten Gestalten; hier Hörner, deren schneidige Grathe hie und da das Schneegewand durchreißen, dort sanftgewölbte Dome. Nur wenige Schritte weiter und vor uns liegt der ganze obere Thalkessel der Alpe Ober-Isse, eine große von der rechten Thalwand sich zur linken neigende Fläche, auf deren grünem Boden die Sennhüttengruppen dorfähnlich zusammenliegen. Die Eisberge haben sich in so weit zur Linken hinter die Wände verschoben, daß jener halbkugelförmige Dom, der Kaiserkopf, den Mittelgrund bildet; zur Rechten erhebt sich der Hornspitz und Villerspitz, zwischen denen wir schon von der Alpe Lisenz herüber kletterten. Der Bach, der Abfluß des Alpeiner Ferners, umfließt zur Linken in tiefem Einschnitte die Fläche und in der Ferne erblicken wir seine Staubwolken, wo er aus der höchsten Stufe durch einen tiefen Felseneinschnitt herabdonnert. Eine Knüppelbrücke bringt uns hier über den Bach in die erste Gruppe der zum Theil zweystöckigen Sennhütten. Auch hier findet der Reisende wieder ein Beyspiel des Erfindungsgeistes des Volkes. Wie bey uns die Kinder kleine Mühlrädchen an Graben und Bächen befestigen, um sich an ihrem Spiele zu erfreuen, so bringt der Tyroler dieses Spiel mit seinem Nutzen in Verbindung. Mehrere Rinnen leiten das Wasser auf kleine Schaufelrädchen, an deren Welle sich die Butterfässer in schnellem Umschwunge herumbewegen. Bey dem oft weitläuftigen Geschäfte des Senners ist diese Zeitersparniß von Nutzen. In einer halben Stunde von hier erreichen wir, über fette Alpenwiesen hinwandernd, die letzte Hüttengruppe dieser Alpe, wo wir bey einem bärtigen Senner uns an Alpenkost erlaben. Nicht weit hinter dieser Hütte ist dieser Alpenboden durch eine nicht sehr hohe Wand geschlossen, an welcher ein gewundener Alpensteig in einer kleinen halben

1) Wenigstens war dieses innerhalb drey Jahren, wo ich durch dieses Thal zweymal kam, jedesmal der Fall.

Stunde auf die nächste und letzte Thalstufe bringt. Auf dieser steigt thaleinwärts der Alpeiner Ferner ziemlich allmählig herab. So wie der Reisende um die Ecke herumbiegt, liegt das Alpeiner Thal vor seinen überraschten Augen. Sein nächster Vorgrund ein Felsenchaos, welches sich links hinabzieht zur Tiefe, in welche sich der Alpeiner Bach ein zum Theil unterirdisches Bett eingeschnitten hat, wie es sehr oft bey Gletscherbächen der Fall ist; zwischen den Glimmerschieferblöcken wuchert der Zwergwald der Alpenrose und des Krummholzes. Links darüber hohe Glimmerschieferberge, in der Tiefe mit spärlichem Grün überzogen, oben an ihrem völlig nackten graublauen Getäfel glänzend vom herabrinnenden Schneewasser; hinter ihnen zur Linken ragen höhere Schneeberge auf, und zwischen ihnen treiben muschelförmige Gletschermassen hervor, welche aber vom Glimmerschiefer so grau gefärbt sind, daß sie nur der Geübte als Eismassen erkennen wird. In der Mitte schiebt sich von der Linken zur Rechten der schöne grüne Alpeiner Ferner herab, rechts begleitet und überragt von dem hohen, weit in die Lüfte aufsteigenden Großen Pockkogl, der Gaislspitze und dem halbkugelförmig gewölbten Kaiserkopf, lauter hohe, tief in Schnee gehüllte majestätische Gestalten. Von hier wandern wir noch eine halbe Stunde über das Gebuckel des Hochthales bis zum Ferner selbst; denn sein grünblaues Gewürfel gewährt einen prächtigen Anblick. Im Angesicht dieser Natur, umleuchtet vom Strahlenglanze des Eispallastes, verzehrt der Wanderer sein von Neustift mitgenommenes Frühstück und Mittagsmahl, und während er mit seinem Führer auf das Wohl des schönen trauten Tyrols anstößt, donnern die Ferner, daß die Erde erbebt [1]). Von Neustift bis hierher werden 3—4 Stunden sehr leichten Weges gebraucht Von der Sennhütte besuchen wir noch den Alpeiner Fall, welcher unweit derselben aus der erwähnten Schlucht hervorkömmt; doch nur seine aufwirbelnden Staubsäulen verkünden in der Ferne sein Daseyn, er selbst verbirgt sich hinter den Felsen.

Reisende, welche nicht nach Neustift zurückkehren, sondern, diesen Ausflug von Innsbruck machend, dahin zurückkehren, nämlich bey gutem Wetter, wenn der Wasserfall recht stäubt, steigen von hier den vielgewundenen Steig zu der Hochalpe Nagewand hinan, dann über ein wildes Felsenchaos von Riesenblöcken mühsam zum Lisenzer Joch empor zwischen dem Hornspitz und Billerspitz und jenseits hinab nach Lisenz (siehe Lisenz). Naturfreunde scheuen die Mühe nicht und ersteigen bey heiterem Wetter den Billerspitz, der sich nicht sehr über das Joch erhebt, aber eine weit umfassende Aussicht gewährt.

Der angemessenste Plan für solche Reisende möchte folgender seyn: Man wandert Nachmittags von Innsbruck weg, bleibt auf dem Schönberg, anderen Tages geht man über Neustift zum Alpeiner Ferner und übernachtet in der Sennhütte unweit desselben. Am nächsten Morgen wird der Billerspitz überstiegen nach Lisenz, von wo man sich noch nach Selrain abwärts wenden kann, um den nächsten Mittag wieder in Innsbruck zu seyn.

Reisenden, welche vielleicht die Brennerstraße schon kennen, oder diesen Weg alles Fleisches als zu gewöhnlich verabscheuen, tüchtigen Bergsteigern und Freunden großartiger Naturscenen rathen wir folgenden, stellenweis zwar mühseligen, aber reichlich lohnenden Weg, dessen Einzelheiten zum Theil bey den nächstfolgenden Thälern nachzusehen sind. Von Innsbruck nach Selrain, Lisenz, Joch, Alpeiner Ferner, Neustift (oder sollte Selrain schon bekannt seyn, über den Schönberg nach Neustift), durch den Unterberg, zu dessen Gletschern und Wasserfällen, dann links am Wetterspitz vorüber über ein Joch in das Thal Gschnitz, über das Muttejoch in den äußerst reizenden Thalkessel von Oberberg [2]), von wo man thalauswärts auf den Brenner bey Gries gelangen kann,

---

1) Ich genoß hierbey noch ein anderes artiges Schauspiel; da es die Tage vorher schlechtes Wetter war, so hatte es stark angeschneiet; jetzt löste sich der Schnee in kleinen Lawinen, welche allenthalben, in Scheibengestalt sich aufwickelnd und vergrößernd, herabkamen.

2) Nicht mit dem Stubayer Oberberg zu verwechseln.

oder an den malerischen Wildseen Oberbergs vorüber über ein Joch nach Pflersch, von wo der Reisende bey Goßensaß wieder auf die Brennerstraße kömmt. Selrain mit eingerechnet, würde man 5—6 Tage bis Sterzing brauchen.

Von Neustift besuchen wir nun auch den anderen Thalast von Stubay, den Unterberg. Dieser Ast, die eigentliche Fortsetzung des Hauptthales, zieht auch in derselben Richtung fort, ohne besondere Thalengen. Im Angesicht der immer näher rückenden Eisgebirge wandern wir über die Weiler Milders, Stackler, Auten, Schaller, Krößbach, Gasteig, wo der Getraidebau aufhört, Bolderau (2 St. von Neustift, so weit kann man mit kleinen Wagen fahren), Falbeson und Ranalt, wo 3 Stunden von Neustift in dem enger gewordenen Thale die Bergmähder beginnen. Zwischen Gasteig und Bolderau wirft sich aus schwindelnder Höhe, vom Gletscher der Habichtspitze genährt, der schöne Mischbach herab; ein Felsenvorsprung zerstäubt den Fall, so daß er als Staubbach zur Tiefe nebelt. Oberhalb Ranalt zieht sich links das Langenthal alpenreich hinan zur begletscherten Weißspitze, von welcher der Rücken ausläuft, der Stubay und Gschnitz trennt. Die erste Bergkuppe, die sich auf diesem Grathe erhebt, ist die Wetterspitze, zwischen welcher und der Weißspitze ein Jochsteig nach Gschnitz führt. Mit der Weißspitze beginnt das ungeheure Eisgebirge, welches ununterbrochen den Hintergrund des Stubaythales 7—8 Stunden lang und 2—3 Stunden breit bogenförmig umwallt; sehr hohe ungemessene Kogl und Hörner erheben sich auf ihm; der innersten Hauptkette der Alpen gehört jedoch nur die Strecke von der Weißspitze bis zum Daunkopf. Noch führen aus dem Langenthal zwey Fernersteige; links an der Weißspitze vorüber, jenseits über den Agelspitzferner hinab nach Pflersch (bey Goßensaß zur Eisack); rechts über den Stubayer Ferner (im engeren Sinne) und jenseits über den Hangenden Ferner nach Ridnaun (bey Sterzing zur Eisack); beyde Steige nur für fernerfeste Reisende. Das Hauptthal steigt rechts hinan und wird von dem vorigen durch die Mayrspitze getrennt. Über die Alpe Schöngelair gelangt man zur Alpe Wildgrube. Doch zuvor noch zieht sich die durch ihren prächtigen Wasserfall merkwürdige Sulzau links hinein. Fünf Eisbäche, eben erst den blauen Grotten der Gletscher entrauscht, werfen sich herab auf die Alpe Sulzau, vereinigen sich hier zu einem kleinen See, der Blauen Lake, und ergießen sich aus diesem Wasserbehälter in einem 120 Fuß breiten und 400 Fuß hohen Wasserfalle, dem Sulzbachfall. Einst stürzte oben von dem Ferner ein gewaltiger Eisblock in die Blaue Lake, wodurch der See so überwogte, daß er nicht nur einen Riesenwasserfall schuf, sondern auch eine allgemeine Überschwemmung im Thale verursachte. Im Hintergrunde der Wildgrube liegt die Fernerau, umglänzt und umstarrt von dem Eise gewaltiger Eisberge. Rechts zieht sich die Glamergrube zur Alpe Mitter- oder Mutterberg hinan, mit dem kleinen Mutterberger See, umragt von gewaltigen mit Eis belasteten Felsengerüsten; der Daunkopf, Pockkogl und die Schaufelspitze sind die ungemessenen Hochgipfel dieses eisigen Felsgurtes. Aus der Wildgrube führen zwey Fernersteige in das westlich angrenzende Ötzthal: rechts durch die Glamergrube am Mutterberger See vorüber, den Pockkogl rechts lassend, und jenseits über den Sulzferner in das vom Fischbach durchflossene Sulzthal und nach Lengenfeld im Ötzthale in 5 Stunden, ½ Stunde nur über Eis; der andere links ab an der Schaufelspitze vorüber, 2½ St. über den Ferner und durch das jenseitige Winacher Thal nach Sölden im Ötzthale.

Rückblick auf das Thal. So lieblich das Thal, vom Schönberg aus gesehen, erscheint, so wild schaut doch die Natur die lachendsten Gegenden desselben bisweilen an. Schon wurde einiger Verwüstungen erwähnt, welche die geöffneten Schleußen der Gießbäche verursachten. Aus diesem Grunde ist der Feldbau vielen Störungen ausgesetzt. Unverdrossen trägt der Stubayer die Erde in Körben steile Höhen hinan und schafft sich dort mit unsäglicher Mühe seine schwebenden Gärten und Felder, wo er am sichersten zu seyn glaubt gegen Gießbäche, und dennoch bricht sich oft plötzlich eine Wolke oben an den Bergschneiden, ergießt sich durch eine Kluft und tobelt sich bald eine Rinne aus, welche in Zeit von keiner Stunde allen Fleiß und die ganze gehoffte Erndte vernichtet. Gebaut werden Roggen, Gerste, Hafer, Kartoffeln, Erbsen, Bohnen, Mohn, etwas Mais und Waizen, doch nicht hinreichend. Dagegen bringen die Eisengewerbe Geld ins Thal, wie oben angeführt wurde. Auch die Viehzucht ist bey den schönen Alpen für das Thal von Bedeutung. Milch, Butter und Käse jedoch nur zum Hausbedarf. Dagegen werden die Kälber ausgeführt (wöchentlich im Mittel 24 nach Innsbruck) indem dieselben allen andern vorgezogen werden. Ebenso wichtig ist das Zuchtvieh, welches entweder selbst aufgezogen oder aus dem Oberinnthale eingekauft und nach zwey bis vier Jahren wieder mit Vortheil nach Südtyrol (jährlich 200 Stück) verkauft wird. Schweine werden von den Stubayern als Ferkel aufgekauft, gemästet und namentlich in die nahe Hauptstadt abgesetzt; ebenso die Schafe. Nicht unbedeutend ist endlich der Verkauf der Hühner und Eyer nach Innsbruck. Der ganze Viehstand des Thales beläuft sich auf 80 Pferde, 578 Ochsen, 1393 Kühe, 410 Ziehkälber, 296 Schweine, 2921 Schafe und 636 Ziegen. Gegen Grasvergelt werden noch aus der Umgegend 2000 fremde Schafe auf den Alpen aufgenommen.

Nach dem Schönberg zurückgekehrt, setzen wir unsere Wanderung im Thale der Sill aufwärts fort. Die Straße senkt sich vom Schönberg aus wieder 200 Fuß und von hier an beginnt auf dieser Seite das eigentliche Untere Wippthal, Vallis Vipitena (Vipitenum, Sterzing). Dieses Untere Wippthal umfaßt das Landgericht Steinach, 8,32 Q.M. mit einer Bevölkerung von 7537 E., welche 911 Joch Ackerland, 10,976 Morgen Wiesen, 6942 Morgen Hutweiden, 115 Pferde, 1000 Ochsen, 3000 Kühe, 2400 Schafe und 450 Schweine besitzen. In der wärmsten und fruchtbarsten Gegend liegt Matrey. Haupterwerbsquelle neben dem Waarentransport über die Buckel des Schönbergs und Brenners ist Viehzucht, und zwar das Aufziehen der Mähn- oder Zugochsen. — Die Gegend wäre ohne den Anblick des Patscherkofls und seiner angebauten und wohlbevölkerten Abhänge ziemlich eintönig; in der Tiefe erblickt der Wanderer von der Straße aus links bisweilen die Sill in ihrem Schlunde. Die einzelnen Häusergruppen längs der Straße bis Matrey hin bilden die Gemeinde Mühlbachl, im Ganzen 116 H. mit 653 E. Rechts in der Höhe deckt Waldung die Abhänge, ebenso links in der Tiefe, der sogenannte Matreyer Wald. Nach zwey starken Stunden verändert sich der Charakter der Landschaft; die Sill, vom Brenner herab im Schooße festen Gesteins rauschend, traf hier auf die Schuttmassen, welche sie selbst und das Stubaythal vor sich herabgeschoben hatten; durch ihre eigne Schöpfung mußte sie sich daher eine Bahn brechen, einen Schlund, den sie bey Wilten verläßt. Sonnig begrüßt uns hier, aus dem Schatten tretend, der Markt Matrey, 3201 F. üb. d. M. Gute Gasthäuser: der Stern und die Krone. Der Markt mit seinen Bestandtheilen scheint so zusammengewürfelt, als ob die Sill seine Häusergruppen von oben herabgeführt hätte und diese hätten sich hier wegen des Einganges in den Schlund zusammengehäuft; denn hier drängen und schaaren sich zusammen die Gemeinden Matrey, Altstadt, Pfons, Ziegelstadl und Mühlbachl. Auf von Asbestlagern durchzogenen, von der Sill umrauschten Serpentinfelsen ragt das Schloß, den Eingang der Sill in ihren Schlund beherrschend; diesseits streckt sich unter dem Schlosse der Markt in langer Gasse längs der Sill hin, jenseits durch eine Brücke verbunden; noch im Schutzbereiche des Schlosses liegt die Häusergruppe der Altstadt um die Pfarrkirche der umliegenden Gemeinden geschaart; an sie reiht sich hier die Gemeinde Pfons, wie an den Markt die Gemeinde Mühlbachl. Der Markt zählt 116 H. mit 518 E.; er bildet eine lange, sich in der Mitte platzähnlich ausdehnende Gasse, mit schönen Tyroler Häusern auf beyden Seiten besetzt; eine Menge Gasthausschilder winken von beyden Seiten. Seit 1468 brannte der Markt sechs Mal fast ganz ab. Der älteste Theil ist die Altstadt, das Römische Matrejum, wie viele hier aufgefundene Alterthümer bezeugen. Das Schloß, deren neuerer Theil, die Vorderburg, nur noch steht, ist das Stammhaus der Herren von Matrey, von denen es durch Heirath auf das berühmte Geschlecht der Trautsone überging, und dann ebenso nach ihrem Erlöschen an die Fürsten von Auersberg, welche Familie es noch besitzt. Die ehrwürdige Pfarrkirche, deren Pfarrer Dekan der Landgerichte Mieders und Steinach ist, liegt in der Altstadt und hat ein vielbesuchtes Wallfahrtsbild „unseres Herrn im Elend.“ Auf dem nahen Leimbühel zeigen sich noch einige Spuren der Feste Raspenbühel und von hier hat man den besten Überblick der Gegend. Östlich über dem Orte liegt das Schloß Narrenholz, einst den Herren von Matrey gehörig, von denen es an die Freundsberger überging. Jetzt gehört es der Familie von Debern. Der anstößige Name wurde 1597 in Ahrenholz umgetauft. Beym Volke ist der alte Name geblieben.

Westlich kömmt von der Höhe der Waldrasterbach herab und ein Steig führt hinan auf die luftige Höhe zu der ehemals berühmten Wallfahrt Waldrast, auf der nördlichen Schulter der Serles- oder Waldrasterspitze. Auf einsamer Alpenmatte, 5166 F. üb. d. M., zeigen sich die Ruinen des einstigen Klosters, der Kirche und ein Bauernhaus. Das Bild befindet sich, seitdem das Kloster aufgehoben ist, in der Kirche zu Mieders. Die Einsamkeit, die Aussicht hinab ins Land, die Ruinen ehemaliger Herrlichkeit erregen eigene Gefühle. Freunde schöner Aussichten oder Wanderer von Matrey nach dem Stubanthale ziehen dieses Weges, wie auch noch Wallfahrer. Beym Bauer erhält man Erfrischungen.

Von Matrey zieht in das Innthal auch eine zweyte Straße zur Rechten der Sill über die Abhänge des Patscherkofls nach Patsch u. s. w., die sogenannte Ellbögner oder Commerzialstraße. Über Pfons, mit 73 H. und 491 E., unter Narrenholz kömmt man auf diesem Wege nach Ellbögen, noch zum Gerichte Mieders gehörig, mit 110 zerstreuten H. und 605 E. Der hiesige Roggen steht in großem Ruf. Bey dem Weiler Mühlthal kömmt der Mühlthalbach rechts herab aus dem Vigarthal. Durch dasselbe geht ein Pfad in 2 Stunden zur Vigaralpe, bey welcher der Mühlthalbach einen schönen Wasserfall macht. Eine Viertelstunde darüber ist eine große Ebene mit Glimmerschieferblöcken übersäet, auf deren einem der Name Maximilians I. mit der Jahrzahl 1489 eingehauen ist. Im Hintergrunde unter dem Abhange des Glunkesers liegen in wüstem Steingerölle, doch von einer seltenen Alpenflora umblüht, die fünf kleinen dunkelgrünen Vigarseen, aus denen der Mühlthalbach abfließt.

Auf dem Wege von Matrey nach Steinach erblicken wir zur Linken auf dem Abhange über der Öffnung eines grünen Alpenthales eine Kirche, burgähnlich den Eingang beherrschend. Das Thal ist das Navisthal, jene Kirche die St. Katharinenkirche, an der Stelle der alten Burg Aufenstein erbaut. Die Naviser Thalgemeinde, mit 145 H. und 890 E., streckt sich 3 Stunden lang durch das ganze Thal, welches vorzüglich alpenreich ist. Durch Jochsteige steht es mit den umliegenden Thälern Wolders, Wattens, Dux und Schmirn in Verbindung. Der Viehstand des Thales beträgt 124 Ochsen, 250 Kühe, 216 Schafe und 28 Schweine; 680 Morgen trefflicher Wiesen und 274 Morgen Hutweiden sind der Viehzucht förderlich. Bald darauf winkt uns mit zwey Thürmen Steinach entgegen, welches eine starke Stunde von Matrey an der breitesten Stelle des Sillthales liegt. Das große und schöne Dorf liegt 3382 F. üb. d. M. Gute Gasthäuser sind: die Post und der Steinbock. Die Gemeinde zählt 186 H. und 1055 E. (das Dorf selbst 76 H., 576 E.). Postwechsel zwischen Schönberg und dem Brenner, Sitz des Landgerichtes, 3 Jahrmärkte, 1 Arzt, 1 Wundarzt, Sensen- und Strohmesserschmieden. Geburtsort des berühmten Malers Martin Knoller, welcher die freundliche Kirche mit drey schönen Gemälden seiner Hand ausschmückte. An seinem Geburtshause Nro. 22. findet sich eine Aufschrift und in der Kirche neben seinem St. Sebastian ein Denkmal, von der Gemeinde gestiftet. Der Post gegenüber, etwas rechts, an dem Gasthause zur Rose erblickt man ein Frescogemälde, einen Zug gewaffneter Männer, Ortsbewohner darstellend, welche 1631 gegen die Schweiz zogen. Da in demselben Gasthause der Churfürst Max Emanuel auf seinem unglücklichen Zuge über den Brenner 1703 sein Quartier nahm, so heißt es noch jetzt „zum Bayerwirth."

Bey Steinach mündet von Westen her das Thal Gschnitz, durch welches die weiße Habichtspitze hereinschaut. Es ist 5 Stunden lang. Wir steigen rechts an der nördlichen Thalwand hinan, den Gschnitzer Thalbach links in der Tiefe lassend, und erreichen auf einer Bergstufe das erste Dorf, Trins, von dem auch der vordere Theil des Thales das Trinsthal heißt, 1 Stunde von Steinach, mit 95 H. und 468 E. Durch den wilden Kugelwandbach von dem Dorfe getrennt, zeigt sich auf einer schroffen Höhe, von Lärchen umstanden, das Schloß Schneeberg, schön und wohnlich erhalten. Es wurde, wie es jetzt ist, auf den Ruinen des alten Schlosses erbaut. Von den Herren von Schneeberg kam es an die Sebner und von diesen an den Landesfürsten Herzog Sigmund. König Ferdinand I. verlieh es 1527 an Fried. Franz von Schneeberg; nun folgte Joh. Wellinger von Ferchingen auf Sorgast, und diesem *die jetzige* Familie der Grafen von Sarntheim. Das Trinsthal erstreckt sich noch eine Stunde einwärts; die Thalsohle ist mit Geröll und Schotter überdeckt und mit Gestrüpp überwachsen, die steilen Bergwände, an denen Dolomit vorkömmt, in der Tiefe finster umwaldet, nach oben kahl und felsig. Die vorherrschende Gebirgsart ist Kalk. Doch bald ändert sich die Scene, an die Stelle des Kalkes tritt der Glimmerschiefer, und somit andere Bergformen und anderer Überwurf; der Thalboden erscheint im saftigsten Schmelz der Wiesen; umringt wird der schöne Thalkessel, das Thal Gschnitz, im engeren Sinne, von stolzen, zum Theil begletscherten Berghäuptern; rechts erhebt sich zunächst die Habichtspitze, dann folgen links die Wetterspitze, Weißspitze und der Hochgrindl gegen Stuban, die Eisenspitzen und der Tribulaun gegen Pflersch. Auf freundlicher Höhe am Fuße der Habichtspitze ruht die Kirche von Gschnitz, 2 St. von Trins, 3 St. von Steinach. Die ganze im Thalkessel umher zerstreute arme Gemeinde zählt 33 H. und 261 E. Die Kirche stammt aus dem vorigen Jahrhunderte. Eine Stunde hinter Gschnitz leuchtet noch zwischen hohen Felsen das Magdalenenkirchlein herab, ein Wallfahrtsort. Die Gemeinde Trins besitzt 103 Joch Ackerfeld, 456 Morgen Wiesen, 366 Morgen Hutweiden, 56 Ochsen, 153 Kühe, 50 Schafe und 10 Schweine; die Gemeinde Gschnitz 25 Joch Ackerfeld, 500 Morgen Wiesen, 1000 Morgen Hutweiden, 30 Ochsen, 68 Kühe, 104 Schafe und 16 Schweine. Berg- und Jochsteige führen über das Pinneser- (Alfa-) Joch in 6 Stunden nach Fulpmes, über das Joch zwischen der Weiß- und Wetterspitze und durchs jenseitige Langethal ins oberste Stubaythal, links neben der Weißspitze ins Pflerschthal und übers Muttejoch in 3 Stunden ins Thal Oberberg.

Von Steinach an der Sill wird das Thal aufwärts zwischen düstere Bergwände eingeengt, doch nur auf kurze Zeit. Etwa eine Stunde oberhalb Steinach öffnet es sich wieder zu einem schönen Bilde, dessen Vorgrund das Dörfchen Stafflach mit 17 H. und 114 E., darüber öffnet sich das Thal Vals, von hohen Felsbergen umragt, an denen Fernermassen herabhängen, rechts die Saxalpenwand, links die Hohewand. Das Valser Thal ladet zu einem Ausfluge ein. Das ganze Gebiet besteht aus dem Vordergrund, dem eigentlichen Valser Thal, und dem Thale Schmirn. In einer Viertelstunde von Stafflach erreicht man St. Jodocus oder Vals in dem genannten Vordergrund, wo sich das Valser und Schmirner Thal vereinigen. Hier ist die Seelsorgkirche von Vals. Rechts im Valser Thale hinauf gelangt man, über Außer-Vals emporsteigend, zu dem höheren Thalkessel von Inner-Vals, das einer Alpe gleicht, denn allenthalben liegen die Sennhütten umher; nur spärliche Waldgruppen umschatten den Fuß der Berge. Hier gabelt sich das Thal nochmals; durch den Grund rechts führt ein steiler und nicht gefahrloser Pfad unter der Hohen Wand vorüber nach St. Jakob in Pfitsch; links im Alpeiner Thal führt der Steig über gräuliches Steingeröll (ein besserer links ab über Alpen, das Gerölle rechts lassend) zum schönen Alpeiner Ferner und über ihn in die oberen Alpen des Zamsergrundes (Zillerthaler Gebiet). Die ganze Gemeinde Vals zählt 77 H. und 402 E., welche 67 Joch Ackerland, 558 Morgen Wiesen, 366 Morgen Hutweiden, 30 Ochsen, 150 Kühe, 150 Schafe und 13 Schweine besitzen.

Der andere Ast des Valser Thalgebietes, und zwar der größere, ist das Thal Schmirn, und wie jenes Thal sich zum Zemgrund des Zillerthales streckt, so dieses zum Duxergrund des Zillerthales. Durch eine enge, den Einsturz drohende Schlucht, dicht an dem brausenden Bache führt der Weg von St. Jodocus schnell hinan zu der höher gelegenen Thalstufe, auf welcher sich die Gemeinde Schmirn mit 152 H. und 810 E. 3 Stunden lang ausdehnt. In der Mitte ohngefähr liegt die Kirche. Die gelben Getraidefelder (Gerste) liegen zerstreut umher zwischen dem Grüne der Wiesen. Wegen der großen grünen Alpenmassen erscheinen die Getraidefluren oft unbedeutender, als sie sind. Staunen erregt die Stärke der Bewohner, wenn man sie, große Getraidelasten auf dem Kopfe, die Höhen herablaufen, oder in kleinen Wagen dieselben herabziehen sieht. Die Gemeinde besitzt 108 Joch Ackerland, 1952 Morgen Wiesen, 598 Morgen Hutweiden, 43 Ochsen, 252 Kühe, 125 Schafe und 12 Schweine.

Von der Kirche zu Schmirn gelangt man in einer halben Stunde nach Inner-Schmirn, wo sich im Süden das Wildlahnerthal öffnet, das zu einem großen Ferner emporsteigt, dessen blaue Lasten tief herabhängen. Er gehört, wie die Valser Ferner, der Duxer Eisberggruppe an. Hinter Inner-Schmirn wird das Thal enger, der Weg wird zum Pfad und zieht an der Thalwand hin, die Waldgruppen werden spärlicher. In Obern (Oberschmirn), 3½ Stunden von Stafflach, erreicht man das Ende des Hauptthales; nur noch in Grün und Grau gekleidet, fast ganz von Wald entblößt, umstehen die Bergriesen den Hintergrund. In Obern beginnt schon in Etwas die östliche Tauernregion; das nur noch die nöthigsten Bedürfnisse der Reisenden deckende Sennhüttenwirthshaus Kasern heißt auch Tauernhaus. Nicht weit davon ein artiger Wasserfall, der Schrägbachfall, der, in enger Kluft herabstürzend, seine Wassersäule aus eben so enger Öffnung weit herausspritzt.

Von hier führt ein doppelter Weg in das jenseitige Duxer Thal. Links oder nordöstlich in einem grünen, aber kahlen Alpenthal von Obern aufsteigend, kömmt man an den Schneebruckkopf, in dessen kraterförmigem Gipfel ein Wildsee ruht, vorüber und gelangt jenseits durch ein ähnliches Alpenthal nach Lanersbach, dem Hauptorte des Duxer Grundes. Der andere interessantere Weg führt von Obern rechts schnell im Thale Kasern hinan, über dessen Hintergrund ein Gletscher herabhängt. Nach einer Viertelstunde beugt der Pfad bey einem Kreuze links ab und steigt in vielfachen Windungen hinan, dann an einer Sennhütte vorüber zum Duxer Joch, wohl kaum 7000 F. hoch. Über eine niedrige Vertiefung, dem obersten Anfang eines links hinabziehenden Grundes, führt der Steig zum anderen Joch, wo sich die Aussicht nach Dux und auf den prächtigen rechts herabziehenden Gletscher, die Gefrorne Wand, öffnet; dann über Hinterdux nach Lanersbach (siehe unten), eine Tagreise von Steinach, 10 St.

Von Stafflach wandern wir dem Brenner entgegen. Das Thal wird wilder und rauher. Durch eine Felsenenge rauscht die Sill und gleich darauf erreichen wir das Dorf Gries, 3731 F., am Fuße des 6523 F. hohen Padaunerkogls. Zur Rechten öffnet sich das an malerischen Reizen reiche, wenn auch kleine Thal Oberberg. Es ist auf dieser Seite des Brenners der letzte Thalesstrahl, welcher von der Ötzthaler

Gruppe ausläuft, und daher das kürzeste, ohngefähr dem Langtauferer Thal im Westen entsprechend; so wie jenes auf dem breiten Sattel der Malser Haide, so mündet dieses auf dem Sattel des Brenners. In zwey Thalstufen steigt es bis an den Fuß des Tribulaun, Portmader und Grubberg empor. Die untere Thalstufe oder der Unterberg ist ziemlich eng und darin Vinaders oder, nach der Kirche benannt, St. Leonhard. Auf der linken Thalwand gewährt die uralte, von einem Lärchenhayn dicht umschattete Kirche St. Jacob eine schöne Aussicht über die oberste Brennergegend, die Thäler Venner und Oberberg und ihre Gebirge. Bald hinter Vinaders verengt sich das Thal zur düstern Wildniß, in welcher der Bach brausend herabstürzt. Doch ebenso bald verändert sich die Scene; der reizende Oberberg, im engeren Sinne, liegt vor uns; diese obere Thalstufe bildet eine reizende Fläche, angebaut und überstreut mit den Häusern der Gemeinde Oberberg; in der Mitte auf einem Hügel die zierliche Kirche. Umkreist wird der Hintergrund von den schon genannten Bergriesen, unter denen der Tribulaun sein Schneehaupt über die andern erhebt.

Bey den letzten Häusern gabelt sich das Thal; der südliche Bach kömmt aus den Oberberger Seen, die in einer schauerlichen Felsenwüste von Marmorblöcken liegen. Dahinter liegt am Fuße des hohen Grubbergs die Alpe Grub, gleich einer Oase, auf welcher über 400 Stücke Großvieh weiden. In den Seen Forellen, an ihrem Gestade oft große Züge wilder Tauben und Enten. Weißer, rosenrother und bläulicher Marmor. Jochsteig nach dem jenseitigen Pflersch in 3 Stunden, also von Gries in 6 Stunden. Der andere Seitenast hat einen Jochsteig nordwestlich über das Mutte-joch nach Gschnitz. Kein Freund der Natur versäume dieses abgeschiedene Thälchen mit seinen großartigen und höchst malerischen Scenen zu besuchen. In 3 Stunden ist man an den Seen.

Auf der Brennerstraße erreichen wir, da, wo sich das Thal wieder verengt, den Lueg, ein ehemaliges Raubnest, 1241 zerstört. In der Nähe ein Denkmal, wo sich 1530 Karl V. und sein Bruder Ferdinand I. begegneten. Durch die Klamm, einem anderen ehemaligen Paß, kommen wir an den tiefgrünen, malerischen, wenn auch kleinen, 4126 F. hoch gelegenen Brenner- oder Dornsee. Ihn umbiegt die Straße und setzt über den Venna- oder Vennerbach, welcher aus dem gleichnamigen Thale kömmt. Der Blick erreicht den 3 Stunden entfernten Hintergrund; ein kleiner Gletscher am Kraxentrag schließt denselben. Jochsteige führen durch dasselbe links nach Vals, rechts nach Pfitsch in 5 Stunden.

Von der Vennerbrücke erhebt sich die Straße nochmals zum letzten Mal, und erreicht in einer Viertelstunde die ehemalige Post und bald darauf auf gleicher Ebene die jetzige Post auf dem Brenner, auf der Wasserscheide zwischen Inn und Etsch, Schwarzen und Adriameer. Hinter dem Gebäude und der alten Kreuzkapelle stäubt die Eisack herab, während östlich in einem kleinen Grunde die Sill herabrauscht. Die Post, also die Wasserscheide, liegt 4375 F. hoch. Die Höhe bildet keinen Rücken, sondern von der Wasserscheide zieht sich das Thal noch eine Stunde so horizontal fort, daß, wenn nicht der Bach bisweilen zu Hülfe kömmt, der Reisende nicht weiß, wo sich die Thalfläche hinneigt. Überragt aber wird dieses Brennerthal von 2—3000 Fuß hohen Bergen. Schon lernten wir den westlichen Sattel kennen, die Malser Haide, durch welchen die Oetzthaler Gruppe mit den westlichen Gebirgen zusammenhing; auf dem Brenner setzt die Oetzthaler Gruppe nieder und verbindet sie mit der Zillerthaler Gruppe. Der Brennersattel ist, wenn auch ebenso hoch, doch viel mehr eingeengt und düsterer. Von Getraide wächst nur noch Hafer hier. Die Post ist ein gutes Wirthshaus.

Das untere Wippthal hörte schon am Lueg auf, allein wir mußten der deutlicheren Übersicht wegen noch die kleine Anhöhe bis zur natürlichen Grenze, dem Brenner, hinansteigen. Vom Schönberg aus erhebt sich die Straße in 6 Stunden bis auf die Brennerhöhe nur 1100 Fuß. Die Wasserscheide liegt um 200 Fuß niedriger, als am Reschenscheideck auf der Walser Halde, über 1000 Fuß unter dem Radstädter und Rottenmanner Tauern.

Fortsetzung der Reise durch das Innthal.

Von Mühlau gelangt man auf der Straße in zwey kleinen Stunden durch die ebene Haller Aue nach Hall. Nahe an der Straße liegt die vom Erzherzog Ferdinand in Gestalt des heiligen Hauses zu Loretto erbaute Lorettokirche, eine ehemals berühmte Wallfahrt. Weit interessanter ist der links von der Straße durch viele schöne Dörfer führende Weg am Abhange des Gebirges. Diese Gegend ist der Obstgarten der Hauptstadt. Das erste Dorf jenseits Mühlau ist Arzl (88 H., 610 E., 90 Ochsen, 200 Kühe, 42 Schafe, 18 Schweine). Dabey auf einem Hügel ein Calvarienberg mit schöner Umsicht, einst eine Burg, arx, daher der Name des Ortes. Im Norden des Dorfes geht oder reibt sich, wie man hier figürlich sagt, ein Weg in vielen Windungen die steile Wand, die sogenannte Arzlreiben, hinan zum Joch der Kalkalpen in 3 Stunden; oben herrliche Aussicht nach Süden und Norden. Jenseits hinab durch die Alpe Pfinz und das Gleirscherthal in 5 Stunden nach Scharnitz.

Dreyviertel Stunden von Arzl liegt Rum, mit einem guten Wirthshause; 78 H., 540 E., 12 Pferde, 47 Ochsen, 258 Kühe, 37 Schafe und 75 Schweine; Bergsturz, 7. Januar 1770, dem noch einige folgten; die durch diese Stürze verwüstete und bedrohte Gegend heißt daher Rumermure[1]). Darüber das Rumerjoch, 7087 F. Dicht angrenzend liegt das große Dorf Taur oder Thaur, schon an die Nähe der östlichen Tauern erinnernd; 169 H., 1317 E., 16 Pferde, 40 Ochsen, 513 Kühe, 50 Schafe, 40 Schweine. Über dem Dorfe die Ruinen der Burg Taur. Die ältesten Besitzer gehören, der Sage nach, dem Andechser Geschlechte an. Im Jahre 500 n. Chr. G. gründeten sie ihre Burg auf Römertrümmern, wurden Beherrscher des Innthales, Nebenbuhler der südlichen Longobarden. Der älteste Stammherr war der heilige Romedius, ein Zeitgenosse des heiligen Vigilius zu Trient. Nach dem Aussterben dieses Geschlechtes ging Tauer an die Landesfürsten über, deren Burgvögte ein neues Geschlecht, der Herren von Taur, gründeten. Diese starben 1308 wieder aus. Nach dem Tode Albrechts, des letzten Grafen von Tyrol, bekam Gebhard von Hirschberg, ein Fränkischer Graf, Schwiegersohn Albrechts, das Innthal. Taur wurde seine Residenz. Er verkaufte seinen Landestheil an Meinhard II. von Tyrol. Die Burg war seitdem öfters Belustigungsort der Landesfürsten. Dann wurde sie Besitzthum der Freyherren von Fieger; die Vernachlässigung der Burg führte ihren Untergang herbey. Nur die Kapelle in der Nähe, dem heiligen Romedius geweiht, hat sich noch erhalten. Über Tauer erhebt sich das 6546 F. hohe Taurer Joch; in der Nähe wurde zum Andenken der Besteigung dieses Berges von Franz I. und Alexander eine Pyramide errichtet. Schöne Aussicht.

1) Mure, jede Stein und Schlammlawine ([illegible]).

An Taur reiht sich in schönem Kranze Absam, ehemals berühmte Wallfahrt, eine große Gemeinde, mit den dazu gehörigen Häusergruppen 162 H. und 1440 E.; 600 Joch Ackerland und 600 Morgen Wiesen, 18 Pferde, 10 Ochsen, 260 Kühe, 70 Schafe und 25 Schweine. Hier lebte und starb der berühmte Geigenmacher Jacob Stainer, und wurde wahrscheinlich auch hier in der ersten Hälfte des 17. Jahrh. geboren. Noch steht sein Haus, wo man die hölzerne Bank zeigt, an die er in den Stunden der Raserey, in welche er zuletzt verfiel, gefesselt wurde. Er starb 1681 [1]). Die Kirche ist ursprünglich im reinen Deutschen Style erbaut, wurde aber durch die Geschmacklosigkeit des vorigen Jahrhunderts entstellt. Zur Zierde der Gegend gehören die Burg Krippach und der Edelsitz Melans, im Besitze Riccabona's. In Breitweg befindet sich eine große Beinknopf-Fabrik, welche 130 Menschen beschäftigt. Nur eine Viertelstunde von Absam liegt Heiligenkreuz, ebenfalls einst Wallfahrt, sehr schön gelegen, mit einem stark besuchten Bade; die eine Quelle hat beträchtlichen Schwefelgehalt, die andere kohlensaure Kalkerde, kohlensaure Magnesia, schwefelsaure Kalkerde, schwefelsaure Magnesia, schwefelsaures Natron, salzsaures Natron und viel kohlensaures Gas. Geburtsort des Theologen, Geschichtsforschers und Mathematikers Joseph Resch, 1716.

Nach einer Viertelstunde erreichen wir auf diesem Wege Hall, die Salinenstadt, wie schon der Name verkündet, aber auch, wie die meisten Salinenstädte, eng und krumm in einander gebaut; 1718 F. über dem Meere, 30 F. über dem Inn. Die erste Urkunde über die Salzbergwerke ist vom Jahre 740. Es siedelten sich bald Leute daselbst an. Unter Meinhard II. wurden die Salzwerke durch den frommen aus Österreich kommenden Ritter Nicolaus von Rorbach, durch Entdeckung neuer Salzlager, vergrößert und verbessert. Otto, Meinhards II. Sohn, gab ihr Stadtrechte und den Namen Hall. Dem schnellen Aufblühen der Stadt folgten bald viele Unglücksfälle. Die Herzoge von Bayern, erbittert, daß ihnen Tyrol durch Rudolph von Österreich entzogen war, fielen öfters in das Innthal ein und verwüsteten das Land zuerst 1356; dann abermals unter Friedrich mit der leeren Tasche, wo die Stürme durch die Tapferkeit der Bürger Halls zurückgeschlagen wurden. Ein zweyter Einfall wurde ebenso zurückgeschlagen. Erbittert, zerstörte der Feind die ganze Umgegend. Im J. 1447 ein großer Brand; die nach Hall verlegte Münze brachte wieder neues Leben. Auch die Stürme der Reformation im weiteren Sinne durchzogen das Innthal, und wie fast überall, wurden besonders die Bergleute von der neuen Lehre ergriffen. Während des Venezianischen Krieges hauste in Hall die Pest; 500 Personen wurden weggerafft. 1518 Überschwemmung des Inns. 1560 eine große Heuschreckenplage. 1611 abermals die Pest. 1670 ein großes Erdbeben; viele Häuser stürzten ein, so auch der Pfarrthurm, die größten Häuser wurden beschädigt. Das in die Gärten geflüchtete Volk wurde durch die Jesui-

1) Mehr über diesen merkwürdigen Mann in Stafflers Tirol. B. 1. H. 2. S. 587.

ten zum Tode vorbereitet; doch nur 3 Männer, 3 Weiber und 1 Mädchen kamen um. Im Monat July zählte man 200 Erdstöße. Über zwey Jahre dauerte die Erdbebenperiode. Darauf brachte der Spanische Erbfolgekrieg seine Gräuel über die Stadt. Der Churfürst von Bayern besetzte die Stadt und zog, eine Besatzung zurücklassend, über Innsbruck zum Brenner. 3000 Bauern erstürmten Hall und die Besatzung erlag. 1740 ein großer Brand; desgleichen 1760 und 1772; der Schaden nur allein an Salzfässern betrug 160,000 Gulden. 1795 große Feuersbrunst. Endlich brach der Franzosenkrieg 1809 über Tyrol und das schöne Innthal verwüstend herein. Die Haller Brücke war ein Brennpunkt des Kampfes. Zum ersten Mal erstürmte oder überrumpelte Speckbacher den 11. April die Stadt und nahm die Besatzung gefangen. Den 29. May, dem Siegestag auf dem Berg Isl, heißer Kampf um die Innbrücke, welche die Bayern nur bis in die Nacht behaupten konnten, dann abbrachen und sich zurückzogen, worauf Hall am Morgen von den Tyrolern unter Speckbacher besetzt wurde. Am 13. August endlich, nach dem zweyten Siege der Tyroler auf dem Berge Isl, erstürmte Speckbacher Hall zum dritten Mal, den Feind durch das Innthal hinab verfolgend. Vielfach litt die Stadt bey diesen Stürmen. Hier zeichnete sich nebst Speckbacher vorzüglich der Schützenmajor Straub aus Hall aus, nicht nur durch Tapferkeit, sondern vorzüglich durch Aufrechthaltung der Ordnung und Mäßigung gegen die Feinde.

Gegenwärtig zählt die Stadt 381 Häuser, rings mit Mauern und Gräben umgeben, welche jedoch jetzt meistens eingelegt und in Anlagen umgewandelt werden. Obere und Untere Stadt, 4 Thore. Die Pfarrkirche 1271 erbaut, später erweitert; eine schöne Vorhalle von Joh. Fieger erbaut, als Familiengrabstätte; die Waldaufische [1]) Kapelle, 1495 erbaut, in Folge eines Gelübdes bey einem Seesturme; darin Reliquienreichthum, bey dessen Übersetzung aus dem Schlosse Rettenberg 40,000 Menschen gegenwärtig waren. Hochaltarblatt von Erasm. Quillinus (dem Schüler Rubens, ein berühmter Albrecht Dürer) auf Holz (Christus mit der Weltkugel). An der Kirche das Grabmal des berühmten Helden Joseph Speckbacher, mit der Inschrift:

Im Kampfe wild, doch menschlich,
Im Frieden still und den Gesetzen treu,
War er als Krieger, Unterthan und Mensch
Der Ehre wie der Liebe werth.

Er war zu Rinn auf der Südterrasse des Innthales, Hall gegenüber, 1768 geboren; zuerst Wildschütze, welches Geschäft ihn zu seinem künftigen Berufe vorbereitete. Er war der verschlagenbste und tapferste Held, der Odysseus, des Kampfes. Unter vielen Gefahren entging er dem Geschicke Hofers und kam nach Österreich. Im J. 1813 kehrte er zurück und starb 1820. Er erhielt ei-

1) Florian v. Waldauf brachte es von dem entlaufenen Bettelknaben bis zum Günstling Max I. und wurde von diesem zum Ritter von Waldenstein mit der Herrschaft Rettenberg beschenkt.

nen wohlverdienten Ruhegehalt. — In der Todtenkapelle zwey Bilder von Paul Ainhanser. Die anderen Kirchen sind die Allerheiligen-, Salvator-, Franziskaner- und Spitalkirche, ohne besondere Merkwürdigkeiten. Auf dem sogenannten neuen Gottesacker das Sauterische Grabmal, wahrscheinlich von Collin 1564. Der alte Münzthurm, wo schon 1484 Thaler, sogenannte doppelte Guldengroschen, und 1809 unter Hofers Regierung Zwanziger, die Sandwirthszwanziger, geprägt wurden. Das Münzerthor mit der Steinbildsäule Herzog Sigmunds, des Münzreichen.

Unter den Anstalten der Stadt zeichnen sich aus: das ehemalige Damenstift, von den Erzherzoginnen Magdalena, Margaretha und Helena, Töchter Ferdinands I., gestiftet, wurde 1783 aufgehoben. Das Militär-Erziehungshaus, die Irrenanstalt, das Taubstummeninstitut und das Gymnasium. — Der Inn wird hier schiffbar und alle Sonnabende fährt von hier ein Schiff nach Wien, für Waaren und Reisende bestimmt. Das Fahrgeld beträgt 4 Gulden R. W. — Salmiakfabrik, welche jährlich 300 Centner liefert. Außer anderen städtischen Gewerben auch Feldbau und Viehzucht; 200 Joch Ackerfeld, 570 Morgen Wiesen, 51 Pferde, 8 Ochsen, 320 Kühe, 50 Schafe, 80 Schweine. Das Wichtigste für Hall, dem es wenigstens sein Entstehen zu danken hat, ist der nördlich aufsteigende Salzberg.

Eine Straße führt von Hall in das enge Hallthal zum hohen Salzberg. Das Thal biegt sich links einwärts um den Zunderkopf, 8199 F. In der Höhe auf einer Stufe desselben die Trümmer des Magdalenenklosters, weiter hinein das Herrenhaus, Hauptanhaltpunkt für die Besteiger des Salzberges.

Die Wasserstollen des Berges liegen 5088 F. über dem Meere. Wie in den anderen Salzbergwerken der Deutschen Alpen, werden auch hier große Räume, Werksätze genannt, ausgehauen, dann mit Wasser angefüllt, welches das Salz der Wände auflöst. Gesättigt ist das Wasser, wenn sich in 100 Pfund Wasser 26 Pfund Salz aufgelöst haben. Die so entstandene Salzsohle, Sur genannt, wird in hölzernen Röhren nach Hall geleitet und dort versotten. Ehemals wurden auf diese Weise täglich 1000 Centner Salz gewonnen. Jetzt, wenn auch noch ebensoviel erzeugt werden kann, wird wegen der Handelssperre um ein Drittel weniger verfertigt. Nur Tyrol und Engadin werden damit versehen. Der jährliche Gewinn beträgt 60,000 Gulden C. M. Die Bergleute leiden an einer Grubenkrankheit, die sie von oben abzehrt, von unten anschwellt; sie werden dann von dem Bergertode hinweggerafft. Ihre Hauptnahrung der Bergerflenken, aus Mehl und Schmalz gebacken und in Sohle gekocht. Ehemals herrschte in der Umgegend von Hall der Kretinismus sehr allgemein, hat sich aber wahrscheinlich durch Austrocknung der Innsümpfe verloren. Wer den Salzberg befahren will, meldet sich beym Berghüter im Verwaltungsgebäude, wo man auch Kleidung, Licht und einen Führer erhält. Die Fahrt dauert gegen 3 Stunden.

Geognostisches. Flötz- und Alpenkalk bilden die Hauptgebirgsarten der Umgegend. Der Flötzkalk liegt dem Alpenkalke auf; letzterer enthält Galmey und Bley; der Flötzkalk enthält Versteinerungen (am Wildanger schöne Strombiten und Turbiniten). Auf den Gypslagen des Flötzkalkes Salzthon, worin Lagen von Steinsalz, Kernsalz genannt. Der Gyps, grauweiß, ist als Anhydrit über der Salzformation ausgebreitet. Darin braune und gelbe Blende, Rauschgold, Arsenikkies, Bleyglanz, Schwefelkies.

Über Mils und Baumkirchen kehrt man nach Hall zurück. Zu den Männern, welche in Hall geboren wurden, gehören: Roman Rauscher, Abt und Erbauer der schönen Stiftskirche zu Garsten in Österreich, 1604; der bekannte Maler Ulrich Glantschnigg, vulgo Landschneck, 1661; der Geschichtsforscher Ant. Roschmann, 1694; der Landesschützen-Major Joh. Ignaz Straub, 1773, bekannt im Kampfe 1809. Auf dem Wege von Baumkirchen die Ruinen von Grünegg und das wohlerhaltene Schloß Schneeburg, ersteres ehemals Jagdschloß Ferdinands II., letzteres das Stammschloß der jetzigen Freyherren von Schneeburg. — Von Hall aufbrechend folgen wir der Heerstraße abwärts und gelangen bald darauf an die heißumkämpfte Volderer Brücke, und den Inn überschreitend zur Borromäuskirche, in einem wunderlich schlechten Style erbaut. Merkwürdig ist sie durch schöne Fresken und Öhlgemälde von Knoller aus seiner besseren Zeit. Über der Kirche ein Servitenkloster. An der Stelle der Kirche stand einst ein Raubschloß, welches von Guarinoni aus Trient, Edelknaben des heiligen Borromäus, später Arzt in Hall, in diese Kirche umgewandelt wurde, 1620.

Bald darauf gelangen wir nach Volders, einem Postwechsel zwischen Innsbruck und Schwatz mit 71 H. und 1100 E. Die Post ist ein gutes Gasthaus. In der Pfarrkirche Gemälde von Schöpf. Waffen- und Sensenschmieden, welche jährlich 10,000 Sensen ins Ausland versenden. Auf einem Hügel das Schloß Aschach, 1576 von Ernst von Rauchenberg erbaut, von welchem es an die Schenken von Schenkenstein, dann durch Heirath an Georg von Rothenbuech und Adam von Remich kam. Jetzt ist es Eigenthum des Postwirthes, der es zu einer besuchten Sommerfrische hergerichtet hat. Volders ist der Geburtsort des Anton Reintsch, des Tyroler Winkelrieds. Als die Franzosen 1797 in Tyrol eingefallen waren, wurde die Rettenberger Schützenabtheilung unter ihm bey Spinges an der Eisack eingeschlossen. Da warf sich Reinisch in die feindlichen Bajonette, um den Seinigen eine Gasse zu machen; von 11 Bajonettstichen durchbohrt starb der Held, der kleinen Schaar nicht nur einen Ausweg, sondern einen glänzenden Sieg bereitend, welcher die Befreyung des Landes zur Folge hatte. Noch leben zwey seiner Söhne.

Von Volders locken zwey Gegenden zu Ausflügen. Zuerst besuchen wir das reizende Mittelgebirge, dessen Ebene sich auf der über Volders sich erhebenden Bergstufe ausbreitet, und zu welchem wir schon von Ambras aus einmal emporstiegen. Durch den Volderer Wald steigt man hinan. In diesem liegt einsam der Glockhof, an dessen Wand eine große Glocke gemalt ist. Hier wohnte einst ein Glockengießer, der jedoch nebenbey das unedle Gewerbe des Straßenraubes trieb und selbst zum Morde verleitet wurde. Seine Verbrechen wurden entdeckt und er zum Tode verurtheilt. Er bat sich die einzige Gnade aus, daß bey seiner Hinrichtung die große wohlklingende, von ihm gegossene Glocke von Milz geläutet würde. Getröstet durch ihren Klang, erlitt er die Todesstrafe. Eine Bildsäule in der Nähe erinnert an diese Begebenheit. Aus dem Volderer Walde hinaustretend, steht man auf der bevölkerten Ebene, und der erste Ort ist Tulfes mit 84 H. und 547 E. An dieses Dorf grenzt das zweyte Dorf, Rinn mit 57 H. und 369 E., in einem Obstgarten. Man hat hier eine herrliche Aussicht hinüber nach Hall. Beyde Dörfer besitzen 571 Joch Ackerland, 724 Morgen Hutweiden, 24 Pferde,

30 Ochsen, 444 Kühe, 163 Schafe und 69 Schweine. In der Nähe liegt im Walde versteckt die Wallfahrtskirche, der Judenstein. Daran knüpft sich eine, selbst in der neuesten Zeit öfters auftauchende Sage. Ein Kind soll nämlich hier, während der Abwesenheit der Mutter, von seinem eignen Pathen an durchziehende Jüdische Kaufleute verkauft und auf dem Judenstein geschlachtet worden seyn; die Mutter, in ihrer Erndtearbeit durch drey aus der Höhe auf ihre Hand fallende Blutstropfen ahnungsvoll aufgeschreckt, eilt nach Hause und findet ihr ermordetes Kind an einer Birke hängen. Nach dem Begräbnisse sproßten jeden Winter frische Lilien aus dem Grabhügel und die Birke grünte sieben Winter hindurch; einem Frevler, der sie ihres Laubes berauben wollte, verdorrte die Hand. Um diese Begebenheit glaubhafter zu machen, wird der Pathe des Kindes, Mayr, und der 12. Jul. 1462 als Tag der Handlung angegeben. Derselbe Arzt, welcher die genannte Borromäus- oder Karlskirche erbaute, regte auch hier einen Kirchenbau auf dem Judenstein an, 1670, wohin die Gebeine des Märtyrers 1678 von Rinn übergesetzt wurden. Die Begebenheit ist plastisch von Nißl in Holz dargestellt; das Gemälde von Guarinoni.

Der zweyte Ausflug führt uns in das Volderer Thal und auf den Glunkeser. Das Volderer Thal zieht in die Vorlage des Zillerthales hinein. Es ist eng, wie die meisten Thäler der Schieferbildung, namentlich am Eingang, in der Tiefe zuerst unbewohnt; daher liegen an den beyderseitigen Bergvorsprüngen rechts Klein- und links Großvoldererberg. Auf der linken Thalwand liegt die Burg Hauzenheim, gewöhnlich Stachelburg nach dem letzten Besitzer genannt. Im Jahre 1809 verlor die Burg, da sie als Spital gebraucht wurde, viele ihrer Merkwürdigkeiten und ist gegenwärtig Eigenthum eines Bauern. Nicht weit davon, den Eingang des Thales bewachend, steht die Burg Friedberg mit hohem Thurme. Sie gehörte nach einander den Herren von Rothenbuch, v. Fieger und seit 1841 der Gräfin Renate von Wolkenstein. Thaleinwärts am östlichen Abhang liegt das Bad und die starkbesuchte Sommerfrische Volderer Bad. Die Quelle enthält schwefelsaure Erden. Die Bergausflüge gewähren den Gästen eine besondere und schöne Unterhaltung. Der belohnendste führt uns auf die 8443 F. hohe Spitze des Glunkesers. Seinen Namen hat der Berg von Glunkezen, das Geräusch beym Ausgießen einer Flüssigkeit aus einem Gefäße mit enger Öffnung durch das Eindringen der Luft. Ein ähnliches Geräusch hört man im Innern dieses Berges. Der Glunkeser bildet einen Eckpfeiler der Bergrücken, in welche sich die Kette zwischen dem Gebiete der Sill und Ziller am Schneebruck zertheilt. Dieser Rücken läuft nordwestlich vom Schneebruck über den Thurnthalkopf, Klamerspitz, Grafmartspitze, Rosenal, Kreuzkopf und Gewankopf zu unserer Spitze. Von dieser laufen nochmals zwey untergeordnete Rücken, der eine nordwestlich fort, und sein Eckpfeiler ist der schon von uns besuchte Patscherkofl, der andere nördlich zum Tulveser Berg. Der Glunkeser gehört zu den Schiefergebilden des vorderen Zillerthales und ist fast ganz übergrünt; nur in seiner höchsten Gegend steigen die Felsengräten aus dem Grün der Matten auf und bergen schon Schneefelder. Vom Volderer Bade aus steigt man in 4 Stunden auf die Alpe Largoz, wo man rastet oder übernachtet; in einer Stunde von hier erreicht man den Gipfel. Die Aussicht, welche schon dadurch sehr abwechselnd und unterhaltend wird, daß man inmitten der Kalk- und Gletscherwelt der Urgebirge steht, gewinnt noch durch den Blick auf das in der Tiefe vorüberziehende bevölkerte Innthal ungemein an Reiz. Östlich streift der Blick über die niedrigeren Vorhöhen der östlichen Thalwand des Zillerthales in das Gebiet der Salzach, wo die Eiswelt des Venedigers und Glockners sich aufbaut; im Süden überragen die eisigen Häupter der Zillerthaler Gruppe das dorthin vorgelagerte Gebirge; südwestlich dringt das Auge durch das sich weit erschließende Stubaythal in den Kern der Ötzthaler Gruppe; westlich und nördlich prangen jenseits des mit Häusern überstreuten grünen Innthales die jähen und kahlen furchtbaren Abstürze der Kalkalpen von der Hohen Mundi und der Zugspitze an über den Solstein bis zum Wilden Kaiser. Zwischen den tieferen Lücken dieser weißgrauen Riesen dämmern die Ebenen des nördlichen Vorlandes und man muß die Hauptstadt Bayerns sehen, wie man den Glunkeser von dort erkennt.

Von Volders bringt uns die Hauptstraße in einer Viertelstunde nach Wattens, einem großen geschlossenen Dorfe von 106 meist massiven Häusern und 710 Einwohnern (die Gemeinde 192 H. und 1270 E.). Es besteht hier eine Innüberfahrt. Die schöne Lorenzkirche hat Gemälde von Schöpf. Papierfabrik, Eisenwerke (Sensen, Äxte, Nägel); musikalische Instrumente von Schwaighofer.

Hier öffnet sich das Wattenser Thal, welches 5 bis 6 Stunden tief in das Gebirge eindringt. Der Eingang ist eng und die Thalwände steil, theils bewaldet, theils mit Asten[1]) besetzt. An der Höhe der Wände des hier in der Tiefe nicht gut gangbaren Thales hinwandernd, gelangt man nach einiger Zeit auf den Thalboden einer höheren Thalstufe, wo sich das Thal freundlich erweitert und ebnet. Im Hintergrunde dieser Ebene erhebt sich der Mölsschartenkopf, das Thal in zwey Äste spaltend. Rechts zieht das Mölsthal, an das jenseits zur Sill hinabgehende Navis stoßend, links Lizum, oder Wattens im engeren Sinne, hinan, welches sich an das zum Zillerthale gehörende Dux anlehnt. An der Theilung des Thales liegt Walchen, eine Art Tauernhaus, für die aus Dux in das Innthal ziehenden mit Schmalz beladenen Kraxenträger. Die ganze Gegend gleicht schon einer grünen Alpenmatte. Im Hintergrunde von Lizum liegt der Blaue See, in dessen Nähe Krystalle und Ockererde gefunden werden. Auch im Mölsthal ruht ein an Saiblingen reicher See.

Im Innthale ist Kolsaß das nächste Dorf, mit 1292 E. Das Hochaltarblatt in der Kirche ist von Zoller. Im Süden erschließt sich, parallel mit dem Wattenser Thal, das Kolsaß- oder Weerthal. Über dem Dorfe zeigen wenige Überreste die Burg Rettenberg, einst den mächtigen Rottenbergern, nach deren Vernichtung durch Friedrich mit d. l. T. den Kirchbergern gehörig, von denen sie an Waldauf (siehe Hall) und nach dem Erlöschen seines Stammes an die Fieger überging, unter welchen die Burg zur Ruine wurde. Der Kirchenbau in Wattens vollendete die Zerstörung. Über Kolsaß liegen auf und an dem Mittelgebirge die zerstreuten Häuser des Kolsaßer Berges. Die westliche Hälfte des Weerthales gehört zum Gericht Hall, die östliche nach Schwatz. Durch das Thal führen Wege und Jochsteige nach Vorderdux und Hippach. Am Wege nach Vorderdux kömmt man am Rafinger See vorüber.

Jenseits des goldführenden Weerbachs, der aus dem Thale kömmt, liegt an der Straße das Dorf Weer mit 76 H. und 446 E. In der Nähe der Weersee an der Stätte eines ehemaligen Schlosses, welches wegen des Übermuthes seiner Bewohner mit ihnen in den Fluthen begraben wurde. Das an der Straße liegende Wirthshaus ist ein Standquartier der Duxer Kraxenträger, und Reisende, welche in die merkwürdige Dux wollen, finden daher hier oft Führer dahin[2]).

1) Die Sennhütten der Voralpen, zu welchen das Vieh zuerst im Frühjahr aufgetrieben wird.

2) Auffallend sind mir jedoch zwey Mal hier von den sonst so biederen Duxern

über Weer liegt auf dem schönen fruchtbaren Mittelgebirge die Gemeinde Weerberg mit 160 H. und 1024 E. Von der hochgelegenen Kirche hat man eine herrliche Aussicht hinauf bis Innsbruck.

Von Weer kommen wir auf der Straße nach Pill, einem kleinen Dorfe von 20 H. und 117 E., an der Mündung des durch seine Murbrüche berüchtigten Pillerthales vorüber. Der Piller Berg zählt noch 72 zerstreut an den Abhängen liegende Häuser mit 442 E.

Bey der alten Kreuzkapelle vorüber, erreichen wir in einer Stunde das ehemalige Eldorado Tyrols, das durch sein Glück, wie durch sein Unglück bekannte Schwatz oder Schwaz. Der Aussprache nach müßte Schwaz, ja Schwaaz geschrieben werden, die gewöhnliche Schreibart ist aber Schwatz. Der Markt liegt 1629 F. (1740 nach Baumgärtner) über dem Meere. 7½ St. von Innsbruck. Schon bey Weer betraten wir das Landgericht Schwatz, sonst Schwatz und Freundsberg genannt; es umfaßt 12 Q.M. Das Klima ist hier bedeutend rauher, als um Innsbruck und Hall; denn statt der weiten Pforte des Brennerthores, welche die wärmeren Lüfte des Südens herüberläßt, erheben sich nicht nur unmittelbar aus dem Thale hohe schattende Berge, sondern im Süden erkälten die warmen Winde, ehe sie in das Innthal kommen, auf den hohen Eisrücken der Zillerthaler Hochgebirge; statt des Solsteines, welcher die Sonnenstrahlen und die Südwinde aufhält und dem Innthale zurückgibt, während er die Nordwinde abhält, ist hier das nördliche Kalkgebirge bedeutend niedriger und durch seine mehrfachen Klüfte wehen kalte Nordwinde herein. Schwatz, früher Suazes und etwas später Sebatum genannt, lehnt vom rechten Ufer des Inns am Erzberge hinan und wird vom Lahnbache durchströmt, der vom Kellerjoche herabtost. Gasthöfe: Post und Einhorn. Sitz des Kreishauptmannes für Unterinnthal und Wippthal, des Landgerichtes, eines Rentamtes; es befinden sich hier eine Kreishauptschule, eine Poststation zwischen Volders und Rattenberg, ein Weggeldamt, 2 Ärzte, 4 Wundärzte, 1 Apotheke, 1 Lesecasino. Den ersten Grund scheint eine Römische Ansiedelung gelegt zu haben, welche von einem Castelle, dem jetzigen Freundsberge, gedeckt war; daher findet man viele Römische Alterthümer. Im Mittelalter kam Freundsberg an die Gaugrafen des Innthales und wurde Stammburg der berühmten Freundsberger, Vasallen der Grafen von Andechs. Nur eine kleine Häusergruppe stedelte sich unter dem Schutze der Burg an. Da wurden 1409 die Silber- und Kupferminen entdeckt. Erzherzog Sigismund brachte deßhalb das Gericht Freundsberg an sich, indem er den Freundsbergern Sterzing und Petersberg gab. Von allen Seiten strömten jetzt Bergknappen herbey; Schwatz wurde ein Markt. Von 1470 bis 1560 wurden 3,583,800 Mark Silber und 1,336,396 Centner Kupfer, nach gegenwärtigem Werthe für 207,870,337 Gulden gewonnen.

---

wirklich unverschämte Forderungen gemacht worden (7 fl.) für den Weg, den sie leer zurückgehen mußten und nur zwey leichte Tornister tragen sollten. Also frage man vorher.

In den Jahren 1523—1564 wurden nur im Falkensteine 2,058,501 Mark Brandsilber und 1,000,000 Ctr. Kupfer gewonnen. Viele Familien in Deutschland, namentlich in Tyrol, die wegen ihres Reichthums großen Ruf hatten und theils noch haben, verdankten denselben den hiesigen Gruben; die Fugger bezogen z. B. jährlich 200,000 Gulden. In den Schwatzer Gruben arbeiteten 30,000 Knappen. Das Beyspiel von Schwatz fand viele Nachahmung im übrigen Tyrol; allerwärts wurden Erze gesucht. Die Schwatzer Bergleute standen in großem Ruf und wurden nach dem Harze, nach Sachsen und Italien berufen. Die Schwatzer Knappen waren es, welche 1529 durch ihre Gegenminen das von den Türken belagerte Wien retteten und Gran gegen die Ungarn vertheidigten; wichtige Bergprocesse des Auslandes wurden hier entschieden. Schwatz, obwohl nur Markt, übertraf an Reichthum alle Städte Tyrols und erreichte eine Blüthe, von deren Vorhandenseyn aber nur noch die Geschichte, Gebäude, Kunstwerke und Stiftungen zeugen. Der Verfolgungsgeist, welcher in der Reformation in den Alpen wüthete, verödete auch hier die Gruben; dazu kamen noch andere Unfälle, als 1611 eine Pest, 1670 ein Erdbeben und 1809 die völlige Vernichtung durch die Bayern. Nach den Gefechten bey Wörgl rückten die Bayern unter Wrede am 15. May 1809 das Innthal hinauf gegen Schwatz; die Tyroler hatten die südlichen Höhen über der Straße besetzt, während 500 Mann Österreichische Infanterie und 30 Reiter unter dem Freyherrn von Taxis den Markt besetzt hielten. Lange Zeit widerstanden letztere, unterstützt von den Tyroler Schützen, dem Eindringen des Feindes, bis sie zuletzt der Übermacht unterlagen. Die gefangenen Schützen wurden erschossen. Nach diesem Kampfe lagerte ein Theil des feindlichen Heeres dies= und jenseits des Inns auf den Feldern. Doch bald fiel der Feind über Schwatz und Vomp von Neuem her, denselben Tag, plünderte Alles, mordete die wehrlosen zurückgebliebenen Einwohner; darauf wurden beyde Orte angezündet und das Feuer den nächsten Tag mit aller Vorsicht erhalten. Schwatz erlitt dadurch einen Schaden von 1,618,051 Gulden; die Franziskanerkirche und Pfarrkirche wurden durch Zufall erhalten. Es folgten noch öftere ähnliche Zerstörungen in diesem Kriege, so daß auch das kleinste Pflänzchen in den Gärten herausgerissen wurde. War vorher der Ingrimm der Tyroler wegen des ihnen zugefügten Unrechtes groß, so war die Zerstörung von Schwatz der Sturmwind, welcher die hie und da nur glimmende Gluth zur furchtbarsten Racheflamme anblies.

Die Lage des Ortes ist sehr schön, 7½ St. von Innsbruck. Er zerfällt in drey Theile; westlich des Lahnbaches der Markt, östlich das Dorf, südlich am Bergesabhang die Knappey, der ärmste Theil, Nachkommen der ehemaligen Bergleute. In 676 H. wohnen 4491 E. Die Pfarrkirche, äußerlich ein herrliches großartiges Gebäude in Deutschem Style, bezeugt genugsam den Reichthum der alten Zeit; 15,000 Kupferplatten bedecken das Dach, zwey Portale, zwey größere und zwey kleinere Schiffe, zwey Chöre und Hochaltäre, 175 Fuß lang, 80 F. breit. Das Deckengewölbe, einst spitzbogig, dem Ganzen ent-

8 *

sprechend, wurde später 1729 durch flache Wölbung verunstaltet und steht mit dem erhabenen Tempel in widrigem Contraste. Baumeister: Hirzvogel (des Planes); 9 Altäre. Gemälde von Schöpf (Mariä Himmelfahrt), von Bauer aus Augsburg 1783 (Abendmahl), von Grasmayr 1734 (die heilige Anna), von Janust aus Salzburg 1730 (Opferung Mariä). Wichtiger das Denkmal Dreylings (erzherzogl. Rathes und Schmelzherren, gestorben 1575), in Erz gegossen von dem bekannten Hans Löffler und von Collin angegeben, welche beyde ihm verschwägert waren. Unten am Denkmale liest man:

Mir gab Alexander Colin den Possen,
Hans Stof Löffler hat mich gegossen.

Die Franziskanerkirche und das Kloster entsprossen gleichfalls der Wohlstandsperiode des Ortes; von Kaspar Rosenthaler aus Nürnberg 1514 im edlen Styl erbaut. Gemälde von Fr. Unterberger 1740 (die h. Katharina und Barbara), George de Marées 1739 (die h. Anna). Ein altes Holzgemälde (die Verwandtschaft Jesu). In dem Kreuzgange des Klosters alte Wandgemälde, durch Laienhand verunstaltet, aber noch kennbar. Zwangsarbeitshaus für Tyrol und Vorarlberg, für 140 Personen. Die Räume werden mit erhitzter Luft erwärmt. Sehr schonende Behandlung. Hauptbeschäftigung: Flachs- und Wollspinnen, Handschuhnähen u. s. w. Ein Spital. Tabakfabrik mit 300 Arbeitern, Lyonische Drahtfabrik mit 300 Arbeitern, Steingutfabrik von Hußl mit 30 Arbeitern. Die Erzgruben sind vom Staate aufgelassen und werden nur noch von Privaten durchsucht.

Der Eisenbergbau beschäftigt 300 Bergleute und liefert 30,000 Ctr. Eisen, das gesuchteste Eisen Tyrols. Außer diesen größeren Gewerben noch Baumwollstrickereyen (die bekannten schiechen Schwatzer Hauben, welche jedem Fremden mißfallen), Bierbrauereyen. Ackerbau und Viehzucht bey der Bevölkerung nicht ausreichend; 10,000 Joch Ackerland, 165 Morgen Wiesen, 600 Morgen Hutweiden, 53 Pferde, 13 Ochsen, 390 Kühe, 90 Schafe, 59 Schweine.

Die Umgegend von Schwatz ist in mehrfacher Hinsicht interessant; hier die Schutthalden der ehemaligen Herrlichkeit, dort die grauen Überreste einer durch ihr Geschlecht berühmten Burg; jenseits des Inns ein prächtiges Kloster und der wilde, düstere Eingang in ein manches Interessante darbietende Thal.

Dem Reisenden, der von Innsbruck herabkömmt, fällt im Unterinnthale die herrliche Laubwaldung auf, welche die Berghänge umschattet, so besonders bey Schwatz, wenigstens auf dem südlichen Gebirge. Die nördliche Kalkwand steht im Anfange noch in ihrer ganzen Starr- und Nacktheit da; doch vom Salzberge an und dessen Umgebungen fällt der vordere Kalkrücken nach und nach ab und wird bedeutend niedriger, so daß ihn das Krummholz völlig überspinnt und nur hie und da den weißen Felsen hervorleuchten läßt. Doch vom Fuße dieser Kalkschroffen ziehen sich blühende Gefilde herab zum Inn, bedeckt mit vielen schönen Ortschaften.

Ausflüge von Schwatz. Südöstlich über Schwatz erhebt sich der Rücken des einst durch seinen Erzreichthum berühmten Falkensteins. Der Haupteingangsstollen ging in der Tiefe des Thales hinein, war eine halbe Stunde lang, worauf zwey Schachte, der eine mit der Wasserhebungsmaschine, der andere mit den Förderungsmaschinen versehen, 1350 F. in die eigentlichen Gruben hinabführten. Das Erz stand in kalkigem Thonschiefer an, enthielt nur Kupfer und Silber, selten Eisen; schönen Malachit (wie noch jetzt die Chausseesteine beweisen). Im Jahre 1556 waren 44 Gruben, jede mit eignem Mundloche, im Gange, und, bis auf den Fürstenbau, in den Händen von Privatgewerken, die sich dadurch sehr bereicherten. Dahin gehören die: Fugger, Fieger (Hans Fieger führte seine Braut 1466 mit 4000 Pferden heim nach Schwatz), Tänzl von Tratzberg, Stöckl, Tannenberg u. A.

Hinter Schwatz ragt auf waldumkränzter Höhe ein alter grauer Thurm empor; es ist die Burgruine von Freundsberg, der Sage nach schon 200 Jahre vor Chr. G. erbaut; jetzt nur ein alter Thurm, daneben eine Kapelle. Schöne Aussicht auf das Innthal. Die Herren von Freundsberg waren einst Dienstmannen der Andechser, besonders Berchtolds II., Erbauers von Innsbruck. Durch ungeregelte Bewirthschaftung zerfiel das Gut in zwey Theile. Wie Erzherzog Sigmund beym Aufkommen der Bergwerke tauschte, ist oben erwähnt. Durch Heirath kam dann das Geschlecht der Freundsberger aus Tyrol nach Mindelheim in Schwaben, wo es auch gegen das Ende des 16. Jahrhunderts erlosch. Georg von Freundsberg war der berühmteste als Feldherr unter Maximilian I. und Karl V. Sieg bey Pavia 1525, Erstürmung Roms; Verbesserung des Kriegswesens; Einführung der Landsknechte. Er starb 1528 zu Mindelheim. Auf Befehl Franz I. wird die ehrwürdige Ruine auf Kosten des Staates erhalten. Ein dabey befindlicher Schirm bietet die schönste Aussicht.

Fast südlich über Schwatz liegt, auf einer Stufe des Gebirges zerstreut, die Gemeinde Arzberg mit 103 H. und 450 E. Der Berg darüber erscheint wie eine von Maulwürfen durchwühlte Wiese; Schutthalde über Schutthalde. Hier war die Altzeche, der erste Bergbau, zum Theil noch in den neueren Zeiten bearbeitet.

Im Hintergrunde des Thales, aus welchem der Lahnbach herabkömmt, ragt das Kellerjoch 7000 F. hoch empor, in 5 Stunden ersteigbar, mit herrlicher, weit umfassender Aussicht, das Innthal hinab und hinauf, ins Zillerthal und auf dessen große Bergmassen, wie auf die begletscherte Tauernkette bis zum Glockner; nördlich über die Kalkkette, die sich hier etwas erniedrigt, hinaus in die Bayrische Ebene.

Wir kehren nach Schwatz zurück und überschreiten die Innbrücke. Eine den großen Alpenthälern gewöhnliche Erscheinung, die aus den Seitenthälern vortretenden Schuttberge finden sich auch hier im Innthal und geben insbesondere dieser Gegend von Hall bis Schwatz ihren eigenthümlichen Charakter. Hier treibt das Bomperthal einen solchen Schuttberg aus seiner Kluft heraus; er breitet sich sogleich, in die Fläche des Innthales gelangend, thalauf- und thalabwärts aus, gleichsam zerfließend. Gewöhnlich sind diese Schuttberge durch die Länge der Zeit in fruchtbaren Boden verwandelt und angebaut, wie die Lavaströme.

Schon von Schwatz her leuchtet jenseits von einer solchen Schutthöhe das schöne Benedictinerstift Viecht herüber. Es stammt von dem im nahen Stanser- oder Stallenthal liegenden St. Georgenberg. Die Kirche wurde 1750 eingeweiht. Merkwürdigkeiten des Klosters sind: der Saal mit Frescogemälden, Gemälde in den Klostergängen, die von dem kunstliebenden Stiftspriester Eberhard Zobel zusammengebrachte Sammlung von Gemälden und Kupferstichen; die Bibliothek mit Handschriften und Büchern aus den ersten Zeiten der Buchdruckerkunst, wie auch andere, welche wichtige Geschichtsquellen sind; die Stiftskirche groß, aber überladen, darin das Nothburga-Altarblatt von Haller. Das Merkwürdigste darin sind jedoch die Holzschnitzarbeiten von dem ältern Riffl, nämlich die Beichtstühle, die vorzüglichsten Büßer und Büßerinnen des christlichen Alterthums darstellend, wie auch das Betchor zwischen Kirche und Kloster, die Leidensgeschichte in 9 Feldern an der Wand, ein Crucifix am Altar und vor Allem Christus im Grabe unter dem Altar. Herrliche Aussicht aus den Fenstern des Klosters.

Sehr interessant ist der weitere Ausflug in das Stallenthal nach St. Georgenberg. Auf der Scheideck des Stallen- und Innthales herrlicher Blick in die Umgegend. Düstere Einsamkeit umfängt den Wanderer, so wie er in das Stallenthal einbiegt; einsame Bergmatten zwischen dunkeln Waldungen und darüber graue Firste der Kalkberge; in schattiger Tiefe der wildbrausende Bach. Inmitten dieser, durch den Gegensatz mit dem belebten eben verlassenen Innthale nur um so einsameren, Gegend ragt aus der dunkeln Tiefe ein mächtiger Felsenstock auf, halbinselartig umwühlt von dem Bache; der Rücken, durch den der Felsen mit dem dahinterliegenden Gebirge sich verbindet, kann von hier nicht gesehen werden, daher erscheint er isolirt aufzustreben. Auf der Spitze horstet kühn St. Georgenberg, die Mutterstätte der Benedictiner in Viecht, jetzt Priorat mit zwey Ordenspriestern; Wallfahrtsort. Steil führt der Pfad an der rechtsstehenden, durch eine Einbiegung des Berges getrennten Wand empor und dann überspringt eine kühne Brücke den Abgrund. Oben auf der Plattform des Felsenkegels steht die Kirche mit dem verehrten Bilde der Lindenjungfrau. Rathold, ein Edelmann aus Aiblingen in Bayern, verließ die Welt ohne Vorwissen der Seinigen und wählte zu seinem Einsiedleraufenthalt diesen Felsen, wo eine natürliche Grotte seine Wohnung wurde; vor derselben schattete eine gewaltige Linde. Er zog darauf nach den berühmtesten Wallfahrtsörtern Europas und stellte, heimgekehrt auf sein Felsennest, das Bild der heiligen Jungfrau unter seiner Linde auf, daher der Name, der noch anderwärts gefunden wird, Ratholds-Brücke. Ubald fand auf einem Jagdzuge durchs Gebirge unverhofft hier seinen Bruder, und gelobte eine Kapelle und Einsiedlerbehausung. Man wollte die gelobten Gebäude an bequemerer Stelle bauen, aber Unglücksfälle verhinderten den Bau und Vögel trugen Spähne des verunglückten Gebäudes auf den alten Felsen. So entstand der Bau der Kirche daselbst. Die Einsiedeley erweiterte sich bald zum Kloster; allein für ein solches schien die Gegend nicht geeignet; ein Unglücksfall folgte dem anderen, Feuer und Lawinen, so daß die Mönche das schöne Innthal vorzogen und den Einsiedler verließen. — Das Eigenthümliche der Lage, die Abgeschlossenheit von der belebten Welt und doch ihre Nähe, indem sie durch ein Fenster hereinschaut in die klösterliche Einsamkeit, besonders aber der kleine Klostergarten, wie bey den Einsiedeleyen des Montserrats, locken jeden Fühlenden hierher, und wer einmal hier war, wird gewiß, wenn er das Innthal durchreist, wieder hierher kommen. Das Stallenthal ist übrigens einsam und öde, wie sein Eingang und nur diese Ansiedelung verleiht ihm einen hohen romantischen Werth. Durch das Stallenthal führen Alp- und Jochsteige in die benachbarten Kalkalpenthäler. Der erste über das Stanserjoch in die Pertisau am Achensee in 5 Stunden; ebendahin führen aus dem Hintergrunde des Stallenthales zwey andere Jochsteige, über das Stakener Joch und der andere bey der Lamsenspitze vorüber, welche beyde sich im Falzthurnthal vereinigen. Von dem Kreuze des letzten Joches zweigt sich ein vierter Steig ab über den Kaisergrath in die Riß, welches Thal unterhalb Mittewald zur Isar geht.

An der Mündung des Stallenthales finden wir das Dorf Stans mit 500 Einwohnern und einer Lyonischen Drahtzugfabrik, jährlich für 26,000 Gulden. In der Kirche das Altarbild von dem hier geborenen Maler Joseph Arnold.

Fortsetzung der Reise durch das Innthal.

Ehe wir von hier weiter thalabwärts ziehen, besuchen wir noch das linke Innufer von Viecht bis Hall. Der erste Ort ist Vomp mit der darüber thronenden Burg Sigmundslust. Vomp zählt 1000 E. in 154 H. Zerstört mit der schönen Kirche und einem Albrecht Dürer darin von Derol 1809. In der jetzigen Kirche ein heiliger Sebastian von Joseph Arnold. Sigmundslust war ein Schloß des jagdlustigen Erzherzogs Sigmund. In der Nähe von Vomp Braunsteingruben und weiße Kreide. Bey Vomp erreicht man die Mündung des Vomperthales, das Vomperloch.

Der Eingang ist schauerlich wild, wie schon der Name errathen läßt; düster und einsam, ohne besondere Reize, streckt es sich ziemlich weit hinein in die Kalkalpenwelt. Der Reisende und Freund großartiger Wildnisse geht eine Strecke thaleinwärts auf dem an den Wänden schwebenden Steige, um die Wildniß zu übersehen. Den Reisenden, der vielleicht das Innthal kennt, und einen Richtweg einschlagen will, wird das Vomperthal von Vomp aus in gerader Linie über den Haller Anger, in das oberste Isarthal und nach Scharnitz führen. Im Thale Galmeygruben.

Über Terfens (424 E. in 62 H.), bekannt durch den Widerstand der Tyroler 1809, gelangen wir auf die unter den Kalkalpen heraustretende Stufe des Gnadenwaldes, in St. Martin und St. Michael zerfallend. Der Gnadenwald ist eine für sich bestehende Welt. Ein Hügelland mitten im Innthale, 3 Stunden lang und ½ Stunde breit, westlich von dem Hallthalbache, südlich vom Inn, östlich vom Vomperbach, nördlich von den Kalkwänden begrenzt, von Bächen und Thälern durchschnitten und stark mit allen Holzarten bewaldet; zwischen den Waldungen liegen die Häusergruppen zerstreut. Eine halbe Stunde braucht man zum Anstieg zu dieser niedrig scheinenden Stufe. Ist man einige Stunden in diesem reizenden Berglabyrinthe umhergewandert, dann erst fällt die ganze Größe des Innthales auf, in welchem noch eine so abgesonderte Welt außer seiner Thalfläche bestehen kann. Darüber die schöne Walderalpe. Endlich erreicht man, von dem Gnadenwald herabsteigend, Baumkirchen, nahe an der Straße zum Salzberg, nur merkwürdig als Stammhaus der Herren von Baumkirchen; einer derselben ließ sich in Passeyr auf dem Schildhofe Baumkirchen nieder und gab ihm den Namen. In der Nähe ein Frauenbad (schwefelsaure Salze). Baumkirchen und Fritzens sind die wohlhabendsten Orte der Strecke durch Holz und Viehzucht, da keine Zerstückelung besteht.

Von Viecht gehen wir nun noch das linkseitige Innufer hinab bis zur Öffnung des Zillerthales.

Der Straße folgend, kommen wir über Stans nach Tratzberg, einer Burg, welche dicht über der Straße thront. Sie gehörte zuerst den Gaugrafen des Innthales, von denen sie an die Landesfürsten überging. König Heinrich von Böhmen verschrieb sie 1306 seiner ersten Gemahlin zum Wittwengute. Die Österreichischen Herzöge überließen sie den Landesgeschlechtern, namentlich den Freundsbergern, aus deren Händen sie an Friedrich m. d. l. T. überging, dieser verkaufte sie der Familie Tänzel, welche dadurch in den Ritterstand erhoben wurde. Tänzel ließ Tratzberg prächtig herstellen; 365 Fenster mit schöner Aussicht und eine Waffenkammer schmückten den Bau. Den ausgestorbenen Tänzeln folgten die Fugger, die Halden; jetzt sind die Grafen von Tannenberg im Besitz.

Von Tratzberg kommen wir nach Jenbach am Einschnitt des Kasbaches, wahrscheinlich theilweise ein unterirdischer Abfluß des Achensees. Jenbach wird von vielen Reisenden besucht, da es an einer der Hauptverbindungsstraßen zwischen Tyrol und Bayern, 2 Stunden von Schwatz, liegt. Es ist ein ansehnliches Dorf mit 150 zum Theil schönen H. und 913 E., welche bey den hier befindlichen Berg- und Hüttenwerken viele Beschäftigung finden. Eisengießerey, Drahtzugfabrik, Stahlfabrik, Sensenschmieden, Weißfarbefabrik (aus Schwarzspath). 15,303 Centner Roheisen, 3159 Centner Gußwaaren, 151 Centner Draht, 300 Centner feinen Stahl, 1290 Centner Schlackenziegel und Platten, 200 Centner weiße Farbe. Das Eisenwerk theils kaiserlich, theils Privatbetrieb; Bierbrauerey; gutes Wirthshaus. Die Kirche ist im Deutschen Style erbaut. Geognostischer Ausflug auf die Alpe Mauriz [1]).

Von Jenbach nach Maurach, Häusergruppe an der Achenthaler Straße, ¼ St., dann gerade nördlich steil und hoch hinan. Hauptmasse Kalk, zuerst grau, dann röthlich mit Feuersteinen; höher hinan weißlich, dicht, matter Bruch, an den Kanten durchscheinend, mit Trümmern von Pechsteinkohlen, lagerweis mit Kalk und Sandsteinen verwachsen; alter Bergbau auf Fahlerze; auf der Höhe rothgrauer Flötzkalk mit versteinerten Schalthieren. Auf dem Hochriß, dem höchsten über der Alpe aufragenden Gipfel, brauner Kalk mit rothem Hornstein und Jaspis vermengt, auch Brauneisenstein enthaltend. Ins Achenthal hinab zeigen sich Schwimmsteine, Lager von Feuersteinen und Calcedon; tiefer hinab jüngerer Flötzkalk mit häufigen Versteinerungen: Ostraciten, Chamiten, Numismalen und Turbiniten. Höhe der Alpe 5000 F., der Hochriß 6000 (zwischen Achenthal, Innthal und Brandenberg). Auch Freunden großartiger Scenen ist dieser 6 Stunden Zeit (von Jenbach bis Dorf Achenthal) erfordernde Weg, als ein Seitenweg von der gewöhnlichen Straße, zu empfehlen.

Von Schwatz kommen wir nach dem Dörfchen Buch am Bache gleiches Namens; Überfahrt über den Inn nach Tratzberg. Wasserfall des Buchbaches. Auf Buch folgt die Gemeinde Margarethen; gleichfalls Innüberfahrt nach Jenbach. Darüber liegen auf der Stufe des südlichen Gebirges die Häusergruppen der Gemeinde Galzein mit 600 E. Bey der Häusergruppe Kugelmoos schöne Aussicht.

Geognostisches. Darüber die Schwaderalpe, vier Stunden über Margarethen, berühmt durch ihren Bergbau. Gebirgsart: Übergangskalk und rother Sandstein in großen Schichten, aufwärts Thonschiefer, die Spitze des Kellerjoches Glimmerschiefer. In dem Thonschiefer ist der Bergbau auf Eisen. Dieses füllt als Spatheisenstein die Klüfte aus. 27—30,000 Centner Roheisen. Nicht weit von hier, auf derselben Gebirgsstufe, liegt der Weiler Troy, in dessen Nähe der durch seinen ehemaligen so reichen Silberertrag berühmte Ringenwechsel, ein Nebenbuhler des nahen Falkensteins; daher eine Menge aufgelassener Gruben. Die Gebirgsschichten, welche der Einfahrende durchschneidet (Blasiusstollen), sind: Sandstein, bald körnig, bald schiefrig, tiefer Kalk einschießend, der immer mehr überhand nimmt, zuerst grau, dann weiß; in der Tiefe Thonschiefer, in weißen Kalkstein eingeschichtet; darauf gewinnt der Thonschiefer die Oberhand und der Kalk verschwindet; der Thonschiefer wechselt mit Urgrünstein, Glimmerschiefer, Urkalk und Serpentin. Der Kalk enthält die Erze in der Form der Fahlerze. Außerdem bricht: Kupfergrün, Malachit, krystallisirte Kupferlasur, Kupfer-

1) Beyträge zur Geschichte, Statistik rc. von Tirol. B. 1. S. 287.

erz; Seltenheiten: Kupferglimmer, excentrischer Kalkstein. Bey dem Weiler Maurach Steingutерde.

Alle diese Häusergruppen (Margarethen, Buch, Galzein u. s. w.) bilden den Kirchort St. Margarethen mit 1200 E. in 13 Weilern, welche zehn Stunden umher zerstreut liegen. In der Kirche ein Gemälde von Joseph Waldmann.

Auf einem waldigen Hügel dieser Gegend ragen die grauen Überreste der alten Rottenburg empor, der Burg eines einst mächtigen Geschlechtes. Die vielen Burgen, die in dem Gesichtskreise des Schlosses lagen, gehörten den Vasallen der Rottenburger; schon im 8. Jahrhunderte bekannt, in Tyrol und Bayern reich und begütert. Sie herrschten am Inn und der Etsch (die Leuchtenburg bey Kaltern). Als Schutzengel der Familie wird die treue Dienstmagd Rothburga genannt, welche 1313 in Rottenburg starb und mit ihr das Glück des Geschlechts. Übermüthig geworden, glaubten sie dem Landesherrn, Friedrich m. d. l. T., trotzen zu können und unterlagen, wie viele andere. Der letzte seines Geschlechtes war Heinrich VI., der, seiner Güter beraubt, durch Selbstmord seinem Geschlechte ein tragisches Ende bereitete, tragisch besonders wegen der großen Charakterzüge, die sein übriges Leben bezeichnen. Er besaß so viele Güter in Bayern, wie in Tyrol, und konnte als Vasall nicht zwey Herren dienen.

Unter den wenigen aber ehrwürdigen Trümmern an der Straße liegt das Dorf Rothholz, einst Hauptort des Gerichtes Rottenburg. Gegen den Inn, auf einer niedrigen Stufe des Thales, steht das Rothholzer Schloß Thurnegg, doppelt bethürmt, einst den Rottenburgern gehörig, dann den Landesfürsten. Erzherzog Ferdinand ließ es zu einem Jagdschlosse einrichten. Im Jahr 1747 ging es an die Grafen von Tannenberg über. Von Rothholz führt eine Brücke auf das jenseitige Ufer nach Jenbach, die gewöhnliche Überfahrt der von Rottenburg und dem Zillerthale kommenden Reisenden nach Achenthal. Bald darauf erweitert sich das Thal. Wir wanderten bisher im Schatten der rechts gegen Süden fast unmittelbar aufsteigenden Gebirge, doch in einiger Ferne wird es hell durchs ganze Thal, so sonnig, wie bey Innsbruck.

Im Süden öffnet sich das Gebirge plötzlich, und wir stehen an dem weiten und prächtigen Eingangsthore des Zillerthales, welches, wie kein anderes Thal, seine innersten Blüthen der Ferne erschließt; auf seiner weiten und ebenen Thalsohle bringt der Blick tief hinauf in sein Hochgebirge; auch kein Schutthügel, geschweige ein Schuttberg, verschließt die innere Thalsohle; ungestört fließt die Ziller dem Inn zu. Rechts oder westlich bildet die senkrechte Wand des Brettfalls, und links die fast ebenso steil abfallende untere Wand des Reiterkogls die Eckpfeiler. Auf dem Brettfalle liegt eine Kirche. Diese Kirche sowohl, wie der Reiterkogl, dienen zum schönen Überblicke der herrlichen, gesegneten Gegend, im Norden umsäumt von Kalkschroffen, im Süden von dem Eisgurte der Zillerthaler Gletscher.

Im Dorfe Straß, wo sich die Straße aus dem Zillerthale in die Innthaler Hauptstraße einmündet, 2 Stunden von Schwatz, 8 Stunden von Innsbruck, mit 55 H. und 396 E., machen wir Halt, um wieder einen großen Ausflug zu unternehmen und zwar in das Zillerthal.

Das Zillerthal.

Das Zillerthal ist das zweyte Hauptthal der Centralkette, das aus ihrem Innersten hervorgeht, im Hintergrunde, wie das Ötzthal, umstarrt von einem riesigen Felsengurt, der seine noch nicht betretenen, noch nie gemessenen Eishörner hoch in den blauen Äther emporstreckt.

Das Zillerthal unterscheidet sich vom Ötzthale, indem dort die Wildnisse mit sanften Gegenden wechseln, hier aber der ganze untere Stamm eine liebliche grüne bevölkerte Landschaft bildet und die obere Hälfte dagegen eine zusammenhängende und von Sennhütten belebte Wildniß darstellt. Das Klima ist eins der mildesten in Nordtyrol.

Politisch gehörte das Zillerthal einst ganz zu Tyrol und 889, unter Arnulf, kam es an Salzburg. Den Tyrolern gelang es, nur einen kleinen Theil wieder zu gewinnen. Erst 1816 kam es wieder ganz an Tyrol zurück; aber kirchlich ist es noch immer getrennt zwischen Salzburg und Brixen. Seine Länge beträgt 14 bis 15 Stunden, die Breite seines Flußgebietes 10 Stunden und sein Flächeninhalt etwas über 18 Quadratmeilen. Das Zillerthal besteht aus zwey Landgerichten, dem Landgericht Zell, welches den Hintergrund, und Fügen, welches den Vordergrund umschließt. Letzteres betreten wir hier, es umfaßt 3½ Q.M.

Von Straß brechen wir auf und wandern das Thal hinauf; allenthalben Gejauchz von den grünen Alpen. In einer Stunde kommen wir nach dem Dorfe Schlitters, an der Mündung des rechts herabkommenden Ochsenthales, 76 H., 544 E., 26 Pferde, 8 Ochsen, 174 Kühe, 60 Schafe, 40 Schweine, 174 Joch Ackerland, 236 Morgen Wiesen und 120 Morgen Hutweiden, nebst schönen Alpen. Die Kirche enthält ein schönes Altarblatt von Arnold. Die ehemaligen zwey Kirchen des Ortes sollen aus der Feindschaft zweyer Ritter von Schlitters entstanden seyn, welche sich selbst in der Kirche nicht sehen mochten. Nur noch die St. Martinskirche steht. Der alte zertrümmerte und vom Rauch geschwärzte Thurm der Severinskirche verkündet, daß das Jahr 1809 auch hier gehaust hat. Bey dem lustigen Wittmann [1]) findet der Wanderer noch ein gutes Glas Wein und eine recht freundliche Aufnahme. Auf dem Weiterzuge nach Fügen auf der Straße hat der Reisende jenseits der Ziller das 6705 Fuß hohe Wiedersberger Horn. Über seine Schultern senken sich zwischen blauen Waldparthien die Matten herab in die bebaute und bevölkerte Region; nördlich der Brucker- und südlich der Hartberg. Beschäftigung der Bewohner Viehzucht und Materialwaarenhandel (1742 E., 23 Pferde, 5 Ochsen, 714 Kühe, 141 Ziegen, 560 Schafe, 78 Schweine). Die freundliche Kirche, welche von einem Berge herüberleuchtet, ist eine Wallfahrtskirche, die Harter-Kapelle genannt.

In einer Stunde von Schlitters erreicht der Wanderer Fügen, das größte und schönste Dorf des Thales, in herrlicher Gegend liegend; weithin erstreckt sich die grüne Thalsohle, welche leider etwas sumpft; den Hintergrund bilden die Ferner, welche noch verklärend hereinleuchten. 100 H. und 814 E. Sitz des Landgerichtes, Dekans für Fügen, Zell, Achenthal, Hinterriß, Jenbach und Münster, Schloß der Grafen Fieger, jetzt der Gräfin Antonia von Dönhof, geb. Taxis. Die schöne Pfarrkirche mit Schnitzwerk, … naten, hier geborenen Meister Nissl; er war 1731 geboren und reinet Ra-

[1]) …rüder, welche mit Lederwaaren im nördlichen und westlichen Deutschland hausiren.

turkünstler. Der jetzt noch in Fügen lebende Bildhauer Franz Nissl ist ein Vetter und Schüler von ihm. Auch Anton Huber von hier war sein Schüler; letzterer war besonders als Wachsbildner bekannt; er starb 1840 zu Fügen. Nadel- und Eisenfabrik. 10,278 Joch Ackerland, 6742 Morgen Wiesen, 31 Pferde, 8 Ochsen, 172 Kühe, 63 Schafe, 20 Ziegen, 36 Schweine. Wie auf den unteren Terrassen der östlichen Thalwand sich die Häusergruppen des Brucker- und Hartberges ausbreiten, so hier auf der westlichen über Fügen der Fügenberg mit 1018 E. in 149 H. (4900 Morgen Wald, 19,634 Joch Ackerland, 13,144 Morgen Wiesen und 1600 Morgen Alpenweiden; 288 Schafe). Ausflug von Fügen auf das schon mehrmals erwähnte Kellerjoch, welches von hier am bequemsten zu ersteigen ist. In drey bis vier Stunden erreicht man die Olser Alpe, das passendste Nachtquartier, und von hier in anderthalb Stunden die 7359 F. hohe Spitze. Die Aussicht sehr grossartig, denn die Spitze gehört zu den schönstgelegenen Warten zwischen der Centralkette und den Kalkalpen, dazu in der nächsten Tiefe umzogen vom Inn- und Zillerthale in ihrer ganzen Länge. Der Solstein und der Kaiser, und in der Ferne selbst noch die Berchtesgadner Massen, bilden die auffallendsten Formen der Kalkalpenwelt, während die Eisgebirge des Oetzthales, Stubay- und Zillerthales, wie der Tauernkette im Süden, den ganzen Horizont in prachtvollen majestätischen Massen umschimmern. Eine Kapelle des Erlösers bedeckt fast den ganzen Gipfel und gewährt Schutz bey Sturm und gegen Erkältung.

Von Fügen kommen wir, den Finsingbach, welcher aus dem Pankrazenthal kömmt, überschreitend, über Kapfing, über welchem rechts der Pankrazenberg mit seiner weit schimmernden Kirche herabschaut (Kapfing, Pankrazenberg und Finsing mit einem Eisenwerk, haben 15,683 Joch Ackerland, 12,838 Morgen Wiesen, 6750 Morgen Waldung, 9 Pferde, 14 Ochsen, 253 Kühe, 251 Schafe, 69 Ziegen und 35 Schweine), nach Uderns, ½ Stunden von Fügen (98 H., 774 E., 40 Pferde, 30 Ochsen, 284 Kühe, 87 Schafe, 28 Ziegen, 24 Schweine, auch 466 Joch Ackerland, 874 Morgen Wiesen). Ohl- und Materialwaarenhandel, Sensenschmieden. Auf dem nahen Seebachkopf schöne Aussicht. Von Uderns nur eine halbe Stunde entfernt liegt Ried, aus Gross- und Klein-Ried und dem Riederberge bestehend, am Riederbache, bekannt durch seine Verwüstungen 1781, 1808, 1813 und 1820. In der Kirche Frescogemälde von Schmutzer und Franz Huber aus Innsbruck, Ohlgemälde von Moser aus Schwaz (die Gemeinde zählt 1496 E. in 179 H., 266 Joch Ackerland, 318 Morgen Wiesen, 17 Pferde, 1 Ochsen, 157 Kühe, 96 Schafe, 40 Ziegen und 13 Schweine); Kleinhandel mit Ohl, Vieharzeneyen, Sensen, Gemshäuten und Lederwaaren. Von Ried war der bekannte Hofnarr Peter Prosch (Würzburg, Bamberg, München u. s. w.), wie Sebastian Riedl, gewöhnlich Gerberwastl genannt, bekannt als treuer Waffenbruder Speckbachers, gebürtig [1]).

Jenseits des Zillers breitet sich die Gemeinde Stumm aus, am Merzenbach, der vom hohen Thorhelm durch das Heerenthal herabbraust. Eine Brücke führt hinüber. Zu der Gemeinde Stumm gehören abermals zwey sogenannte Berge, der Stummer- und Gattererberg (zusammen 1912 E. in 224 H., 1183 Joch Ackerland, 1001 Morgen Wiesen, 45 Pferde, 5 Ochsen, 618 Kühe, 498 Schafe, 69 Ziegen und 76 Schweine).

Oft grosse Verwüstungen durch die Wildbäche. Durch das Heerenthal führen Steige über die Jöcher nach Albach und den Langengrund (Brixenthal). Von Ried durch das ganze Thal liegen Häusergruppen zerstreut, welche noch zur Gemeinde Ried gehören. Nur Aschau bildet wieder ein Dorf (62 H. und 600 E., 30 Pferde, 224 Kühe, 296 Schafe, 48 Ziegen, 10 Schweine, 300 J. Ackerland, 290 M. Wiesen, 640 M. Alpenweiden, 1900 M. Waldung).

1) Er erhielt von Blücher dessen Husarenjacke, die er in der Schlacht an der Katzbach getragen und die noch jetzt in Ried gezeigt wird.

Im Dorfe Straß, wo sich die Straße aus dem Zillerthale in die Innthaler Hauptstraße einmündet, 2 Stunden von Schwatz, 8 Stunden von Innsbruck, mit 55 H. und 396 E., machen wir Halt, um wieder einen großen Ausflug zu unternehmen und zwar in das Zillerthal.

Das Zillerthal.

Das Zillerthal ist das zweyte Hauptthal der Centralkette, das aus ihrem Innersten hervorgeht, im Hintergrunde, wie das Ötzthal, umstarrt von einem riesigen Felsengurt, der seine noch nicht betretenen, noch nie gemessenen Eishörner hoch in den blauen Äther emporstreckt.

Das Zillerthal unterscheidet sich vom Ötzthale, indem dort die Wildnisse mit sanften Gegenden wechseln, hier aber der ganze untere Stamm eine liebliche grüne bevölkerte Landschaft bildet und die obere Hälfte dagegen eine zusammenhängende und von Sennhütten belebte Wildniß darstellt. Das Klima ist eins der mildesten in Nordtyrol.

Politisch gehörte das Zillerthal einst ganz zu Tyrol und 889, unter Arnulf, kam es an Salzburg. Den Tyrolern gelang es, nur einen kleinen Theil wieder zu gewinnen. Erst 1816 kam es wieder ganz an Tyrol zurück; aber kirchlich ist es noch immer getrennt zwischen Salzburg und Brixen. Seine Länge beträgt 14 bis 15 Stunden, die Breite seines Flußgebietes 10 Stunden und sein Flächeninhalt etwas über 18 Quadratmeilen. Das Zillerthal besteht aus zwey Landgerichten, dem Landgericht Zell, welches den Hintergrund, und Fügen, welches den Vordergrund umschließt. Letzteres betreten wir hier, es umfaßt 3¼ Q.M.

Von Straß brechen wir auf und wandern das Thal hinauf; allenthalben Gejauchz von den grünen Alpen. In einer Stunde kommen wir nach dem Dorfe Schlitters, an der Mündung des rechts herabkommenden Ochsenthales, 76 H., 544 E., 26 Pferde, 8 Ochsen, 174 Kühe, 60 Schafe, 40 Schweine, 174 Joch Ackerland, 236 Morgen Wiesen und 120 Morgen Hutweiden, nebst schönen Alpen. Die Kirche enthält ein schönes Altarblatt von Arnold. Die ehemaligen zwey Kirchen des Ortes sollen aus der Feindschaft zweyer Ritter von Schlitters entstanden seyn, welche sich selbst in der Kirche nicht sehen mochten. Nur noch die St. Martinskirche steht. Der alte zertrümmerte und vom Rauch geschwärzte Thurm der Severinskirche verkündet, daß das Jahr 1809 auch hier gehaust hat. Bey dem lustigen Wittmann [1]) findet der Wanderer noch ein gutes Glas Wein und eine recht freundliche Aufnahme. Auf dem Weiterzuge nach Fügen auf der Straße hat der Reisende jenseits der Ziller das 6705 Fuß hohe Wiedersberger Horn. Über seine Schultern senken sich zwischen blauen Waldpartien die Matten herab in die bebaute und bevölkerte Region; nördlich der Brucker- und südlich der Hartberg. Beschäftigung der Bewohner Viehzucht und Materialwaarenhandel (1742 E., 23 Pferde, 5 Ochsen, 714 Kühe, 141 Ziegen, 560 Schafe, 78 Schweine). Die freundliche Kirche, welche von einem Berge herüberleuchtet, ist eine Wallfahrtskirche, die Harter-Kapelle genannt.

In einer Stunde von Schlitters erreicht der Wanderer Fügen, das größte und schönste Dorf des Thales, in herrlicher Gegend liegend; weithin erstreckt sich die grüne Thalsohle, welche leider etwas sumpft; den Hintergrund bilden die Ferner, welche noch verklärend hereinleuchten. 100 H. und 814 E. Sitz des Landgerichtes, Dekans für Fügen, Zell, Achenthal, Hinterriß, Jenbach und Münster, Schloß der Grafen Fieger, jetzt der Gräfin Antonia von Dönhof, geb. Taxis. Die schöne Pfarrkirche mit Schnitzwerk, von dem bekannten, hier geborenen Meister Nißl; er war 1731 geboren und reinet Ka-

1) Zwey Brüder, welche mit Lederwaaren im nördlichen und westlichen Deutschland hausiren.

tarkünstler. Der jetzt noch in Fügen lebende Bildhauer Franz Nissl ist ein Vetter und Schüler von ihm. Auch Anton Huber von hier war sein Schüler; letzterer war besonders als Wachsbildner bekannt; er starb 1840 zu Fügen. Nadel- und Eisenfabrik. 10,278 Joch Ackerland, 6742 Morgen Wiesen, 31 Pferde, 8 Ochsen, 172 Kühe, 63 Schafe, 20 Ziegen, 36 Schweine. Wie auf den unteren Terrassen der östlichen Thalwand sich die Häusergruppen des Brucker- und Hartberges ausbreiten, so hier auf der westlichen über Fügen der Fügenberg mit 1018 E. in 149 H. (4900 Morgen Wald, 19,634 Joch Ackerland, 13,144 Morgen Wiesen und 1600 Morgen Alpenweiden; 288 Schafe). Ausflug von Fügen auf das schon mehrmals erwähnte Kellerjoch, welches von hier am bequemsten zu ersteigen ist. In drey bis vier Stunden erreicht man die Olser Alpe, das passendste Nachtquartier, und von hier in anderthalb Stunden die 7359 F. hohe Spitze. Die Aussicht sehr grossartig, denn die Spitze gehört zu den schönstgelegenen Warten zwischen der Centralkette und den Kalkalpen, dazu in der nächsten Tiefe umzogen vom Inn- und Zillerthale in ihrer ganzen Länge. Der Solstein und der Kaiser, und in der Ferne selbst noch die Berchtesgadner Massen, bilden die auffallendsten Formen der Kalkalpenwelt, während die Eisgebirge des Ötzthales, Stubay- und Zillerthales, wie der Tauernkette im Süden, den ganzen Horizont in prachtvollen majestätischen Massen umschimmern. Eine Kapelle des Erlösers bedeckt fast den ganzen Gipfel und gewährt Schutz bey Sturm und gegen Erkältung.

Von Fügen kommen wir, den Finsingbach, welcher aus dem Pankrazenthal kömmt, überschreitend, über Kapfing, über welchem rechts der Pankrazenberg mit seiner weit schimmernden Kirche herabschaut (Kapfing, Pankrazenberg und Finsing mit einem Eisenwerk, haben 15,663 Joch Ackerland, 12,838 Morgen Wiesen, 6750 Morgen Waldung, 9 Pferde, 14 Ochsen, 253 Kühe, 251 Schafe, 69 Ziegen und 35 Schweine), nach Uderns, ¾ Stunden von Fügen (98 H., 774 E., 40 Pferde, 30 Ochsen, 284 Kühe, 87 Schafe, 28 Ziegen, 24 Schweine, auch 466 Joch Ackerland, 87¼ Morgen Wiesen). Öhl- und Materialwaarenhandel, Sensenschmieden. Auf dem nahen Seebachkopf schöne Aussicht. Von Uderns nur eine halbe Stunde entfernt liegt Ried, aus Groß- und Klein-Ried und dem Riederberge bestehend, am Riederbache, bekannt durch seine Verwüstungen 1781, 1808, 1813 und 1820. In der Kirche Frescogemälde von Schmutzer und Franz Huber aus Innsbruck, Öhlgemälde von Moser aus Schwatz (die Gemeinde zählt 1496 E. in 179 H., 266 Joch Ackerland, 318 Morgen Wiesen, 17 Pferde, 1 Ochsen, 157 Kühe, 96 Schafe, 40 Ziegen und 13 Schweine); Kleinhandel mit Öhl, Vieharzeneyen, Sensen, Gemshäuten und Lederwaaren. Von Ried war der bekannte Hofnarr Peter Prosch (Würzburg, Bamberg, München u. s. w.), wie Sebastian Riedl, gewöhnlich Gerberwastl genannt, bekannt als treuer Waffenbruder Speckbachers, gebürtig [1]).

Jenseits des Zillers breitet sich die Gemeinde Stumm aus, am Merzenbach, der vom hohen Thorhelm durch das Heerenthal herabbraust. Eine Brücke führt hinüber. Zu der Gemeinde Stumm gehören abermals zwey sogenannte Berge, der Stummer- und Gattererberg (zusammen 1912 E. in 224 H., 1183 Joch Ackerland, 1001 Morgen Wiesen, 45 Pferde, 5 Ochsen, 618 Kühe, 498 Schafe, 69 Ziegen und 76 Schweine).

Oft große Verwüstungen durch die Wildbäche. Durch das Heerenthal führen Steige über die Jöcher nach Albach und den Langengrund (Brixenthal). Von Ried durch das ganze Thal liegen Häusergruppen zerstreut, welche noch zur Gemeinde Ried gehören. Nur Aschau bildet wieder ein Dorf (62 H. und 600 E., 30 Pferde, 224 Kühe, 296 Schafe, 48 Ziegen, 10 Schweine, 300 J. Ackerland, 290 M. Wiesen, 640 M. Alpenweiden, 1900 M. Waldung).

1) Er erhielt von Blücher dessen Husarenjacke, die er in der Schlacht an der Katzbach getragen und die noch jetzt in Ried gezeigt wird.

Im Dorfe Straß, wo sich die Straße aus dem Zillerthale in die Innthaler Hauptstraße einmündet, 2 Stunden von Schwatz, 8 Stunden von Innsbruck, mit 55 H. und 396 E., machen wir Halt, um wieder einen großen Ausflug zu unternehmen und zwar in das Zillerthal.

Das Zillerthal.

Das Zillerthal ist das zweyte Hauptthal der Centralkette, das aus ihrem Innersten hervorgeht, im Hintergrunde, wie das Özthal, umstarrt von einem riesigen Felsengurt, der seine noch nicht betretenen, noch nie gemessenen Eishörner hoch in den blauen Äther emporstreckt.

Das Zillerthal unterscheidet sich vom Özthale, indem dort die Wildnisse mit sanften Gegenden wechseln, hier aber der ganze untere Stamm eine liebliche grüne bevölkerte Landschaft bildet und die obere Hälfte dagegen eine zusammenhängende und von Sennhütten belebte Wildniß darstellt. Das Klima ist eins der mildesten in Nordtyrol.

Politisch gehörte das Zillerthal einst ganz zu Tyrol und 889, unter Arnulf, kam es an Salzburg. Den Tyrolern gelang es, nur einen kleinen Theil wieder zu gewinnen. Erst 1816 kam es wieder ganz an Tyrol zurück; aber kirchlich ist es noch immer getrennt zwischen Salzburg und Brixen. Seine Länge beträgt 14 bis 15 Stunden, die Breite seines Flußgebietes 10 Stunden und sein Flächeninhalt etwas über 18 Quadratmeilen. Das Zillerthal besteht aus zwey Landgerichten, dem Landgericht Zell, welches den Hintergrund, und Fügen, welches den Vordergrund umschließt. Letzteres betreten wir hier, es umfaßt 3¼ Q.M.

Von Straß brechen wir auf und wandern das Thal hinauf; allenthalben Gejauchz von den grünen Alpen. In einer Stunde kommen wir nach dem Dorfe Schlitters, an der Mündung des rechts herabkommenden Ochsenthales, 76 H., 544 E., 26 Pferde, 8 Ochsen, 174 Kühe, 60 Schafe, 40 Schweine, 174 Joch Ackerland, 236 Morgen Wiesen und 120 Morgen Hutweiden, nebst schönen Alpen. Die Kirche enthält ein schönes Altarblatt von Arnold. Die ehemaligen zwey Kirchen des Ortes sollen aus der Feindschaft zweyer Ritter von Schlitters entstanden seyn, welche sich selbst in der Kirche nicht sehen mochten. Nur noch die St. Martinskirche steht. Der alte zertrümmerte und vom Rauch geschwärzte Thurm der Severinskirche verkündet, daß das Jahr 1809 auch hier gehaust hat. Bey dem lustigen Wittmann [1]) findet der Wanderer noch ein gutes Glas Wein und eine recht freundliche Aufnahme. Auf dem Weiterzuge nach Fügen auf der Straße hat der Reisende jenseits der Ziller das 6705 Fuß hohe Wiedersberger Horn. Über seine Schultern senken sich zwischen blauen Waldparthien die Matten herab in die bebaute und bevölkerte Region; nördlich der Brucker- und südlich der Hartberg. Beschäftigung der Bewohner Viehzucht und Materialwaarenhandel (1742 E., 23 Pferde, 5 Ochsen, 714 Kühe, 141 Ziegen, 560 Schafe, 78 Schweine). Die freundliche Kirche, welche von einem Berge herüberleuchtet, ist eine Wallfahrtskirche, die Harter-Kapelle genannt.

In einer Stunde von Schlitters erreicht der Wanderer Fügen, das größte und schönste Dorf des Thales, in herrlicher Gegend liegend; weithin erstreckt sich die grüne Thalsohle, welche leider etwas sumpft; den Hintergrund bilden die Ferner, welche noch verklärend hereinleuchten. 100 H. und 814 E. Sitz des Landgerichtes, Dekans für Fügen, Zell, Achenthal, Hinterriß, Jenbach und Münster, Schloß der Grafen Fieger, jetzt der Gräfin Antonia von Dönhof, geb. Taxis. Die schöne Pfarrkirche mit Schnitzwerk, von dem bekannten, hier geborenen Meister Nißl; er war 1731 geboren und reinet Na-

1) Zwey Brüder, welche mit Lederwaaren im nördlichen und westlichen Deutschland hausiren.

tarkünstler. Der jetzt noch in Fügen lebende Bildhauer Franz Nissl ist ein Vetter und Schüler von ihm. Auch Anton Huber von hier war sein Schüler; letzterer war besonders als Wachsbildner bekannt; er starb 1840 zu Fügen. Nadel- und Eisenfabrik. 10,278 Joch Ackerland, 6742 Morgen Wiesen, 31 Pferde, 8 Ochsen, 172 Kühe, 63 Schafe, 20 Ziegen, 36 Schweine. Wie auf den unteren Terrassen der östlichen Thalwand sich die Häusergruppen des Brucker- und Hartberges ausbreiten, so hier auf der westlichen über Fügen der Fügenberg mit 1018 E. in 149 H. (4900 Morgen Wald, 19,634 Joch Ackerland, 13,144 Morgen Wiesen und 1600 Morgen Alpenweiden; 288 Schafe). Ausflug von Fügen auf das schon mehrmals erwähnte Kellerjoch, welches von hier am bequemsten zu ersteigen ist. In drey bis vier Stunden erreicht man die Olser Alpe, das passendste Nachtquartier, und von hier in anderthalb Stunden die 7359 F. hohe Spitze. Die Aussicht sehr grosartig, denn die Spitze gehört zu den schönstgelegenen Warten zwischen der Centralkette und den Kalkalpen, dazu in der nächsten Tiefe umzogen vom Inn- und Zillerthale in ihrer ganzen Länge. Der Solstein und der Kaiser, und in der Ferne selbst noch die Berchtesgadner Massen, bilden die auffallendsten Formen der Kalkalpenwelt, während die Eisgebirge des Ötzthales, Stubay- und Zillerthales, wie der Tauernkette im Süden, den ganzen Horizont in prachtvollen majestätischen Massen umschimmern. Eine Kapelle des Erlösers bedeckt fast den ganzen Gipfel und gewährt Schutz bey Sturm und gegen Erkältung.

Von Fügen kommen wir, den Finsingbach, welcher aus dem Pankrazenthal kömmt, überschreitend, über Kapfing, über welchem rechts der Pankrazenberg mit seiner weit schimmernden Kirche herabschaut (Kapfing, Pankrazenberg und Finsing mit einem Eisenwerk, haben 15,663 Joch Ackerland, 12,838 Morgen Wiesen, 6750 Morgen Waldung, 9 Pferde, 14 Ochsen, 253 Kühe, 251 Schafe, 69 Ziegen und 35 Schweine), nach Uderns, ½ Stunden von Fügen (98 H., 774 E., 40 Pferde, 30 Ochsen, 284 Kühe, 87 Schafe, 28 Ziegen, 24 Schweine, auch 466 Joch Ackerland, 374 Morgen Wiesen). Öhl- und Materialwaarenhandel, Sensenschmieden. Auf dem nahen Seebachkopf schöne Aussicht. Von Uderns nur eine halbe Stunde entfernt liegt Ried, aus Groß- und Klein-Ried und dem Riederberge bestehend, am Riederbache, bekannt durch seine Verwüstungen 1781, 1808, 1813 und 1820. In der Kirche Frescogemälde von Schmutzer und Franz Huber aus Innsbruck, Öhlgemälde von Moser aus Schwaz (die Gemeinde zählt 1496 E. in 179 H., 266 Joch Ackerland, 318 Morgen Wiesen, 17 Pferde, 1 Ochsen, 157 Kühe, 96 Schafe, 40 Ziegen und 13 Schweine); Kleinhandel mit Öhl, Vieharzeneyen, Sensen, Gemshäuten und Lederwaaren. Von Ried war der bekannte Hofnarr Peter Prosch (Würzburg, Bamberg, München u. s. w.), wie Sebastian Riedl, gewöhnlich Gerberwastl genannt, bekannt als treuer Waffenbruder Speckbachers, gebürtig [1]).

Jenseits des Zillers breitet sich die Gemeinde Stumm aus, am Merzenbach, der vom hohen Thorhelm durch das Heerenthal herabbraust. Eine Brücke führt hinüber. Zu der Gemeinde Stumm gehören abermals zwey sogenannte Berge, der Stummer- und Gattererberg (zusammen 1912 E. in 224 H., 1183 Joch Ackerland, 1001 Morgen Wiesen, 45 Pferde, 5 Ochsen, 618 Kühe, 498 Schafe, 69 Ziegen und 76 Schweine).

Oft große Verwüstungen durch die Wildbäche. Durch das Heerenthal führen Steige über die Jöcher nach Albach und den Langengrund (Brixenthal). Von Ried durch das ganze Thal liegen Häusergruppen zerstreut, welche noch zur Gemeinde Ried gehören. Nur Aschau bildet wieder ein Dorf (62 H. und 600 E., 30 Pferde, 224 Kühe, 296 Schafe, 48 Ziegen, 10 Schweine, 300 J. Ackerland, 290 M. Wiesen, 640 M. Alpenweiden, 1900 M. Waldung).

---

1) Er erhielt von Blücher dessen Husarenjacke, die er in der Schlacht an der Katzbach getragen und die noch jetzt in Ried gezeigt wird.

Bald darauf erreichen wir einen Abschnitt des Zillerthales, einen Abschnitt, der sich in den meisten Querthälern der Alpen findet, nur wird er bisweilen durch die Breite der Thäler verwischt, wie schon im Stubaythal. Es ist jener Abschnitt, der entweder durch eine Thalenge, oder in breiteren Thälern, wie hier, im Gasteiner- und Stubaythal, nur durch eine geringe Biegung, welche durch einen Bergvorsprung entsteht, bezeichnet wird. Es treten nämlich mit diesem Abschnitt hinter den grünen Bergen, die den Reisenden bisher begleiteten, auf einmal die felsgrauen, schneegefurchten Riesenkolosse der höheren, innersten Centralalpenwelt auf, durch deren Geklüft schon die höchste eigentliche Eiswelt hervorleuchtet (Thalstufe von Sölden im Özthal mit dem Röderkogl, Selrain bey Gries mit dem Fernerkogl, Stubay bey Neustift, Zillerthal bey Zell mit dem Tristenspitz, Krimlerthal über den obersten Wasserfall mit dem Schlachtertauern, Rauris bey Wörth mit dem Scharreck, Gastein vor Hof mit dem Graukogl und Stuhl ıc.). Hier scheint der Kettensteiner Gebirgszug, welcher die ganze nördliche Thalwand des oberen Salzachthales bildet, die Veranlassung zu der Biegung des Thales zu seyn; er zieht von der Gruppe des Thorhelms herüber zu dem schon mehrfach erwähnten Schneebruck. Dieses mittlere Zillerthal ist dem unteren Theile der Pinzgauer Seitenthäler von Süden herab gleich, nur daß es tiefer liegt und durch das Zusammenlaufen vieler Seitenthäler auch breiter ausgespült ist.

Bey Aschau haben wir auch in gerichtlicher Beziehung den zweyten Abschnitt des Thales betreten, das Landgericht Zell mit 14 Q.M., also viel größer, als das vorige; allein ein großer, ja der größte Theil, ist kahles Felsengestein und Eisgebirge. Dennoch ist das Klima in dem Thalkessel von Zell, durch den erwähnten Vorsprung der Berge gegen die Nordwinde geschützt, milder als im unteren Thale, so daß der Mais noch gut gedeiht und Haidekorn als seine Nachfrucht.

Der Hauptort dieses mittleren Zillerthales ist Zell am Ziller, 1693 Fuß üb. d. Meere und zugleich Hauptort des ganzen Thales. Das eigentliche Dorf ist nicht bedeutend, 44 meist massive H. Es befinden sich hier ein Landgericht, 1 Knaben-, 1 Mädchen- und eine weibliche Industrieschule, 1 Armenhaus, 2 Wundärzte, 1 Förster, 1 Sensenschmiede und 1 Schießstätte. Der Pfarrer ist Dekan der Gerichte Fügen und Zell. Viele und zum Theil gute Wirthshäuser: der Bräu, ihm gegenüber der Wälische Wirth, der alte Neuwirth, der junge Neuwirth und der Tafelwirth jenseits der Brücke (linkes Ufer). Zell ist der Hauptort des Zillerthalischen Volkslebens und daher wird der Reisende sich hier am besten niederlassen, um dieses kennen zu lernen. Sein grüner Kirchthurm ragt in prachtvoller Gegend auf, rings umstanden von hohen Gebirgen; ernst schauen die Gerloswand, der Tristenspitz und das Eisfeld des Ingentkahrs herein in die grüne angebaute Ebene. Dennoch ist Zell weniger der Anhaltpunkt des Reisenden für große Naturscenen, dieses möchte Mayrhofen, zu dem wir hernach kommen, eher seyn, aber die Kirchweih, oder der Kirchtag, ist hier der Glanzpunkt des Volkslebens, und gehört, nebst den Sommerfrischen Botzens, wohl zu den schönsten volksthümlichen Erinnerungen, welche ein Reisender aus dem originellen Tyrol mit hinwegnehmen kann. Fast alle Hauptfeste, selbst Hochzeiten des Thales, werden hier gefeyert, woraus sich die vielen Wirthshäuser erklären lassen. Bey solchen Gelegenheiten kann man am besten die Schönheit des hiesigen Menschenschlages mustern und dem Zillerthaler Volksstamm wird gewiß die Ehre des schönsten Stammes zu Theil werden; nur das weibliche Geschlecht erscheint oft zu kolossal und zu unvortheilhaft gekleidet, doch mit feinen Zügen und feiner Haut. Die Hüte sind verschieden; in Zell und dem unteren Thale hoch und spitzig mit normaler glockenförmiger Krempe, in dem oberen Gebiete[1]) trägt man niedrige Hüte. Auch hier, besonders in den Gründen, wie in den meisten östlichen Alpenthälern, Verunstaltung der Taille durch das Hinaufziehen derselben bis unter die

1) Seitenthäler.

Arme. Hauptstück der männlichen Tracht ist ein rothes, einem Küraß ähnliches Wamms, oben und unten mit einer Gold- oder Silbereinfassung.

Ein eigenthümlicher Gebrauch im Zillerthal ist das Wachs- oder Harzkauen. Harz von Nadelholz wird in Massen zusammengeknetet und dann in kleinen Stücken, Mundportionen, verkauft. Man sieht daher oft besonders Mädchen den ganzen Tag kauen. Das Mädchen beißt ihrem Buben sein Harz, das er zwischen den Zähnen hält, ab. Die Zillerthaler schreiben diesem Gebrauch die Schönheit ihrer Zähne zu, was sich allerdings hören läßt. Dieselbe Sitte findet sich in Griechenland, wo Mastix gekaut wird und zwar aus demselben Grunde.

Das Hauptfest für den Zillerthaler wie für den Reisenden ist, wie schon gesagt, der Kirchtag in Zell. Man zieht an diesem Tage von Wirthshaus zu Wirthshaus, trinkt, beißt Wachs ab, jauchzt, tanzt, schießt mit dem Brodvater (die Büchse) nach der Scheibe, läßt, wie in England die Hähne, die Widder kämpfen, wobey ebenso wie dort gewettet wird, schiebt Kegel, wobey gewöhnlich Schafe der Gewinnst des Spieles sind. Ehemals kamen auch die berühmtesten Raufer, hier Robler genannt, zusammen und forderten sich heraus. Das Orchester in den Wirthshäusern ist sehr einfach, es thront, vielleicht nur zwey Mann stark, auf einem Tische und davor drehen sich durch das dichteste Gewühl die Tanzenden hindurch, an ihrer Spitze der Vortänzer, welcher sich nach jeder Umkreisung vor das Orchester stellt und einen Jodler improvisirt (Schnodahüpfeln); in den Nebenzimmern wird unterdessen tüchtig Bescheid getrunken mit Wein und Branntwein, und der Fremde darf dem, der ihm ein Glas zubringt, den Bescheid nicht abschlagen, wenn er nicht Händel haben will. — Ein besonderes Fest des Zillerthales ist das Fasching. Am Faschingseintritt zieht eine große Maskerade, bunter als irgendwo, durch die Dörfer, gewöhnlich zu Pferde, macht zuerst den Beamten die Aufwartung, zuletzt dem Wirth, wo der Faschingsbrief verlesen wird, ein Todtengericht des verflossenen Jahres.

Ähnlich den schon erwähnten Widderstoßen ist das Kühestechen, wo die berühmtesten und tapfersten Alpenkühe mit einander kämpfen, wobey Summen verwettet werden; die Siegerin ist für das Jahr die Ehrenkuh ihrer Alpe und sie ist stolz auf ihre Würde, beschützt die ganze Heerde gegen fremden Eingriff, leidet aber keine Nebenbuhlerin.

Im Zillerthal finden außerdem jährlich zwey Pferderennen statt, das eine zu Mayrhofen, das andere zu Thurnbach, beyde am Stephanstage. Das Zeltenanschneiden besteht darin, daß der Geliebte eines Mädchens dessen Zeltenkuchen (ein ziemlich allgemeines Gebäck, dessen höchste Vollkommenheit der Reisende in Botzen kennen lernen kann und welches im rohen Zustand ein Brod, mit Birnschnitzen, Mandeln, Nüssen, Kubeben gefüllt, ist und oft auch Kloubabroud genannt wird) anschneidet, was gewöhnlich heimlich geschieht; der Bube bringt ein Gegengeschenk (Schnürriemen, ein Fläschchen Branntwein oder ein Kleidungsstück).

Das Gasslgehen, Anfenstern, Fensterlen oder Kiltgang in der Schweiz, ist eine bekannte Alpensitte. Fast scheinen hier zu Lande die Fenster so eng und mit Eisen versperrt nur dieser Sitte wegen; der entdeckte Liebhaber muß aber immer auf sicheren Rückzug denken, besonders wenn er aus einer andern Gemeinde ist.

Die Spielhahnfeder auf dem Hute des Roblers war das Abzeichen, und die Zahl derselben bezeichnete die Zahl der Siege. Ihr Herausforderungsgeschrey schallte durch das Gebirge; vernahm es ein anderer Robler, so forderte es seine Ehre, dem Unbekannten zu antworten. So näherten sich beyde mit Hülfe jener Locktöne und beym Zusammentreffen erfolgte gewöhnlich ein blutiger Kampf; die gräßlichsten Verletzungen waren die Folgen davon. Sehr gewöhnlich waren auch bestimmte Kampftage und Kampfplätze, wie auch im Pinzgau; hier der Hainzenberg, Hohe Salve u. a. und die Wallfahrtstage daselbst. Alle Fehden wurden auf diese Tage verschoben. Solche Kämpfe wurden förmlich geordnet, standen unter Gesetzen, Aufsehern und Zeugen; trotz des blutigsten Kampfes sind beyde Kämpfer nachher gute Freunde.

Viele Zillerthaler wandern jährlich aus, sich auf die verschiedenste Art durch Handel nährend. Das wegen seiner Elasticität gesuchte Gemsleder machte sie zu Lederwaarenhändlern. Ebenso führte der Reichthum von seltenen Mineralien zum Mineralienhandel; und wie sie nicht nur gemslederne und Innsbrucker Handschuhe verkaufen, so hat sich auch ihre Industrie auf die Mineralien des Auslandes erweitert. Wenn auch der Arzeney- und Olitätenhandel nachlassen mußte, so werden doch noch offizinelle Pflanzen und Wurzeln von den Zillerthalern allerwärts gesucht, verkauft oder in eignen Branntweinbrennereyen verbraucht. Die einst vielleicht größeren Forste führten zu dem Verkauf von Nadelholzsämereyen, wozu jetzt auch andere Gebirge beysteuern. Auch das Jodeln brachte, wenn auch nur auf kurze Zeit, Geld ins Zillerthal; die Volkstracht, die industrielle Klugheit des Tyrolers, besonders des Zillerthalers, trug nicht weniger, wie der originelle Gesang, zu einer günstigen Aufnahme bey. Doch vor Allem ist es die Viehzucht, welche hier die Grundlage des täglichen Brodes ausmacht. Der Zillerthaler treibt sein Vieh nach Rußland, bringt oft Pferde dagegen mit, daher man im Zillerthale und in den angrenzenden Theilen des Innthales häufig Russische Pferde antrifft. Jährlich wandern 3000 Stück Hornvieh aus dem Zillerthale, nächstdem Butter (3000 Centner Ausfuhr). Bey dem Getraidemangel, wegen Übervölkerung des Thales in Bezug auf seine Fels- und Eiswüsten, muß das Vieh auch noch anderwärts aushelfen. Hoch oben im Gebirge ist der Käse das Brod; das Blut giebt den beliebten Blutschmarn, eine Festspeise. Die Häute werden gut gegerbt und weithin verkauft; die Kuhschwanzhaare vom Seiler zu Seichriedeln (zum Durchlaufen der Milch, um sie von Unreinigkeiten zu reinigen) verwendet. Von den Schweinen wird das Fett statt der Butter gebraucht, um jene verkaufen zu können. Die Borsten werden gesammelt und verkauft. Das Schaf muß, wie im übrigen Tyrol, die Kleidung hergeben.

Der Reisende, welcher das Zillerthal nur auf Touristenart besucht, sollte wenigstens zu dem westlich über Zell aufsteigenden Zellberge steigen; hier wird er sehen, welche ungeheure Eiswelt das Zillerthal umstarrt, eine Eiswelt, von welcher er in der Tiefe keine Ahnung hat. Er sieht jedoch nur die Eisberge auftauchen hinter der wildzerrissenen Vormauer.

Die dem Fremden von Zell aus am meisten auffallenden Berge sind: östlich die wie ein großer Felsenklotz auf die Matten der Gerlos hingeworfene Gerloswand; im Süden die oben abgeplattete Pyramide des Tristenspitzes, der sich aus der Floite, Zem und Stillupe aufbaut als riesige Warte. Rechts lugt das Schneefeld des Ingentkahrs aus der innersten Gebirgswelt hervor.

Ein anderer naher Ausflug führt uns zu dem Goldbergwerke des Hainzenbergs, an der Vereinigung des Gerlosthales mit dem Zillerthale. Die ersten Nachrichten von 1506, wie von den Goldminen des Zell gerade östlich und Gerlos nördlich liegenden Rohrberges. Ergiebiger wurde es 1628, worauf es wegen Streitigkeiten zwischen Salzburg und Tyrol bis zum Westphälischen Frieden liegen blieb. Es bestehen zwey Stollen, der eine auf dem Hainzenberg, der andere auf dem Rohrberge. Hauptsehenswürdigkeit ist die große Wassermaschine. Das Gold steht in dunkelm Quarz an, welcher zerschlagen nach Violen riecht; der Quarz bricht in Schiefer, wird gebrannt, gepocht und dann das Gold durch Amalgamiren gewonnen. Die Mark Gold hat 320 Gulden Werth. Jetzt gewinnt man jährlich 72 Mark reines Gold, mehr als in den letzteren Zeiten, aber die Kosten noch lange nicht deckend. Das goldführende Gebirge gehört zu demselben Striche, welcher die nördlichen Ausläufer der Pinzgauer Centralkette durchstreicht, und z. B. im Hirzbache und Fuscherthal bebaut wird.

Wir wandern nun in den verschiedenen Gründen des oberen Zillerthales hinan, müssen jedoch fast immer wegen der furchtbaren scharfen und schartigen, meistens unübersteiglichen, Felsengräthen jedesmal zurückkehren.

Der Zell fast gegenüber im Osten sich öffnende Grund ist die Gerlos. Er gehört zu den wenigen Gründen des Zillerthales, welche bekannt sind, und diese Bekanntschaft hat er nur seiner Lage zu danken. Doch ist er nur in dem Sinne, wie das Brennerthal, ein Grund zu nennen; er scheidet die Centralkette von dem vorgelagerten Mittelgebirge (siehe Einleitung); sein Hintergrund im Osten ist nicht mit einem Felsenkranz umschlossen, weil es ein Scheidethal ist; nur die Nebenthäler führen südlich in den vorgeschobenen Posten der Centralkette, die Reichenspitzgruppe, nördlich in das Mittelgebirge die Gruppe des Thorhelms. Im Hintergrunde aber ist das Thal geöffnet, so daß der Gerlossattel höchstens 4000 Fuß absolute Höhe hat. Was am Brenner von Innsbruck herauf der Schönberg, ist von Zell herauf der Hainzenberg, ein gewundener steiler und schmaler Fahrweg; hat man die erste Höhe erreicht, so geht es auf dem der südlichen Bergwand sich anschmiegenden Wege ziemlich eben, indem man links in der nächtlichen Tiefe die Gerlos brausen hört, aber jenseits die wohlangebaute Terrasse des Gerlosberges erblickt. Wie dort bey Matrey, erreicht man hier kurz vor dem Dorfe Gerlos wieder die Thalsohle, den Punkt, wo sich der Bach einzuschneiden beginnt. Der Grund, der kurz zuvor rechts hinanzieht, ist der Schwarzachgrund und der höchste schneegefurchte Gipfel die Hundskehle, ein Name, der hier mehrfach vorkömmt. Ein zweyter, gleich darauf rechts einziehender Grund ist der Wimmergrund, und die höchste begletscherte Spitze ist die Gamsspitze. Auf diesem Wege läßt sich rechts ein Seitenausflug machen, die Besteigung der Gerloswand[1]), 6500 F. hoch. Vom Hainzenberg über das Gerlossteinkögl gelangt man zum Gerlosstein. Botanisches: Gentiana bavarica, gent. acaulis, silene acaulis, dryas octopetala, geum montanum, leontodum aureum, veronica aphylla, rhododendrum hirsutum, gentiana asclepiadea, globularia cordifolia, glob. nudicaulis, dentaria enneaphyllos.

Am Gerlosstein beginnt die waldlose Alpenregion und mit ihr der Kalkstein, der hie und da den Rasenteppich durchbricht. Gerlosstein heißt nicht nur eine Felsenstufe, sondern auch eine Alpe, deren Hütten in einer Vertiefung liegen.

Von hier über Felsentrümmer mühsam zu der festen Wand (daphne mezereum), dann durch Krumholzstauden zwischen den Scharten der Wand hinan. Sehr schöne Aussicht durch das ganze untere Zillerthal und jenseits des Inns die Schroffen der Kalkalpen, besonders des Sonnenwendjoches, die ganze Gerlos, die Dux hinan und den Zillergrund, und auf die ganze furchtbare Fels- und Eiswelt der Gründe. Den Vorgrund bilden wildzerklüftete Abgründe, welche die Aussicht auf die nächsten schönen Matten gestatten (anemone vernalis, cistus canus). — Auch schon vom Hainzenberge aus hat der Reisende einen schönen Hinabblick in das ganze untere Zillerthal von Zell bis Straß.

In den meisten Handbüchern wird nur schwindelfreyen Personen das Übersteigen der Gerlos ins Pinzgau gerathen; doch sollte aus demselben Grunde auch der Brenner nur schwindelfreyen Personen angerathen werden; denn über die Gerlos führt auch ein Fahrweg, wenn auch nur für kleines Fuhrwerk. Von dem Dorfe Gerlos geht es fast eben hinüber nach Ronach, dem ersten Orte im Salzachthale. Da sich die Bevölkerung in den Alpen auch immer noch auf die Vorstufe der Hochgebirge legert, besonders in der Centralkette, so verzweigen sich auch hier die Berggemeinden; jenseits des Thales die Gemeinde Gerlosberg mit ihrem Beherrscher, dem Thorhelm, und diesseits die Gemeinden Hainzenberg und Ramsberg. Diese Gemeinden, welche zu Zell gehören, haben 62. H., 1804 E., 893 J. Ackerfeld, 965 M. Wiesen, 3760 M. Alpen- und Hutweiden, 10,080 M. Waldung, 17 Pferde, 780 Kühe, 1534 Schafe, 203 Ziegen und 39 Schweine. Das 3718 Fuß hoch gelegene Dorf Gerlos gibt das Bild eines hohen Alpendorfes (42 H., 400 E., 140 Joch Ackerfeld, 518 Morgen Wiesen, 12,000 Morgen Alpen- und Hutweiden, 13 Pferde, 1 Ochse, 199 Kühe, 362 Schafe, 167 Ziegen und 25 Schweine).

---

1) Naturhistorische Briefe über Österreich, Salzburg rc. von Schrank und Moll. Bd. 1. S. 141.

Mehrere Ausflüge lassen sich wieder von Gerlos aus machen.

1) Zuerst öffnet sich nördlich ein Seitenthal, die Wilde Kriml (nicht zu verwechseln mit dem nahen Salzburgischen durch seine Wasserfälle berühmten Kriml), der Krummbach durchtost es; den Eingang in das hohe und grüne Alpenthal bilden zwey Felsenpfeiler (Rattensteinkalk), an welche sich eine malerische Mühle lehnt. Man vergesse nicht, durch das Felsenthor zurückzublicken; denn gerade der Öffnung der Wilden Kriml gegenüber erschließt sich das Schönachthal, in dessen Hintergrunde sich ein weites Eisgefilde bis auf seine Thalsohle herab ausspannt, die Hundskehle mit dem Gamsspitz. Im Thal der Wilden Kriml hinan gelangt man durch grüne, weitumfassende Alpen zu dem 7029 Fuß hoch gelegenen Langsee, umragt von einem Kranze hoher Felsengipfel, der Gruppe des Thorhelms, welche zu dem oben beschriebenen Übergangsgebirge gehört. Der höchste Berg derselben ist der Thorhelm, 8058 F. hoch, der eine der schönsten Aussichten der ganzen Umgegend darbietet; nordöstlich das Innthal von Wörgl bis Kieferdfelden; nördlich bezeichnet die graue, steile, über die grünen Berge des erzführenden Übergangsgebirges aufragende Felsenmauer der Kalkalpen die ganze Linie des Innthales. Ebenso kann man im Westen das nahe in der Tiefe hinziehende Zillerthal bemerken. Über die jenseitige Zillerthaler grüne Alpenwelt tauchen nur noch die höchsten Kalkriesen, Solstein und Mundi, auf, den fernern Verlauf des großen Thales zu bezeichnen; dann beginnt gegen Südwest die Schnee- und Eiswelt von Stubay, Ötzthal; näher und sich nach Süden herumziehend, prangen in größerer Nähe die noch ungemessenen Eiskolosse des Zillerthales über den grauen und grünen Vorbergen. Fast gerade im Süden tritt die dick- und tief herab begletscherte Gruppe des Reichenspitzes weit nach Norden heraus, dem Thorhelm durch den Sattel der Gerlos die Hand bietend. Gegen Südosten tritt hinter dem Reichenspitz die gewaltige Tauernkette hervor mit der Gruppe des Venedigers (11,600 F.) und Glockners.

Gerade im Osten die grüne alpenreiche Welt des Übergangs- und Mittelgebirges von Kitzbühl, abermals überragt von der wildaufgebauten Mauer der Kalkalpen, welche sich als mächtiger Gurt von der Übergossenen Alpe, dem Steinernen Meere, dem Loferer Steingebirge bis zum Wilden Kaiser an einander reihen und dort das Panorama wieder schließen.

So wie hier viele Namen doppelt vorkommen und leicht zu Irrungen Anlaß geben (Kriml, Hundskehl), so heißt auch eine Felsenspitze nahe der Gerloswand Thorhelm.

2) Die Pinzgauer- oder Hintere Platte und die Wilde Gerlos.

Kaum hat der Reisende im Hauptthale Gerlos rechts die Öffnung des vergletscherten Schönachthales und links die der Wilden Kriml passirt, so verengt sich das Thal und der schmale Fahrweg führt links an der Wand etwas hinan; schöner Rückblick auf das Dorf Gerlos und seine Umgegend. Bald darauf erreicht man einen neuen Thalboden, den Dürren- oder Durlaßboden; Sennhütten liegen auf ihm zerstreut umher. Hier theilt sich der Weg dreyfach; links, gerade nach Osten, führt der Fahrweg über die sogenannte Hohe Gerlos, deren bewaldeten Rücken man aber hier schon fast erreicht hat, jenseits hinab nach Ronach im obersten Pinzgau (Salzachthal), und dann weiter nach Mittersill (siehe unten Salzachthal).

Der zweyte Weg führt etwas rechts höher hinan, doch auch nicht sehr hoch und ohne alle Beschwerden, zuerst über einzelne Felsenblöcke, welche aus dem Rasen hervortauchen und unter dem lichten Grün majestätischer Lärchen; in einer halben Stunde hat man auch diese Höhe des Rückens, der Platte, erreicht. Bey einer Sennhütte, wo wir uns mit Sennerkost stärken, oder an dem guten Brunnen laben, theilt sich abermals der Weg. Gerade aus führt der Pfad eben fort über den ganzen breiten Rücken, welcher Salzach- und Inngebiet scheidet, die Vordere Platte, eine höhere Stufe des Gerlosrückens; die ganze Alpe gleicht dem Blocksberge voller Felsblöcke, dazwischen Sumpf und Moor; einzelne Zirben und Lärchen bezeichnen den Pfad bey Schnee. Nach einer starken halben Stunde erreicht man den jenseitigen Abhang und wird durch den Hinabblick dort ins Pinzgau, hier in den Thalkessel der Kriml, deren Wasserfälle schon hier oben ihre Größe verrathen, überrascht. In einer Stunde ist man in Kriml (dem obersten Seitenthal des Salzachthales von der Centralkette). Dieser Weg ist der nächste von Kriml nach Zell.

Der zweyte Weg von der Sennhütte führt zu der Hinteren Platte, 6000 F., ein interessanter Umweg, der ohne viel Zeitverlust zu demselben Ziele führt. Vom Krimler Tauern her tritt die Gruppe des Reichenspitzes als ein kolossales Felsengebäude nördlich hervor, als Schiedsrichter zwischen Inn- und Salzachgebiet; sein nördlich fortsetzender, wasserscheidender Rücken senkt sich und entschlüpft bald dem dicken lästigen Schneemantel des Reichenspitzes, nur noch einzelne Gletscher lagern in dem Schoose der Felsenhäupter des Roßkopfes, Wildbergkors und Seekorkopfs. Bald darauf wird die Felsenkette statt des Schneekleides mit dem Sommerteppich der Matten überzogen. Der erste mit Rasen völlig überkleidete Kopf ist die Hintere Platte, daher so leicht zugänglich und daher der Aufenthalt so angenehm. Die Aussicht sehr schön. Die Umgebungen voller Alpen, mit Sennhüttengruppen überstreut und von Mähern belebt; östlich gibt das Pinzgau in seiner ganzen Erstreckung bis über Taxenbach hinaus eine eigne Perspective; in großer Ferne erhebt sich die übergossene Alp als ein stolzes Cap der Kalkalpen; in der Tiefe schäumen und stäuben die Wassersäulen der Kriml; der Blick führt über den Wasserfällen in der Ebene des Krimler Tauernthales weit hinan und über den Bergen, welche die fernere Aussicht versperren, erheben sich die gewaltigen Schneeberge der Venedigergruppe, unter ihnen der Dreyherrnspitz. Fast gerade im Süden baut sich ganz nahe die Gletscherwelt des Reichenspitzes mit seinen Hörnern in den blauen Äther auf. Um dieses letztere großartige Gebilde näher und besser zu übersehen, geht man etwas thaleinwärts zur Wilden Gerlos. Hier erblickt man bald ein schönes erhabenes Bild. Vorgrund eine Sennhütte mit einem rauschenden Brunnen, in der Tiefe die Thalsohle der Wilden Gerlos, theils bemattet, theils von dem Sande der vielarmigen Gerlos überschüttet, belebt mit Sennhüttengruppen; gegenüber die Steilwände des Weißkors, Silberspitzes, zum Theil begletschert; den Hintergrund aber erfüllt der schimmernde Pallast des Reichenspitzes. Seine Gletscherwelt spannt sich von dem eigentlichen Reichenspitz, 9340 F., bis zu dem fast gleichhohen Sicherheitskopf aus, senkt sich von diesen Hörnern, die durch eine scharfe Gräthe verbunden sind, in mehreren Gletschern herab bis zur unteren Terrasse. Auch die Phantasie belebte die phantastische Riesengestalt; denn der Reichenspitz wird von Geistern bewohnt, welche die Gold- und Silberminen bewachen, die unter seiner Eishülle verborgen sind; nur dann und wann, vom Froste der Eiswelt aus ihren blauen Hallen getrieben, besuchen sie mit spitzem Hut, spitzen Schuhen und schwarzem Talar die Sennhütten, um sich zu wärmen. Die Unglücklichen, denen es gelingt, nach vielem Bitten eine Schale Goldes zu erhalten, werden dafür in die ewigen Eisgrotten gebannt, wo sie bey ihrem Goldüberfluß fortwährend dem Erfrieren nahe sind. Weniger interessant ist der Blick auf die nördliche Alpenwelt, welche, in ihr Alpengrün gehüllt, ziemlich eintönig erscheint; den schon bestiegenen Thorhelm hat man gegenüber.

Der rüstige Alpensteiger kann mit diesem Ausfluge einen anderen in die schon von oben gesehene Wilde Gerlos verbinden. Auf dem obengenannten Dürrenboden, dem letzten Thalboden der Gerlos, rastet man und labt sich bey Sennhüttenkost an dem herrlichen Anblick des Reichenspitzes, der hier schon in seiner Größe erscheint. Man folgt darauf dem Hauptbache des Thales der Gerlos, welcher von hier an aufwärts, wo sich das Thal, wie die Schönach, rechtwinkelig nach Süden umbiegt, Wilde Gerlos genannt wird. Die Thalsohle ist ziemlich breit und zum Theil, wie wir schon von oben herab sahen, versandet. Vor der Alpe Drissen verengt sich das Thal zur Schlucht, so daß der Pfad hoch emporsteigt zu mehreren Alphütten; endlich biegt sich links ein ödes hohes Alpenthal ein, voll Getrümm, kurz vor dem Ergießen der Gletscher des Reichenspitzes, und man steht an den Ufern des unteren Gerlossees, umragt von hohen düstern Felsgestalten, welche theils begletschert sind; unter ihnen der schon erwähnte Roßkopf.

Noch eine Stufe höher liegt der kleinere Gerlossee, östlich ganz von Geröll umgürtet.

Botanisches: Auf den Gerloser Alpen, besonders am Gerlosstein[1]), Pinguicola alpina, Veronica bellidioides, Ver. aphylla und alpina, Valeriana saxatilis, Eriophorum alpinum, Poa alpina und disticha, Phleum alpinum, Avena versicolor, Globularia cordifolia und nudicaulis, Alchemilla alpina, Androsace chamaejasme, Primula minima und glutinosa, Soldanella alpina, Azalea procumbens, Campanula barbata, Lonicera alpigena, Thesium alpinum, Gentiana asclepiadea, acaulis und bavarica, Laserpitium simplex, Phellandrium Mutellina, Juncus monanthos, Rumex digynus, Epilobium montanum, Rhododendron hirsutum und ferrugineum, Saxifraga aizoon, Androsacea, caesia, bryoides, oppositifolia, aizoides, stellaris und moschata, Silene acaulis, Gypsophylla repens, Arenaria austriaca, striata und polygonoides, Cerastium alpinum, latifolium und strictum, Cherleria sedoides, Potentilla aurea, Geum montanum, Dryas octopetala, Cistus celandicus, Anemone vernalis und alpina, Ranunculus aconitifolius, rutaefolius, nivalis und alpestris, Thymus alpinus, Bartsia alpina, Antirrhinum alpinum, Pedicularis rostrata und foliosa, Biscutella laevigata, Lepidium alpinum, Cardamine resedifolia, Arabis alpina und nutans, Hedysarum obscurum, Phaca australis, Hieracium aureum, Carduus defloratus, Cnicus spinosissimus und heterophyllus, Gnaphalium alpinum und supinum, Erigeron alpinum und uniflorum, Arnica scorpioides und bellidiastrum, Chrysanthemum atratum, Achillea atrata, Carex firma, Pinus cembra, Salix retusa und reticulata, Empetrum nigrum, Juniperus Sabina.

Nach diesem ersten Ausfluge kehren wir nach Zell zurück, um unser Hauptquartier zwey Stunden weiter thaleinwärts zu verlegen.

Von Zell wandern wir auf ebener Straße des noch breiten Thales auf dem östlichen oder rechten Ufer des Zillers hinan nach Mayrhofen, 1996 F. üb. d. M., auch Unter-Mayrhofen genannt, in dem obersten Thalkessel des Zillerthales, seiner eigentlichen Geburtsstätte, gelegen; denn hier beginnt die Region der sogenannten Gründe, hier vereinigen sich strahlenförmig in einem Kessel von Südosten der Zillergrund, mehr südlich die Stillupe; südwestlich der Zemgrund und westlich die Dux. Die beyden mächtigsten und wasserreichsten sind der Zillergrund und Zemgrund. Mayrhofen selbst, mit seinem trefflichen Wirthshause Neuhaus, ist ein schöngelegenes Standquartier für die vielen äußerst interessanten Ausflüge; denn Maler, Botaniker, Geognosten und Mineralogen können hier ihre ganze Sommerfrische halten. Auch die Gegend selbst ist großartig und reizend; zur Linken erhebt sich der beschneite Ahornspitz, welcher schon bey Fügen sichtbar ist, sich dann aber durch die Verschiebung der Bergmassen verbirgt. Obgleich der Ort schon 2000 Fuß Meereshöhe hat, ist das Klima noch immer mild zu nennen. Es bestehen hier 1 Knaben-, 1 Mädchen- und eine weibliche Industrieschule, 1 Förster, 1 Wundarzt, 1 Sensenschmiede. Die Kirche ist ein schöner ehrwürdiger Bau, ein passender Vorgrund zu der Landschaft. Die Gemeinde besteht aus den umher zerstreuten Häusergruppen: Ober-Mayrhofen, Unter-Mayrhofen, Laubbüchl und Holenzen, zählt 89 H., 730 E. und hat mit der 3440 Fuß hoch liegenden Alpengemeinde Brandberg 481 J. Ackerfeld, 673 M. Wiesen, 26,000 M. Alpenweiden, 13,916 M. Waldungen, 14 Pferde, 3 Ochsen, 410 Kühe, 718 Schafe, 469 Ziegen und 66 Schweine. Hier bestehen auch Granatmühlen; die in den Gründen gefundenen Granaten, mit denen der Glimmerschiefer wahrhaft gespickt ist, kom-

1) Braun, Salzburg und Berchtesgaden S. [illegible].

men in Höhle, inwendig mit Marmorplatten gefütterte Räder oder Cylinder, in denen sie so lange umhergebeutelt werden, bis sie ihre scharfen Kanten verlieren, worauf sie nach Böhmen verschickt werden. Schon auf dem ganzen Wege von Zell (dem Wiesenpfade) findet der Reisende kleine Granatmühlen längs dem Ziller hingestellt. In Mayrhofen selbst befindet sich eine größere. Von Zell aus kann der Fußreisende auch auf einem Fußpfade längs dem westlichen Ufer des Zillers nach Mayrhofen gelangen. Über Laimach führt noch ein Fahrweg bis Hippach. Hier befindet sich die Kirche der ganzen Gemeinde, Schwendberg genannt, welche 66 H., 468 E. zählt. Auf der Höhe rechts liegt Scharmoos; hier hat man einen sehr schönen Überblick des obersten Zillerthaler Gebirgskessels. In der Nähe kömmt rechts vom Westgebirge der Mühlbach und bildet den schönen, leider nicht gut zugänglichen Mühlbachfall. Im Dörfchen Hippach (9 H., 82 E.) bestehen 1 Knaben-, 1 Mädchen-, 1 Industrieschule und eine Suppenanstalt für arme Schulkinder [1]).

Der sich uns hier zunächst erschließende Grund ist der Zillergrund. Unweit der großen Granatmühle, in dem mit Mayrhofen zusammenhängenden Holenzen, wirft sich der schon mächtige Ziller über ein hohes Wehr schäumend herab, aus dem Zillergrunde in das Zillerthal. Eng und düster klafft der Grund; doch bald hat man die Enge auf einem Höhenweg überwunden. Schon nach einer halben Stunde können wir auf dem, wenn auch schmalen, Thalboden aber auf dem rechten Ufer des Zillers zwey Stunden lang zwischen hohen und abschüssigen Bergen fortwandern. Am Stege, der uns über den Ziller bringt, theilen sich jenseits die Wege; rechts geht es hinan zur Wilhehner Alpe und deren Ferner. Am linken Zillerufer kömmt der Wanderer in einer Stunde zur Jägerhütte in der Au, wo südlich der Sondergrund sich abzweigt, durch welchen ein vielbesuchter, wenn auch mühsamer, brüchiger und oben vereister Jochsteig über das Hörndl in das jenseitige Prettau nach St. Jacob (Ahrnthal-Pusterthal) und Brunecken abwärts, oder aufwärts über den Krimler Tauern führt. Wer letzteren Weg wählt, hält sich oben, wo das Eis anfängt, links. Eine halbe Stunde im Zillergrunde aufwärts öffnet sich südlich ein zweytes Thal, die Hundskehle, ein brüchiges Thal, durch welches ein noch beschwerlicherer Jochsteig über die vereiste Korscharte nach St. Peter im Prettau führt. Gerade im Norden der Einmündung der Hundskehle in den Zillergrund erhebt sich ein hoher Eisberg, ebenfalls die Hundskehle genannt, wovon jenseits eine große Eiswand tief hinabsteigt in das Wimerbachthal, das sich oberhalb des Dorfes Gerlos aus der Wilden Kriml am schönsten zeigt und hier ebenfalls Hundskehle genannt wird. Der Zillergrund verengt sich aufwärts etwas, erweitert sich aber dann wieder zu einem Thalboden, dem obersten Kessel des Grundes, rings umzäunt von Eisbergen und ohne Ausweg. Gegen Norden und Nordost umspannt der Reichenspitz mit seinen gewaltigen Trabanten, dem Sicherheitskopf und Schwarzenkopf, den Hintergrund des Thales. Bis zum Reichenspitz selbst scheidet der hohe Eisrücken den Zillergrund von der Gerlos; von diesem an beginnt jenseits das Salzach- oder Krimler Tauerngebiet, welches sich bis zum Feld- oder Windbachspitz zieht. Dieser Eisgipfel ist der östliche Eck- und Grenzpfeiler der Rhätischen Alpen und der westliche Grenzstein der Tauernkette und Norischen Alpen, der Dreyspitz zwischen Salzach-, Inn- und Etschgebiet, oder zwischen Zillerthal, Pinzgau und Pusterthal. Ihm östlich gegenüber, durch die Krimler Tauernscharte getrennt, erhebt sich der Dreyherrnspitz, doch schon auf der Tauernkette, der Wassertheiler zwischen Salzach, Etsch und Drau, so wie der Grenzgebieter zwischen Pusterthal und Pinzgau.

1) Viele Kinder haben von den Alpen herab oft mehrere Stunden bis in die Schule, ein zur Winterszeit bisweilen gefährlicher Weg; sie können erst Abends nach Hause zurückkehren. Die Suppenanstalten, wie man sie in mehreren Gegenden Tyrols trifft, sind für solche arme Kinder, welche ohne solche den ganzen Tag kümmerlich hinbringen und Abends entkräftet und hungrig den beschwerlichen Schneeweg antreten müßten.

Vom Feldspitz an gegen Süden dacht sich der Eisrücken bis zum Rauchenkopf zum Prettau (Pusterthal=Etsch) ab, und endlich gegen Westen in die angrenzende Hundskehle. Merkwürdiger Weise entsendet gerade hier die Sonnenseite des nur 9300 Fuß hohen Reichenspitzes ebenso gewaltige Gletschermassen, wie nordwärts; denn das Reuchlmooskees, Hundskehlkees und Gamskahrkees sind nicht geringer, als die Eisfelder der Nordabdachung. Eine solche Eisbedeckung bey nur 9000 Fuß findet wohl nirgends in den Deutschen Alpen statt, nämlich auf solchen vereinzelten oder auslaufenden Rücken. Der nahe Ahornspitz, den wir bald besteigen werden, welcher von gleicher Höhe ist und zu denselben Gebilden gehört, ist der Beweis hierzu. Der Zillergrund schließt mit einem kleinen Eissee, diesseits von Geröll, jenseits von Eis umlagert und umarmt von den Abhängen und dem Gipfel des Feldspitzes. Die Kuchlmoosalpe ist die letzte Zuflucht für den Reisenden. Nach Mayrhofen zurückgekehrt, besteigen wir einen der Hochgipfel der Gegend und zwar unter Leitung des von uns schon mehrfach erprobten Führers, Herrn Professors Thurwieser [1]). Auf dem Rücken, welcher den Zillergrund von der Stillupe trennt, erhebt sich der 9397 Wiener Fuß hohe Ahornspitz. Seine Stellung gerade vor der ganzen hohen Gletscherkette des Zillerthales läßt eine erhabene und prächtige Aussicht vermuthen, und diese Vermuthung wird auch nicht getäuscht. Theilnehmer der Ersteigung waren außer Thurwieser der Hülfspriester Seisl aus Mayrhofen, der Vikar Jos. Weinold von Brandberg, der Schullehrer Jos. Thaler daselbst und der Bauer Vitus Kreidl von da. Th. und Seisl brachen am 31. August 1840 um 2¼ Uhr Nachmittags von Mayrhofen auf, holten die Anderen in Brandberg ab, welchen Ort die Gesellschaft um 6 Uhr Abends verließ, zum Ziller steil hinabstieg und den Alpbachsteg daselbst in einer starken Viertelstunde erreichte. Steil ging es jenseits sogleich zum Ahorn hinan, über die Alpbachaste, durch den Alpbachschlag, die Brente, den Brentenwald, die Alte Lichte, über das Trockene Eck, von wo der Anstieg sich mäßigte, durch die Trogrinne, das Trogrinnenwäldchen, über den Sonntager zu den Mitterlägerhütten (4913 F.), welche man um 8 Uhr erreichte, also 1¾ St. vom Alpbachstege; hier wurde übernachtet. Nach eingenommenem Frühstück, aus Milch und Rahmmuß bestehend, wurde um 4¾ Uhr bey klarem Himmel aufgebrochen; der Senner war Führer. Über das Mittereck, an zwey hübschen Wasserfällen des Geisbachs vorüber, durch den Saulahner und über das Trett erreichte man in beynahe 1 St. die Hochläger- oder Kahrhütte im Ahornach, 6391 Fuß üb. d. M. Südlich thürmt sich noch 3000 Fuß hoch der Ahornspitz auf mit einem Gletscheransatze. Er stürzt äußerst jäh auf die Alpe ab; östlich entsendet er eine ebenfalls jähe Schneide; eine zweyte nordwestlich ziehende ist die Ochsnerschneide oder Hochfeldlahnerschneide; die dritte westlich auslaufende, zuletzt auch nordwestlich gehende Schneide der Pyramide ist die Popbergschneide; zwischen den beyden letztgenannten Schneiden zieht das Alpenthal Fällenberg hinab in den Zillergrund mit einem halbvergletscherten Schneefelde in seinem Kahre. Von der Kahrhütte ging es rechts hinan der Ochsnerschneide zu; eine Viertelstunde von der Hütte labte man sich an einer köstlichen Quelle unter den Wandln. Die beschwerlichste Stelle bis zur Schneide war eine Geröllplaike (Bergbruch, Bergschlipf). Um 7 Uhr, also 2 Stunden von der Mitterlägerhütte, erreichte man die Ochsnerschneide. Hier eröffnete sich plötzlich die Aussicht auf die ganze Gletscherkette des Zillerthales im nahen Süden und Westen. Der Felsengrath der Ochsnerschneide besteht aus senkrecht aufgestelltem verwittertem Schiefer. Da man auf diesem Rücken nicht zur Spitze emporkommen konnte, mußte man zu der jenseitigen Popbergschneide hinübersteigen, indem man das oberste Fällenbergkahrl, den kleinen Gletscher desselben rechts unter sich lassend, durchschritt und schief zu jener Schneide emporstieg. Über eine grobe und lockere Lehne, auf welcher man Kry=

1) Zeitschrift des Ferdinandeums 1841. B. 7.

stalle fand, erreichte man gegen 7¼ Uhr die Popbergschneide, also in einer halben Stunde von der Ochsnerschneide.

Von hier war man dem letzten Aufschwung der Spitze nahe; der Senner Eberharter folgte dem Grathe, während die Anderen mehr rechts auswichen, und in einer halben Stunde von der Popbergschneide, in 3¼ Stunden von dem Nachtlager, in 2¼ St. von der Kahrhütte erreichte man den Gipfel des Ahornspitzes. Der Gipfel hat einen bedeutenden Umfang, ist aber durch eine nicht ganz leicht zu durchkletternde Scharte in zwey Theile gespalten; die Gesellschaft blieb auf dem südlichen höheren. Die Steinmasse ist Glimmerschiefer mit verschiedenfarbigem Quarz, der bisweilen in Bergkrystall übergeht. Der Reisende wird sich aber gewiß zuerst in dem herrlichen, prachtvollen Panorama umschauen, das sich hier in den buntesten Farben, Tönen und Gestalten vor ihm aufrollt. Wir richten unsern Blick südwestlich; links über dem Kristenspitz öffnet sich das Thor des Pfitscherjoches zwischen den Eisbergen des Zamsergrundes, links und dann der Dux rechts und wie hingezaubert strahlt durch diese Pforte das glänzende Haupt der Deutschen Berge, der Ortler, wohl 2000 Fuß hoch das Thor überragend, obgleich 33 Stunden weit; links neben ihm steht sein Trabant, die Königswand, und ein Theil des Zufallferners; rechts erhebt sich sogleich der hohe Fernerstock von Dux, an welchen sich wieder über die niedere Höhe des Duxerjoches die ferne Eiswelt vom Stubay- und Ötzthal anreiht; deutlich wurden die Habichtspitze und der Fernerkogl unterschieden; trotz der Ferne erhob sich der Muttekopf stolz über seine Nachbaren bey Imst; weißgrau zeigte sich die Heiterwand, das Wanneck, die Mundl und die große Masse des Wettersteins mit der Zugspitze und dem Plattacher Ferner; dazwischen sah man deutlich das Geisthal, während der untere Theil desselben, die Leutasch, durch den Solstein gedeckt wurde; die ganze Kalkkette, welche das Innthal im Norden begleitet, starrte hoch über die grünen Gebirge zwischen Dux, Innsbruck, Schwatz und dem Zillerthale auf; es unterschieden sich in der vorderen Reihe und aus dem jenseitigen Gewühl von Kalkalpengipfeln: das Brandeck, die Frauhütt, Scharnitzthalspitze, Usterhorn, Roßjoch, die Lamsenspitze, Sonnjoch, Stanserjoch, der Juifen; äußerst anmuthig stellte sich das ebengenannte Thonschiefergebirge mit seinen Matten, Wäldern, Alphütten und Stadeln dar, im Gegensatze der dahinter hinziehenden nackten Kalkschrofen; besonders freundlich sprach das Kellerjoch mit seiner weißen Kapelle an. Von der Seekahrspitze rechts zeigt sich die Spalte des Achenseerthales; rechts oder östlich davon das Gemsjoch, der Rofan, der hohe Gufer, der Roßkopf und Rettengschöß mit seiner einstürzenden Wand, ohngefähr über der Einmündung des Zillerthales in das Innthal; leider wurde das Zillerthal selbst durch den vorderen Gipfel gedeckt; es bezeichnet die Nordlinie. Nordöstlich lagert sich zunächst wieder das grüne Übergangsgebirge umher, aus welchem das Wiedersberger-Horn, die Wildschönauer Berge, die Hohe Salve mit ihrer schimmernden Kapelle, das Kitzbühler Horn mit seiner Kapelle, der Große Rettenstein und der Geisstein vorzüglich sich bemerklich machen; über dieser grünen Bergwelt zieht die Fortsetzung des grauen Kalkalpengürtels hin; rechts vom Rettengschöß dringt der Blick durch das Brandenberger Achenthal weit nach Bayern ein; östlicher zeigen sich das Sonnenwendjoch, der Heuberg, Bleffenberg, Wendelstein, Galtenberg und Pendling, mit welchem die höheren Kalkalpen im Norden des Innthales aufhören und herübersetzen auf das östliche Ufer, und sich daselbst sogleich im majestätischen Kaiser hoch und grau erheben und im Plattenkogl nördlich von Waidring fortsetzen zur Pyramide des Sonntagshorns, dem Hohenstaufen bey Reichenhall (gerade über dem Kitzbühlerhorn), 27 St. entfernt und gerade in entgegengesetzter Richtung des Ortlers; rechts folgen: der Mitterfeichtkogl, das Rothhorn, das pyramidale Flachhorn, Reifhörnl, Ochsenhorn, Marchanthorn, Rothhorn, Kuchlhorn, Birnhorn, das Steinerne Meer mit der Schönfeldspitze, Blühnbachscharte und die Übergossene Alpe, mit welchem stolzen Cap die Kalkalpen fast im Osten abbrechen, indem die höher aufsteigende Tauernkette jetzt die Fernsicht verschließt.

Unter dem Merchantthorn und über der nahen Eggelkahrscharte zeigt sich ziemlich niedrig der Pinzgauer Plattenkogl (6248 F.); von hier an südwärts erhebt sich der Gebirgskamm zwischen der Kriml und Wilden Gerlos, bald über bleibende Schneeflecken auf dem Schaflkopf, nach welchem die Gletscher sogleich ins Große gehen, und über dem Reichenspitz und Venediger bis zum Feilspitz am Pfitscherjoche 13 Stunden weit vor Augen liegen, hie und da durch nackte Felsenzacken und Wände unterbrochen. Schön war der Blick hinab auf die Au im obersten Zillergrunde, wo das Jägerhaus liegt; den Hintergrund des Zillergrundes umspannt ein großes Eisfeld, überragt von wüsten Köpfen und Zinken, über welche sich erst das wahre Gebiet der reinen Eisfelder in den blauen Äther aufbaut; alle beherrscht der Venediger (11,600 F.) und neben ihm der Dreyherrnspitz, in reinweißen Wintermantel tief eingehüllt; rechts herum sieht man das Hohenauer Kees, dem der Ziller entspringt, den Roßkopf, Rauhkofl, die Thäler Hundskehl und Sondergrund, zwischen ihnen der Hohenwart; darüber einen hohen Schneeberg aus der Antholzer Gruppe, die Nachbarn des Thorns: den Wilhelmer und die Roßwandspitze; die Tiefe der Stillupe bis zu dem Lahnebachferner, der ihren Hintergrund schließt; rechts davon steigt der Löffler oder Löffelspitz, der ungemessene König der Zillerthaler Berge, empor aus graulichem, kreuzweise durchklüftetem Eispanzer mit dreyschneidigem glänzendem Schneehaupte. Die von ihm über den Floitenthurm bis zum Tristenspitz gerade gegenüber hinziehende Kette ist schneidig, doch nicht so hoch, daß nicht die dahinter liegenden viel höheren Berge zum großen Theil darüber aufragen; vom Löffler dehnen sich südwestlich ungeheure Eismassen aus, mit mancherley Wendungen den breiten Rücken der Alpen bedeckend und noch weit in seine Äste fortlaufend; aus dem weiten Schneemantel ragen einzeln gewaltige, mitunter düstere Gipfel auf, über dem Hauptkamme der Schwarzenstein, das Horn, der Roßruck und Waxegg; hinter dem Furtschläglferner ragt die Hochfeilspitze auf. Von der Bergmasse, welche die Floite und den oberen Zemgrund (Schwarzenstein) trennt und in welcher sich die Gunkel einbettet, erhebt sich hoch über dem sonst wegen seiner Höhe berühmten Giglitz und Floitenthurm (zwischen Stillupe und Floite) der Möhrenspitz mit steilem Gletscher und der Rothe Kopf mit dem Ingentgletscher, welchen man von Zell aus sieht. Deutlich erkennt man den Zug des Zemgrundes und seine Fortsetzung, den Zamsergrund, darüber links die hohe tiefbeeiste Furtschläglspitze und der Greiner. Hierauf senkt sich die Bergmasse zur Eintiefung des Pfitscherjoches, von wo wir unseren Kreislauf begannen. Aus der Reichhaltigkeit und Großartigkeit dieser Rundsicht läßt sich auf die Pracht und Schönheit derselben schließen, und kein rüstiger Bergsteiger wird es versäumen, diese schöne Alpenzinne zu ersteigen. Doch möchte auch hier zu rathen seyn, diese Ersteigung vorzunehmen, nachdem man die Gründe des Zillerthales bereist hat, weil man sich dann um so leichter ausfinden und um so mehr für einzelne Berge interessiren wird, die man jetzt als Bekannte begrüßt. Die Gesellschaft blieb gegen acht Stunden auf der Spitze; die Luft war ziemlich windstill; das Thermometer stieg während der Zeit von + 2,45° bis 8,12° R., und sank nach 2½ Uhr wieder. Die Aussicht war vollkommen rein. Man verließ 10 Minuten vor 4 Uhr die Spitze über den Grath und erreichte in 25 Minuten 4¼ Uhr die Popbergschneide, von der es hinunter zu dem kleinen Gletscher im Fällenbergkahrl ging, um den Durst mit Gletschermilch (Keeswasser) zu löschen. Nach einer Viertelstunde ging es zur Ochsnerschneide hinan; man lenkte von derselben in das Hähnkahr ein, an dessen Schneelehne man abermals den Durst löschte. Nach einer guten Viertelstunde wurde aufgebrochen und noch vor 6 Uhr die Hochlägerhütte erreicht, also in 2 St. vom Gipfel. Von hier wurde dem schon längst zurückgekehrten Senner in der Mitterlägerhütte von einem mit einem Steinmantel versehenen Felsenvorsprung die Ankunft gemeldet, um den Tisch einstweilen zu besorgen. In einer halben Stunde war man unten in der Hütte und fand alles fertig. Nur eine gute Viertelstunde wurde zur Tafel und zum Rasten gebraucht. Gegen 8 Uhr erreichte man die Alpbachalse, von wo man wegen der Dunkelheit Puchein aus Kenteln (Fackeln aus dünngespaltenem Holz) mitnahm. Um 9½ Uhr traf man in Mayrhofen ein und hatte also abwärts mit Ausruhen etwas über 5 Stunden gebraucht. Diese Besteigung ist besonders insofern wichtig, als noch wenig, ja fast gar keine Besteigungen aus dem höheren Zillerthaler Gebirge vorgekommen oder bekannt geworden sind. Möge Gott Thurwiesern noch lange Kräfte verleihen, um fernere Besteigungen und Höhenmessungen vorzunehmen und bekannt zu machen.

Unweit Mayrhofen entstürzt südlich einer engen und wilden Eingangsschlucht in vielen Wasserfällen der Stilluper Bach aus dem Grunde der Stillupe. Der Bach selbst wird bald darauf von dem mächtigen Zembache verschlungen, ehe derselbe den Ziller erreicht.

Durch eine wilde Thalenge drängt sich der Pfad über den Hausberg in den Grund, welcher sich weiter aufwärts ein wenig erweitert und ziemlich gerade in südöstlicher Richtung aufsteigt. Alphütten liegen durch das Thal zerstreut; auf den Terrassen der beyderseitigen Thalwände liegen noch viele und große Alpen zerstreut, dann aber beginnt die Region der öden Felsenkahre, die sich in den wildesten, zerrissensten Formen der Urgebirgswelt hoch aufbauen; aber ihre Steilheit läßt nur wenige Schnee- und Gletscheransiedelungen zu; ihr Fuß ist mit einem Chaos von Felsentrümmern überschüttet. Von Zell aus erblickt man deutlich fast das ganze westliche Felsenkahr der Stillupe, jene Felsenkette, welche sich vom Kristenspitz links nach Osten zieht; der hohe Floitenthurm ist der äußerste Felsenkopf, der über der Achsel des Vorgebirges hervorragt. Der Hintergrund des Thales ist völlig von Eisbergen umgürtet, unter welchen ein furchtbares Felsenmeer ein Amphitheater, einzig in seiner Art, bildet; hier liegt die letzte Alphütte, darüber der Löffelspitz, wahrscheinlich der höchste Berg der ganzen Gruppe.

Der nächste Grund, welcher sich auf dem Thalboden von Mayrhofen erschließt, ist der Zemgrund, wohl einer der interessantesten nicht nur des Zillerthales, sondern der Alpenwelt und zwar in mehrfacher Hinsicht; nur der, welcher liebliche Bilder sucht, trete nicht ein in diese Schauer der Bergwelt, wo Berge, Wasser, Eis und Schnee fast in beständigem Kampfe leben. Bevor wir diese Bergwelt betreten, muß eine geographische Übersicht die verschiedenen hier vorkommenden Namen erklären, um Irrthümer zu vermeiden. Der Grund zieht sich südwestlich hinan und sein hinterster oberster Anfang liegt am Pfitscher Joch, ein Bergjoch, welches aus dem bey Sterzingen in das Eisackthal mündenden Pfitschgrunde herüber ins Gebiet des Zillerthales führt. Dieser oberste Anfang heißt der Zamser Grund, wird aber auch, da er in ökonomischer Hinsicht (siehe oben) zum jenseitigen Pfitschgrunde gehört, das Pfitschgründl genannt. Nach einer fast unwegsamen Thalenge gelangt man hinab nach der Hütte Breitlehner, wo die Alpen des Zillerthales im engeren Sinne beginnen; rechts strömt der Zembach aus einem großen, ziemlich offenen Grunde von der Alpe Schwarzenstein herab und nun heißt der Grund der Zemgrund; mit ihm vereinigt sich bald darauf rechts abermals ein bedeutender Nebengrund, die Floite. An der Öffnung des Thales endlich, wo sich der Bach tief einschneidet, liegen auf den anbaufähigen Abhängen die Höfe des Dornauberges; daher der Eingang des Thales auch der Dornauberg oder die Dornau genannt wird. Bald heißt nun, besonders von Reisenden, die zufällig nur einen Namen hörten, der ganze Grund Zamser Grund, bald Zemgrund, bald Schwarzenstein, bald Dornauberg, bald die Dornau. Die westliche Thalwand bildet der Duxer Rükken; er fällt steil und jäh, ohne Seitengründe zu bilden, ab; seine Gletscher entleeren sich in donnernden Wasserfällen oder sich in Dampf auflösenden Staubbächen ihrer Wasserfülle; östlich dagegen ziehen tiefe Seitengründe (Horpeng, Zem, Floite und Gunkl) zur hohen Eiskette hinan, welche das Zillerthal vom Ahrnthal (siehe Brunecken) trennt.

In diesem Grunde findet nun der Reisende besonders reiche Ausbeute; hier kann der Maler die großartigsten Wasser-, Lawinen-, Gletscher-, Trümmerstudien und, wie man es nennen will, machen, der Ökonom und Ethnograph kann hier das Zillerthalische Alpenleben recht eigentlich kennen lernen, der Mineralog findet hier eine seltene Weide; bekannt ist ja der Greiner.

Von Mayrhofen aus überschreitet der Wanderer die Stillupe und gelangt bald darauf an die Thalesspalte des Zembaches. Wild rauscht der mächtige, einem kleinen Flusse gleichende Bach zwischen den Felsenpfeilern hervor, die eine kühne Brücke, der Hohe Steg genannt, in bedeutender Höhe über dem strudelnden Bache verbindet. Man überschreitet den Steg und gelangt nun auf die linke Thalwand, die weniger steil, zum Theil angebaut, die Dornauhöfe trägt. Wir befinden uns auf dem Dornauberg, eine auf einer Bergterrasse liegende Gemeinde. In den Bauernhöfen, die man durchsteigt, kann man Sennhüttenkost erhalten. Schöner Blick links in die Tiefe auf den wildwirbelnden und sich in einem großen Bogen drehenden Bach. Immer höher steigt der Pfad und nicht ohne Schaudern blickt der Wanderer in die senkrechte nächtliche Tiefe, die der Bach erhellt. Nur mit Geäst ist der Rand des Abgrundes verwahrt, um Abfallen des Viehes zu verhüten. Noch eine kleine Strecke und es beginnen nun jene wilderhabenen Scenen, die wohl kaum ihres Gleichen sonstwo in den Alpen antreffen werden. Alle Reisende, welche das Zillerthal besuchen, sollten wenigstens bis hierher von Mayrhofen 1½ Stunden vordringen. Der Pfad senkt sich wieder etwas, wie sich der Grund erhebt, so daß man seiner Tiefe wieder näher kömmt. Jenseits des Baches tritt der Fuß des Tristenspitzes trotzig und fast senkrecht in die ihn umtobenden Wogen; diesseits ist der ganze Berg eingestürzt und seine Trümmer liegen in großen Massen umher und haben sich selbst in Riesenblöcken so über einander geschoben, daß sie ein weites, aber dämmerndes und schaueriges Dach bilden, unter dessen Schutz sich der Pfad durchschleicht. Mit diesen Trümmern ist der ganze Thalesspalt ausgefüllt; sie vergrößern die Wassermasse und ihr Toben, so daß hier wohl die größten und wildesten Katarakten sind, die es geben mag. Noch mildert das lichte Grün der Lärchen, die hie und da zwischen den Felsenblöcken und deren Moosdecke entsprossen, die Wildheit; da schwingt sich kühn die letzte Lärche von einem über den Abgrund vorspringenden Felsblock und eine ebenso kühne Hand befestigte ein Crucifix daran; da bricht der Pfad ab; hoch über dem Haupt schiebt sich ein Riesenblock empor, als wollte er sich an den jenseitigen Tristenspitz anlehnen. Vergebens sieht sich der Wanderer nach dem Pfade um; endlich entdeckt er in der Tiefe eine hölzerne Rinne, die sich, von eisernen Klammern getragen, dicht an die überhängende Wand schmiegt. Mit Schaudern betritt man diesen seltsamen Pfad, von oben bedroht durch die überhängende Wand, von unten durch die wildbrandenden Wogen, die durch ihre Wucht, wie ihren Donner die Berge erschüttern. Dennoch ist der Weg gefahrlos und bietet im Fall eines Wetters ein erwünschtes Obdach. Endlich wird es wieder lichter, grüne Berge, wenn auch mit Felsblöcken übersäet, erheitern den Horizont. Die Schlußscene dieser Enge bildet der Karlssteg, der wieder links auf das rechte Ufer hinüberführt; ein ungeheurer Felsblock liegt im Bache, der sich mit Mühe um ihn herum drängt; dahinter das Eisfeld des Jugentkahres.

Man gelangt nun in etwas freundlichere Gegenden, belebt von sogenannten Ästen, wie hier die niedern oder Voralpen genannt werden, auf welche das Vieh zuerst im Frühjahr getrieben wird; sie werden auch den Winter über bewohnt. Über die Ästen Saustein, Farmebe, Schliffstein, Schranbach und Lippenäfl erreicht man den Ginsling, die geräumigste Thalweitung des Zemgrundes, eine Voralpe und eine Kirche für das Sennervolk der Umgegend, zugleich ein Alpenwirthshaus, wo man von Mayrhofen aus rasten kann, besonders wenn man den Seitenausflug in die Floite, welche sich hier südöstlich öffnet, unternehmen will.

Die Floite ist merkwürdig als letzter Aufenthalt der Steinböcke in den Deutschen

Alpen, und wer die schrecklichen Felsgebirge der Floite gesehen hat, kann sich leicht erklären, warum diese gerade der letzte Zufluchtsort dieser Thiere waren. Sie wurden außerdem sehr gehegt von den jagdliebenden Erzbischöfen von Salzburg; aber nichts konnte sie schützen gegen den Aberglauben und die Verfolgungssucht der Gemsjäger. Die Floite zieht sich südöstlich gegen die Zillerthaler Centralkette, ist rechts und links mit starren, furchtbar steilen Sturzwänden und ihrem Getrümm umschlossen. Die rechte Thalwand, dem Eintretenden zur Linken, beginnt mit dem Tristenspitz, hier auch Tristner oder Zann genannt, einem Berge, den wir schon von Zell aus als ein stolzes Cap bewunderten, dessen abgestutzte Pyramide einen Hauptcharakterzug der Gegend von Zell bildet. Er ist von dieser Seite, wenn auch steil, doch zu besteigen und noch hoch oben ist eine Alpe, auf der Wand, für Kühe, welche der Reisende auf dem Wege nach Breitlähner erblickt (siehe unten). Die Aussicht von ihm soll, wie sich erwarten läßt, einzig seyn, so daß selbst Alpenhirten mit Begeisterung davon sprechen. Vom Tristenspitz thaleinwärts verschwindet das Grün von den Höhen immer mehr und nackte Wände und Zacken starren nur aus den öden zertrümmerten Felsenwüsten auf; unter ihnen scheint der Floitenthurm alle durch Wildheit zu übertreffen. Den Hintergrund umgürtet ein großes Eisgefilde, dessen Gletschermassen zuerst die beyderseitigen Bergterrassen bedecken, dann aber im Hintergrunde zu einem Eismeere, einem Theile des großen Zillerthaler Eismeeres, zusammenschmelzen und einen großen, langen, ziemlich steilen und zerklüfteten Gletscher herabsenden auf die Thalsohle.

Der hohe Löffel- oder Zippachspitz überragt als tiefbeeistes Felsenhaupt die andern. Das Thal ist von Ginsling 3 Stunden lang bis zum Gletscher. Von Ginsling aus überschreitet man, das Thal hinangehend, den Floitenbach nach einer Viertelstunde durch den Tristenbachsteg, so genannt von der kleinen Alphütte Tristenbach. Etwa nach anderthalb Stunden, nachdem man nochmals den Floitenbach bey den Hebenbergshütten überschritten hat, erreicht man eine Jägerhütte, etwas geräumiger, als eine Sennhütte. Hier erschließt sich der Hintergrund in seiner ganzen Pracht, zwischen Felsenzacken und Gletscherströmen getheilt. Botanisches: von der Jägerhütte am Wege: Aconitum napellus und lycoctonum, Veratrum album und Hieracium alpinum. Man gelangt nun über die Alpen Pokäch und Schönhütten nach Baumgarten, einer Alpe, die aber kein Baumgarten ist; sie liegt in einer baumlosen Gegend, in einer furchtbaren Steinwüste; kaum wagt das Dach der Hütte etwas über den anlehnenden Hügel hervorzuschauen, und dennoch geben die sparsam zwischen den Trümmern aufwachsenden Pflanzen ein sehr nahrhaftes Futter. Jede Melkzeit gibt hier viel mehr Milch, als anderwärts. Von dieser Alphütte aus hat man nur noch eine Viertelstunde bis zum Gletscher, der an seinem ganzen Rande mit Steintrümmern umwallt ist. Ehe man noch den Gletscher erreicht, zeigen sich unter den andern Glimmerschiefer- und Gneusblöcken auch Serpentinb[illegible]e, hier gewöhnlich grüner Marmor genannt; diese Blöcke kommen hoch herab von der Schinderklamm, einer unersteiglichen Felsenwand. Er nimmt eine schöne Politur an, so daß man auch schon eine Steinsägemühle hier anlegte, welche aber von den Lawinen zertrümmert wurde.

Wir wandern wieder zum Ginsling zurück; alle Felsblöcke, die am Bache, besonders ohnweit des großen Steges über die Floite beym Ginsling liegen, erscheinen feuerroth und erfrischen den Wanderer durch Veilchenduft; denn das Rothe ist das bekannte Veilchenmoos.

Das Hauptthal, in welchem wir jetzt wieder aufwärts wandern, wird wieder enger und wilder; zugleich beginnen die eigentlichen Sennhütten. Alle Felsen sind mit der niedlichen Berghauswurz (sempervivum montanum) und die Wiesen mit Euphrasia officinalis und Dianthus carthusianorum bedeckt. Nachdem man den Zembach auf einem Steg überschritten hat, geht es wieder etwas bergauf an der westlichen Thalwand. Schöner Rückblick nach dem Ginsling, Tristenspitz und Floitenthurm.

Gerade gegenüber stürzt aus großer Höhe ein schöner Wasserfall nieder, seine Staubsäulen verschwinden hinter dem Dunkel der Tannen. Der Bach kömmt aus dem Hochthale Gunkl, welches ein untergeordnetes Seitenthal ist, indem es sich in den Gebirgsstock gebettet hat, welcher die Floite von dem folgenden Hauptseitenthal des Zemgrundes, dem Schwarzensteiner Grund oder obersten Zemgrund (siehe unten), trennt. Die Gunkl kann sich um so leichter zu einem geräumigen Hochalpenthal ausbreiten, als der Rücken sehr breit ist. Nur da, wo sich dieser Rücken an die Centralkette der Zillerthaler Alpen anlegt, wird er schmal, indem der Schwarzensteiner Grund hinten hereinzieht. Gegen Süden umschließt das eisige Ingentkahr die Alpe Gunkl mit mehreren Gletschern, unter denen der Hausergletscher der bedeutendste ist. Man sieht ihn von Zell aus in der Spalte des Zemgrundes, rechts am Tristenspitz, und der schwarze oben herausragende Felsen ist der Ingentspitz oder Rothkopf. Mineralogisches am Rothkopf: Apatit, Diopsit, Sphen, Chrom- und Titaneisen, krystallisirter Rutil, gemeiner, glasiger und asbestartiger Strahlstein, Vesuvian, Eisenglimmer, Serpentin, blauer Schörl (Cyanit) im Talke, krystallisirter blätteriger Chlorit, Tremolit, Pistazit, Adular, Granaten und alle Asbestarten mit Ausnahme des Holzasbestes.

Die meisten Sennhütten, die wir jetzt antreffen, haben ihre Denksprüche, die sich auf irgend eine Eigenthümlichkeit beziehen. Wir kommen zuerst in einer kleinen Bucht des Thales an die Alpe Käserlar, welche eine reizende Lage mitten in der Wildniß hat. Ihr Denkspruch ist:

Z' Käserlar wärs schon fein,
Wenn man nicht müßte tragen das Schmalz von außen hinein.

In der folgenden Sennhüttengruppe, Breitläner nämlich, ist die Hauptniederlage aller umliegenden Sennhütten und ihrer Erzeugnisse an Butter, Schmalz, Käse u. s. w., daher muß von Käserlar alles thalaufwärts geschafft werden, um hernach wieder herab getragen zu werden; daher der Denkspruch.

Wir erreichen bald darauf die eben erwähnte Alpe Breitläner. Hier ist die Hauptniederlage der Alpenerzeugnisse der Umgegend von acht Alpen. Jeder Alpeneigenthümer hat eine kleine hölzerne Hütte, in welcher die Melker seiner Alpe sein Eigenthum an Butter, Käse und Schotten niederlegen, gewöhnlich alle zwey oder drey Tage von den Hochalpen herabkommend. Die kleinen Aufbewahrungshütten heißen Kasten und daher der Aufseher derselben Kastner, der den ganzen Sommer hier zubringt und von seinen Ziegen lebt. Doch ist er neuerer Zeit schon etwas für Fremde eingerichtet. Die Alpeneigenthümer schicken gelegentlich aus dem unteren Zillerthale ihre Knechte herauf nach Breitläner, um ihren Laktizinsnutzen, wie es hier genannt wird, zu holen, oder sie geben auch Anweisungen zum unmittelbaren Verkauf über Pfitsch nach Südtyrol. Außerdem gehört Breitläner nicht zu den guten Alpen; die Kühe, die nur kurze Zeit hier verweilen, geben wenig Butter aber viel Schotten; daher der Denkspruch:

Breitlanär
Schottensamär.

Hier theilt sich der Grund abermals; nach Südwest setzt der Hauptgrund fort unter dem Namen Zamsergrund oder Pfitschgründl, während der gegen Südost hineinziehende Grund der Zemgrund im engeren Sinne ist. Wahrscheinlich rührt dieser daher, weil der Grund bis hierher einst Salzburgisch war, der Zamsergrund dagegen Tyrolisch. Daher wurde der Schwarzensteiner Grund, als oberster Anfang des ganzen Grundes, als Hauptgrund bezeichnet, und der Zamsergrund als Seitengrund angesehen.

Wir machen von hier wieder einen Ausflug und Breitläner muß unser Standpunkt werden. Wir besuchen nämlich jetzt den Zemgrund bis zur Alpe Schwarzenstein. Von Breitläner aufbrechend, steigen wir links aufwärts, den Bach rechts unter uns lassend, und erreichen nach einer Viertelstunde die Alpe Klausen oberhalb der Thalenge, welche hier wahrscheinlich einst als Holzklause benützt wurde. Es beginnt hier wieder die ebenere Thalregion, treffliche Alpenweiden bietend, wie der Denkspruch der Alpe beweist:

In der Klausen
Thut der Kübl sausen.

Die Milch wird nämlich in den, Schleifsteinen ähnlichen, Butterfässern (Kübeln) herumgedreht, um zu buttern.

Nach einer Viertelstunde erreicht man die Alpe Schwemm. Nur die untersten Abhänge der Berge sind noch spärlich mit Fichten und Zirbeln bewaldet, die Thalsohle grün, die Wände kahl und schroff, oben beeist. Wem die düstere Einsamkeit um Breitlåner nicht gefällt, der wird hier ein heiteres Nachtlager finden.

In der Nähe der Hütte Erigeron acre, Antirrhinum alpinum. Bald hinter der Hütte erreicht man eine Thalstufe, über welche sich der Zembach wüthend herabwirft zwischen Felsblöcken. Die Thalstufe zu ersteigen, braucht man eine starke halbe Stunde steilen Weges; ihren Namen, der Grawander Schinder, hat sie von der nächsten Alpe Grawand und dem mühsamen Absteigen der mit 90—100 Pfund Butter und dergleichen beladenen Älpler, welche diese Alpenerzeugnisse, wie oben bemerkt, von den höher gelegenen Alpen über diesen beschwerlichen Weg nach Breitlåner tragen müssen. Die Höhe selbst ist noch bewachsen, doch schon mischt sich die Zirbel und das Krummholz in das dunklere Grün der Fichten; dazwischen Campanula barbata, Ribes alpinum; besonders umwuchert die Alpenrose (Rhododendron ferrugineum) den Pfad. Kurz vor der Höhe eine herrliche Quelle.

Hat man die Höhe der Thalstufe erstiegen, so befindet man sich in der Alpe Grawand, mit dem Denkspruch:

Z' Grawand
Ist der Schinder an der Hand.

Der Weg wird steiniger, aber auch die Scenen der erhabensten Eiswelt treten immer näher und entfalten sich immer mehr. Ein ähnlicher Stegpfad, wie wir schon vorn in den Engen des Dornauberges kennen lernten, führt uns auch hier in die folgende Alpe Waxegg; Balken ruhen auf eisernen, in die steilabschüssigen Felsplatten getriebenen Stangen; rechts in der Tiefe braust der Zembach. Nach dieser Stelle kömmt man auf die etwas abschüssigen Waxegger Bergmähder.

Botanisches. Primula minima und longiflora, Geum montanum, Atragene alpina, Aster alpinus, Silene acaulis, Achillaea atrata, Gentiana punctata, Convallaria majalis, Tussilago alpina, Imperatoria ostruthium, Orchis pyramidalis, Lilium martagon, Thymus acinos, Satyrium nigrum, Gnaphalium leontopodium, Hieracium alpinum und aureum, Osmunda lunaria, Valeriana officinalis, Hypochaeris maculata, Chrysosplenium alternifolium, Globularia cordifolia, Aretia alpina, Leontodon aureum, Inula provincialis, Astragalus cicer, Polygonum viviparum, Hedysarum obscurum, Saxifraga autumnalis, bryoides, mutata und cuneifolia, Betula nana. Veronica bellidioides, Alchemilla alpina, Phyteuma hemisphaericum, Ranunculus platanifolius und glacialis, Pedicularis rostrata und recutita, Lepidium alpinum, Phaca australis und alpina, Astragalus montanus und alpinus, Pyrethrum alpinum, Anthemis alpina, Peltigera crocea.

Die Alphütten von Waxegg liegen jenseits des Zembaches und ihr nächster Nachbar ist der gewaltige, aus einem großen Eismeere herabsteigende Waxegger Kees oder Ferner. Der Denkspruch der kalten und steinigen Alpe ist:

Z' Waxegg
Gibts kleine Butter
Und große Schottsäck.

Von hier steigt man nun in die unterste Eiskammer des Thales, zur Alpe Schwarzenstein. Der Zem- oder Schwarzensteiner Grund steigt nicht in gerader Richtung zum Zillerthaler Hauptrücken, sondern schmiegt sich links oben herum um den Bergstock, auf dessen Höhe sich die Alpe Gunkl gebettet hat. Daher bildet der Hintergrund ein Amphitheater, welches von dem Zillerthaler Hauptrücken und dem Scheiderücken der Floite umragt wird.

Drey große Gletscher steigen majestätisch hernieder aus dem weiten Eiskranz der Hochwelt, durch Felsschroffen von einander geschieden: westlich das Waxegger-, südlich das Roßrucker- und östlich das Hornkees; nur das letztere läßt sich eigentlich auf die Alpe Schwarzenstein nieder; doch wir reden hier von dem ganzen Amphitheater, welches ein Blick übersehen kann. Der Weg hinan nach Schwarzenstein ist beschwerlich, aber belohnend.

Im Osten von Schwarzenstein liegt wildes Steingeröll hinan bis zu den Gletschern, die nur auf einen günstigen Augenblick zu warten scheinen, um auch, wie ihre Nachbaren, herabdringen zu dürfen. Ein interessanter Ausflug von hier ist noch zu dem sogenannten Schwarzensee, der auf dem Abhang des Rothenkopfes zwischen Gunkl und Schwarzenstein hoch oben im tiefen Felsenkessel liegt. Wegen seiner hohen Lage ist er meistens gefroren und heißt Eissee, obgleich die eigentlichen Eisseen durch Gletscher vermauerte Gewässer genannt werden. Zugleich ist hier der schönste Überblick der südlich sich aufbauenden und herabziehenden Eismassen.

Auch hier sind Weideplätze mit dem Denkspruch:

Wenns mellen im Ochsenkahr,
So schind's den Maller nahend gar.

Der Weg zum See ist ohngefähr eine kleine halbe Stunde von der Alpe Schwarzenstein entfernt. Düstere Wände umschließen seinen dunkeln Spiegel, Schneelawinen ziehen sich zwischen den Riffen hinab in die unsichtbare Tiefe. Je düsterer dieser Blick gegen Norden ist, desto blendender ist die Aussicht, wenn wir uns nach Süden wenden. In einem nicht weiten Halbkreise umziehen uns hohe Eisgebirge und entsenden drey mächtige und wilde Gletscherströme, die sich unten in der Tiefe des Amphitheaters einander wie Radien nähern. Rechts im Westen senkt sich unweit des mineralogisch berühmten Greiners am Gärberkahr der Waxegger Gletscher herab zur Alpe Waxegg, welche in großer Tiefe unter uns liegt. Ein schwarzes Felsenriff, der Roßruck, starrt oben aus dem Eismeer auf, zieht an dem Ostufer des Waxegger Gletschers als Felsengräthe herab und bildet zugleich das Westgestade des noch mächtigeren Roßrucker Gletschers, der auch noch auf die Alpe Waxegg herabstürzt; östlicher ragt oben aus der Eiswelt eine hohe Eispyramide, das Horn, empor, dessen eine Kante tiefer herab das Eis durchschneidet, auch als ein scharfer Felsenrücken herabzieht und in der Tiefe die Alpe Schwarzenstein von Waxegg trennt. Der Gletscher, der an der Ostseite dieses Kammes sich auf die Alpe Schwarzenstein herabläßt, ist der Horner Gletscher. Auch noch links herum ziehen sich mächtige Eisberge, deren Eismassen aber keine Gletscherströme bilden. Der Horner Gletscher wird von den Bewohnern des Ahrnthals überschritten; auch bisweilen der Waxegger, nicht aber der wildzerklüftete Roßrucker Gletscher.

Botanisches. Phellandrium mutellina, Juncus campestris, Primula farinosa, Aretia alpina (blauer Speik, sehr gutes Viehfutter), Poa alpina, Senecio incanus, Doronicum pardalianches, Ranunculus platanifolius, Rumex scutatus, Rosa alpina, Primula minima.

Mineralogisch-Botanisches. Noch ist der Greiner, ein Berg zwischen unserem gegenwärtigen Zemgrund und dem Seitengrund des Hauptthales, ein Tempel der Mineralogen, wenn auch seine Oberfläche schon ziemlich ausgebeutet ist. Besonders reich ist er an Schörl der verschiedensten Farbe; auch Turmaline, Talk, Asbest, Cyanite, Strahlsteine, Schneidesteine, Granaten.

Auch der Botaniker findet in diesem Garten der Mineralogen eine reiche Beute:

Veronica aphylla, bellidioides, integrifolia und saxatilis, Poa alpina, Sesleria tenella, Phleum alpinum, Avena versicolor, Alchemilla alpina, Androsace chamaejasme, Gentiana bavarica und nivalis, Juncus monanthos und Jacquinii, Rumex digynus, Saxifraga aizoon, androsacea, aspera, bryoides, caesia, oppositifolia, moschata und stellaris, Silene acaulis, Dianthus alpinus, Arenaria ciliata, Cherleria sedoides, Sedum atratum, Cerastium alpinum und latifolium, Geum montanum, Aconitum lycoctonum und napellus, Bartsia alpina, Pedicularis rostrata, Antirrhinum alpinum, Lepidium alpinum, Cardamine resedifolia, Arabis alpina, Hieracium aureum und villosum, Erigeron alpinum, Aster alpinus, Arnica glacialis, Achillea atrata, Anthemis corymbosa, Orchis nigra, Salix retusa und utriculata etc.

Man ersteigt ihn von der Alpe Schwemm; etwas oberhalb derselben geht es rechts durch eine Felsenklamm hinan, anfangs ziemlich gut, weiter oben wird der Steig beschwerlicher und soll oben am Gletscher selbst gefährlich werden.

Nach diesem Seitenausfluge kehren wir nach Breitlaner in den Hauptgrund, der von hier an Zamsergrund oder Pfitschgründl (siehe oben) heißt, und nicht mehr vom Zillerthale aus betrieben wird, zurück, um in demselben weiter aufwärts zu steigen. Nur Älpler begehen den Pfad, daher derselbe von jetzt an schon rüstigere, schwindelfreyere Alpenreisende erfordert[1]). Es folgt von Breitlaner eine Thalenge, so daß der Pfad dem Wasser nicht folgen kann; er steigt deßhalb rechts hoch hinan. Schöner Einblick in den Zemgrund, ob man gleich dessen Gletscher hier wegen der Umbiegung des Thales noch nicht sieht. Oben, wo der Pfad die höchste Höhe erreicht, wird er schmaler und bricht fast ganz ab, und ebenda tritt ein Felsenblock über den Pfad vor, unter dem man wegkriechen oder, ihn fest umklammernd, sich um ihn herumschmiegen muß. Wo der Älpler kein Vieh hintreibt, vernachlässigt er die Wege; er selbst weiß sich schon durchzuhelfen, und dieses ist hier der Fall. Menschen und Vieh oberhalb dieser Thalenge haben nichts im unteren Thale zu suchen, sie treiben ihre Heerden übers Joch ins Pfitscher Thal, wo sie zu Hause sind. Nach einer kurzen Strecke abwärts hat man die bedeutend höher liegende Thalstufe des Zamsergrundes erreicht. Dieses ganze Thal besteht von nun an fast nur aus einem gräßlichen Trümmerhaufen, welchen der wilde Zamserbach durchtost. Riesenblöcke bilden oft ein Labyrinth, das man durchklettern muß, fortwährend von einer Kante eines Blockes zur andern schreitend oder springend. Diese Art Weg zieht sich ununterbrochen hinan bis zum Pfitscher Joch (6 Stunden). Rechts ist der Friesenberger Fall, ein prächtiger Wassersturz, der seine Fülle den Duxer Fernern verdankt; donnernd stäubt er nieder aus schwindelnder Höhe. So schön der Anblick ist, so hält es doch schwer, über den Bach in dem Felsenlabyrinth einen passenden Übergangspunkt zu finden; denn der Steg ist ein glatter, nasser Baum, lose aufliegend. Solcher Stege kommen noch einige über die schäumend von der hohen und steilen Duxer Wand herabstürzenden Wildbäche, ehe man bey den Zamser Hütten den einzigen guten Steg dieser Thalstrecke findet.

Hier öffnet sich südlich das Thal Horpang, das Parallelthal von Zem. Man kann zu dem nahen und offen daliegenden großen Fürtschläglferner in der breiten Thalebene (½ Stunde) hinangehen. Er entsteht durch das Zusammenschmelzen mehrerer Gletscher. Schon ist das Thal alpenhaft, nur noch von Zirben dünn beschattet. Wer von den Zamser Hütten am Fuße des Greiners zum Gletscher wandert, thut am besten, dort über den Bach zu setzen und jenseits wieder hinabzugehen zum Hauptthal; man vermeidet so einen bösen Steg. Man muß nämlich dann von jenen Hütten, die auf dem rechten Ufer des Zamserbaches liegen, wegen dem Horpanger Bach, über den kein Steg führt, auf das linke Ufer übersetzen auf dem genannten guten Steg, dann hinansteigen zur

---

1) Der Verfasser hat viele Alpenwege passirt, dennoch war der nun folgende Weg nicht nur einer der beschwerlichsten, sondern auch theilweise gefährlich.

zweyten Hüttengruppe, die einen schönen Blick auf den Fürtschläglferner gewähren, und hier auf sehr schlechtem Steg wieder auf das rechte Ufer hinüberschwanken. Der Weg im Zamsergrund hinan wird immer wilder und zugleich öder. Besonders abschreckend sind mitten in dieser Verwüstung noch die Lawinen, die, gleich Mumien, in ihrer ganzen schrecklichen Gestalt vor uns liegen und hier durch den ganzen Sommer aufbewahrt werden. Man glaubt einen schwarzen Felsendamm in der Ferne vor sich zu haben; erst in der Nähe zeigt es sich, daß es schwarzbestäubter Schnee ist, der einem Conglomerate gleicht voller Blöcke entwurzelter Zirben, deren Äste oder Wurzeln, gleich Gerippen weiß gebleicht, hoch emporstarren. So erreicht man nach zwey mühseligen, aber dennoch sehr interessanten Stunden die letzten Hütten der Ziegenhirten diesseits des Joches; nur der aufsteigende Rauch verräth die an einen Felsblock angelehnte Hütte; denn ohne ein solches Zeichen würde man in diesem grauen Felsenchaos sie kaum entdecken. Etwas Milch, auf einer Felsplatte genossen in den hier wohlthätigen Sonnenstrahlen, stärkt uns zur Ersteigung des nahen Pfitscher Joches, 6933 F., eines also ziemlich niedrigen Alpenjoches. In einer Stunde wird der sich dann und wann umsehende Wanderer die höchste Jochhöhe erreichen; doch wird ihm manche Scene, mancher Stein und manche seltene Alpenpflanze fesseln, so daß er noch später hinan kömmt. Er mag sich Zeit nehmen, denn mit dem Joch hören die Mühseligkeiten auf; jenseits führt der Pfad über den Rasenteppich hinab schon in einer Stunde zu Dörfern. Das Erste, was uns trotz alles Kletterns zwischen dem Felsengerümpel fesselt, ist der Stampferlferner, der rechts von dem Duxer Eisrücken, welcher uns bis jetzt nur Eis in Wassergestalt durch wilde Wasserfälle zusendete, herabsteigt und dem wir ganz nahe kommen, um die Eigenthümlichkeiten eines Gletschers recht deutlich beobachten zu können. Unaufhörlich sieht man die Eispyramiden sich neigen und zusammenstürzen; man sieht die in Staub und Blöcke zertrümmerte Masse herabgleiten, bis sie in einer Kluft ihr Grab findet; man hört unaufhörlich das eigenthümliche Gepolter [1]), durch jene Erscheinung veranlaßt. Recht deutlich sieht man hier die beyden Guferlinien, welche sich auf den beyden Rändern des Gletschers in schön geschweiften Bogen herabziehen. Grün, weiß und blau ragen die Zacken und Thürme des Ferners oben auf dem Rücken in das tiefe Blau des Äthers auf. Jenseits senkt sich dieser Gletscher ins Falser Thal hinab und ergießt sich zur Sill.

Nach kurzer Rast brechen wir wieder auf, erreichen eine Felsenwand und werden durch den blauen Spiegel eines kleinen Hochsees überrascht, der nur durch einen niedrigen Felsenrücken von einem anderen ähnlichen getrennt wird; den südlichen Rand erklimmend, kommen wir wiederum an einen etwas größeren See. Diese Seen gehören zu den angenehmen Erinnerungen der Alpenwelt; die blauen Spiegel zwischen den öden Felsentrümmern, umwuchert von einer schönen Alpenflora, besonders von lieblichen Primeln, in der Nähe hohe Eiszinnen, die hehre Stille, nur unterbrochen von dem metallartigen Gepolter des nahen Ferners, und das Bewußtseyn, jetzt das Ende der Mühseligkeiten erreicht zu haben, wirken gemeinschaftlich; dennoch erwacht die Sehnsucht erst später wieder nach solchen Scenen. Endlich ist auch das südliche Gestade dieses Sees erreicht und somit die Höhe des Joches [2]). Man steigt von hier hinab auf bequemem Wege in einer Stunde nach Stein, wo der Mineralog, wenn er nachfragt, schöne Mineralien, besonders den hier in Pfitsch einheimischen Sphen, billig kaufen kann, und eine Stunde weiter findet der Wanderer in St. Jacob beym Geistlichen ein Unterkommen und noch eine Stunde weiter im Pfitschgrunde hinab ein recht gemüthliches Alpenwirthshaus in Kematen, von wo es noch zwey Stunden nach Sterzingen sind, eine Stunde eben, eine Stunde bergab durch die schauerliche Enge der Wehre. Vom Eisack-

1) Der Führer erklärte daraus den Namen Stampferlferner.

2) Auffallend ist es, daß auf der Generalstabscharte diese Seen, wie überhaupt im Gebiete des Zillerthales viele, selbst allbekannte Namen und Sennhütten fehlen, z. B. Waxegg, Greiner, Stampferlferner. Ebenso fehlen alle Höhenmessungen.

thal herauf werden wir diesen sehr interessanten Ausflug machen. Eine andere Aussicht erschließt sich; während nördlich der Blick die ganze Felsenwüste des Zamsergrundes hinabdringt, wo ihm der Friesenberger Fall noch den Abschiedsgruß zuwinkt, so eröffnet sich südlich ein Amphitheater äußerst scharfer Gneus- und Glimmerschieferberge, über welche sich die dick mit Eis belastete Feilspitze und der Weißzintferner vorzüglich hervorheben.

Der letzte Ausflug, den wir aus dem Zillerthale unternehmen, führt uns von Mayrhofen in das Thal Dux[1]). Was das Zillerthal für Tyrol ist, das ist die Dux für das Zillerthal; die Duxer sind das lustigste Volk des Zillerthales. Nur dadurch unterscheidet sich der Duxer, daß, während der Zillerthaler durch seine Auswanderungen gewandter und bekannter mit dem Auslande ist, der Duxer noch ziemlich seine reine Natur behalten hat. Die Duxer sind nicht wohlhabend, dennoch heiter. Ackerbau fehlt fast ganz, nur etwas Gerste, Flachs, Kartoffeln (Pflerscher genannt), gelbe Rüben und Erbsen. Der Flachs wird nicht ganz reif und gibt grobes Garn. Hauptgewinn gibt die Viehzucht wegen der großen und weitläuftigen Alpen. Da der Duxer sie nicht selbst mit eignem Vieh ganz besetzen kann, so nimmt er fremdes Vieh aus Innsbruck und Hall in Kost; der Eigenthümer erhält dafür eine gewisse Menge Butter. Die Duxer treiben nur 600 eigne Kühe auf ihre Alpen. Sie verkaufen die Butter (jährlich 360 Centner); der Käse wird im Thale selbst verbraucht zum Hausbedarf; die Molke, hier Jutte genannt, ist das Lieblingsgetränk. Der Taback war den Duxern fast nicht als Rauch-, sondern als Kaustoff bekannt; jährlich gingen dafür bedeutende Summen aus dem armen Thal. Die Rolle, Kojätl genannt, kostete 12 Kreuzer. Jetzt hat diese ekelhafte Sitte nachgelassen. Äußerst beschwerlich ist das Geschäft des Duxers und vor Allem der Dienst der sogenannten Großdirne; sie muß das Hausgesinde wecken, dann trägt sie den Mähdern auf den Bergwiesen das Essen zwey bis drey Stunden den Berg hinan, muß dann, oben angekommen, mit denselben die Arbeit theilen und kehrt um 10 Uhr Abends zurück, und dieses für 2 Gulden 12 Kreuzer jährlichen Lohnes. Wegen der Düngerbenutzung hat auch das Vieh seine Ställe hoch oben auf den Bergwiesen, deren Heu es frißt, und die Melkdirne muß an den nächtlichen Wintermorgen um 3 oder 4 Uhr Morgens aufbrechen, oben die Kühe melken und dann, mit 90 Pfund Milch beladen, den steilen Schneepfad wieder zurücklegen. Ein anderes Geschäft haben die Butter- oder Schmalzträger, welche die Butter im Sommer über das Geislerjoch in 12 Stunden, oder im Winter durch das Zillerthal nach Innsbruck in 18 Stunden tragen; für das Pfund erhalten sie Winter und Sommer 1¼ Kreuzer; der Mann trägt einen Centner, die Frau 50—70 Pfund. Das Volk aber ist dennoch nicht nur heiter, sondern auch schön und hoch gewachsen, und die schönsten, feinsten Gesichter blicken aus dem groben lodenen Gewand und unter dem kleinen runden Hut hervor. Der Reisende vom Duxer Joch herab wird allseitig von schalkhaften Dirnen begrüßt und eingeladen oder gebeten, sie mit nach Zell, vielleicht auf den Kirchtag, zu nehmen.

Wir durchwandern jetzt dieses merkwürdige Thal Tyrols. Der Ausflug dahin kann ebenfalls nicht besser, als von Mayrhofen aus unternommen werden. Ein Doppelweg führt uns dahin. Wir folgen entweder dem nächsten Wege und überschreiten den Zembach auf einer bedeckten Brücke bey Ober-Mayrhofen (gewöhnlich Haus genannt) und steigen nach Finkenberg empor, oder besser, wenn der Reisende irgend Zeit hat, gehen wir über den schon besuchten Hohen Steg am Eingang des Zemgrundes zuerst zu dessen großartigen Engen, dann zum Hofe Dornau hinan, und wenden uns von hier rechts, wo wir bald der Gemeinde Finkenberg gegenüber an den Abgrund des Duxer Baches kommen, welcher von dem sogenannten Höchsten Steg oder Teufelssteg übersprungen wird. Wirklich ist dieser schmale hölzerne Steg ein küh-

1) Da die Dux, wie man gewöhnlich sagt, Ortschaften enthält, so wird sie, wie die Gerlos, Thal und nicht Grund genannt.

ner Sprung; in schwindelnder, nächtlicher Tiefe von 98 Fuß braust der Bach. Über ihn hinweg gelangt man in die Gemeinde Finkenberg, halb dem eigentlichen Zillerthale, halb dem Duxer Thale zugewendet, mit 80 H., 720 E., 304 Kühen, 609 Schafen, 140 Ziegen, 17 Schweinen, 169 Joch Getraideland, 550 Morgen Wiesen, 9600 Morgen Alpenweiden, 203 Morgen Wald.

Der Thalbach bildet bis Lanersbach hinan fast fortwährend einen tiefen Einschnitt, so daß der nicht fahrbare Weg nur auf der Höhe der Bergabhänge der linken Thalseite fortführt, oft mit Geländern gegen den Abgrund versehen. Wegen der vielen (über 1200) Heustädel und Ställe, welche hier allenthalben zerstreut an und auf den Höhen umherliegen, erscheint das Thal, wenn man hinter Finkenberg hereintritt, außerordentlich bevölkert.

Über Tiefenbach und Rettenbach kommen wir nach 2 Stunden an die Öffnung des Thales der Nassen Dux, in deren Hintergrund die Gemeinde Lämmerbühl zerstreut und alpenhaft umherliegt. Bey nassem Wetter übersetzt der Wanderer die folgende Thalkluft nicht ohne Bangigkeit, denn eine Mure, ein Schlammgletscher, zieht sich herab, der in fortwährender Bewegung ist, und nur in zwey bis drey Sprüngen über die hineingeworfenen Felsbrocken muß der Wanderer das jenseitige Gestade erreichen[1]). In großer Tiefe wälzt sich der Schlammberg in den wilden Bach, der ihn verzehrt. Der Pfad führt nun in die Tiefe an den Bach, dann über denselben hinüber auf das rechte Ufer und bald darauf (4 Stunden von Mayrhofen) erreicht man, den Bach nochmals überschreitend, den Hauptort von Vorderdux, Lanersbach, mit 75 weit umher zerstreut liegenden H. und 706 E. (5634 M. Waldung, 10,800 M. Alpenweiden, 315 M. Wiesen, 187 Joch Äcker, 223 Kühe, 252 Schafe, 36 Ziegen und 7 Schweine). Es befinden sich hier 1 Knaben-, 1 Mädchenschule, 1 Mädchenindustrieschule, 1 Suppenanstalt für arme Schulkinder, namentlich für solche, welche einen weiten Weg, oft von mehreren Stunden, zur Schule haben und Mittags nicht nach Hause können, 1 Förster, 1 Geistlicher, 1 Schafmarkt. Das Wirthshaus kann der Verfasser als ein für seine Lage recht gutes und billiges empfehlen, sehr reinliche Betten, gutes Bier, wenn auch alles Andere braun aussieht, die ganz lodene Kleidung der Leute und die getäfelten Zimmer, dabey sehr freundliche Bedienung. Hier ist die einzige Kirche des Thales. Von hier geht es noch zwey Stunden hinan nach Hinterdux. Der Weg wird immer interessanter; höher baut sich links die Felsenkette auf; sparsamer wird die an und für sich schon dünne Waldung; schöne braune Häusergruppen, auf Felsen gelagert, die den Vorgrund zu dem eisigen Hintergrunde der gefrorenen Wand bilden, verändern während des Aufstieges zur letzten und eigentlich einzigen Thalsohle die Scenen unaufhörlich. Endlich öffnet sich der friedliche, stille Thalboden von Hinterdux; schon eine halbe Alpe mit 10 H. und 90 E. Auch diese kleine Gemeinde ist ein Beyspiel des öftern Übergreifens von jenseits der Jöcher liegenden Gegenden; denn Hinterdux gehört zum Landgericht Steinach am Brenner; von Zell ist es 8 St., von Schmirn 4 St., von Steinach 7 St. entfernt. Nur noch einige kleine Hayne lehnen sich an den Fuß der Bergwände. Hinterdux ist eine kleine grüne Thalfläche, von hohen, rechts grünen, links und geradeaus von Eisbergen umlagert. Gleich hinter dem letzten Hause steigt der Pfad aufwärts, den Thalboden links in der Tiefe lassend; rechts in einem ganz baum- und strauchlosen Seitenthälchen stürzt ein herrlicher Wasserfall von hoher Felswand, die eine Thalstufe ist, herab. Schweigend hängt die weiße Schaumsäule an der schwarzen Wand herab in dem einsamen Thal; erst wenn man in den stillen Schoos dieses Thales eintritt, vernimmt man die Stimme des Sturzes. Oben auf dem Sattel des Joches kommen wir wieder an die Quelle dieses Baches. Unser Jochpfad führt nun zwischen diesem Seitenthal und dem Hauptbache, welcher der Gefrornen

---

1) Schon nach einem einzigen Regentage habe ich diese Stelle schwer übergänglich gefunden.

Wand entstürzt, den Berg hinan. Wir besuchen jedoch, bevor wir das Joch ersteigen, die Gefrorne Wand, und biegen deßhalb links ab auf einem Alpenpfade, der zur letzten Sennhütte, auf die Stockalpe, führt, welche auf der letzten Thalstufe liegt; in diese Ebene hat sich der Bach einen fast unsichtbaren engen Abzugsgraben eingesägt. Unweit den Hütten der Alpe steigt eine hohe Felsenwand jäh auf und auf ihr starrt das blaugrüne Gethürm des Gletschers, in abenteuerlichen Formen tief herabhängend, über den Abgrund und denselben jeden Augenblick mit Einsturz bedrohend. Vier Bäche entstürzen den blauen Eishallen und bilden ebenso viele Staubsäulen, welche der erst in der Tiefe von ihnen herabgegossene Schutt auffängt; auf der Alpenfläche vereinigen sie sich zum Duxerbach. Rechts von der Felsenwand, wo der Berg, auf welchem der Gletscher ruht, keinen Absturz hat, senkt sich der Gletscher in dichten Massen herab zur Tiefe, stark zerklüftet wegen seiner Steilheit, aber muschelförmig endend, wie viele andere Gletscher. In kühnen Formen erhebt sich darüber ein Felsenhorn, dessen Wände der Gletscher im Herabsteigen abschneidet. Ein anderer schöner Wasserfall stürzt in die nahe Kleegrube herab, welchen der Weitenthalbach bildet. Auf der Stockalpe entspringen noch unbenutzte warme Quellen von 18—19° (R.). Von hier steigen wir über moosiges Gehügel, Gräben und Rücken überschreitend, wieder rechts dem Jochpfade zu. Auf halbem Wege, ehe wir das untere Ende des Gletschers aus dem Auge verlieren, bleiben wir nochmals stehen; denn hier haben wir den schönsten Überblick der ganzen Gefrornen Wand. Hier erblicken wir die Riesenhäupter, dick mit Eis belastet, welche das Duxer Eismeer beherrschen; der hohe Kopf, mit den vorstoßenden Felswänden und hohen Eisbrüchen ist der Olperer. In mehrfachen Absätzen zieht sich die Eiswand herab; jede steilere Böschung verräth das grünliche Gewürfel des Eises. Die Gefrorne Wand gehört unstreitig zu den schönsten Gletschern des Alpenlandes.

Auf dem Jochpfade angekommen, geht es steiler und steiniger bergan. Immer größer werden die Glimmerschieferbrocken, bis wir zuletzt ein Felsenchaos erreichen, und nicht ohne Schaudern bemerken wir, daß die Felsblöcke nicht blos oben aufliegen, daß ihre Klüfte bisweilen in nächtliche Tiefen fortsetzen, daß der geborstene Berg den Einsturz droht. Erst oben erreichen wir wieder festeren Boden. Noch einen Rückblick werfen wir auf die Eisberge, die immer höher gestiegen sind, überschreiten von dem ersten Joch eine fast ebene Einsattelung, den obersten Anfang jenes Thales, in welchem der Wasserfall herabstürzt, und stehen auf dem zweyten Joch, von dem wir hinab nach Schmirn auf schon bekanntem Wege steigen (siehe oben Ausflüge von Steinach nach Schmirn).

Fortsetzung der Reise durch das Innthal.

Wir verließen das Innthal bey Straß, um das interessante Zillerthal zu durchwandern, und von Straß aus reisen wir zuerst, der Landstraße folgend, auf dem rechten Ufer des Inns hinab nach Rattenberg, und besuchen dann die linke Flußseite und ihre Nebenthäler. Mit dem Zillerthal haben wir auf lange Zeit die Hochwelt des Urgebirgs und der Gletscher verlassen; denn das Zillerthal ist das letzte Thal, welches seine Gewässer aus der Centralkette dem Inn zuführt. Zugleich betreten wir das Landgericht Rattenberg, welches etwas über 10 Q.M. umfaßt.

Indem wir den Ziller in Erlenauen überschreiten, winken uns die Eiszinnen des Zillerthales ihr Lebewohl zu; denn gleich darauf versperren uns die Vorberge der rechten Zillerthaler Bergmasse die Aussicht zum Hochgebirge; wir treten wieder in den Schatten der Berge, und eine neue Scene öffnet sich vor uns.

In der Mitte des Thales erheben sich Felsenhügel mit Burgen geschmückt. Die erste Burg ist Kropfsberg, deren Felseneiland zwischen der Straße und dem Inn liegt; die einst herrliche Burg ist noch in ihren Trümmern schön. Die Ötzthaler Ferner bilden noch den fernen Hintergrund der Landschaft im Westen. Die Burg war einst der Sitz des Salzburgischen Amtes für Zillerthal und Vorderbux. Im J. 1416 Versöhnung und Vergleich der beyden Brüder, Friedrichs m. d. l. T. und Ernst des Eisernen. Letzterer hatte Friedrichs Achtserklärung nach seiner Flucht von Constanz benutzt, um Tyrol an sich zu reißen. Unweit der Burg ein kleines Wirthshaus, wo der Wanderer gutes Felsenkellerbier erhält. Nicht weit davon, etwas rechts ab, der Weiler St. Gertraud, wo am 16. und 17. März ein großer Pferdemarkt gehalten wird. In der Nähe viele aufgelassene Bergbaue. Bald darauf hat man links eine zweyte Felseninsel in der Ebene des Thales mit der noch wohnlichen Burg Lichtwer, einst den Herren von Lichtwer, dann den Freundsbergern, Mornauern, Grabmayrn und jetzt dem Herrn von Mersi gehörig. Unweit davon das Aubad mit erdehaltiger Eisenquelle. Der dritte Felsenhügel trägt die noch bewohnte Burg Matzen, einst Besitzthum der Freundsberger, dann der Fieger, Fugger, Bocken, jetzt der Pfeifersberger. Einst soll hier das alte Masciacum gestanden haben. Die Friedrich m. d. l. T. feindseligen Bayrischen Herzoge belagerten es sieben Wochen lang vergebens, in denen es Ulrich von Freundsberg tapfer vertheidigte. Auch 1809 wurde hier hart gekämpft. Die erste Höhenstufe rechter Hand ist eine reizende Ebene mit der Gemeinde Reit, bevölkert von 1200 E. in 198 H., die ihren Unterhalt in den Fabriken des nahen Brixlegg finden; wahrscheinlich schon Römische Ansiedelung, daher Römische Alterthümer. Merkwürdig sind in der Umgegend die vielen Vertiefungen des Bodens, vielleicht Erdfälle. Über Reit erhebt sich der Reiterkogl, wegen des einst blühenden Silberbergbaues wichtig. Gegenwärtig trägt dieser Bau nur noch 166 Mark 8 Loth Silber, 68 Centner Kupfer und 1556 Centner Schwerspath. Beym Bau der jetzigen Kirche fand man einen Römischen Fußboden. Dieselbe ist neu und von Schöpf ausgemalt. Gleich darauf braust der Alpbach aus dem Seitenthal Alpbach hervor.

Ein grünes Alpenthal, durch dessen ganze Länge die Gemeinde Alpbach zerstreut ist, mit 165 H. und 1100 E. Die uralte Oswaldskirche, Salpetersiederey. Eigenthümlichkeit der Bewohner, welche trotz der Unfruchtbarkeit ihres Thales im Vergleich mit anderen Thälern, die wohlhabendsten des Landgerichtes Rattenberg sind. Von den benachbarten Wiltschenauern zeichnen sie sich durch weiße Haut, blonde Haare und feineren Gliederbau aus, weniger durch Sprache. Einst reicher Bergbau. Viele Volkssagen. Die Glocke in Alpbach heißt noch jetzt die Heidin, weil sie schon Christen zum Gebet gerufen, als noch Heiden das Thal bewohnten.

Geognostisches: Die Gebirge sind die Fortsetzung des Schwatzer und Kitzbühler Thonschiefer-Kalkgebirges; in der Tiefe der Thonschiefer, die Höhen gekrönt mit dem nackten Rettensteiner Kalke.

Der nächste Ort am Inn ist Brixlegg, in einer Verengung des Thales gelegen, welche durch einen Ausläufer der nördlichen Thalwand hervorgebracht wird. Schon 788 wird die Kirche genannt, kam jedoch erst durch den aufblühenden Bergbau empor. Die ganze Gemeinde mit Mehrn und Zimmermoos auf der darüber liegenden Vorgebirgsebene hat 184 H. und 1168 E., welche sich hauptsächlich von dem Hauptgewerbe des Ortes ernähren. Hier befindet sich nämlich die wichtigste Silber-, Kupfer- und Bleyschmelze Tyrols, nebst einem Hammerwerke; jährlich 1300 Centner Kupfer, 1800 Mark Silber; Schwerspath-, Kalk- und Tuffsteinbrüche [1]). Die Erze kommen von dem Pfunderer Berg (Bezirk Klausen), vom Schneeberge bey Sterzing, Kogl bey Rattenberg und von Schwatz. Brixlegg ist Geburtsort des bekannten Geschichtschreibers Matthias Burglechner.

Eine Viertelstunde weiter an der Heerstraße, nachdem wir einen Steindamm überschritten haben, der dem Inn abgetrotzt wurde, um der Straße mehr Sicherheit zu geben vor den drohenden Bergwänden, liegt Rattenberg, hier gewöhnlich Rotenberg genannt, mit 1042 E. Die Stadt verdankt ihr Aufkommen der Entdeckung der reichen Erzminen, wie Schwatz. Am meisten blühte sie in der Mitte des vierzehnten Jahrhunderts. Die berühmteste Grube war der Geyerberg, denn er lieferte 1588—1595 545,606 Centner Silber- und Kupfererz. Im Jahre 1583 warf es 48,097 Mark Silber ab.

Die Stadt lagert sich so nahe an den südlich in steilen Felsen aufsteigenden Stadtberg, daß ein Theil der Stadt im Winter längere Zeit der Sonne entbehrt. Ins Landgerichtshaus scheint vom 26. November bis zum 19. Januar keine Sonne. Postwechsel zwischen Schwatz und Wörgl; 1 Stadtschule, 1 weibliche Industrieschule, 1 Hospital, 1 Arzt, 2 Wundärzte, 1 Apotheke, 4 Bierbrauereyen. Auf dem Stadtberge stehen die Ruinen der alten Feste in zwey Abtheilungen. Die Grundfesten des höheren Theils sollen Römischen Ursprung verrathen.

Durch Verpfändung kam die Stadt von Bayern an Meinhard II. von Tyrol; Bayern wollte sie wieder einlösen, aber Meinhard mochte die reiche Fundgrube nicht herausgeben. Kaiser Adolph von Nassau sprach sie Bayern zu, worauf sie von den Bayern erobert wurde, und bis 1506 bey Bayern blieb, wo sie Maximilian I. für Österreich gewann. Im 17. Jahrhunderte wüthete die Pest, noch jetzt im Andenken durch die Procession, die Kerzenfahrt genannt. 1651 Hinrichtung Bieners (siehe oben Weyerburg). Im Spanischen Erbfolgekrieg wurde die Stadt von den Bayern erobert; als sich aber ihr neuer Befehlshaber, um auszukundschaften, zu weit gegen das Zillerthal vorwagte, wurde er von lauernden Schützen abgeschnitten, flüchtete auf die Feste Kropfsberg, die sogleich von den Bauern erstürmt und der Bayrische Befehlshaber gefangen genommen wurde. Hierauf erstürmten die Tyroler Rattenberg und nöthigten die Besatzung in der Festung zur Übergabe. Auch 1809 kam es hier zu blutigen Kämpfen. — In der Pfarr- und Serviten-Kirche schöne Holzarbeiten von Nissl.

1) Nach Staffler nur 752 Mark 11 Loth Silber, 786 Ctr. Kupfer und 332 Ctr. Schwerspath.

10 *

Die Post ist ein guter und billiger Gasthof. Die Bauart der Stadt mit der darüber thronenden Feste erinnert an Salzburg.

Wir besuchen von hier aus das jenseitige Innufer und ein jenseitiges Seitenthal. Bey Jenbach verließen wir das linke Ufer des Inns, daher wandern wir jetzt von dort aus bis Rattenberg hinab.

Zunächst von Jenbach liegt auf isolirtem niedrigem Bergrücken der Tannenbergische Thiergarten, ein schöner ummauerter Naturpark. Das nächste Dorf ist Wiesing mit 98 H., 618 E. Flachsbau, Alabasterbrüche, Gruben für gelbe und rothe Kreide (25 Centner). Um eine vorspringende Ablagerung biegend, erblicken wir wieder in größerer Thalfläche das Dorf Münster, ½ Stunden von Wiesing. Die Gegend sumpfig und ungesund, 143 H., 800 E. Über Münster erhebt sich die Kalkalpe Sonnenwendjoch 8204 F. hoch, wo es Murmelthiere gibt. In Münster besteht eine ansehnliche Pfarrkirche mit 1 Schule und 1 Spitale; 1 Wundarzt und eine Salpetersiederey, Gyps= und Thonbrüche, Gyps= und Farbemühlen. Ein Jochpfad führt von hier über die Alpen, auf welchen man das Sonnenwendjoch, durch die Thalfurche des Habacherbaches getrennt, so wie das Felsenchaos, Rettengeschöß, welches fortwährend in den Grund hinabbröckelt, links läßt, über das Irdeiner Joch ins Brandenberger Thal. Auf dieser hohen Wanderung kömmt man bey dem sehr hochgelegenen Zitreinhochalpensee vorüber, voll der herrlichsten Goldforellen.

Die Gemeinden Kramsberg, Jenbach, Wiesing und Münster haben 1431 Joch Ackerfeld, 2000 M. Wiesen, 83 Pferde, 50 Ochsen, 840 Kühe, 200 Schafe und Ziegen, 114 Schweine.

Von Münster gelangen wir über eine kleine Höhe nach Achenrain [1]) an der Mündung des Brandenberger Achenthales, und die ganze, mit vielen Häusern bedeckte, aber vom Innthale aus halbversteckte Fläche an der Mündung jenes Thales heißt die Voldepp. Die einzelnen Bestandtheile dieser Gemeinde sind: Voldepp, Kramsach, Mariathal, Achenrain, oft auch Lichtenthurn genannt. Sie zählt 220 H. mit 1569 E. In Achenrain ist eine bedeutende Messinghütte, jährlich 480,000 Pfund Messing; 300 Arbeiter. Nach Staffler: 120 Ctr. Gießmessing, 1697 Ctr. 24 Pf. Messingblech, 1139 Ctr. Messingdrähte, 17 Ctr. Tombak, 50 Ctr. Kupferdrähte, 57 Ctr. Tabacksbley, 490 Ctr. Feinzink, 80 Ctr. Zinkvitriol und 400 Ctr. Eisendraht. Außerdem Pulvermühle und Glasfabrik. Im Dorfe Voldepp eine Stecknadelfabrik und Gypsmühle. In Mariathal eine Kirche, gestiftet von den Freundsbergern; daher das Bildniß des berühmten Georg von Freundsberg noch jetzt an der Emporkirche. In der Umgegend Gyps, Marmor und Muschelversteinerungen. Großer Holzplatz, Köhlerey. Hier liegen die Trümmer eines gewaltigen Bergsturzes, des schon erwähnten Rettengeschößes, in wilder Unordnung zwey Stunden umher. Doch ist dieses Felsenchaos eine Fundgrube des herrlichsten Marmors,

1) Achenrain fehlt auf der großen Charte des Generalquartiermeisterstabes.

bekannt unter dem Namen Hagenauer Marmor. Die schönsten Kirchen in Innsbruck, Schwatz und der Umgegend sind davon erbaut. Eine Seitengegend ist das Mooserthal mit sechs Seen, meistens sumpfigen Umfanges. Der bedeutendste ist der Reinthalersee, ½ Stunde lang mit schönen Umgebungen. Voldepp ist von Rattenberg ½ Stunde entfernt.

Ein etwas größerer Ausflug führt uns entweder von Rattenberg, oder, wenn wir einmal in Voldepp sind, in das

Brandenberger Achenthal. Dieses Thal ist eins der wenigen größeren Seitenthäler, welche sich links von Norden in das Innthal öffnen. Sechs Stunden streckt es seine Zweige aufwärts in das Kalkgebirge. Hauptgeschäft der Bewohner ist Holzgewerbe, theils wegen des Reichthums der großen Forste, theils wegen der Nähe der holzfressenden Fabriken (Brixlegg, Achenrain). Der reine Ertrag dieses Gewerbes ist 15,000 fl. Als Vormauer gegen Bayern erhielten die Bewohner von den Kaisern manche Freyheiten. Als das vorzüglichste Recht sehen sie an, daß sie ihr Vieh in die frischen Schläge treiben dürfen, bis sich der junge Anflug zeigt; da das Grasrecht einer Kuh zu 100 fl. angeschlagen wird und ein nur mittelmäßiger Bauer wenigstens 15—20 Kühe besitzt, so gilt dieses Hutrecht für ihn als ein Kapital von 1500—2000 fl. Daher nennt der Brandenberger sein Thal Freythal.

Durch eine schauerliche, aber großartige Klamm dringt man von Mariathal in das Thal ein, und erreicht in zwey Stunden die Hauptgemeinde Brandenberg, auf einer Bergterrasse über den Engen des Thales sich ausbreitend in 131 H. mit 950 E. (54 Pferde, 90 Ochsen, 1184 Kühe, 400 Schafe und 20 Ziegen, 628 Joch Getraideland und 553 M. Wiesen). Ein niedriger Jochsteig verbindet Brandenberg und das Mooserthal. Der Stamm des Thales steigt noch eine Stunde weiter im Gebirge sehr eng und schmal empor, dann ästet er. Nach Norden zu steigt der Hauptstamm des Thales in mehrfachen Windungen hinan.

Der erste, westliche Seitenast ist das Steinberger Thal, 3 Stunden lang; in seinem Hintergrunde liegt auf kleiner Bergterrasse die Gemeinde Steinberg in hoher und rauher Gegend (180 E., 9 Pferde, 20 Ochsen, 217 Kühe, 92 Schafe, 3 Ziegen und 51 Schweine). Von hier führt ein Pfad nach Achenthal, wo man den hohen Gufels rechts behält, in 4 Stunden.

In das Hauptthal zurückgekehrt, verfolgen wir dasselbe aufwärts; der Thalbach heißt jetzt Bayerbach, denn er kömmt aus Bayern, dessen Grenze wir bald darauf betreten. In einer anderen halben Stunde erreichen wir die ehemalige Kaiserklause, denn obgleich auf Bayrischem Boden, war diese Klause doch kaiserlich. Österreich bezieht nämlich aus den anliegenden Bayrischen Forsten, so weit sie dem unmittelbaren Flußgebiete des Inns angehören, große Holzlieferungen zum Betriebe der nahen Innthalischen Gewerbe. Hier wurden die Gewässer des Bayerbaches, der aus dem Zusammenfluß der westlichen Weißen Falep und der von Norden herabkommenden Rothen Falep entsteht, zum See aufgestaudet. Hierzu wurde eine natürliche Felsenklamm benutzt, welche durch ein starkes Blockwerk verschlossen war. Die Breite der Klamm betrug 148 F. und die Holzkammer, die in diesen Felsenpaß versenkt war, hatte 75 F. Höhe. An die Stelle der Kaiserklause ist 1827 die Erzherzog Johann-Klause getreten, ein sehenswürdiges Werk. Darüber auf einem Felsen eine Kapelle, und am See ein schönes Gebäude für den Aufseher. Das Aufstoßen oder Schlagen der Klause ist ein interessantes Schauspiel, der Mühe werth, daß Reisende, die gerade um diese Zeit in der Nähe sind, diesen Abstecher machen, weßhalb man sich in Rattenberg, Schliersee oder Tegernsee erkundigen muß. Die Zeit fällt gewöhnlich im Juny oder July.

Kaum eine halbe Viertelstunde oberhalb der alten Klause fließen obengenannte Bäche zusammen und eröffnen dem Wanderer ein doppeltes Thor. Links durch die Weiße Falep führt ein Pfad über den Wechsel und durch das jenseitige Rothachthal unmittelbar in 10 Stunden von Brandenberg nach Tegernsee (siehe unten). Unterhaltender ist der Pfad nördlich durch die Rothe Falep, deren Bach auch Spitzingbach heißt. Fast auf der wasserscheidenden Höhe angelangt, blinkt der kleine, aber liebliche Spitzingsee (3652 F.) auf. Seine blaugrünen Fluthen umstehen grüne, grasreiche Alpen. Unmittelbar hinter dem fischreichen See, der merkwürdiger Weise auch Stumpfsee heißt, erreicht man die Spitzingalpe, den Wassertheiler, und betritt nun das jenseitige Aurachthal, das uns seinem Gefälle nach in das Thal der Leitzenach und durch dasselbe entweder östlich über Bayrisch-Zell und Thiersee nach Kufstein, oder abwärts nördlich hinaus ins flache Land führt. Doch liegt von dem Wirthshause Neuhaus der Schliersee so nahe, ½ Stunde, daß wohl jeder Wanderer diesen äußerst reizenden See nicht unbesucht lassen wird. (Das Nähere siehe unten.)

So düster und einsam das ganze Gebiet der Brandenberger Ache ist, so hat es doch auch seine Reize, und diese sind das Bayrische Alpenleben. Hier erschließt sich dessen Blüthe zum Volksleben, und der Reisende befindet sich hier wohler in den Sennhütten, als in denen des oberen Innthales.

Im Ganzen möchte das Brandenberger Achenthal den Reisenden anzurathen seyn, welche durch das Achenthal (See) kommen und einen anderen Rückweg einzuschlagen wünschen, oder den Geognosten besonders der Weg durch Steinberg unter dem Gufels vorüber.

Über Ratfeld (Radfeld), dessen Kirche dem h. Brixtius geweiht ist, dem wir an merkwürdigerer Stelle wieder begegnen werden, kommen wir in die weite und etwas öde Ratfelder Aue. Sie fällt auf bey der Größe der Ebene durch völligen Mangel an Ortschaften im Gegensatz der eben besuchten Strecke des Innthales. Mitten in dieser Einsamkeit liegt St. Leonhard, eine herrliche Altdeutsche Kirche, die eine sehr malerische Scene bietet. Der Sage nach schwamm einst hier das hölzerne Bild des Heiligen an das Land und wurde an der Straße aufgerichtet. Im Jahre 1004 kam Kaiser Heinrich II. auf einem Römerzuge hier vorüber und gelobte, wenn er in Italien glücklich sey, hier eine Kirche zu bauen. Sein Unternehmen glückte, aber der Heilige war vergessen, bis der Kaiser 1012 zufällig desselben Weges kam; sein vor dem Bilde scheu werdendes Roß erinnerte ihn an sein Versprechen und der Bau wurde auch ausgeführt und, nach der Inschrift, vom Papste selbst eingeweiht, wahrscheinlich von Benedict VIII. auf seiner Reise zur Einweihung des Bamberger Domes 1019. Die Kirche wurde eine Lieblingsstätte der Kaiserin Kunigunde, der Gemahlin Heinrichs II. Nach einer Sage soll das nahe Dorf Kundl seinen Namen von dieser haben. Kundl liegt am Kundlerbach, welcher dem bedeutenden Seitenthal Wiltschenau entströmt. Die Gemeinde mit den dazu gehörigen Weilern zählt 129 H., 963 E.; Salpetersiederey, Schiffbaustätte. Über dem Dorfe stand einst die Kundlburg, deren Trümmer fast ganz verschwunden sind; Stammburg der Kummersprugger, die ebenfalls längst erloschen.

Das Seitenthal Wiltschenau (Wildschönau). Kein Seitenthal des Inns erreicht von jetzt an die hohe Centralkette; sie werden abgeschnitten durch das in ihrem Rücken von Osten gegen Westen hereindringende Salzachthal und gehören von nun an in Ansehung ihrer Charakteristik dem Salzachgebiet. Jenes erzführende Mittelgebirge, aus Thonschiefer und Kalk zusammengesetzt, dessen Mittelpunkt die Gegend von Kitzbühl ist, bildet die Geburtsstätte und den Tummelplatz der Bäche, indem es sich zwischen Salzachthal und Innthal durchzieht zum Hintergrund der Wiltschenau, dann aber von dem aus der Centralkette mächtig herabbrausenden Ziller durchbrochen wird (siehe Einleitung). Die Natur des ganzen Thales ist die dieser Gebirgsart eigenthümliche. Der Thalbach durchwühlt die Tiefe oft in engen Schlünden, so daß die Bevölkerung sich fast nie in seinem Rinnsaale ansiedelte, sondern auf den höheren sonnigeren Bergabhängen und Stufen. Der Wanderer zieht von Bergterrasse zu Bergterrasse, wie der Bewohner, die finstere Tiefe scheuend. Der erste Hauptort, vom Eingange an, der einen tiefen Schlund bildet, ist Thierbach, auf einem Absatze des ehemals durch seinen Silberreichthum berühmten, sowie durch seine herrliche Aussicht über einen großen Theil des Innthales, hinauf bis Innsbruck und hinab in die Bayrische Ebene, bekannten 5490 F. hohen Thierbergs. Das Dorf hat nur 32 zerstreut liegende H. und 250 E. (4 Pferde, 162 Kühe, 66 Schafe, 59 Ziegen und 2 Schweine); viel Zuchtvieh, starke Kohlenbrennereyen. Einen Seitengrund, das Taufthal, in dessen Hintergrund herrlicher Nageltuf bricht, und nahe dabey die Überreste uralter, der Sage nach Römischer, Bergwerke, vorüberschreitend, kömmt man nach Aufach. Die weithin zerstreute Gemeinde zählt 77 H. und 447 E. Erst ganz im hintersten Grund verflacht sich sein Thalboden und wird zugänglicher; hier hat er aber schon die Alpenregion erreicht; neun Alpen liegen an den Abhängen der trefflich bematteten Schieferberge, auf deren Höhen die aufgesetzten Kalkriffe oft das Grüne durchbrechen. Das Sonnenjoch ist der vierschneidige hinterste Bergstock, von dem die Gewässer zur Wiltschenau, dem Alpbache, Zillerthale und Brixenthale strömen.

Auf der östlichen Seite öffnet sich eine Seitenbucht des Thales, in welcher Oberau, der Hauptort des ganzen Thales, liegt, mit 979 E., deren Häuser weit und breit an den sonnigen Abhängen zerstreut liegen; eine große, aber neue freundliche Kirche (25 Pferde, 166 Kühe, 230 Schafe, 112 Ziegen und 14 Schweine). Kanevasfabrik. In der Nähe ein wenig besuchtes Schwefelbad und Mühlsteinbruch. Sehr bequeme Pfade führen ins Wörglthal (siehe unten) und nach Hopfgarten im Brixenthale. Sprache und Gebräuche der Wiltschenauer haben etwas Eigenthümliches, wodurch sie sich vor den umliegenden Gegenden auszeichnen, daher das Thal besonders von dem Ethnographen besucht zu werden verdient. Auf den Alpen weiden gegen 1600 Stück Rindvieh, und man rechnet auf die Kuh täglich 10 Maas Milch und jährlich 90 Pfund Butter.

Die Gegend von Kundl an abwärts ins Innthal ist anfangs frei, sehr öde und einsam, und fast möchte man sagen, daß mit Rattenberg seine Blüthe verwelkt sey in Ansehung der Bevölkerung und des Anbaues im Vergleich mit dem Innthale von Rattenberg aufwärts. Moosgründe breiten sich an manchen Stellen der weiten Thalfläche aus. Bey dem Dorfe Lahnthal bildet der aus dem kurzen Lahnthal herabkommende Lahnbach schöne Wasserfälle.

Das Thal erweitert sich noch mehr zur Ebene und gewinnt durch die sie umlagernden Berggruppen außerordentlich an Reiz. Alles verkündet die völlige Veränderung der bisherigen Thalbildung. Wir stehen wieder an einem Hauptabschnitte des Innthales. Bey Landeck trat das Thal aus dem Urgebirge heraus in die Rinne zwischen Kalk- und Urgebirge; hier bey Wörgl tritt das Thal aus dieser Rinne, sich nördlich wendend, ganz hinaus in die Kalkalpenwelt, dieselbe durchbrechend. Wie dort im Westen bey Landeck das Stanserthal bis zum Arlberg noch die geognostische Thalstufe fortsetzt gegen Westen, so hier das

Brixenthal gegen Osten, weil der Inn aus seinem geognostischen Rinnsaale ausspringt.

Alles deutet hier auf einen Kampf der Fluthen, die sich, ein weites Bett wirbelnd, schufen, ehe sie bey Kufstein sich völlig durcharbeiteten. Denn der Angerberg jenseits des Inns, welcher der Mündung des Brixenthales gegenüber liegt, gehört mit zum Boden des einstigen Stromwirbels; er erhebt sich nur wenig über die Thalsohle, und das Grattenbergl, eine Düne, scheint nur zum Denkstein dieser Strömungen hingestellt zu seyn. Wie dort im Westen ein Zwillingsthal (Rosanna und Trisanna) sich zur Sanna vereinigt, so hier der Bach von Söll, der Feuersingbach, mit der Brixener Ache. Wenn nun auch der erstere Bach sich nicht mit der Trisanna (Thal Patznaun) vergleichen läßt, so ist doch die Thalfurche vorhanden, deren Gewässer sich dreyseitig abdachen (siehe oben Einleitung), und dieser Doppelzweig fällt hier im Unterinnthal mehr in die Augen, als dort im Oberinnthal; daher die Gruppirung der Berge. Die rechtseitige Thalwand erschließt sich weit; rechts von ihr grünes Schiefergebirge, links der abgerundete, bewaldete, kalkige, kohlenreiche Bölfen (Polven), ein Vormann des Kaisers. In der Mitte der weiten Öffnung baut sich das reizende Salvengebirge auf mit seinen grünen Matten, in der Tiefe davor der geradlinige Sandsteindamm, aus welchem durch ein Doppelthor die Brixenthaler Ache rechts, und links der Feuersingbach hervorbrechen, um sich zu vereinigen und die letzte Strecke in einem Bette dem Inn zuzuellen.

Hier begegnen sich auch die drey Landgerichte Rattenberg, Kufstein, 8¼ Q.M., und etwas östlicher Hopfgarten, 3 Q.M. An dieser Stelle liegt Wörgl, ein bedeutendes Dorf von 140 H. und 1001 E.; dreyfacher Postwechsel zwischen Rattenberg (aufwärts nach Innsbruck), Kufstein (thalabwärts nach Bayern) und Söll (östlich auf der Straße nach Salzburg). Die Post ist ein gutes Wirthshaus. Salpetersiederey. Geburtsort des Bildhauers Franz Christ. Thaler, † 1817 zu Wien. Hier kömmt die Wörgler Ache aus dem Gebirge von Niederau herab, schön in weiter Thalbucht unweit Oberau (Wiltschenau) gelegen (365 E., 17 Pferde, 400 Kühe, 132 Schafe, 69 Ziegen und 12 Schweine).

Auf der großen Hauptstraße gelangt man an das schon erwähnte, mitten im Innthale liegende Grattenbergl mit einer Kapelle, nach Einigen die alte Römische befestigte Niederlassung Masciacum, als Mittelstation zwischen Veldidena (Wilten) und Albianum (Aibling?). Fundort vieler Römischer Alterthümer und Mauerwerke; der Volkssage nach hat zwischen dem Hügel und dem Inn eine große Heidenstadt gestanden, von welcher jetzt noch Heibach übrig ist, ein kleines Dorf, dessen Bewohner sämmtlich an der Pest starben. Noch immer verehren die Bewohner von Heibach die Pestheiligen Rochus und Sebastian vorzüglich.

Ehe wir von Wörgl einen Hauptabstecher machen, besuchen wir noch das jenseitige Gestade des Inns.

Von Volbepp, wo wir zuletzt das linke Innufer verließen, kommen wir nach dem ansehnlichen Dorfe Breitenbach mit 153 H. und 1094 E. Die linke Thalwand tritt etwas zurück, hat aber eine niedere, schön angebaute und flachgewölbte Terrasse gegen den Inn vorgeschoben, den Angerer Berg, ähnlich dem Gnadenwald, mit Höfen und Weilern bedeckt. Er wird durch flache Gründe von der Bergwand abgeschnitten. Ruinen der Schintelburg, einst von den Freundsbergern erbaut. Schleifsteinbrüche. Eichenwälder. Aus dem Gebiet des Angerer Berges führen Jochsteige, links hinüber in das Gebiet der Brandenberger Ache, rechts in das Thierseer Achenthal.

Der interessanteste Ausflug führt den Reisenden von Wörgl in das Brixenthal.

Unter dem Grattenbergl stehen wir am doppelten Schlagbaum, wie in Landeck; rechts führt die Straße nach Salzburg ab, die sogenannte Kaiserstraße, links über Kufstein nach Bayern. Eine Stunde lang führt die Hauptstraße (rechts) in dem noch breiten Thale der Brixenthaler Ache hinan, dann biegt sie links ab und steigt am Feuersingbache aufwärts nach Söll. Der schöne Berg, dessen grüne Kuppel hoch über die mit Waldgruppen bedeckten Vorberge mit seiner Kapelle emporragt, ist die Hohe Salve. Wir bleiben aber jetzt im Hauptthale, dem Brixenthale. Plötzlich legt sich ein langer niedriger Bergriegel, aus rothem eisenschüssigem Sandstein bestehend, vor das ganze Thal, der nur zwey enge Pforten hat, durch welche die Ache und der Feuersingbach heraustreten in das breitere gemeinschaftliche Thal.

Auf dem steilen Abbruch in die Brixenthaler Klause thront links die Burg Itter. Von Wörgl kann man auch auf näherem Wege über Egen- und Zechendorf hierher auf dem linken Ufer der Ache gelangen. Die Burg Itter mit dem darunter liegenden Dorfe Itter war lange Eigenthum Salzburgs, und gehörte zu den festesten Plätzen dieses Landes. Dennoch wurde es 1525 im Salzburgischen Bauernkriege von den Pinzgauern erobert und zerstört. 1532 wurde es wieder aufgebaut, war dann Pflegegericht und Frohnfeste. Unter Bayern verkauft, bewohnen es jetzt einige alte Leute. Schöne Aussicht nach Söll hinan, in das Innthal zum Grattenbergl und dem jenseitigen Angererberg, und in das untere und obere Brixenthal.

Unter der Burg Itter führt der Weg über die Ache auf deren rechtes Ufer und in einer halben Stunde erreicht man Hopfgarten, einen Markt, 2 St. von Wörgl, 11 St. von Schwaz, Sitz des Landgerichtes; 1 Schule, 1 Arzt, 1 Wundarzt, 1 Förster, 2 Bierbrauereyen, 1 Schießstätte, mit 347 H. und 2111 E. Salpetersiedereyen, Sensenschmieden (jährlich 40,000 Sensen); 105 Pferde, 290 Ochsen, 1763 Kühe, 1422 Schafe, 354 Ziegen, 156 Schweine. Im nahen Hörbrunn eine Glasfabrik, welche jährlich 2000 Klaftern Holz verzehrt. Von Hopfgarten gelangt man durch den sogenannten Grafenweg auf die heitere und reizende Terrasse von Niederau, die wir von Wörgl aus besuchten.

Im Brixenthal selbst weiter wandernd, kommen wir zu dem kleinen Dorfe Haslau, wo sich mehrere bedeutende Thalgründe vereinigen. Zunächst das Kelchsauer Thal. Dieses Thal entsteht hoch oben im südlichen Gebirge an der Grenze (Gerlos-Zillerthal und Pinzgau-Salzachthal) aus der Vereinigung des Langen mit dem Kurzen Grund. Der erstere kömmt von dem uns schon aus dem Gerlosthal bekannten Thorhelm herab; der andere stammt von der hohen Wildalpe, deren jenseitige Gewässer die ersten Quellen der Salzache bilden. Durch beyde Gründe führen Jochsteige in die jenseitigen Thalgebiete. Der Charakter aller Thäler dieser Übergangsgebirgsgruppe, den wir schon oben kennen lernten, bleibt sich gleich. Die engen Thalfurchen sind in der Tiefe von dunkeln Forsten umnachtet, gegen die Höhe bemattet, und nur die höchsten Gipfel, gegen 8000 F. hoch, ragen in die Felsenregion empor.

Das Lieblichste ist ein schöner Abend, der den saftigen Schmelz der weitverbreiteten Matten vergoldet. Das Kelchsauerthal hat seinen Namen von der kleinen Gemeinde Kelchsau, 1½ Stunden von Haslau. Am Eingange des Thales liegt auf einem Hügel die Burgruine Engelsberg, wie Itter einst Salzburgisch, aber von den Salzburger Bauern 1525 erobert und zerstört. An dem Schloßhügel von Engelsberg macht sich noch dem Reisenden das uralte Elsbethenkirchlein bemerklich, durch die Volkssage geheiligt. Im Schlosse Itter hauste ein übermüthiger Ritter, der weder Menschen noch Gott fürchtete und der Schrecken der Umgegend war. Nicht weit von Itter stand das Schloß Högau, von dem fast nichts mehr zu sehen ist; hier wohnte ein alter, reicher, aber gottesfürchtiger Ritter, dessen einziges Kind die fromme und schöne Elsbeth war; sie war ihm sein höchstes Gut. Der übermüthige Junker von Itter freyte um sie, wurde aber von dem Vater mit den Worten abgewiesen: mit einem frommen Manne wird meine Tochter bey einem Stückchen Brod glücklicher leben, als mit einem reichen und gottlosen. Mit racheburstigem Herzen verließ der Junker das Schloß. Bald darauf erhielt der arme, aber fromme Ritter von Engelsberg die edle Jungfrau zum Weibe. Während das junge Paar beym Hochzeitsmahle auf Högau saß, stürzte der Ritter von Itter wüthend in den Saal und befahl, Alle zu binden und in seine Feste zu bringen, und sperrte das Paar in einen tiefen Kerker, ebenso die Eltern mit den Worten, mit welchen er abgewiesen war. Brod wolle er geben, Wasser möchten sie sich suchen. Von gräßlichem Durste geplagt, beteten die jungen Eheleute zu Gott und baten ihn um Hülfe. Da wurde der Kerker erleuchtet und eine klare Quelle sprudelte hervor. Noch während dieses Wunders trat ihr Peiniger in den Kerker. Überrascht erkannte er sein Unrecht, warf sich nieder und bat die Unglücklichen um Verzeihung, die ihm auch zu Theil wurde; schnell befreyte er die Eltern und führte Alle im Triumphe nach Högau zurück, laut sein Unrecht bekennend. Zur Sühnung ließ er die Kirche der heiligen Elsbeth erbauen.

Das zweyte, gleich unter Haslau sich öffnende Thal ist das Winnacherthal oder die Windau, ein Parallelthal des Kelchsauer Thales. Unweit des Einganges bildet die Winnache einen schönen Wasserfall. Das Thal hat mit dem vorigen viele Ähnlichkeit, nur daß es sich erst ganz oben gabelt. In ihm liegt die Gemeinde Winnach. Auch durch dieses Thal führen Jochsteige hinüber in das oberste Salzachthal, Pinzgau. Viehzucht und Holzgewerbe sind für die Bewohner Hauptgeschäft; die aromatischen Kräuter geben auch den fleißigen Zillerthalern Nahrung. Die Kräutersammler erhalten für eine gewisse Menge Kräuter ein gewisses Maaß des aus jenen Kräutern gewonnenen Branntweins.

Im Brixenthale selbst fortwandernd, geht es über die Ortschaften Vordermosen, Hintermosen und Hof nach Brixen. Hof war nach alter Sage, wohin auch der Name deutet, der Hauptort des Thales (Hof in der Gastein), und noch jetzt findet sich ein merkwürdiger Überrest des älteren Lehnswesens. Hier wird nämlich jährlich die sogenannte Fading gehalten, wo vier Zehentenviere, gemeine Bauern, den Vorsitz führen, und alle Bauern müssen, den Hut unter dem Arme, erscheinen und um Erlaubniß bitten, ihr Vieh auf die Brunnalpe, schon im Gebiete der Kitzbühler Ache, treiben zu dürfen, ob sie gleich Eigenthümer derselben sind. Die Zehentviere nehmen sitzend mit gnädigem Händedruck diese Erbhuldigung an.

Die Gegend, welche wir jetzt durchziehen, liegt fast ganz im Thonschiefergebirge, die murbrüchigste Gebirgsart, daher auch das Thal oft von solchen Schlammlawinen heimgesucht und zerstört wird.

In zwey Stunden erreichen wir, Westendorf rechts auf dem Abhang liegen lassend (1223 E., 55 Pferde, 10 Ochsen, 725 Kühe, 504 Schafe, 437 Ziegen und

136 Schweine), das ansehnliche Dorf Brixen, welches dem ganzen Thale den Namen gab und nicht mit der bekannten Tyroler Stadt im Eisackthale verwechselt werden darf, wie es wirklich einige Handbücher gethan haben, 180 H., 1032 E., 63 Pferde, 140 Ochsen, 360 Kühe, 625 Schafe, 310 Ziegen und 118 Schweine. Kirche mit schönen Gemälden von Schöpf und Nesselthaler aus Salzburg; Holzschnitzereyen, ähnlich denen in Wiecht, von Nissl. Gutes Gasthaus, das zu längerem Verweilen einladet. Eine Viertelstunde südlich liegt das Maria-Luisenbad, dessen Quelle kohlensaures Eisen, schwefelsaure Thonerde und schwefelsaure Bittererde enthält. Die Unterkunft ist bequem; jährlich 200 bis 250 Gäste.

Außer den schon genannten Ausflügen in das Kelchsauer Thal und die Windau verdient die Hohe Salve eine besondere Erwähnung. Hohe Salve heißt sie nur im Gegensatz der neben ihr liegenden Kleinen Salve; denn der Berg ist nur 5370 F. hoch. Die Salve ist das Haupt eines fast insularischen Gebirgsstockes, der nur durch drey ganz niedrige Wasserscheiden mit dem höheren Gebirgsamphitheater, das sie rings umkreist, in Verbindung steht. Durch die Thäler und niedrigen thalartigen Sättel werden aber die allenthalben aufsteigenden Hochgebirge so weit hinweggeschoben, daß man ihre Größe nur aus der richtigen Entfernung beobachten kann. Das Brixenthal; die Niederung des Büchlachs zwischen der Reinthaler und Kitzbühler Ache; die weite Niederung des Leukenthales, in welcher St. Johann liegt, mit der ihm zugehörigen Thalgegend von Elmau; die Thalgegend, Sölland genannt, deren Gewässer nach Kufstein zum Inn gehen; das Thal des Feuersingbachs von Söll herab ins untere Brixenthal und dieses selbst ziehen tiefe und weite Thäler um den ganzen Gebirgsstock der Salve. Dieser bildet fast ein Rechteck, dessen östliche kurze Seite das Büchlach oder noch näher die Reinthaler Ache ist, während die westliche das Brixenthal von Haslau hinab nach Itter bezeichnet. Die nördliche Langseite besteht aus den Thalregionen des Feuersingbaches von Sölland und Elmau; die südliche das Brixenthal von Haslau aufwärts bis an sein Ende. Das Salvengebirge ist gleichsam ein Modell des größeren südlichen Schiefergebirges. Südlich Steilabfall, nördlich durch Thalbildungen allmähliger absteigend; die Grundmasse Thonschiefer, aufgesetzt Kalk; allenthalben herrlich bemattet bis auf den sonnigen Gipfel, dessen Grün weithin schimmert; abgedacht durch zahlreiche Hügel und Schluchten, in die sich herrliches Gehölz gruppirt. Die eigentliche Hohe Salve liegt auf dem Westrande der ganzen Masse, gleichsam, um doch auch etwas von dem herrlichen Innthal zu genießen. Der Gipfel ist allenthalben zugänglich. Von Brixen aus geht es am Salvenbach hinan zum Jordan über Hof. Jordan heißt nämlich eine einsame Waldkapelle, wie der Brunnen daselbst Johannes dem Täufer heilig. Darüber beginnt die Sennhüttenregion; weithin strecken sich die herrlichen Matten des Gebirges, das Kälbergebirge genannt. Leicht und ohne Anstrengung gelangt man auf den Gipfel. Hier steht die Johanneskirche und die Wohnung des Salvenhüters oder Meßners, der zugleich den Wirth macht. Die Kirche hat einen Blitzableiter. Der Sage nach hat die Kirche ihre Entstehung folgender Begebenheit zu danken. Eine Wittwe hatte einen einzigen Sohn, den sie zärtlich liebte, aber eben dadurch verzog. Einem Laster nach dem andern folgend, wurde er zuletzt Räuberhauptmann. Jetzt erst ermannte sie sich; sie fand ihn einst auf der Spitze der Salve und beredete ihn, sich den weltlichen Gerichten zu übergeben, um das Gericht Gottes zu mildern. Ein Traumgesicht, in dem er das blutige Haupt Johannes des Täufers erblickte, bewog ihn, die Bitte der Mutter zu vollziehen. Er wurde mit seinen Genossen enthauptet; die Mutter begrub die Köpfe auf dem Gipfel und erbaute, ihr Hab und Gut verkaufend, die Kirche.

Die Salve ist unstreitig einer der schönsten Aussichtspunkte unserer Deutschen Alpen, besonders in ihrer Innenwelt. Im Westen die herrliche Fläche des Innthales; und wenn auch westlicher die Sohle des Thales verdeckt wird, so überragt doch noch weit hinauf bis zum Solstein über Innsbruck die nördliche Thalmauer, die kahlen und schroffen Kalkalpen, die grünen Abstufungen der Centralkette. Auch gegen Nordwest schaut noch über den Blösen zuerst die jenseitige Kalkwand des Innthales herein und gerade nach Norden dessen Ausmündung in die Bayrischen Flächen, welche dann bald durch die Zackenmauer des Kaisers verdeckt werden; die Schroffwände dieses Gebirges vermauern den ganzen nördlichen Horizont, gehören aber zu den Reizen des Aussichtsgemäldes durch den Gegensatz der lieblichen, sonnigen und bevölkerten Thalgegenden, die uns von jenen öden, völlig pflanzenleeren, weißgrauen Kalkzinken trennen. Gegen Nordosten werden die Kalkriesen durch das Leukenthal noch weiter und durch noch größere angebaute Niederungen getrennt, dort baut sich die gewaltige Berggruppe des Steinbergs 8000 F. hoch auf, ebenfalls ein nacktes Kalkgebirge, mit dem Birn-, Roth- und Flachhorn, nur durch den engen Schlund des Saalthales von dem jenseitigen noch höheren Berchtesgadner Gebirge getrennt, dessen Hochgipfel hie und da den Steinberg überragen. Über dem Sattel von Hochfilzen zeigt sich die übergossene Alpe mit ihren Riesenwänden. Im Südosten und Süden liegt zwar zunächst die der Hohen Salve verwandte und in ihren höchsten Spitzen fast um 2000 F. höher aufragende Bergwelt; allein dennoch leuchten die blitzenden Eishörner der Tauernkette vom Glockner und Wiesbachhorn an bis zum Krimler Tauern hoch über die graugrünen Rücken der Vorkette. Auch die Ötzthaler Eisberge nehmen Theil an der Herrlichkeit des Panoramas.

Nicht weit von Brixen öffnet sich rechts noch ein kleiner Grund, der oberste Anfang des Brixener Thalgebietes; darauf geht es auf dem Wege nach Kirchdorf auf die Wasserscheide der Brixener und Kitzbühler Ache; während erstere unmittelbar noch im Gebirge (am Grattenbergl) zum Inn geht, fließt die Kitzbühler Ache, weiterhin Große Ache genannt, als solche zum Gebirge hinaus, füllt den Chiemsee und erreicht als Alze den Inn im Flachlande.

Nur noch einige allgemeine Bemerkungen. Wegen des vorherrschenden Thonschiefers ist das Thal brüchig und die Straße durch dasselbe beschwerlich. Wer daher z. B. von Kitzbühl nach dem Innthal fahren, aber das Brixenthal sehen will, muß es mit dem Kutscher ausdrücklich ausmachen, weil diese den Weg durch das Büchlach nach Elmau auf der sogenannten Kaiserstraße, wenn es auch ein Umweg ist, vorziehen. An Getraide baut das Thal für seinen Bedarf. Hauptbeschäftigung Viehzucht, 309 Pferde, 750 Ochsen, 4614 Kühe, 3511 Schafe, 1570 Ziegen und 607 Schweine bey 9086 M. Wiesen und 95 Alpen. Auf die Kuh rechnet man 40 Pfund Schmalz und einen Centner Käse; der jährliche ganze Betrag 5833 Centner Käse, 2333 Centner Schmalz. Waldungen 39,184 Morgen (Fichten, Tannen, Buchen, Erlen, Eichen und Zirbeln). Mineralien. Ehemals reiche Bergwerke.

Botanisches der Hohen Salve: Eriophorum alpinum, Primula glutinosa, Imperatoria ostruthium, Gentiana bavarica, Saxifraga mutata, Potentilla Brauneana, Bartsia alpina, Arabis nutans, Hieracium grandiflorum und intybaceum, Crepis aparoioides, Cineraria cordifolia, Orchis nigra, Carex atrata, Salix refusa.

Der Inn nimmt von Wörgl eine etwas nördlichere Richtung an und durchschneidet die Kette der nördlichen Kalkalpen. Der Rücken des Kaiserbergs stürzt von Osten in das Innthal, und seine jenseitige Fortsetzung, wenn auch minder hoch, ist der Pendling.

Bey Heibach (Eisenschmelzhütte und Hammerwerk, eine Steinkohlen- und Salzniederlage), das wir, der Straße folgend, links liegen lassen, tritt die rechte Thalwand mit ihren Vorhügeln an den Inn; ebenso der westliche Angerberg. Durch große Windungen sucht der mächtige Strom das ungewohnt enge Gewand auszudehnen. Die Straße zieht nun, größtentheils über die rechtseitigen waldigen Thalhöhen auf- und absteigend, nach Kufstein. Das erste bedeutende Dorf ist Kirchbühel, eine Stunde von Wörgl, mit 148 zum Theil weit zerstreut umherliegenden H. und 1000 E.; Seitenweg über Jufing und das Jufinger Joch nach Söll mit herrlicher Aussicht in das Innthal, Söllland und Brixenthal. Der Bauernhof Jufing war einst Sommerfrische der Margaretha Maultasche. Das Merkwürdigste der ganzen Gegend ist jedoch der Steinkohlenberg von Häring.

Geognostisches: Das Dorf Häring liegt auf einer Bergterrasse, eine Stunde rechts über Kirchbühl; über ihm wölbt sich der Bölfen, jener schön gerundete und bewaldete Bergkopf, den der Reisende, von Söll hinab nach Wörgl auf der Kaiserstraße ziehend, zur Rechten hat; er wird nördlich durch den Weißbach, an welchem wir von Kufstein aus heraufsteigen werden nach Söll, von der höheren und schrofferen Gebirgswelt des Kaiserberges getrennt. Auf der Terrasse des Bölfen liegen die Kohlengruben noch etwas über Häring am Röttenbach[1]). Das Steinkohlenlager ist nicht nur in Tyrol das bedeutendste, sondern gehört auch in Deutschland zu den größten. Grundgebirge: Alpenkalk, darauf Kalkconglomerat, von Schwefelkies durchzogen, mit vielen Versteinerungen (Seesterne, Seeigel, Pectiniten, Ostraciten, Tubuliten und Belemniten). Darüber Mergel, welcher gegen das Lager hin bituminös wird; dann die Steinkohlen oft 8 Klafter mächtig; Pech und Kännelkohlen. Auf ihnen Stinkstein, bisweilen in Horn- und Feuerstein übergehend, mit Versteinerungen von Weiden, Stechdornen, Farrenkräutern, Moospflanzen, Muskuliten, Turbiniten, Strombiten, Tubuliten, Tupiporiten, Vermicoliten und Chamiten. Darüber Schiefermergel, unten bituminös, oft mit Sandstein wechselnd. Jährlich 70,000 Centner[2]), welche größtentheils für die Saline zu Hall, die Dampfschiffe und Dampfwagen in Österreich verbraucht werden. Einfahrt durch den Barbarastollen, der alle genannten Flötze zeigt.

Von Kirchbühl nach Kufstein wird die Gegend äußerst einsam; die Straße führt häufig durch Wald; links in der Tiefe sieht man den Inn, oder hört ihn nur rauschen; auch die jenseitige Thalwand ist mit Wald, oder wenigstens Krummholz überzogen. Nur das jenseits des Inns liegende Langkampfen und Mariastein mit seinem alten Thurme sind die einzigen reizenden und lieblichen Punkte, ein Lichtblick in dem düstern Bilde. Drey Stunden von Wörgl verläßt die Straße die Thalwand und zieht in die wieder heiter lachende Gegend des breiter werdenden Thales. Da liegt plötzlich ein gewaltiger Felsblock mitten in der ebenen Thalsohle, oben ummauert und bethürmt; links unter ihm der mächtige Inn, von einer schönen Brücke überspannt; eine Reihe freundlicher Häuser spiegeln sich in den Fluthen; jenseits derselben das grüne Vorgebirge der Kalkalpen; rechts die hoch aufsteigenden Wände der Kaisergruppe; das ist Kufstein. Die Straße führt zuerst gerade den Schießscharten der hochgelegenen Festung zu, umgeht dann den Felsenberg rechts und gelangt von der hinteren Seite unvermerkt in das Städtchen. 164 H., 1332 E. Die ganze Stadt besteht fast nur aus dem langgestreckten, abwärts geneigten Marktplatze (denn innerhalb der Mauern wohnen nicht ganz 1000 Einwohner), der von freundlichen Häusern mit Innthaler Bauart umgeben ist. Vorzüglich gutes und zu-

1) Billefosse, Mineralreichthum B. 2. S. [illegible].
2) Nach Staffler nur gegen 41,[illegible] Ctr.

gleich eins der billigsten Gasthäuser Tyrols ist beym Auracher. (412 Joch Ackerland, 608 M. Wiesen, 140 M. Hutweiden, 49 Pferde, 42 Ochsen, 342 Kühe, 21 Schafe, 10 Schweine. Bierbrauereyen.) Sitz des Kreisgerichtes, Postamtes, Gerichtsarztes, Wundarztes; 5 Kirchen; in der Pfarrkirche die Altargemälde von Arnold. In der Festung der starke Kaiserthurm, 176 Mann Besatzung, Stadtsgefängniß. Geburtsort des Malers Joh. Wolfg. Baumgartner. Die Innbrücke ist 360 Fuß lang und besteht aus drey Bogen.

Die Stadt blühete zuerst unter den Bayrischen Herzogen, ihren Landesherren, durch Handel auf. Ihre Lage machte sie bald zur Festung. Als 1503 Herzog Georg von Landshut starb, stritten sich Albrecht von München (nach dem Bayrischen Hausgesetz Erbe) und Ruprecht von der Pfalz (als Gemahl der einzigen Tochter Georgs) um den Besitz. Als Schiedsrichter trat Kaiser Maximilian I. auf, nahm die Burg mit Gewalt und gab sie Herzog Albrecht, dem er sie schon früher verliehen. Zum Befehlshaber ernannte er den tapfern Pienzenauer, weil er auf dessen Treue als Bayern Vertrauen setzte. Dennoch übergab sie dieser den Pfälzern und leitete nun um so eifriger die Vertheidigung gegen den heranrückenden Kaiser. Dieser beschoß die Festung einen ganzen Tag. Pienzenauer ließ zum Spott die Mauern mit einem Besen abkehren. Dieß verdroß den Kaiser so sehr, daß er schwor, die ganze Besatzung mit dem Tode zu bestrafen und dem eine Maulschelle zu geben, der für sie bitten würde; zugleich ließ er zwey große Geschützstücke, den Weckauf und Purlepaus, aus Innsbruck kommen und feuerte sie selbst gegen die Festung ab. Jetzt wurden die Mauern so erschüttert, daß die Besatzung sich ergab. Pienzenauer und zehn seiner Gefährten wurden enthauptet und über ihrer Begräbnißstätte die noch jetzt stehende Kapelle zu den Ainlifen (Elfen) erbaut. Für die Übrigen bat der Herzog Erich von Braunschweig, erhielt zwar dafür einen sanften Backenstreich, wurde aber erhört. Von jetzt an blieb Maximilian im Besitz und befestigte die auf dem Felsen liegende Festung noch mehr, besonders durch Anlegung einer Cisterne. Im Jahre 1703 gerieth sie bey einem unglücklichen Brand der Stadt, wodurch die Bayern entfernt werden sollten, durch das Umschlagen des Windes selbst in Brand und dadurch in die Hände der Bayern, wurde jedoch bald wieder erobert. Im Jahre 1809 blieb sie während des ganzen Kampfes in den Händen der Bayern und Franzosen, öfters von den Tyrolern zwar angegriffen, allein aus Mangel an Belagerungsgeschütz fruchtlos. Doch zeigte auch hier Speckbacher seine Entschlossenheit und seinen kühnen Muth. Einmal löschte er mit seinem Hute eine niederfallende Bombe; ein anderes Mal ging er selbst als Kundschafter in die Festung, und es hätte nicht viel gefehlt, so hätte er den Befehlshaber als Gefangenen mitgebracht. Er löste ferner 11 Bayrische Transportschiffe unmittelbar unter der Festung ab und übergab sie den Wellen des Inns.

Ausflüge. Ins Sölland, das wir schon oben von der Hohen Salve überblickten, führt uns das Thal der Weißache, an ihrer Mündung Glemm oder Glemmer Bach genannt. Sölland selbst ist eine Thalmulde im Rücken des östlichen Kalkgebirgs (von Kufstein); im Süden umlagert von dem thonschiefrigen grünen Salvenstock, im Westen durch einen niedrigen Sattel vom untersten Brixenthale, im Osten durch einen gleichen von dem Gebiet der Kitzbühler oder Großen Ache getrennt. In der Nähe des ersten Sattels liegt Söll, an dem zweyten Elmau, über beyde führt die sogenannte Kaiserstraße (von Innsbruck nach Salzburg und Wien). Durch die Engen des Weißachthales haben sich die Gewässer dieses Gebietes einen Weg zum Inn bey Kufstein gebahnt und sich dadurch ein eigenes, wenn auch kleines Reich, Sölland, geschaffen. Besonders wird es der reisende Maler nicht bereuen, diesen Ausflug zu machen. Die Hauptreize Söllands in malerischer Hinsicht bestehen in dem grünen Gehügel des Thallandes, überdeckt nach allen Seiten bis zu den höheren Bergen hinan mit Häusergruppen, Haynen, Fluren und Wäldern. Darüber ringsum die ernsteren Gestalten der Hochgebirge; im Norden über den grünen frischen Höhen und saftigen, zum Theil bebuschten Matten die prächtige und majestätische Mauer des Kaisers, kahl und scharf in unzähligen Zacken in den blauen Äther stechend. Im Süden die sanfter schwellenden Formen des Thonschiefergebirges mit seinen herrlichen Alpen und dem blauen Schatten der Wälder. Der vorzüglichste Reiz dieser Landschaft möchte der Baustyl der Häuser seyn, und schon deßhalb sollte der Maler hieher reisen; er wird selten irgendwo bessere und schönere Alpenhäuserstudien finden, als hier; denn auch die Häuser der reichsten Bauern sind oft drey bis vier Stockwerk hoch aus Holz aufgezimmert, voll des schönsten Schnitzwerkes an Giebel und Altan.

Wir wandern jetzt an der Weißenache hinan, begleitet von Wassertriebwerken aller Art. Sehr bald verengt sich der Grund zur Schlucht. Der schmale Fahrweg führt nun auf einer Bergstufe, dem sogenannten Neuberge (Eyberg), thaleinwärts, das hoch hinanziehende Gaisthal links lassend. Fast an der engsten Stelle des Grundes steigt links die sogenannte Steinerne Stiege hoch hinan zu dem romantischen Becken des Hintersteiner Sees, von Bauernhöfen umgeben; auf einer Höhe über seinem östlichen Ufer ruht die Wallfahrtskirche Bärenstatt. Überragt von den grotesken Massen des Kaisers, gewährt der 50 Morgen große See ein äußerst reizendes Bild. Vom See aus kann der Reisende sogleich dem Bache des Sees, Seebach, folgen, und erreicht mit demselben in der Gegend von Scheffau die Straße. Eine halbe Stunde vom See bildet der Seebach einen schönen Wasserfall.

Wir wandern, über die besonders bey nassem Wetter gefährliche, Steinerne Stiege zurückkehrend, an der Weißache weiter hinan. Da, wo sich der Grund erweitert, biegen wir rechts in einem Seitengrunde, Markenbach, um, und erreichen bald darauf das schöne Dorf Söll, 93 H., 570 E. (die ganze Pfarrgemeinde, welche auch Pirchmoos heißt, zählt 1467 E.). Die Post ist ein gutes Gasthaus. In der Nähe das Lengauer Bad (Ried). Dieses Bad war früher mehr in Aufnahme; noch wird der Thurm zu Ried gezeigt, in welchem die Fürstlichkeiten, welche das Bad brauchten, wohnten. Von Söll aus kann am bequemsten das Häringer Kohlenbergwerk besucht werden, wie auch andererseits die Hohe Salve; von Kufstein auf diesem Wege fünf Stunden, von Wörgl herauf drey Stunden. Hauptgeschäft: Viehzucht; die gewöhnlichen Bauernhöfe 30—40 Kühe, größere 90—130 Kühe, außerdem noch viele Ziegen und Schafe; auch die Obst- und Bienenzucht sind nicht unbedeutend. Auf letztgenanntem Wege erreicht man von Kufstein Söll in 3 Stunden, auf der Poststraße in 6½ Stunden. Auf der schönen Kaiserstraße ziehen wir weiter nach Osten und auf diesem Straßenzug finden wir besonders jene oben genannten, dieser Gegend eigenthümlichen Reize. Der Kaiser ist unser nördlicher steter Begleiter, entfaltet aber in seinen verschiedenen Gruppen fortwährend neue Schönheiten, wie die Gruppirung und der Bau der allenthalben umher zerstreuten Häuser. Südlich von Söll zeigt sich am Salvengebirge auf einem aufragenden Felsenblock die Stampfanger Kapelle; eine zum Theil natürliche Felsenbrücke führt hinüber.

Da der Kaiser hier gleichsam das vorwaltende Element ist, sich seine Majestät aber auch anderwärts einmischt in den Charakter der Landschaft, ja schon in München die Aufmerksamkeit des Beobachters auf sich zieht, so mögen hier noch einige Worte über ihn einen Platz finden.

Der Kaiser ist einer der Gebirgsstöcke des Hochkalkes, ein Zahn der Kalkalpen; sein Mittelpunkt der Treffauer Kaiser, von der Häusergruppe Treffau über Scheffau so genannt. Er besteht aus zwey Bergketten, dem Vorderen Kaiser (südlicher, hoher Zug) und Hinteren Kaiser (nördlicher, niederer Zug), welche beyde durch ein Querjoch verbunden sind; dieses scheidet ein westliches Kaiserthal, das zum Inn geht, und ein östliches Kaiserthal, welches zur Kitzbühler Ache führt. Der Vorder-Kaiser ist der höhere und kehrt seine ganze Kette in ihrer wilden Großartigkeit dem Straßenzug von Söll bis Waidring der Kaiserstraße zu. Der westliche Theil heißt auch der Wilde Kaiser. Unter seinem östlichen Ende zieht aus dem Thale von Waidring herüber, durch das Achenthal unterbrochen, eine niedere Terrasse, der Nieder-Kaiser genannt, unter seinen Felsenstirnen hin, theils bemattet, theils mit Krummholz überwuchert, nur zu oberst eine wegen ihrer Schichtung merkwürdige Felsenkante zeigend. Seine Höhe mag 8000 F. erreichen. Erstiegen wird er, jedoch nicht ohne Gefahr, von Kirchdorf aus, im östlichen Kaiserthale hinan zu dem Joche, welches die beyden Kaiser verbindet, und auf steilen Schneelehnen und Felsengeröll aufwärts kletternd zu der sogenannten Hohen Scharte.

Auf der Hauptstraße, der Kaiserstraße, fortschreitend, kommen wir nach Scheffau, einer kleinen Häusergruppe, um eine Kirche geschaart, da die übrigen Häuser weit umher zerstreut liegen. Getraidebau, Obstzucht ist nächst der Viehzucht Hauptgewerbe. Außerdem zwey Sensenschmieden (jährlich 32,000 Sensen). Von Scheffau kömmt man in 1¼ Stunden nach Elmau, der östlichen Grenze Söllands, auf der Wasserscheide der Weißache und Kitzbühler Ache, 2738 Fuß üb. d. M. Das Dorf ist klein, 44 H., 300 E. (die ganze Gemeinde 888 E.).

Ein anderer Ausflug, den der Reisende von Kufstein aus machen kann, führt in das Thierseerthal (siehe unten). Der nächste Weg[1]) dahin führt über die Innbrücke, steigt dann bald auf Felsplatten in düsterer Waldesnacht mit schönen Rückblicken auf das Innthal hinan, links die hohe Wand des Pendling lassend, und gelangt sogleich in den oberen Theil des Thales.

Das linke Ufer des Inns von Wörgl bis Kufstein. Über Angath oder Anget gelangen wir, den Angathberg (ein Theil des Angerer Bergs) passirend, wegen der Windungen des Inns nach Mariastein, einer berühmten Wallfahrt, in dem Mariasteiner- oder Längenthal gelegen, welches den Angererberg nördlich von dem eigentlichen Kalkgebirge abschneidet. Mariastein hat seinen Namen von dem Schlosse gleiches Namens, ehemals den Freundsbergern, zuletzt dem Grafen Paris von Kloz gehörig. Ein merkwürdiges Alterthum dieser Burg ist ein alter Slavischer Codex vom Jahre 1057, Predigten von Kirchenvätern enthaltend, 1836 vom Slavischen Sprachforscher Kopitar in Wien herausgegeben. Außerdem schöne Aussicht in die geologisch merkwürdige gegenüberliegende Innthaler Seite bis Wörgl und in das Brixenthal. Unweit des Schlosses der Mariasteiner See; in dem Thurme die Ka-

---

1) Der Verfasser verdankt die Kenntniß dieses Weges dem Zufall. Er kam gegen Abend über Bayrisch-Zell bey einem schweren Gewitter an der Pfarrwohnung an und bat um Aufnahme oder einen Wegweiser, erhielt aber keins von beyden (eine Ausnahme in Tyrol), sondern wurde zur Eile angewiesen, wenn er Kufstein erreichen wolle. Durch wirklichen Zufall fand er in der Dämmerung, verlassene Kohlenstätten passirend, unter der Wand des Pendling den Stufenweg hinab ins Innthal.

pelle der Jungfrau. Oberhalb Mariastein zieht sich das Längenthal in eigenthümlicher Schönheit hin. Allenthalben zerstreute Bauernhöfe, herrliche schattende Eichengruppen, Blicke in die sich hier umgestaltende Bildung der östlichen Innthalseite, rauhes überragendes, doch noch von Krummholz übersponnenes Gebirge in der Nähe, sind die Hauptzüge dieser Gegend. Großer Bergsturz 1817. Im Innthal selbst liegt die bedeutende Gemeinde Ober- und Unter-Langkampfen mit 107 H., 648 E. — Bey dem Dorfe Zell (54 H., 672 E.) erreichen wir die Kufsteiner Innbrücke wieder. Auf der Zellerburg, welche einst mit Festungswerken versehen war, weil sie Kufstein beherrscht, hat man, besonders auf der nordöstlichen Kuppe, eine sehr umfassende Aussicht hinauf zu den Fernern des Ziller- und Stubaythales. Unweit darüber die Trümmer der Burg Thierberg, wie eigentlich der ganze Bergrücken heißt, welcher vom hohen Pendling herabsetzt und das Thierseerthal vom Innthal scheidet. Das zum Theil in Felsen gehauene Wirthshaus zu Thierberg ist wegen seiner schönen Aussicht, besonders gegen den Kaiser, ein vielbesuchter Vergnügungsort der Umgegend. Die Thierseer Fahrstraße übersetzt hier ebenfalls, wie oben der Fußweg, den Thierberg, an dem kleinen, aber lieblichen Pfrillen-, Lang- und Hechtensee vorüberführend. Der Hechtensee ist merkwürdig wegen seines zweymaligen sturmähnlichen Aufwogens bey völliger Windstille, den 1. Nov. 1755 und den 31. März 1761, und zwar so, daß am letzteren Tage die Eisdecke des Sees gesprengt wurde. An beyden Tagen waren Erdbeben zu Lissabon.

Von Zell aus folgen wir der Straße und erreichen gleich darauf die Bayrische Grenze. Der Grenzstein trägt auf Österreichischer Seite das Österreichische Wappen und 21¼ St. von Innsbruck, auf Bayrischer Seite das Bayrische Wappen und 23½ St. von München. Ein anderer schönerer Grenzstein ist die Ottokapelle. Sie verkündet ganz im romantischen Sinne des Mittelalters, das lieber durch solche heilige, einfache Denksteine sprach, als durch Worte, eine für Bayerns Königshaus und Volk wichtige Begebenheit, den Abschied König Otto's von Griechenland von seinem Bayerlande. Eine schöne Altdeutsche Kapelle von Ziebland schmiegt sich an die linke Thalwand, eine Treppe führt hinan und hinein in das Heiligthum. Bald darauf erreichen wir das erste Bayrische Dorf, Kiefersfelden, mit 15 H. und 114 E., und in der Nähe das Österreichische Eisenhüttenwerk Kiefer, welches sich hier angesiedelt hat wegen des Thierseer Holzreichthums, der hier auf der Thierseer Ache herabgetriftet wird.

Das Thal Thiersee, das letzte linkseitige Tyroler Thalgebiet des Inns, erstreckt sich 5 Stunden weit in das Gebirge hinein. Wenn es auch nicht von Kalkhochgebirgen umschlossen wird, so hat es dennoch äußerst großartige und malerische Scenen. Seine Richtung ist, als ein Nebenthal des jetzt gerade von Süden nach Norden ziehenden Innthales, von West nach Ost. Die Thierseer Ache wird auch Klausenbach genannt, weil sie durch Klausen zur Holztrift geschwellt wird. Das Thal ist in seiner Sohle beengt und steigt am Grenzpasse Kiechlsteg aus Bayern wieder nach Tyrol hinein. Bald darauf erreicht man den Thiersee, auch Schreckensee, nur dreyviertel Stunden im

Umfang und kleiner, als der Hechtensee, welcher am vorderen Ende des Rückens liegt, der Innthal und Thiersee scheidet. Hinter dem See kömmt man zu der Gemeinde Außer- oder Vorder-Thiersee mit der Margarethenkirche. Die Pfarre hat eine schöne Lage. Die zwey hier wohnenden Geistlichen besorgen Außer- und Inner-Thiersee, welches letztere eine Stunde tiefer thaleinwärts liegt. Schön gelegenes ächtes Alpenwirthshaus, im Tyroler Style und herrlicher Ausblick in die Region des Innthales, jenseits dessen der Kaiser majestätisch gleich einem Altar Gottes aufsteigt, wohl der malerischste Punkt des Thales. Man erreicht bald darauf eine Gabeltheilung. Links herab kömmt der Glembach, rechts der Ackernbach, jener die Thalgegend und Gemeinde Riedenberg, dieser die Gemeinde und Thalgegend Landl durchfließend, die obersten Thalstrecken von Thiersee. Bey Landl steigen wir von der Thalstufe herab. Hohe, trotzige, größtentheils bewaldete Berge umstehen als finstere Riesen den Thalkessel [1]).

In Landl werden die Päße visirt und der Reisende steigt jenseits hinan zum Passe Hörhag, von wo man an einigen Seen vorüber in das Gebiet der Bayrischen Leitzach kömmt, und zwar in 3 Stunden nach Bayrisch-Zell (siehe unten).

Das ganze Thalgebiet Thiersee war einst für Tyrol, wie das benachbarte Brandenberg, eine Vorhut gegen Bayern; daher hatte es auch mit jenem gewisse Vorrechte gemein. Die Thierseer mußten in vier Blockhäusern das Grenzgebiet vertheidigen. Auch sie zeichneten sich in den Kämpfen, wo wälsche Hinterlist Deutschland theilte, durch Tapferkeit aus. 1703 brachen die Bayern, von den Franzosen unterstützt, in Thiersee ein und richteten durch Zerstörung einen Schaden von 3750 Gulden in dem Thale an. Dadurch erbittert, ergriff Alles die Waffen, Knaben, Weiber und Greise nicht ausgenommen. Der Feind mußte das Land räumen. 1805 wollten die Franzosen durch den Paß Hörhag eindringen, wurden aber von den muthigen Thierseern zurückgeschlagen. Ebenso wurden die Bayern 1809 hier von den Thalbewohnern zurückgeschlagen, wie der Feind an demselben Tage an dem unteren Eingange am Kiechlsteg völlig geschlagen wurde. Als ein vorzüglicher Mann in allen Tyroler Volkskämpfen von 1796—1814 ist noch Jacob Sieberer aus dem Landl in Thiersee anzuführen; er focht neben Speckbacher, stand als besonnener Rathgeber Hofern zur Seite und wurde gewöhnlich als Gesandter gebraucht, bald ins feindliche Hauptquartier, bald aus diesem zu den Tyrolern. Eben deßhalb hatte er jedoch auf beyden Seiten Verfolgungen zu erleiden, wenn auch nicht von den Häuptern des Krieges, die ihn besser kannten, als von der aufgeregten Menge. Er wurde zuletzt in dem allgemeinen Freyheitskriege Österreichischer Major und starb auf dem Rückmarsche aus Italien zu Trient 1814.

Bodenerzeugnisse des Thales sind die gewöhnlichen Getraidearten, doch nur wenig Mais; in erträglichen Jahren bauen sie hinlänglich für den Bedarf des Thales; keine Armen; Arbeitsunfähige werden unter die Höfe vertheilt. 190 Pferde, 192 Ochsen, 769 Kühe, 700 Rinder, 815 Schafe, 21 Schweine. Statt dieser letztern schlachtet jeder Bauer um Weihnachten eine Kuh. 2000 Stück fremdes Vieh wird auf die hiesigen Alpen getrieben und von Sennern gepflegt, während das inländische Sennerinnen besorgen, mit Ausnahme der Pferde. Ein anderes Hauptgewerbe verschafft das Holz, jährlich 4000 Klaftern. Das Gewerbe ist zunftmäßig. 200 Holzschläger und Köhler. Bucheckernöhl. Enzianbranntweinbrennerey auf der Alpe Äckern. Man zählt 945 Einwohner.

Wir betreten jetzt die letzte Thalstrecke des innerhalb des Gebirges liegenden Inngebietes. Bey Kiefersfelden breitet sich das Innthal zu einer großen Fläche aus, indem der Fluß selbst, in viele Arme getheilt, eine nördliche Richtung

1) Es kömmt bey allen Gegenden sehr auf die Umstände an, unter welchen man sie sieht. Während wilder Hochwetter, wo die Berge bald dampfen, bald hinter dem Vorhang des niederströmenden Regens stehen, erscheint fast jede Gegend am großartigsten. Unter solchen Umständen besuchte der Verfasser diese Gegend.

annimmt. Abgeschnitten wird diese Strecke durch die Thierseer Ache und den von Osten her in den Inn fließenden Jenbach. Im Süden dieser Einschnitte ziehen die höheren Rücken der Kalkalpen, der Hinterkaiser von Osten heran zum Inn und der Pendling im Westen des Innthales. Die Kalkalpen, welche im Norden jenes Einschnittes liegen, sind bedeutend niedriger, fast ganz bemattet und am Fuße umwaldet, nur dann und wann erhebt sich noch ein rauher Felsenkopf aus dem schönen Grüne der Alpen. Dieses unstreitig ehemalige Seebecken hat manche Ähnlichkeit mit dem Salzachthale oberhalb Salzburg; wie dort der Gaisberg am nördlichen Ende dieser rechten Thalseite, so erhebt sich hier das Grenzhorn (Kranzhorn) auf der Grenze zwischen Tyrol und Bayern. Doch hat das Innthal hier weder die Reize von Salzburg, noch seine frühere Anmuth; der Strom verblutet sich zwischen den unzähligen Kiesinseln und Erlenauen; die ganze Thalfläche erscheint als Erlenwald.

Wir verfolgen jetzt zuerst, wie immer, die Straße, wandern also auf Bayrischem Gebiet, der linken Thalseite, fort, während das rechte Innufer noch bis zum Grenzhorn Tyrolisch ist. Der nächste Ort ist Oberaudorf, das sich an den mitten im Thal sich erhebenden Felsenhügel lehnt (Salzburg im Kleinen), auf welchem die letzten Trümmer der alten Auerburg liegen. Die Straße führt an dem Felsen unter einem Thorgewölbe hin mit sehr malerischen Scenen. Die Erbauung der Burg ist unbekannt[1]), wahrscheinlich in den Zeiten des Faustrechts; 1504 werden die Pfälzer im Bayrisch-Landshutischen Erbfolgekrieg von dem Pfleger Parcifal Urfarrer zurückgeschlagen; 1743 wird die Burg von den Österreichern verbrannt; 1745, dem Vertrage zu Füssen gemäß, geschleift. 1800 Gefechte zwischen den Österreichern und Franzosen. Ein auf der Ecke des Felsens eingehauener Ochsenkopf soll das Andenken des hier 1704 gestandenen Lagers seyn. Das Dorf Oberaudorf zählt nur 49 H. und 466 E.; vier Gasthäuser.

Hat man das Dorf passirt, so erweitert sich die Gegend um die Straße wieder. Man überschreitet den Auerbach, der mit seinen obersten Zweigen den östlichen Fuß des Wendelsteins (siehe unten) umfaßt. Mehrfache Steige führen durch dessen Thal in das Thalgebiet der Leitzach, nach Bayrisch Zell. Der nächste Ort ist Niederaudorf, eine halbe Stunde von dem vorigen, mit 16 H., 145 E. Rechts führt eine Seitenstraße über den Inn bey dem Dorfe Urfahrn, mit einem alten und neuen Schlosse. Das alte Schloß hat seinen Namen Urfahrn von Überfahren, weil hier eine Fähre über den Inn ist, und wurde von einem Leonhard erbaut, dessen Nachkommen den Namen Urfahret erhielten. Das Innthal verengt sich wieder, die Straße schmiegt sich links an dem hohen Wildbarrn hin, von dem ein Vorgebirge die alten Ruinen Kirnstein trägt. Zeit der Erbauung unbekannt; 1400 von den Preysingern an die Laiminger verkauft; von diesen 1405 an Herzog Heinrich den Reichen von

1) Repertorium des topogr. Atlasblattes, Auerburg, S. 118.

11 *

Bayern=Landshut, nach dem Aussterben dieser Linie an Bayern=München. Nachdem wir den stürmischen Einödbach überschritten, kommen wir nach Fischbach, der ersten Poststation von Kufstein. Jetzt breitet sich das flache Land aus, im ersten Augenblick anziehend, aber bald ermüdend. Links die Berggruppe ist der Riesenberg; um ihn schwingt sich westlich das zuerst noch hügelige Land.

Unter einem wahren Obsthayne führt die Straße nach dem Dörfchen Windschnur. Links davon erblickt man auf einem Vorsprunge des Gebirges die malerischen Trümmer der Burg Falkenstein, ebenfalls von einem Obstwalde umgeben. Schon 1180 wird hier einer urbs Valchenstein erwähnt; 1272 fiel es an Herzog Ludwig II., den Strengen, kam dann durch die Familien Hofer, Hund, Ruepp an Maximilian V., Grafen von Preysing; wurde den 24. May 1784 durch Feuer zerstört. Darüber auf einem höheren Vorsprunge die noch älteren Überreste einer unbekannten Burg. Noch höher hinan liegt eine Kirche, der Petersberg, einst ein Kloster, 1100 vom Grafen Berthold von Andechs und Diessen gestiftet und in einem Kriege zwischen Meinhard von Tyrol gegen Bayern zerstört. Schöne Aussicht auf das Innthal.

Der nächste Ort ist Oberflintsbach, ein bedeutendes Dorf mit 81 H. und 203 E. Hauptgeschäfte Schleif= und Mühlsteinbrüche in dem hier heranziehenden Sandsteinflötze, der eigentlichen Grenzlinie zwischen Gebirge und Vorland, außerdem bedeutender Obstbau; manche Bauern führen in guten Jahren für 3—400 Gulden aus. Jenseits Degerndorf, das zwischen zwey Bächen, dem Förchenbache und Kirchbache, liegt, erblicken wir die herrlich liegende noch bewohnte Brannenburg. Sie kam 1300 an die Herzoge von Bayern, dann an die Winzer, Pienzenauer, Hund, Falkenstein und Moosegg, und zuletzt 1728 an den Grafen Maximilian III. von Preysing. Noch jetzt besitzt es diese Familie. Es ist schön eingerichtet, hat eine äußerst reizende Lage und herrlichen Garten, besonders für den Obstkenner interessant. Brannenburg ist unstreitig die Hauptzierde der ganzen Gegend. Doch nur der aus dem Flachland in das Gebirge Reisende kann die Flitterwochen der Alpenreise hier in vollem Maaße genießen. Der aus dem Gebirge kommende ist abgelebt und genießt nur halb.

Immer weiter verflacht sich der Boden zum Rosenheimer Moos, einst ein See, wie noch jetzt der nahe Chiemsee. Über Reischenhart mit 22 H., Kirchdorf mit 21 H. und 1 Gasthause, von wo ein Seitenweg und eine Überfahrt nach Neubeuern (hier gewöhnlich Neubayern genannt) führt, Raubling mit 19 H., Redenfelden mit 9 H. und 1 Gasthof, Pfranndorf mit 20 H. gelangt man nach Aising, links die Einöde Hochstraß lassend; letzteres hat seinen Namen von einer Römerstraße, welche hier zu Lande wegen ihrer Bauart Hochstraßen genannt werden. In der Nähe wurde ein Römischer Denkstein gefunden, welchen Septimius Julianus seiner Gattin Septimia Tycha setzte. Diese Römerstraße kam von Innsbruck herunter.

Bald darauf passirt man die Mangfall auf einer Brücke, und erreicht die Münchner-Salzburger Straße, die uns nach dem nahen Rosenheim führt.

Rosenheim am Inn ist ein schöner und großer Markt, der noch dazu einen reizenden Namen hat, den es jedoch auch nur für den in das Gebirge Reisenden hat, nicht für den Herausreisenden. Und so erscheint auch uns Rosenheim jetzt nicht in dem Reize der Verklärung; seine Thürme unterbrechen allein den fernen flachen Horizont.

Der Markt Rosenheim zählt 235 H. und 1944 E. Landgericht, Salz- und Forstamt, Poststation, Saline, Messingfabrik, Marmorsäge und Mineralquelle, der Küpferling; 5 Kirchen, Obstbau, gute Gasthäuser. Das Bad liegt außerhalb des Marktes, wird gegen Rheumatismus, Gicht, Magenbeschwerden, Geschwulst u. s. w. gebraucht und ist überhaupt eine der vielen Sommerfrischen der Münchner Welt. Bey dem Bade Fundort Römischer Alterthümer. Vor dem südwestlichen Thore die Sudhäuser der Saline, deren Soole 14 Stunden weit von Berchtesgaden und Reichenhall hergeleitet wird.

Rechtes Innufer von Kufstein bis Rosenheim. Von Kufstein aus rechts am Inn hinabwandernd, überschreiten wir unweit der ehemaligen Einsiedeley, jetzt Lorettokirche, den Kaiserbach bey Sparchen. Bis hierher, eine halbe Stunde von Kufstein, sollte jeder Reisende wenigstens einen Ausflug machen, besonders der Maler. Der Bach stürzt hier aus einer nächtlichen Klamm, in welche nur spärliches Licht von oben hereinfällt, hervor, und bildet einen herrlichen Wasserfall, den man, da hier Alles kaiserlich ist (Kaiserberg, Kaiserthal, Kaiserbach, Kaiserstraße) den Kaiserfall nennen sollte. Dicht daneben wirbeln die Rauchsäulen eines Hammerwerkes auf, sowie den Bach noch andere seiner Sturzfluth bedürfende Mühlwerke umdrängen, zwischen denen die hölzerne Brücke den Bach überspannt. Sie ist der beste Standpunkt des schönen Bildes. Der Kaiserbach kömmt aus dem Kaiserthale, dessen grüne Alpenregion auf der Höhe umstarrt wird von dem Felsenkranze des Hinter- und Vorderkaisers. Nur die Häusergruppe Hinterkaiser belebt, außer den Sennhütten, das Thal. Über Eichlwang kommen wir in jene große Ebene des Thales, die wir schon vorhin links des Stromes von Kiefersfelden bis Aubdorf durchzogen. Das rechte Innufer oder vielmehr die Bucht des unteren Jenbachthales ist hier viel angebauter und bevölkerter, als das linke. Das erste bedeutende Dorf ist Ebbs mit 119 H. und 600 E. (die ganze Pfarrgemeinde 1155 E.), 1 Stunde von Kufstein. Die Galas-Schanze, Salpetersiederey, Pfannenschmiede. Jenseits Ebbs überschreitet man den Jenbach, welcher an der niedern Wasserscheide gegen die Groß- oder Kitzbühler-Ache entspringt und mit seinen Armen das ganze östliche Becken des ehemaligen Innsees in dieser Gegend vom Kaiser bis zum Grenzhorn in Anspruch nimmt. Zwey fahrbare Wege führen über die Wasserscheidehöhen dieses Gebietes; der eine östlich über den Walchsee nach Kössen zur Großen Ache, der andere nordöstlich

Salcharang in das Thal der Prien und in ihm hinab über Hohen-
aschau in das Becken des Chiemsees.

Eine halbe Stunde von Ebbs, in der Mitte jener Ebene, liegt Niedern-
dorf mit 60 H. und 440 E. (die ganze Pfarrgemeinde, welche weit zerstreut
umher liegt, 230 H., 1298 E.).

Weiter am Inn hinab liegt der Weiler Mühlgraben, Bierbrauerey,
und darüber auf der Gebirgsstufe Schonau in sehr reizender Gegend und Aussicht, Bad (erdig-kalische Bestandtheile mit Kohlensäure, Chlor und Schwefel
verbunden, gegen Verdauungsbeschwerden, Gicht, Rheumatismus, Hypochondrie, Bleichsucht u. s. w.). Die Anstalt ist neu und gut eingerichtet.

Über den Trockenbach kommen wir in das letzte Tyroler Dorf Erl,
3 Stunden von Kufstein, mit 128 H. und 700 E., 1475 F. über dem Meere.
Bald darauf tritt das Nordgebirge mit dem Grenzhorn an den Inn heran
und bildet den Paß Thurn bey Windhausen. Das Grenzhorn, ohngefähr 5500 F., ist einer der interessantesten Aussichtspunkte der Gegend und
einer der schönsten des Alpenlandes. Hinabblick ins Flachland bis München und
zur Donau, auf das Innthal, über den Chiem- und Simsee im Innthale aufwärts, auf die Pinzgauer Ferner, die Kalkschroffen des Kaisers, in das Ge-
wimmel der niederen Kalkgipfel west- und ostwärts.

Vom Grenzhorn herab kommen wir über Nußdorf nach Neubeuern,
einem Markt mit 102 H. und 500 E., der sich um einen Nagelfluhfelsen la-
gert. Dieser ist mit den Trümmern einer Burg verwachsen. Der am nördlichen
Fuße der Alpen öfters vorkommende Name Beuern soll von dem Alemannischen
Zweige der Buri, die vom Rhein bis zur Salzach viele Orte gründeten, seinen
Namen haben [1]). Das Alter des Schlosses reicht bis über das Jahr 1101, zu
welcher Zeit Graf Heinrich von Frontenhausen-Leysbach und Mödling, aus dem
Geschlechte der Welfen, im Besitz war. 1321 war Neubeuern schon Markt.
Zuletzt kam es an die Grafen von Preysing. Die Bewohner leben von der
Schifffahrt auf dem hier in viele Arme getheilten Inn und von den Mühlstein-
brüchen in der Nähe (Nagelfluhe). Auf der Burg schöne Aussicht in dem Innthale hinan; dort, wo es sich südwestlich wendet und dem Auge entzieht, ragt
über seine linke Thalwand die Gruppe des Venedigers aus der Tauernkette hervor; der Obersulzbacher Venediger gleicht mit seinen eisigen Trabanten einem
gewaltigen Zelte, das sich im Hintergrunde silberglänzend oder an schönen
Abenden rothglühend in den blauen Äther weithin ausspannt. In solchen Au-
genblicken, wie auch an heiteren Morgen, gibt die hiesige Gegend ein äußerst reizendes Landschaftsgemälde.

---

1) Repertorium des topogr. Atlasblattes, Auerburg, S. 132.

Westliche und nördliche Vorlage des Innthales.

Hierunter verstehen wir die ganze Gebirgsumwallung des Innthales, welche sich westlich durch die Ill und Bregenzer Ache zum Rhein und nördlich durch Iller, Lech und Isar unmittelbar zur Donau und durch die Mangfall zum Inn, aber außerhalb des Gebirgs, abdacht. Wir beginnen im Westen und befolgen denselben Plan, indem wir in dem Hauptthale des Gebietes hinabwandern und in den sich seitwärts mündenden Seitenthälern hinaufsteigen bis zur Wasserscheidegrenze.

I. Rheingebiet oder Vorarlberg.

Das Rheinthal ist im Anfange ein Parallelthal des Innthales, im Schooße des Urgebirges gelegen, gegen Nordost gerichtet; von Chur, der Hauptstadt Graubündtens, wendet es sich gerade nach Norden, und sein mächtig gewordener Strom, es verschmähend, zu einer Seitenthür hinaus über Sargans zu entfliehen, durchbricht nördlich seine letzten Fesseln, um sich zuvor noch in dem seiner würdigen Bodensee zu baden, seinen Gebirgsstaub abzuwaschen und zugleich bey dieser Gelegenheit sich noch ein Gebiet zu erobern.

Der Rücken des Rhäticons, welcher im Grenzpaß Luziensteig herab zum Rheine steigt, scheidet das Schweizerische Landquartthal (Prättigau) von dem Deutschen Illthal (Tyrol-Vorarlberg), jenseits im Westen des Rheines setzt die Kette der Kuhfirsten diesen Rücken fort. Der Rhein ist vom Luziensteige an rechtseitig Deutsch, linkseitig Schweizerisch. Das Rheinthal selbst war einst wohl bis hierher von dem Spiegel des Bodensees bedeckt; deutlich erkennt man besonders in den rechtseitigen Bergwänden die Küsten dieses Meeres. Die große Ebene des Thales ist noch mit Felseninseln, ehemaligen Sandbänken, bedeckt. Der größte Theil des Deutschen Gebietes, so weit es den Deutschen Alpen angehört, bildet den sogenannten Vorarlberg, das Land, welches, von Tyrol aus gesehen, jenseits des Arlbergs liegt. Im Südwesten ist das kleine Fürstenthum Lichtenstein ein Vorposten, im Norden das Bayrische Lindau. Wir haben es daher hier der Hauptsache nach mit dem Vorarlberg zu thun.

Der Vorarlberg[1]).

Der Reisende, welcher aus Tyrol kömmt, oder auch dahin reist, die Schweiz, wie Tyrol jedoch kennend, wird, obgleich Vorarlberg zu Tyrol gehört, doch bald

1) Ebels Anleitung Th. 4. S. 52 u. s. w. Zeitschrift des Ferdinandeums. 1827. B. 3. S. 268. Desgl. 1825. B. 1. S. 281. Vorarlberg von M. Merkle.

einen Unterschied beyder Völker wahrnehmen. Die Rheinabdachung geht von Tyrol aus westwärts; der Wanderer, vom hohen Arlberg herabkommend, hat die Appenzeller Alpen, die Schweiz vor sich; so ist auch das Volk schon mehr der Schweiz zugewendet und abgewendet von dem trauten Tyrol. Bauart, Abnahme einer originellen Volkstracht, mit Ausnahme der höchsten Gebirgsthäler, lassen die Nähe der Schweiz errathen. Selbst hie und da wird der saure und theure Schweizer dem wohlfeileren Tyroler Wein vorgezogen.

Die Bevölkerung war ursprünglich Celtischen Stammes, später mit Rhätiern vermischt. Der westliche Theil wurde größtentheils später von den Alemannen unterworfen; daher vielfache Streitigkeiten zwischen der oberen Rhätischen und unteren Alemannischen Bevölkerung. Die Römer bahnten sich hier im Rheinthale eine Hauptstraße hinab nach Vindelizien, welche bey Feldkirch aus zwey Armen, östlich durch das Vintschgau und Oberinnthal, südlich durch Graubündten kommend, zusammenfloß. Vorarlberg wurde nun Rhaetia prima. Ein großer Theil der Bevölkerung wurde nach Italien verpflanzt, während Römische Soldaten sich hier niederließen. Aus dieser Vermischung des Römischen mit dem Rhätischen entstand das Romanische Element dieser Gegend. Noch aus den Zeiten der Römischen Herrschaft stammen die meisten Kirchen, daher sehr alt. Dem Römerreiche folgten die verwüstenden Gewitterstürme der Völkerwanderung, bis Theodorich, der große König der Ostgothen, den Fluthen hier herum in Etwas Einhalt that. Nach seinem Tode kam der westliche Theil seines Reiches und somit Vorarlberg an die Franken. Hiermit ging das freye Besitzthum unter in den Wogen des Feudalwesens. Herren- und Knechtschaft folgte, deren traurige Überreste verheerender wirkten, als alle Gießbäche der Alpenwelt. Ein Glück noch für das bedrängte Volk war damals die zunehmende Macht und das Ansehen der Kirche. Aus dem unter Karl dem Großen mehr geordneten Gemeindewesen tauchten später die Geschlechter Werdenberg, Montfort, Bregenz und Embs vorzüglich auf, und Vorarlberg zerfiel in die Grafschaften Feldkirch, Bregenz, Hohenembs und Bludenz. Endlich vereinigte Österreich zum Heile des Landes diese verschiedenen Theile zu einem Ganzen, mit Ausnahme von Baduz und Schellenberg, aus denen das Fürstenthum Lichtenstein gebildet wurde. Der Kreis Vorarlberg umfaßt 46,65 Q.M. mit 103 Gemeinden und 98,531 Einwohnern in 16,926 Häusern.

Im Westen wird unser Gebiet durch den von Süden nach Norden ziehenden Rhein begrenzt, im Süden durch die hohe Bergkette Rhäticon, welche das Vorarlberger Thal Montafun von dem Graubündtner Prättigau (Rhätigau) scheidet. Gegen Nordwesten stuft es sich durch den Hinteren (höheren) und Vorderen Bregenzer Wald nach Oberschwaben ab; nordöstlich trennt es die

---

Innsbruck 1839. Das Land Tirol mit Vorarlberg von B. Weber. 1838. B. 3. S. 543 u. s. w. Tirol und Vorarlberg von Joh. Jak. Staffler Th. II. B. 1. S. 1—143. Vorarlberg nach dem geognostisch-montanischen Verein für Tirol und Vorarlberg u. s. w. mit einer geognostischen Charte. Innsbruck 1843.

Arlberger Kalkkette von dem Tyrolischen Lechthal und dem Bayrischen Algau, östlich der Arlberger Scheiderücken von dem Gebiet des Innthales. Vorzüglich zeichnet sich das Land durch seinen außerordentlichen Gewerbfleiß aus, so daß es in dieser Hinsicht in Österreich obenan steht. Da dieser Gewerbfleiß des Fabriklebens hier auch einen sichern Rückhalt hat, fruchtbaren Boden, mildes Klima und treffliche Alpen mit vorzüglicher Alpenwirthschaft, verbunden mit seltner Einfachheit bey großer Wohlhabenheit, so ist die Lage der Bewohner um so gesicherter.

Wir treten nun die Wanderung selbst an. Von der Mündung der Landquart, welche aus einem engen Schlunde die Fluthen des Prättigaus verwüstend herauswälzt in den Rhein, steigen wir rechts hinan zu dem Bergrücken, der an den Rhein vorspringt, und erreichen auf der Höhe zwischen der Guscheralpe (5573 F.) rechts und dem Fläscherberge (3114 F.) links die Höhe des Passes, den Luziensteig (2184 F.), 551 F. über der Sohle des Rheinthales, bey Mayenfeld. Der Name Luziensteig soll von dem König Luzius, der aus Britannien einwanderte und das Christenthum predigte, stammen. Der Paß steigt allmählig an und bildet auf der Höhe eine Klamm. Mehrfache Kämpfe fanden hier statt. 1499 schlugen die Schweizer durch Wala's (aus Glarus) Tapferkeit die Österreicher zurück; 1799 und 1800 bekämpften sich hier Österreicher und Franzosen. An einer Steinplatte des Katharinenbrunnens, welcher an der Grenze, doch unterhalb der Straße, entspringt, befindet sich nördlich das Lichtensteinische Wappen, südlich das Bündtnerische mit der Umschrift: „Alt fry Rhezien." Nach dem Luziensteig breitet sich das Rheinthal aus, so daß die Straße wieder hinabsteigt und zwar auf nun Deutsches Gebiet. Der erste Deutsche Ort (Fürstenthum Lichtenstein) ist Balzers neben einem isolirten Hügel in der Rheinebene, auf welchem das Schloß Guttenberg liegt, einst von den Herren von Guttenberg bewohnt. Jenseits des Rheines liegt Sargans und die Niederung des Wallenstädter Sees. Nicht weit davon mündet die Tamina in den Rhein bey Ragatz. Daher ist von hier leicht ein Ausflug zu machen nach dem 2½ Stunden entfernten berühmten Schweizer Bade Pfeffers in den fast unterirdischen Schlünden der Tamina. Über Trissen führt uns die Straße nach Vaduz, dem Hauptorte des Fürstenthums Lichtenstein, mit 1800 E.; schöne Lage an einem Felsen, der die Burg Vaduz, jetzt auch Lichtenstein genannt, trägt, mit Mauern und Thürmen versehen; Wohnung des Försters. Die Kapelle unten im Dorfe einst Begräbniß der Herren von Werdenberg. Die Rheinebene breitet sich immer mehr aus. Jenseits des Rheins erhebt sich die Appenzeller Gebirgswelt, nicht gerade in malerischen Formen, eine lange hohe Bergwand gegen den Rhein aufbauend, die jede Einsicht verbirgt, so daß selbst der hohe Säntis nicht gesehen werden kann. Die langgezogenen, mitten in der Rheinebene und in ihrer Richtung liegenden Felsenketten des Schellenbergs und Ardetzenbergs lassen den Blick nur theilweise auf der weiter dahinter liegenden Ebene durchgleiten.

So kommen wir, der Straße folgend, rechts in das Thälchen zwischen dem Ardetzenberg und der rechtseitigen Bergwand des Rheinthales nach Feldkirch, 7 Stunden von Bregenz, 1410 F. üb. d. M., ein Städtchen, das in mehrfacher Hinsicht merkwürdig ist. Schon seine Lage ist äußerst eigenthümlich. Es liegt an der Mündung des Illthales in die Rheinebene. Das Illthal, welches kurz zuvor noch, von Bludenz herab, sehr breit war, wird durch eine Kalkfelsenmauer völlig geschlossen, nur durch eine enge Klamm, durch welche sich neben dem Flusse mühsam die Straße drängt, hat sich die Ill eine Bahn gebrochen. Ein kühner Brückenbogen überspringt die Enge am oberen Eingange. Kaum ist die Ill aus dieser Enge herausgetreten, so tritt ihr ein zweyter Felsenriegel in den Weg, der genannte, schon in der Rheinebene liegende Ardetzenberg, doch so, daß rechts (nordöstlich) und links (südwestlich) ein ebener Ausgang zur Rheinebene bleibt. Die Ill aber, gerade auf den Ardetzenberg losstürmend, durchschneidet ihn die Quere und gelangt nun erst in die Rheinebene, in welcher sie auf den mit dem Ardetzenberg parallel laufenden, aber etwas südlicher geschobenen Schellenberg, aber nur sein Nordcap trifft, und, etwas abgestoßen, in gerader Richtung fast nördlich dem Rheine zueilt und denselben unweit Meiningen erreicht. Die Stadt Feldkirch liegt gerade in der Mitte dieser beyden Felsenengen, rings von Felsenmauern umwallt, mit vier natürlichen Auswegen: gegen Südost durch die obere Illklamm in das Gebirge, gegen Nordwest durch die untere Illklamm in das Rheinthal, gegen Nordost durch die Tiefe zwischen dem Gebirge und dem Ardetzenberg in das untere Rheinthal nach Bregenz, durch eben dieselbe mit dem Rheinthal gleichsöhlige Tiefe gegen Südwest in das obere Rheinthal nach Baduz und Chur. Daher ist Feldkirch eine natürliche Festung, um welche auch schon öfters heiß gekämpft wurde.

Der Ort verdankt wahrscheinlich seine Entstehung den Römern; von ihnen blieb zuletzt nur ein kirchlicher Überrest, St. Peter (zwischen Feldkirch und Rankweil). Darauf erste Ansiedelung in dem jetzigen Altenstadt, dem nordöstlichen Ausläufer der Stadt. Im Jahre 909 Erbauung der Schattenburg durch die Grafen von Montfort im Schatten der die Stadt gegen Südost überragenden Wand des Steinwalds. Bald folgten unter dem Schutz der Burg andere Ansiedelungen, aus denen die Neustadt entstand, wie noch jetzt eine Gasse in Feldkirch heißt, ein Name, der jetzt zuerst aufkömmt (Kirche auf dem Felde); daher von den südlichen Romanen noch immer St. Piedre genannt. Im Jahre 1271 belagerte Rudolph von Habsburg die Stadt mit dem Abte von St. Gallen, Berchtold von Falkenstein, fruchtlos. Im Appenzeller Kriege vertheidigte sich die Schattenburg 18 Wochen lang. 1416 belagerte die Stadt Friedrich Graf von Toggenburg vergebens. Erst später gelang es ihm, ihrer Herr zu werden. (Er war vom Kaiser Sigmund mit ihr gegen seinen Willen belehnt.) 1799 wurde ein Französisches Heer hier zurückgeschlagen, worauf Massena mit 18,000 Mann heranrückte und seinen Truppen die Plünderung der Stadt versprach. Der Österreichische General Jellachich hatte nur 5000 Mann, wurde aber von den Landesschützen unterstützt und Massena den 23. März durch sie völlig geschlagen. Im Jahre 1800 wurde Molitor hier besiegt. Das beste Gasthaus die Post oder Sonne.

Das älteste Bauwerk ist ein Erker in der Marktgasse am Hause No. 90, doch schon im Altdeutschen Style ausgeführt. Außer diesem gehören zu den ältesten Gebäuden: das bürgerliche Pfründnerhaus (1218), das Ritterhaus St. Johann, von Hugo von Montfort gegründet, die Vorstadt vor dem Churer Thore (1379), das Zeughaus (jetzt für Löschgeräthschaften eingerichtet), das Rathhaus (1492), der Dicke oder Katzenthurm mit der großen Glocke von 113 Ctr. Den Grafen von Montfort verdankt die Stadt viele Vortheile. Bedeutender Durchgangshandel aus Deutschland nach Italien und aus Österreich nach der Schweiz. Daher schreibt sich das Kaufhaus, die Zuschg genannt. Der letzte Landesfürst, Rudolph VII. von Monfort, gab eine sehr freye Verfassung, sowie seiner heitern Laune die Stadt, besonders die Kinderwelt, manche Volksbelustigungen verdankte, die nur durch spätere Unglücksfälle theilweise verwischt werden konnten; denn öfters trafen die Stadt große Feuersbrünste. Die jetzige Pfarrkirche wurde 1478 nach einem Brande in Deutschem Style erbaut. Gemälde von Giulio Pensa aus Genua, nach Anderen von Holbein (Hochaltarblatt), Sebastian Eberhard aus Constanz, Christoph Storer aus Augsburg, Wolfgang Hueber; eiserne, ehemals vergoldete Kanzel mit Heiligenbildern; große Orgel. Außer dieser Kirche die Leonhardskirche, Frauenkirche mit Hochaltarblatt von Matthias Kager aus Augsburg; Kapuzinerkloster und Kirche mit dem Hochaltarblatt, angeblich von Caracci. Sitz des Landgerichtes, welches 4½ Q.M. umfaßt; Gymnasium, Deutsche Hauptschule, Zeichnungs- und weibliche Arbeitsschule, Leseverein, 3 Ärzte, 1 Wundarzt, Rent- und Mauthoberamt, Obersalzfactorey, Buchdruckerey, Glockengießerey, hydraulische Öhlpresse (täglich 40 Pfund Öhl), zwey große Baumwollspinnfabriken, welche täglich 20 Ctr. Baumwolle verarbeiten, zwey Schönfärbereyen, eine Maschinenbestandtheilfabrik, ein Kupferhammerwerk, eine Bleywalze für Bleyplatten zur Bereitung der Schwefelsäure und für Röhren zu Wasserleitungen, eine Spritzenfabrik, zwey Bierbrauereyen, eine Ziegelbrennerey. 250 H., 1941 E. Weinbau, Kirschbaumzucht; Getraide nicht hinreichend, dagegen holz- und weidereich.

Ausflüge in die nächste Umgegend. Wir rathen dem Reisenden zwey Spaziergänge an, die ihm die beste Übersicht geben, nämlich auf den Steinwald und den Ardetzenberg. Von der Post folgt man der Straße nach Bludenz, betritt die obere Klamm, rechts jenseits, an einem Seitenkanale der Ill, großartige Fabrikgebäude und senkrechte Kalkwände mit ihren vielfach gewundenen Schichten. Ehe man die kühne, einbogige bedeckte Brücke betritt, durch deren Thor die Ill sich hereindrängt in die Engen, blickt man nochmals zurück; jetzt erheben die Appenzeller Alpen ernster ihre Häupter, aber so nahe, daß man sich kaum denken kann: dort jenseits dieser grünbematteten Felsberge wohnt das Hirtenvolk der Appenzeller. Dennoch erscheint dieser hohe Gebirgswall als ein natürlicher Grenzwall zwischen Völkern, die einem Stamme angehören. Wir gehen nicht über die Brücke, sondern folgen einem Steige, welcher links steil hinanführt, zum Theil auf Treppen. Oben am Anfange des Waldes theilt sich der Pfad; wir wählen den schlechteren links, der durch den Wald und das Buschwerk der Stechpalmen auf die Höhe des Steinwaldes bringt; der Wald lichtet sich und man wird plötzlich durch eine Aussicht eigner Art überrascht. Der Berg bricht senkrecht ab; tief unter uns blicken wir auf die alten Mauern der Schattenburg, darunter die ganze Stadt, deren Geräusch bis zu uns heraufdringt; über ihr der langgezogene Ardetzenberg, in der Mitte durchbrochen von der Ill; wiederum etwas höher aber noch geradliniger der Rücken des Schellenberges, über welchem sich dann die nahen Appenzeller Alpen aufbauen. Malerisch kann die Aussicht nicht genannt werden wegen der geraden langen Linien der genannten Berge, aber eigenthümlich; dieser Standpunkt möchte einer der besten Übersichtspunkte der nächsten Umgebungen Feldkirchs seyn. Der Spaziergang erfordert eine Stunde Zeit. Reisende, welche nicht über den Arlberg oder überhaupt den Oberen Vorarlberg, wie das Gebiet der Ill im Gegensatz des Rheinthales (Unter-Vorarlberg) genannt wird, besuchen, gehen, nachdem sie vom Steinwald wieder herab auf die Straße gekommen sind, rechts über die den Engpaß überspannende Brücke, bey der Häusergruppe Felsenau vorüber und schlagen sich dann rechts, wo sie an einen Steinbruch kommen, dessen Höhe erstiegen wird. Hier hat sich die ganze Scene verändert; man übersieht ein weites Thal, das Wallgau, das einstige Seebecken von Bludenz her bis zur Enge oberhalb Feldkirch, in welches die Thäler Montafun, Klosterthal, Walserthal, Samina und Gamperthon von allen Seiten einmünden. In diese Thäler blickt man von hier aus theilweise hinein. Ein anderer naher Ausflug führt auf den Ardetzenberg, ähnlich dem Mönchsberg bey Salzburg, denn sein Felsenwall scheidet die Stadt von der nahen Rheinebene, doch fehlen hier noch Wege und Stege; daher muß der Reisende die Nachsicht der Feldpolizey in Anspruch nehmen, über Zäune und Wiesen setzen, um gute Standpunkte zu finden. Wir wandern durch die Vorstadt am rechten Ufer der Ill und gelangen so in die vordere Klamm der Ill. Hier wird der Fluß, ehe er in die schattige Enge tritt, von einer einbogigen Brücke, ähnlich der oberen, überspannt, und es steht nun dem Reisenden frey, rechts hinauf auf den St. Veitskopf, wie der Felsengipfel über dem Illschlund auf dem nördlichen Theil des Ardetzenberges heißt, oder die Brücke überschreitend, wo bald darauf der Rückblick durch das steinerne, dunkle Thor der Felsen und Brücke auf die Stadt ein artiges Bild gibt, bey der alten malerischen St. Margarethenkapelle vorüber, auf den Margarethenkopf (Margarethenkapf) zu steigen. Hier hat man eine große Rundsicht. Gegen Osten liegt die bethürmte und ummauerte Stadt, in der Tiefe mit der Schattenburg und der sie beschattenden Wand des Steinwaldes, über welche die Hochgebirge des Wallgaues hereinschauen. Durch die obere Felsenklamm dringt der Blick in das Wallgau; südlich und südwestlich breitet sich die Thalfläche des oberen Rheines aus bis zu den Kuhfirsten, deren Gebirgsmassen in schönen Formen, in der Tiefe bemattet und bewaldet, zuhöchst in kahle Felsen schneidig auslaufen. Wo sie enden, erhebt sich der langgezogene waldige Rücken des Schellenbergs, über welchem die bematteten Kalkwände Appenzells ernst herniedersehen. Diese Alpen und der Schellenberg fallen nordwestlich ab, jene auf die Vorhöhen des Gäbris, dieser in die Rheinebene, welche nördlich durch den Kumen begrenzt wird, eine einstige Insel. Nordöstlich erheben sich über dem Veitskopf die Berge des Bregenzer Waldes.

Zu dem St. Veitskopf, der eine ähnliche Aussicht bietet, steigt man rechts vor der Brücke hinan, zum Theil auf einer an dem Abgrund schwebenden Felsentreppe. Die Aussicht wird zwar eines Theils durch den Margarethenkopf in die obere Rheinebene beschränkt, gewinnt aber durch den Hinabblick auf den Austritt der Ill aus ihrem Schlunde in die Ebene, wie auf die jenseitige Margarethenkapelle, an landschaftlichem Interesse. Der Ardetzenberg bildet einen zusammenhängenden Weinberg gegen

Feldkirch hinab. Etwas weitere Ausflüge zu größerer Übersicht der Gegend bieten der Gulm und Mutkopf dar.

Das Thal der Ill und ihr Gebiet.

Umlagert wird dieses große Gebiet im Norden von der Vorstufe des Bregenzer Waldes und dem höheren Stocke des obersten Lechthales, im Osten von dem Gebiete des Innthales und zwar von den Zwillingsthälern Stanz und Patznaun; im Süden von dem Prättigau Graubündtens. Es umfaßt über 20 Q.M. und zwar die Landgerichte Montafun und Sonnenberg, von welchem letzteren nur das oberste Lechgebiet, der Thamberg, nicht hierher gehört. Das Gebiet führt den gemeinschaftlichen Namen Ober-Vorarlberg. Der untere Theil des Illthales, wo die drey Hauptthäler zusammentreffen, heißt von Bludenz an bis Feldkirch das Wallgau; jene drey Thäler sind: gegen Nordwest das Walserthal, welches in seinem höchsten Gebiete den obersten Quellgebieten der Bregenzer Ache, der Iller und des Lechs, die Hand bietet. Das Zwillingspaar Montafun und Klosterthal reicht dem jenseitigen Zwillingspaar, Stanz und Patznaun, die Hände. Eine große Hauptstraße durchzieht das Gebiet von Feldkirch bis Bludenz, im Hauptthale fortziehend, dann aber in dem Klosterthal hinansteigend zum Rücken des Arlbergs und jenseits durchs Stanser Thal nach Landeck zum Inn.

Wir brechen von Feldkirch auf, durchziehen die uns schon bekannte Felsenenge, gehen über die Brücke auf das linke Ufer der Ill und befinden uns in der ersten Häusergruppe des Wallgaues, in Felsenau. Das große Gewerbe dieses Ortes, die Türkischroth- und Schönfärberey (Getzner und Mutter) verkündigt sich den Augen und Nasen von ferne; feuerrothe Garnstreifen auf dem Grüne der Wiesen und ein unangenehmer Geruch erfüllt die ganze Gegend. Zugleich betritt man hier das Landgericht Sonnenberg, 14¼ Q.M. und 24 Gemeinden umfassend. Links und rechts der Ill führen Straßen an den Höhen hin; wir halten uns zuerst auf der Hauptstraße. Der erste Ort, welchen dieselbe erreicht, ist Frastanz, ein Dorf auf beyden Seiten des Saminabaches, welcher rechts aus dem Gebirge vom Rhäticon herabkömmt. Das Dorf zählt 121 H. mit 747 E. (die Gemeinde 243 H. und 1521 E.). Große mechanische Spinnerey und Weberey (Grasmayr und Wohlwend-Ganahl). Unweit der Brücke an der Straße die alte St. Wendelinkapelle, unter deren Vordach ein großes Schlachtschwerdt und eine Hellebarde mit der Inschrift: Anno 1499 den 20. April allda, auf dem Feld, die Schweizerschlacht. Hier wurde das Österreichische, durch Schwäbische Bundestruppen, Tyrolische und Vorarlbergische Schützen verstärkte, Heer von den Schweizern geschlagen. Die Schützen, welche die Vorhut hatten, wurden durch Verrath umgangen; doch auch der Verräther Malis fiel. Anastasius Grün hat in seinem letzten Ritter diesen Kampf besungen. Noch jetzt wird bey einer Procession für die Gefallnen gebetet. Das Saminathal ist alpenreich. Unter den Felsenköpfen der drey Schwestern tritt es in das Lichtensteinische Gebiet. Das Hauptthal weitet sich immer mehr aus und Obstbäume und Weinreben schmücken noch die Tiefen. Rechts öffnet sich nach einer Stunde das Gamperthonthal, auf dessen herausgeschobenem Schuttberge das Dorf Renzing liegt mit 146 H. und 1137 E. (die Gemeinde 256 H., 2011 E.). 1 Schule, 1 Wundarzt; große mechanische Baumwollspinnerey und Weberey von Getzner, Mutter u. Comp. Westlich über dem Dorfe auf einem rebenbepflanzten Hügel die Burgruinen von Ramschwag, dessen Erbauung und Zerstörung unbekannt ist. Der letzte Ramschwager war Hektor von Ramschwag. Das vom Mangbache durchströmte Gamperthonthal hat die herrlichsten Alpen, bekannt unter dem Namen des Renzinger Himmels. Eine Viertelstunde hinter Renzing erreicht die Thalsohle des Wallgaues ihre größte Breite; bis zum Fuße der jenseitigen Höhen beträgt die Entfernung über eine Stunde. Die Straße zieht im Schatten der südlichen Bergwände einsam hin bis zu dem vorspringenden Tschelengaberg, zwischen dessen Steilabfall und der Ill nun kein Weg weiter führt. Die Straße wendet sich daher nordöstlich und übersetzt die Ill, um nach dem jenseitigen Nüziders zu führen. Das Dorf zählt 79 H. und 643 E. (die Gemeinde 111 H., 855 E.). Die kleine Binerkirche an einem Murbruche soll die älteste des ganzen Gebietes seyn. Im Dorfe selbst ist eine Schwefelquelle, welche jedoch nur von den Umwohnern gebraucht wird. Auf einem Felsen nördlich liegen die wenigen Trümmer der Burg Sonnenberg, von welcher das Gericht seinen Namen hat. Das Schloß wurde von den Grafen von Werdenberg erbaut. Bey einer Erbvertheilung 1351 kam es an Rudolph von Werdenberg, dessen Brüder es später an Eberhard Truchseß von Waldburg verkauften. Als aber dessen Sohn Andreas einen Forstmann des Herzogs Sigmund, welcher von der anderen Werdenbergischen Linie die Grafschaft Bludenz an sich gebracht hatte, tödtete, wurde Sonnenberg von Sigmund zerstört und erst später erhielt der in die Schweiz geflüchtete Eberhard einen Ersatz von 35,000 fl.

Da bey Nüziders auch der andere Thalweg, welcher von Felsenau am rechtseitigen Bergsaum des Wallgaues hinführt, eintrifft, so besuchen wir auch diese Strecke. Bey Felsenau die Ill übersetzend, kommen wir zunächst nach Satteins, 2¼ St. von Feldkirch, mit 115 H., 850 E. Türkischrothfärberey, Kattundruckerey und Ziegelbrennerey. In der Nähe der alte Thurm, der ein Überrest des versunkenen Schlosses Schwarzhorn seyn soll. Links gebirgseinwärts und hinüber in das Rheinthal ziehend, liegt noch eine bevölkerte Gegend, durch welche ein Seitenweg, Feldkirch umgehend, nach Rankweil führt. Hier liegen Göfis mit 49 H., 346 E. (Gemeinde 140 H., 1010 E.). Auf der Höhe, im Walde versteckt, zeigen sich die Trümmer der Heidenburg, nach Einigen die Clunia der Römer. In der Tiefe an der Ill die Ruinen von Sigberg, Stammhaus der gleichnamigen Familie; zerstört vom Grafen Friedr. von Toggenburg 1435. Höher lagert sich sonnig die Gemeinde Übersachsen mit 55 H., 223 E. und schöner Aussicht. Von Satteins gelangen wir auf der Straße nach Frommengersch mit 21 H., 157 E.; auf schönem Hügel die Ruine Jagdberg. Links darüber Schlins mit 41 H., 296 E. Geburtsort des Bartholomä Bernhard, eines Freundes Luthers und Professors zu Wittenberg; er war einer der ersten Geistlichen, welcher eine Frau nahm. Darüber die Gemeinde Schnifis mit 42 H., 401 E. Geburtsort Johann Martins (1626), später Frater Laurentius Mirantus (schrieb: Vielfärbige Himmels-Tulipane, Mirantische Waldschallmey, des Miranten Maultrommel). Die Höhen links lassend, gelangt der Wanderer in der Thalebene zu dem Dörfchen Bludesch mit 63 H. und 465 E., schöner Pfarrkirche, einer Schule und den Edelsitzen Ober- und Unterkalden. Nördlich umziehen das Dorf weinreiche Höhen; östlich die uralte St. Nikolauskirche mit schönem bis zur Spitze gemauertem Gothischem Thurme. Über die Ill führt eine 360 Fuß lange Brücke zur Verbindung mit der Hauptstraße. Unweit der Brücke die schönen Fabrikgebäude für Türkischroth- und Schönfärberey von Joh. Müller. Wir nähern uns der Öffnung des Walserthales bey dem Dorfe Thüringen. 1¾ St. von Bludenz, 1¼ St. von dem jenseits der Ill liegenden Nenzing. 52 H., 382 E., 1992 Fuß. Über dem Dorfe bildet der Thüringer Bach einen schönen Wasserfall; großartige Baumwollspinnerey- und Webfabriksgebäude von dem Engländer Kenedy und dem Schotten Douglas, welcher letzterer Fabriksbesitzer ist, erbaut. Die zwey Wasserräder, welche die Maschinen treiben, haben einen Durchmesser von 44 Fuß; damit verbunden ist eine Turbine mit 255 F. Fall. Zum Gebäude führt eine Eisenbahn, auf welcher die Wagen aufwärts durch ein Wasserrad gezogen werden; daneben ist ein Wohnhaus für 150 Arbeiter. Auf einem Rebenhügel zeigen sich noch die wenigen Überreste des Schlosses Jordan, welches ein Holländer, von Lindenspir, 1637 erbaute und es später an das Kloster Weingarten schenkte. Später wurde es Staatseigenthum. Auf der Felsenecke, um welche man in das Walserthal einbiegt, liegt die Burgruine Blumenegg. Das Schloß wurde im 13. Jahrhunderte von den Edlen von Blumenegg erbaut, ging dann an die Grafen von Werdenberg, die von Brandis, an die Abtey Weingarten, das Haus Nassau-Oranien und 1804 an Österreich über. Im J. 1774 brannte es ab. Höher oben auf einer Gebirgsstufe lagert die kleine Gemeinde Thüringerberg mit 57 H. und 357 E. Von Thüringen aus besuchen wir das Walserthal. Dasselbe ist eins der Hauptthäler, welche in das Becken des Wallgaues einmünden; es ist ferner ein Grenzthal zwischen verschiedenen Gebilden, und schneidet die niedere Vorstufe der Alpen, den Bregenzer Wald, völlig von den höheren Kalkgebilden aus, welche sich in dem Lechthaler und Algauer Gebirgsstock hoch aufbauen, und der scharfe Rücken zwischen dem Walserthal und dem Klosterthal ist ein Ausläufer dieses hohen Stockes.

Der Lutz- oder Ludbach durchströmt das Thal, welches in der Tiefe sehr eng ist, weßhalb sich die Gemeinden auf dem nördlichen Mittelgebirge sonnen. Der erste bedeutende Ort ist St. Gerold, 2430 F., dessen 60 H. mit 351 E. sehr zerstreut an dem Gebirgsabhange der rechten Thalwand liegen. Die Nebenkapelle hat sehr schöne Glasgemälde. Bey der Kirche steht das alte Klostergebäude des Schweizerstiftes Maria Einsiedeln. In der Mitte des 10. Jahrhunderts erschien hier der heilige Gerold aus dem Hause der Herzoge von Sachsen [1]) und wählte diese damalige Wildniß zu seinem Aufenthalte, um sein Leben, entfernt von der Welt, Gott zu weihen. Ein hohler Baum war seine Wohnung, bis einst Graf Otto von Jagdberg auf einer Bärenjagd den frommen Einsiedler fand und ihm ein Stück Wald schenkte, um sich eine Wohnung zu bauen. Gerolds Söhne, Kuno und Udalrik, wurden Benediktiner-Mönche zu Einsiedeln. Als Gerold sein Ende nahen sah, füllte er seine Taschen mit Erde seines Bodens und wanderte 978 nach Einsiedeln; hier schüttete er seine Erde auf den Altar, als Zeichen der Übergabe seines Besitzthumes, kehrte dahin zurück und starb bald darauf. Jetzt bezogen seine Söhne die Zelle des Vaters. Nach ihrem Tode ließ das Stift Einsiedeln die Umgegend lichten und, nachdem sich bald Ansiedler gefunden, eine Kirche und ein Kloster errichten; die Gemeinde erhielt den Namen des Gründers. In der Mitte der Kirche sieht man das Grab des Heiligen und seiner Söhne; es ist daher eine Wallfahrt. Thaleinwärts wandernd hat man zur Linken fortwährend die Höhen des Bregenzerwaldes; der höchste Punkt dieser Gegend auf dieser Seite ist der Hochgörrach, 6186 F. hoch, nördlich über St. Gerold und Thüringen. Die zunächst an St. Gerold grenzende Gemeinde im Thale hinauf ist Blons mit 92 H. und 433 E. 3½ St. von Bludenz. Blons gegenüber, jenseits des Thalbaches an der Schattseite, liegt die Gemeinde Raggal mit 140 H. und 812 E., 1 St. von Ludesch, wo hinaus eine Fahrstraße führt. Darüber erhebt sich der 6234 F. hohe Frassen. Um diesen zieht sich von Raggal das Maruelthal östlich hinein bis zur Rothen Wand, jenseits deren der Lech entspringt. Fast durch das ganze Thal liegen die Häuser der Gemeinde Maruel (88 H., 349 E.) bis zum Bade Stachelhof (Eisen- und Bittererde) zerstreut. Im Hauptthale grenzt an Blons die Gemeinde Sonntag, 2748 F., mit 164 H. und 824 E., aus mehreren Orten bestehend, welche auf der unteren Bergstufe bis an das obere Ende des Thales einander folgen. Zuhinterst liegt das Bad Rothenbrunn, 4080 F. (Kohlensäure, eisen- und salzsaure Kalkerde und schwefelsaure Bittererde; heilsam gegen Wechselfieber, Unterleibsbeschwerden, chronische Übel und Hysterie). Auf einer höheren Bergstufe lagert sich die Gemeinde Fontanella (86 H., 493 E.).

Aus dem Walserthal kehren wir wieder zurück ins Illthal und betreten sogleich an der linken Seite des Ausganges das lang am Fuße des Bergvorsprunges hingestreckte Dorf Ludesch, nicht mit Unrecht auch Langdorf genannt, mit 109 H. und 543 E., von Weinbergen umgeben. Die Martinskirche ist sehr alt. Um die scharfe Ecke des Vorge-

1) Es ist auffallend, daß in dieser Gegend auch viele Namen an Sachsen erinnern, z. B. Thüringen, Thüringerberg, Henneberger Gletscher, Übersachsen, Meiningen u. s. w.

birges wandernd, erreichen wir in 1 Stunde das uns schon bekannte Räziders, wo die Hauptstraße herüberkömmt, um nun auf dem rechten Ufer der Ill fortzusetzen nach Bludenz, 1692 F., das nur eine halbe Stunde weit liegt. Bey jedem Schritte vorwärts entfaltet sich im Süden das Brandner Thal mit dem breiten oben herabhängenden Brandner Ferner und der Spitze der Scesaplana darüber zu einem schönen großartigen Landschaftsbilde. Erst die Häuser des Städtchens, das wir jetzt betreten, entziehen uns diesen Anblick wieder. Gasthof: die Post, gut. Bludenz liegt in einem kleinern Thalkessel des Wallgaues, am Zusammentreffen des Kloster- und Brandnerthales mit dem oberen Illthale oder Montafun, in großer, erhabener, zu mehrfachen Ausflügen lockender Gegend, daher auch ein Standquartier für uns. Bludenz liegt 15 Stunden von Bregenz, 6 St. von Feldkirch, 1692 F. üb. d. M. Die 107 H. mit 885 E. sind alt und eng zusammengebaut. Sitz des Landgerichtes Sonnenberg, wie des Dekans; 1 Trivial- und Zeichnungsschule, 1 Baumwollspinnerey und große Papierfabrik; 9 Jahrmärkte; 1 Kapuzinerkloster und Dominikaner-Frauenkloster, St. Peter, mit einer Industrieschule, Wiederholungsschule und Erziehungsanstalt für Mädchen. Eine halbe Stunde nördlich von der Stadt ist das Bad Forchenburg, dessen Quelle Kalk, Schwefelleber und etwas Bittererde enthält. Neuester Zeit ist die Badeanstalt nahe an den westlichen Eingang der Stadt verlegt und hat gute Einrichtungen erhalten. Die Stadt ist sehr alt und wird schon 940 unter Otto I. ein altes Wesen genannt. Die Grafschaft gehörte zuerst den Werdenbergern und kam durch Kauf an Österreich. Wie Tyrol, zeichnete sich auch Vorarlberg und besonders Bludenz durch treue Anhänglichkeit aus. Auf seiner Flucht von Constanz fand hier der geächtete Friedrich gastliche Aufnahme, während die zur Ausführung der Reichsacht anrückenden Truppen abgewiesen wurden. Im Jahre 1405 wurde Bludenz von den Schweizern zerstört; 1491, 1638 verheerten es Feuersbrünste.

Unser erster Ausflug führt uns in dem südlich sich öffnenden Brandnerthal hinan zu dem höchst merkwürdigen Lünersee und der darüber aufragenden Scesaplana[1]).

Der geradeste Weg von Bludenz führt durch das Brandnerthal, durch welches der Alvierbach herabtost, um sich bey dem Dorfe Bürs in die Ill zu ergießen. Das hohe schöne Gebäude, zu welchem eine Wasserleitung führt, ist die Baumwollspinnfabrik von Christ. Getzner. Das Dorf zählt 115 H. und 608 E. Auf einem Hügel die Ruinen von Rosenegg, einst dem Truchseß Eberhard von Waldburg gehörig, hatte sie gleiches Schicksal mit Sonnenberg. Westlich über Bürs liegen die zerstreuten Häuser des Bürser Berges auf den vielfach zerklüfteten Abhängen; in einer Tiefe von 200 Fuß hört man Wasser rauschen, ohne es zu sehen. Nicht weit davon bilden zusammengestürzte Felsen die Höhle des Kuhstalles. Auch lagert hier eine große Menge gewaltiger Granitgeschiebe. Die furchtbarste Kluft des geborstenen und morschen Gebirges bildet der Eingang in das Brandnerthal. Um in das Innere des Thales zu gelangen, muß man daher die Höhe des Bürser Berges ersteigen und dann links einbiegen. Nach einem dreystündigen Wege, welcher sich immer auf der Höhe der linken Thalwand hält, den Abgrund des Baches links in der Tiefe lassend, kommen wir zu dem 2748 F. hoch gelegenen Dorfe Brand, mit 71 Häusern und 400 Einwohnern, hinter welchem bald die Sennhüttenregion beginnt. Links hinein erhebt sich ein hohes Felsengerüste, aus welchem plötzlich der Alvier schäumend hervorbricht. Eine halbe Stunde müssen die Steigeisen angelegt werden. Dann wird man um so mehr belohnt durch den plötzlichen Anblick des hochgelegenen und in Bezug auf seine hohe Lage großen Lünersees. Sein

1) Reisende, welche über diesen Ausflug Näheres, gute Führer u. s. w. zu haben wünschen, können sich an Niemanden besser wenden, als an Herrn Papierfabrikanten Blum, der auch dem Verfasser auf das Zuvorkommendste Rath und Nachricht ertheilte. Er gedenkt selbst eine Kahnfahrt auf dem hohen See herzustellen, gewiß eine der merkwürdigsten Fahrten, die man in solcher Höhe machen könnte.

tiefgrüner Spiegel hat 2 Stunden im Umfange und liegt 4680 F. üb. d. M., ist rings von hohen Felsenwänden umgeben, die nur eine schmale Öffnung nach Norden haben. Der Alvierbach bricht in der Tiefe unterirdisch aus der Wand hervor. Furchtbar stäuben und donnern seine Wogen, wenn der Nordwind durch die enge Pforte hereinbraust. Auch eine Insel liegt in diesem See. Von hier steigt man die Felsen hinan zur Seesaplana, auf deren Felsenhorn (10,000 F. hoch) sich eine herrliche Aussicht eröffnet. Den Vorgrund bilden die großen Eisfelder, welche besonders sich zum Brandner Thal hinabsenken, das Felsenbecken des Sees aber leider verbergen. Zu den interessantesten Punkten der Aussicht gehören: das Rheinthal, weit hinab nach Dornbirn, wo seine ganze Fläche sichtbar wird, der ganze Bodensee, das im Norden dahinter aufsteigende hügelige Oberschwaben, von wo selbst noch der Spiegel des Buchinger Sees herglänzt, die Appenzeller Gebirge, die Kuhfirsten, der Wallenstädter und Züricher See, der Albis und selbst noch der Jura. In der Tiefe das ganze eben durchwanderte Wallgau und fast der ganze obere Vorarlberg, wenigstens in seinen oberen Felsenketten. Selbst ins Engadin fällt hie und da der Blick. Gegen Osten und Südosten verbaut die himmelragende Fernerwelt Tyrols, wie gegen Süden und Südwesten die Hochwelt Graubündtens (Bernina-Eismeer), Uri's und von Glarus den ferneren Horizont. — Hier blühen: Silene acaulis, Achillea atrata und moschata, Gypsophila fastigiata. Wie der ganze Rhäticonzug aus schwarzgrauem Kalk von Quarzadern durchzogen und aus Thonschiefer besteht, so ist auch die Seesaplana ein Kalkfelsengebilde mit rothen Schichten, welche Versteinerungen von Venusmuscheln enthalten. Auf dem geraden Wege von Bludenz bis zur Spitze braucht man 10 Stunden. — Ein zweyter völlig gefahrloser Weg führt, nach Angabe des Herrn Blum, durch das Sandanser Thal, das nächstfolgende Parallelthal des Brandnerthales, schon im Montafun mündend. Dort werden wir ihn näher angeben.

Auch aus dem Schweizerischen Prättigau führt ein Weg herauf.

Aus dem Hauptthale des Prättigau begibt man sich in dieser Absicht nach Seewies auf einer Höhe des Gannerthales; von hier zwey Stunden weiter hinan im Thale liegt das Ganner Bad (Mittelsalz und Schwefel). In abermals zwey Stunden erreicht man die letzten Sennhütten der Seewieser Alpe, wo man übernachtet. Von hier gerade gegen eine jähe Felsenwand; eine Viertelstunde klettert man mit Händen und Füßen empor, die gefährlichste Stelle der ganzen Besteigung. An frischen Quellen ruht man eine Zeit lang, wandert dann allmählig zu einer Schneefläche, auf welcher man eine halbe Stunde westlich fortschreitet bis zu dem Rücken, von welchem sich der Gletscher der Seesaplana, der Brandner Ferner (7980 F.), nördlich nach Tyrol hinabsenkt. Am Ende des Schneefeldes steigt wieder eine Wand voller Geröll empor, welche ohne Gefahr erstiegen wird und von wo man in kurzer Zeit und leicht die Spitze erreicht.

Der zweyte Ausflug führt uns im Hauptthale Montafun hinan. Bald außerhalb Bludenz, bey dem Nonnenkloster St. Peter, zieht sich links die Poststraße ab zum Arlberg durch das Thal der Alfenz hinan. Diesen Bach überschreiten wir gleich darauf und betreten hiermit das schöne grüne Montafun. Dieses Thal unterscheidet sich wesentlich von seinem Nachbar, dem Klosterthal, durch sein frisches Grün, herrliche Laubwälder, seine tiefere Lage, Wohlhabenheit und Zufriedenheit seiner Bewohner, welche oft in Stolz übergeht. Diesen Wohlstand und das Selbstgefühl, das den Menschen veredelt, verdankt das Thal dem Umstand, daß es freye selbstständige Bauern sind; es gibt hier keine Ritterburgen. Das Thal, welches in seinem ganzen Umfange ein Landgericht bildet, ist 10½ St. lang, umfaßt ein Gebiet von beynahe 10 □.M., und zählt 10 Gemeinden. Alle kleinen Seitenthäler heißen und sind Tobel. Das Hauptthal wird von der Ill durchströmt.

Im Eingang stehen ungeheure Marmorwände, dunkelgrau auf beyden Seiten, das

Portal des Thales bildend; die Pfeiler sind senkrecht geschichtet; große Trümmer liegen um ihren Fuß aufgehäuft. Die Straße führt auf der rechten Thalseite hin, so daß man den Bach, die Ill, zur Rechten hat. Das Thal erweitert sich bald wieder. Links liegt eine grüne Erhebung, aus welcher einzelne Felsblöcke aufragen. Der Volkssage nach soll hier eine große Stadt, Namens Prazelans, begraben liegen. Einsam durchtönt jetzt die Glocke von St. Anton ein kleines Dörfchen, und harmonirt mit dieser Sage und dieser Halde. Rechts jenseits der Ill zeigt sich reicher Anbau und weit hingestrecktes Häusergewühl. Im Hintergrund thürmt sich, noch grün überschimmert, das Schwarzhorn, 7771 F. hoch, empor und rechts von ihm zeigt sich mitten zwischen den grünen Bergmassen ein eigenthümliches Gebilde, das man für einen Gletscher hält; nur erst eine genauere Beobachtung mittelst des Fernrohrs läßt ein Kalkgebilde wenigstens vermuthen, das sich horizontal und weiß von Farbe an die grünen Berge anlegt und sich in senkrechten Absätzen abstuft. Der Charte nach könnte es allerdings der Sporer Gletscher seyn; aber ebenso gut auch die Weißplatten in derselben Richtung auf dem Joch des kalkreichen Antonienthales (Prättigau). Selbst die Thalbewohner konnten keine Auskunft geben.

Die jenseits liegenden Häusergruppen bilden zusammen die Gemeinde Vandans. Hier öffnet sich das Rellsthal, durch welches man am gefahrlosesten den Ausflug zum Lünersee und zur Scesaplana machen kann. In drey Stunden erreicht man über die Schafgaffal-Alpe den Felsenrücken des Lünersees. Zugleich führt ein Seitensteig links ab über das Joch Schweizerthor (6972 F.) ins jenseitige Drusenthal.

Die Straße wird darauf wieder durch die Ill und Bergwände beengt. Die Steinmassen nehmen ein mehr schiefriges, fast thonschieferartiges Gefüge und braune Farbe an. Es öffnet sich nun die Gegend von Schruns (2010 F.), des Hauptortes des Thales. Die Kirsche tritt hier als mächtiger Baum auf; die Straße führt unter dem Laubdache dieser Bäume hin und die vielen Leitern, die mitten aus der Straße in die Bäume hinaufführen, beweisen, daß die Straße nicht sehr häufig befahren wird, daß die Bäume mehr eintragen, als die Straße.

Rechts zeigt sich zuerst die große Kirche von Tschaggunš, auf frischgrüner, von üppigen Buchenwaldungen umschatteter Höhe, überragt von alpenfrischen Hörnern.

Bald darauf erreicht man Schruns, den Hauptort des Thales, an der Mündung des Silberthales, von der Litz durchströmt.

Geognostisches: Schruns und Tschaggunš liegen in der breitesten Stelle des Thales, indem hier von beyden Seiten hereinkommen von Osten das Silberthal, von Westen das Gauerthal, und diese Thäler bilden zugleich einen geognostischen Abschnitt, indem sie die Kalkgebirge, die uns bisher begleiteten, abschneiden; thalaufwärts begleitet uns der Glimmerschiefer. Die das untere Montafun verschließende Kalkkette kömmt von dem hohen Lechthaler Grenzgebirge, setzt bey Dalaas durchs Klosterthal, erhebt sich dann wieder, durch den Einschnitt des Christberges von dem östlichen Urgebirge getrennt, zu einem hohen Gebirgsstock, der wiederum durch die Ill von Schruns bis Bludenz von dem westlichen höheren Gebirgsstock der Scesaplana abgeschnitten wird. Das Dorf Schruns zählt 112 H. und 580 E., liegt 3½ St. von Bludenz, und ist Sitz des Landgerichtes. Zugleich findet hier der Reisende in der Taube bey Herrn Pillermann einen guten Gasthof, sowie einen guten Kenner seines Thales, der es schon auf seinem Höhenkranz umwanderte. Ebenso wird der Reisende jenseits der Ill in Tschaggunš ein, zwar einfaches, aber recht gemüthliches Unterkommen finden beym Dazel, der für den erfahrensten Mann des Thales gilt und deßhalb auch der Vertreter des Thales bey den Tyrolischen Landständen ist. Der Reisende wird von dem schlichten Greise viele Kenntnisse sammeln und sich bey recht gemüthlicher und äußerst reinlicher Bewirthung wohlbefinden. Den allerbesten Kirschengeist, das Haupterzeugniß des Thales, findet er hier, wie auch manche Nachrichten über die ökonomischen Verhältnisse des Thales. Der Verfasser ist einmal bey jenem, das andere Mal bey diesem eingekehrt. Reisende, welche statistisch-ökonomische Verhältnisse kennen lernen wollen, werden beym Daxel in Tschaggunz einkehren, wer aber Auskunft über die Natur des Landes zu haben wünscht, beym Pillermann in Schruns.

Gegen Osten öffnet sich das Silberthal, welches seinen Namen von dem ehemaligen Bergwerke hat und daher bieten noch jetzt die Einheimischen dem Reisenden Erzstufen an. Man findet darin Steinkohlen, Schwefelkies und Spatheisenstein. Im Eingange des Thales schmilzt dies- und jenseits die Gemeinde Bartholomäusberg und Silberthal zusammen, indem die Häusergruppen beyde Thalabhänge bedecken (Kirchenpflaster 3030 F.); weiter hinein wird das Thal alpenhaft einsam, und zieht hinan bis zum Arlberger Scheiderücken.

Die Gemeinde Bartholomäusberg hat sich mit ihren 320 H. und 1316 E. über den ganzen Abhang des Berges über Schruns weithin gelagert, und gewährt, besonders von dem oberen Thale her, einen äußerst reizenden Anblick. Aus dem Silberthal führt ein Steig durch die hochgelegene Gemeinde Christberg und das 5250 F. hohe Joch des gleichnamigen Berges in das Klosterthal nicht ganz ohne Gefahr. Die Gemeinde Tschaggunz, welche 297 H. und 1207 E. zählt, mit 5 Schulen und einer schönen Kirche, hat auch ein Frauenbad (erdig-salziges Wasser).

Die Häuser von Schruns sind auffallend in einander geschoben; nur bey dem Gasthaus zur Traube in der Nähe der Kirche ist ein etwas weiterer Platz, und aus den Fenstern des Gasthauses hat man eine liebliche Ansicht der Gegend, besonders auf die das untere Montafun quer durchsetzende Kalkkette. Von Tschaggunz führt ein Saumpfad durch das Gauerthal hinan, theilt sich oben rechts über das Schweizerthor, links über das Drusthor (6690 F.) des Rhäticons und zieht in dem jenseitigen Drusenthal hinab ins Prättigau. Von Schruns aus führt die Straße abermals unter dem Laubdache der Kirschbäume hin. Die Ill übersetzt man auf einer bedeckten Brücke und geht nun auf dem linken Ufer des Baches hinan. Beyde Bergwände bestehen jetzt aus Glimmerschiefer.

Die Straße führt darauf die Thalstufe Fratten hinan, womit ein rauheres Klima beginnt. Der wilde Bergbach, der in mehreren Armen über das von ihm geschaffene Steinmeer bey einer Mühle herabbraust, ist der Suggedibach des Gargellenthales. Dieses Thal wird dadurch bedeutender, als die vorhergehenden, weil sich die Bergkette des Rhäticons, welche im genannten Schwarzhorn weit gegen Montafun vordrang, jetzt wieder auf einmal südlich zurückzieht, um das Prättigau zu verengen. Aus dem Prättigau steigt dessen Seitenthal, das Antoniusthal, zum Schwarzhorn herauf, indem die linke Thalwand des Gargellenthales eine Strecke lang auch die linke Thalwand des jenseitigen Antoniusthales ist. Durch Gargellen geht ein Saumpfad über das St. Antoni-Joch in das in mehrfacher Hinsicht merkwürdige Antoniusthal Graubündtens. Drey Hochseen liegen auf seinen Alpen, viele Mineralquellen, Höhlen mit Tropfstein, Bergmilch und Kalkspath. Schöne Aussicht von der Salzflue (8910 F.) nach Schwaben und dem Bodensee. Die Felsen des Antoniusthales bestehen aus älterem Kalk, dessen Auflagerung auf das Urgebirge man am Madris bemerken kann.

Hinter Gargellen bey Valcalda öffnet sich das Thal, links führt der Steig durch den Valzavenzer Grund über das Schlappiner Joch (6780 Fuß) in das Schlappiner Thal (Prättigau).

Wegen dieser Saumverbindung mit dem Prättigau und von diesem durch das Engadin mit dem Veltlin, begegnen dem Reisenden hier oft die Italienischen Maulthiertreiber, welche Wein herüber säumen.

Ins Montafun zurückkehrend, überschreiten wir die Ill gleich darauf, um nach Gallenkirch (2310 F.) hinaufzuwandern, das sich auf dem nördlichen Abhang sonnt, mit 139 H. und 604 E. (die Gemeinde 381 H. und 1560 E.). Das Wirthshaus sehr

12 *

mittelmäßig. 2 Jahrmärkte. 1 Wundarzt. Ehe man dieses Dorf noch erreicht, erblickt man rechts jenseits einen sehr schönen Wasserfall, welcher von dem Vermühlbach gebildet wird. Er kömmt von der Materaspitze (8940 F.) herab. Durch ununterbrochene Häusergruppen führt nun die Straße an der nördlichen rechten Thalwand hin, und nachdem man noch einen wilden Gebirgsbach, welcher links vom Eisernen Thor herabkömmt, auf schlechter Brücke überschritten hat, erreicht man in 4 St. von Schruns die vorletzte Gemeinde Gaschurn (2670 Fuß). So weit führt die Straße. Das Dorf zählt nur 9 H. und 34 E. (die Gemeinde 273 H., 1093 E.). 1 Jahrmarkt. 1 Wundarzt. Die Kanzel in der Kirche stellt einen Wallfisch vor, in dessen Rachen der Geistliche steht. Das Wirthshaus ist gut, doch ist die Seltenheit der Reisenden zu berücksichtigen [1]). Gerade im Süden öffnet sich das Gannerathal, zum Rhäticon aufsteigend; ein Jochpfad führt durch dasselbe in das Schlappinerthal des Prättigaus. Soweit Gaschurn schon thaleinwärts liegt, so wächst doch noch Obst, Getraide und Hanf.

In einer Stunde von Gaschurn öffnet sich das Thal zur Ebene von Pattenen, dem letzten Orte im Thale, mit 22 H. und 110 E. (3090 F.). Hier theilt sich dasselbe; links oder eigentlich geradeaus führt der Zeyneser Grund zum Zeyneser Joch (5784 F.); es ist steil und steinig und oben auf seiner breiten Fläche sumpfig. Daselbst hat man einen schönen Rückblick auf das grüne Montafunerthal mit seinen Laubwäldern. Von Pattenen braucht man 4 Stunden nach Galthür, dem ersten Kirchdorfe des jenseitigen Patznaun.

Das Hauptthal der Ill wendet sich hier rechtwinkelig gerade nach Süden, unter dem Namen Vermont, und dieses steigt sogleich eine Stufe, von den Umwohnern Kartatschen genannt, hinan; der Bach hat sich tief eingeschnitten. Hierauf wendet sich das Hauptthal abermals rechtwinkelig nach Osten; gerade nach Süden führt das Cromerthal zu Eisbergen hinan. Im Hauptthale steigt man eine zweyte Thalstufe, Jannenstütz oder Staufel genannt, neben dem tief eingewühlten Bache hinen.

In der hintern Alpenfläche des Thales angekommen, führt geradeaus nach Osten über das Bielerjoch, relativ niedriger, als das Zeyneser, aber viel weiter, ein Steig nach Galthür, doch wegen der Gletscherscenen vorzuziehen; denn das Hauptthal wendet sich hier abermals südlich, unter dem Namen Ochsenthal, zum Ursprung der Ill (5880 Fuß), welche eine Stunde davon dem Großen Vermontgletscher entrauscht. Dieser Gletscher, oder, wie man hier sagt, Gletschner, ist ein Theil des großen Jamthaler Ferners. Über sein weites, nicht zu steil aufsteigendes Eisgefilde führt ein Steig nach Engadin. Hat man das Bielerjoch überstiegen, so geht es jenseits hinab nach Klein-Vermont oder Vermund; man biegt, ehe man weiter geht, rechts in diesen Grund ein und steigt darin aufwärts zum Bielthaler- oder Kleinvermundferner, der, wenn auch kleiner, als der jenseitige große, doch schöner und malerischer ist. Unter dem hohen Felsengrath, welcher aus dem Eismeere aufstarrt, sind der hohe Fermunt oder Albuinkopf (10,230 F.), rechts daneben die Henneberger Spitzen und Strohfettnerspitze (9780 F.) die der höchsten Berge. Auch hier haben, trotz des Gletscherpasses, wie im Ötzthal die jenseitigen Engadiner ihre Alpen auf Tyroler Gebiete. Ein großer Theil der Vermundalpe im Ochsenthal gehört dem Wirthe in Gaschurn. Die meisten hiesigen Alpen werden mehr des Galtviehes, als des Milchnutzens wegen betrieben. Die größten Alpenweiden Montafuns sollen um das Eiserne Thor herum, zwischen Silberthal, Bandnerthal und Ferwall liegen.

Das Klosterthal ist das zweyte Hauptthal des obern Vorarlbergs. Es zieht von Bludenz in gerader östlicher Richtung zum Arlberg hinan, und steigt jenseits als

1) Als der Verfasser hier verweilte, kam der Wirth in nicht geringe Verlegenheit über die Bewirthung, so unnöthig es war; er bot Alles auf, die fremden Gäste, gegen alle Wirthsgewohnheiten, fortzuschaffen; der Sohn, der eben vom Ferner kam, war klüger. Auffallend war die reine Deutsche, fast Niedersächsische Mundart.

Stanserthal hinab nach Landeck zum Inn. Das Klosterthal wird von der bey Bludenz in die Ill mündenden Alfenz durchströmt. Wir folgen derselben aufwärts auf der wohlgebahnten Hauptstraße zum Arlberg.

Es ist anfangs breit und heiter, auf beyden Seiten von hohen Kalkschroffen eingeschlossen. Bratz liegt 2¼ St. von Bludenz, zählt 73 H. und 460 E. Schönes Altarblatt in der Kapelle von Leu aus Bratz; noch umschatten Obstbäume den Ort. Eine halbe Stunde hinter Bratz setzt die Straße auf der kühnen Engels- oder Franzensbrücke über einen Abgrund und nicht weit davon stürzt vom Südgebirge rechts der Fallbach 600 F. hoch herab. Dalaas, die nächste Poststation von Bludenz (2640 F.), hat noch eine heitere Lage. Das Dorf zählt 147 H. und 637 E. (die Gemeinde 206 H., 929 E.). Der Kalk ist häufig schiefrig. Von Dalaas macht das Thal eine kleine Wendung und rechts verschwindet der Kalk, an dessen Stelle Glimmerschiefer tritt. Der steile Jochpfad über den Christberg in das jenseitige Silberthal (nach Schruns) ist ohngefähr die Grenze beyder Gebirgsarten; auf der linken Seite thalaufwärts behauptet sich jedoch fortwährend der Kalk. Die südlichen Glimmerschieferberge, welche nun die eine Thalseite bilden, erheben sich schnell in die Schneeregion im Lobspitz und Kalten Berg 9792 F. und entsenden mehrere Ferner in das Gebiet der Alfenz, während ihre Felsmassen steil ins Silberthal abbrechen. Auch die nördliche Kalkkette, welche das obere Lechgebiet umgibt, sucht mit diesen Riesen zu wetteifern und tritt in starreren Formen auf. Die Straße fängt an höher zu steigen in dem düster werdenden Thale. So erreicht man Klösterle (3180 F.), wo schon rauhere Lüfte wehen. Hier war einst eine Art Hospiz, daher der Name des Ortes und Thales. Das Dorf zählt 43 H. und 248 E. (die Gemeinde 114 H., 622 E.) und liegt 2 Stunden von Dalaas. 1 Wundarzt. In dem schlichten Wirthshause findet man gefällige Leute. Haupteinkehr von Fuhrleuten, Vorspann; denn von hier steigt die Straße stärker an, und sehr schnell kühlt sich die Temperatur ab. Der Wanderer, vom Steigen erhitzt, will ausruhen, bald treibt ihn aber die durchschauernde Luft zum Weitergehen; doch mehr als dieses verkündet es das schnelle Umspringen der tieferen Flora in die Flora der Alpenregion; die Bäume vereinzeln und schrumpfen zusammen und schöne Alpenpflänzchen überraschen. Endlich hat man wieder eine ebenere Thalfläche erreicht und bald, 1½ Stunden von Klösterle, 7¼ St. von Bludenz, zeigt sich das letzte Dorf Stuben (4170 F.); Poststation von Dalaas aus. Man sieht sich plötzlich in eine hohe Alpenregion versetzt. Die grüne Thalfläche wird von kahlen, grünen Bergen mit starren Felsenriffen umgeben; nur noch einzeln zerstreut stehende Tannen vertreten die Forste. Am Fuße der graugrünen Berge lagert sich die felsengraue Häusergruppe von Stuben, aus 22 H. mit 115 E. bestehend.

Wegen des starken Fremden- und Waarendurchzugs an der letzten und höchsten Erhebung des Arlbergs sind, trotz des kleinen Dorfes, doch einige gute Wirthshäuser hier (Post). Das Thal spaltet sich; links kömmt der Stubenbach von der Lechthaler Wasserscheide herab, rechts strömt die Alfenz aus einer Schlucht, über welcher man die Straße emporziehen sieht. Durch das Stubenthal führt ein Pfad über eine unbedeutende Höhe zwischen hohen Kalkwänden in das oberste Lechthal, Thannberg oder Thamberg genannt, welches politisch noch zu Vorarlberg gehört. Wir besuchen diese Gegend im Lechthale selbst. Der Reisende aus dem Lechthale, welcher über den Arlberg seine Reise fortsetzt, braucht nicht erst nach Stuben herabzusteigen, sondern wendet sich zuvor links an den Kalkwänden hin, wo zwar ein schmaler, aber nicht gefährlicher Steig auf die Straße führt.

Hinter Stuben windet sich die Straße schneckenartig eine Strecke hinan, ehe sie weiter zieht; der Fußreisende kann durch einen Steig die Windungen abschneiden. Nachdem die Straße die geeignete Höhe erreicht hat, wendet sie sich rechts um eine Ecke, den tiefen Schlund der Alfenz rechts in der Tiefe. Herrlicher Rückblick das ganze Thal hinab. Je höher man hinansteigt, desto schöner der Rückblick. Rechts die schroffen kahlen Kalkalpen, der Romspitz, Arzberg und vor Allem der Saladinspitz; das Grau ihrer Wände wird nur durch Schneefelder unterbrochen. Sie sind die Grenzwächter gegen das oberste Lechthal. Unter diesen grauen Giganten lagert sich eine niedere Stufe, deren gerundetere Felsenberge schon mit einer äußerst reichen Flora überzogen sind. Sennhütten liegen auf ihr zerstreut bis dicht an die Straße heran. Reizend ist besonders der Blick durch das grüne Becken des Stubenthales, durch welches sich neben der Straße der Silberfaden der Alfenz hinabzieht, bis er bey dem steilern Abfall nach Klösterle verschwindet. Gerade darüber zieht die Kette hin, welche Klosterthal und Montafun trennt; dieser Rücken wird durch die tiefe Einsattelung des Christberges getrennt; der schroffe Kalkberg rechts vom Christberger Sattel ist das Schwarzhorn, links der Tanzkopf (Glimmerschiefer). Jenseits der Einsattelung zieht der Rhäticon hin mit der Seesaplana und dem Brandner Ferner. Die Seesaplana selbst wird hier gewöhnlich Wetterspitz genannt. Der Kalk, aus welchem die ganze Sattelgegend des Arlbergs besteht, enthält viel Thon und wird völliger Kalkthonschiefer; er gleicht stellenweis dem schwarzen Dach- und Griffelschiefer des Thüringerwaldes. Auf der genannten Höhe über Stuben angekommen, hat man so ziemlich die Höhe des Arlberger Sattels erreicht, 6200 F.; dann aber geht es ziemlich eben fort durch ein Thal, welches von jenen niederen baumlosen aber äußerst pflanzenreichen Felsenvorbergen auf beyden Seiten eingeschlossen wird, so daß weder links die hinter diesen Höhen hinziehende hohe Kalkkette, noch rechts die schneebedeckten Urberge zu sehen sind. Äußerst öde und einsam ist diese Hochgegend, die nur dann und wann durch Straßenarbeiter, oder einen Fuhrmann, oder eine Extrapost belebt wird, und eine Votivtafel, welche uns die Ermordung eines jungen hoffnungsvollen Menschen darstellt, der vor zwey Jahren, eben mit Geld versehen, die Heimath verlassen hatte, um zu studiren, ist nicht geeignet, die Gegend zu erheitern. Doch solche Fälle sind hier sehr selten und wenigstens nicht häufiger, als im übrigen Deutschland. Der wahre Naturfreund wird gar nicht Zeit haben, düsteren Gedanken nachzuhängen, besonders wird der Botaniker, an den Bergwänden mehr fortkletternd, von einer seltenen Pflanze zur anderen verlockt. Schon hat man die Wasserscheide überschritten und sieht sich vergebens nach dem Hospiz St. Christoph um. Doch eine große Tafel bezeichnet die Grenze zwischen Vorarlberg und Tyrol und somit erschließt sich auch wieder eine neue Aussicht. Gleich darauf erscheint etwas abwärts die graue Kirche und das Wirthshaus St. Christoph, überragt von jenseitigen Urbergen, bedeckt mit dem Fasulfauthferner. Auch links überragen graue Kalkhörner die grünen Alpen.

Das Rheinthal von Feldkirch abwärts heißt im Gegensatz des Illgebietes der Untere Vorarlberg; der Bregenzerwald bildet den dritten Haupbestandtheil des Landes.

Fortsetzung der Reise durch das Rheinthal.

Dieses große Thal, das breiteste aller Alpenthäler, scheidet zwey Alpenländer; im Bregenzerwalde erheben sich die Alpen gleichsam von Neuem mit einer Vorstufe. Das Thal des Rheines ist an manchen Stellen gegen 3 Stunden breit und völlig eben, mit Ausnahme der Felsenwände, welche es bald vereinzelt, bald riegelartig durchsetzen. Zwey Wege führen aus Feldkirch hinaus; der eine längs der Ill durch die vorerwähnte untere Klamm zwischen dem Margarethenkopf und St. Veitskopf des Ardetzenberges. Nachdem die Ill eine Strecke durch die Ebene gelaufen ist, streift sie bey Nofels das Nordende des Schellenbergs, ¾ St. von Feldkirch. Nofels zählt 51 H. und 263 E. (die Gemeinde 103 H. und 600 E.). In der Nähe ein Schwefelbad, neuerer Zeit gut eingerichtet. Nördlich, unweit des Einflusses der Ill in den Rhein am Ehbach, liegt das Dorf Meiningen, 2¼ Stunden von Feldkirch, 86 H., 462 E. Große Natur- und Kunstbleiche, eine der besten in Vorarlberg wegen des trefflichen Wassers.

Das andere Ausgangsthor von Feldkirch führt uns nördlich hinaus durch das Thälchen zwischen dem Ardetzenberge und Steinwalde. Durch dieses vom Raflachbache bewässerte Thälchen lagert sich die Häuserreihe von Altenstadt bis zur Rheinebene hinaus, auf beyden Seiten der Poststraße, als eine Art Vorstadt, aber ein Dorf von 99 H. und 978 E. (die Gemeinde 225 H., 1676 E.). Eine Schule mit vier Unterrichtsklassen, ein Dominikaner-Frauenkloster mit eigner Kirche. Große Ziegelbrennerey und Bierbrauerey. Der Ort war zur Zeit der Ungarischen Raubeinfälle befestigt, und wahrscheinlich das alte Feldkirch. Die beyden Orte werden jetzt durch die Häusergruppe Lefis verbunden. Hier befinden sich ein Leprosenhaus mit Kirchlein, eine Schwefelsäurefabrik, der schöne Gottesacker für Feldkirch mit der Peter-Paulskirche und ein Bad mit Schwefelquelle. Nicht weit davon das Schloß Amberg. Ein natürlicher Sohn Max I., Fried. Max von Amberg, erhielt von ihm den Namen. Von hier trennt sich der Weg; links zieht die Straße, ohne einen Ort zu berühren, geradeaus nach Götzis, durch die Rheinebene, mit schönen Ansichten gegen das Gebirge; rechts der andere Weg macht mehrere Krümmungen, führt aber durch viele Orte und bietet deßhalb mehr Abwechselungen; wir folgen letzterem, einer Art Bergstraße. Fast unmittelbar hinter den letzten Häusern von Altenstadt treffen wir in einer halben Stunde von Feldkirch auf die ersten Häuser des Marktes Rankweil, mit 300 H. und 2029 E.; er streckt sich rechts am Gebirge von dem Raflachbache bis zum Frutzbache. Ein Theil der Häuser gruppirt sich reizend um den Frauenberg, auf welchem die Pfarrkirche liegt. In der Ebene befindet sich die kleinere, aber alte St. Peterskirche; sie soll die älteste in Vorarlberg seyn, und noch feyert sie am 30. Junius eine stiftsmäßige Jahreszeit für die Austrasischen Könige Dagobert († 679) und Sigbert († 656). Der Pfarrer von Rankweil ist Dekan des Landgerichtes Feldkirch. Es befinden sich hier 1 Schule mit 3 Klassen, 1 Arzt, 1 Wundarzt, 1 Thierarzt, 1 Armenhaus, 1 Bierbrauerey, 1 Ziegelbrennerey, 1 Holztriftplatz, 7 Viehmärkte. Hier bestand in den ältesten Zeiten (im 7. Jahrhunderte) eine Reichsmahlstätte, mallus imperii. Dieses oberste Gericht bestand aus 30 Rhätischen und 30 Alemannischen Edlen. Im 10. Jahrhunderte hieß es Kaiserliches freyes Landgericht zu Rankweil in Müsinen (so hieß eine Wiese, auf welcher das Gericht unter freyem Himmel gehalten wurde); dieses Gericht erstreckte sich bis nach Hohen Rhätien hinauf, später nur auf Feldkirch, Hohenems, Lustenau, St. Gerold, Blumenegg, Vaduz und Schellenberg; die kaiserlichen Vögte von Feldkirch besorgten dieses freye Gericht, bis es 1806 von Bayern aufgehoben wurde. Ein Gemälde auf Holz am Eingang der Kirche vergegenwärtigt uns eine Volkssage, eine Szene dieses Gerichtes. St. Fridolin aus

Schottland baute zu Seckingen am Rhein ein Kloster; seine beyden Brüder waren reiche Edelleute, Ursus und Landolph. Ursus vermachte sein Vermögen dem neuen Kloster; allein Landolph verweigerte die Herausgabe. Da eilte Fridolin nach Glarus, wo Ursus begraben war, rief ihn aus dem Grabe und führte ihn vor das Gericht in Rüsinen. Hier sprach der Todte: „Bruder, warum hast du meine Seele der Güter beraubt, die mir angehörten?“ Alle erstaunten, Landolph aber erschrack und gab nicht nur seines Bruders, sondern auch seine eignen Güter dem Kloster. Fridolin brachte seinen Bruder wieder in sein Grab nach Glarus und dieses führt deßhalb diesen Heiligen in seinem Wappen. — Südlich von Rankweil zieht das Valdunnathal hinein, an dessen langgestrecktem Weiher einst das Kloster Valdunna stand, von dem nur wenig Überreste vorhanden. Bey Rankweil bricht der verheerende Frutzbach aus dem Laternser Thal hervor. Dieses Thal zieht sich östlich 5 Stunden hinein in das Bregenzer Waldgebirge. Fast nur die Sonnenseite der Abhänge ist bewohnt, und diese Seite ist durch unzählige Tobel zerschnitten und zerrissen, so daß der Weg beschwerlich ist. Die ganze Thalgemeinde Laterns, 3180 F. üb. d. M., mit dem gleichnamigen Hauptdorfe, zählt 153 H. und 751 E. 2 Stunden von dem Dorfe, fast am Ende des Thales, steht ein einsames Badehaus, das Hinterbad, von Glieder- und Hautkranken besucht, und unfern Wies befindet sich eine Schwefelquelle mit kleiner Badeanstalt. Saum- und Fußwege führen in das Wallgau und in das obere Gebiet der Bregenzer Ache. Westlich von Rankweil liegt Brederis. Die kleine Annenkirche steht im offnen Felde auf dem Platze, wo nach der Legende der heilige Eusebius getödtet und seine Mörder von der Erde verschlungen wurden. Kaum eine halbe Stunde von Rankweil, da wo der Fröbischbach aus dem Gebirge hervorbricht, liegen die Dörfer Sulz und Röthis mit 195 H. und 1132 E. Aus den Steinen, welche der Bach herausführt, wird ein ausgezeichnet guter Kalk, der sogenannte Wetterkalk, gebrannt, welcher weit verführt wird. Über diesen Dörfern nördlich, auf einer Bergplatte über dem Frödischbach und der Rheinebene, liegt die Gemeinde Victorsberg oder Vogelsberg. Den Namen hat der Ort von dem heiligen Victor, auf welchen sich auch die zwey schönen Glasgemälde in der hübschen Kirche beziehen. Einst soll hier ein königlicher Hof gestanden haben, auf welchem sich Karl der Dicke gerne aufhielt; sein Gewissensrath war der Mönch Eusebius, auf dessen Bitten der ganze Berg 882 dem Stifte St. Gallen geschenkt wurde. 50 Jahre lang lebte er hier als Einsiedler, bis er bey Brederis getödtet wurde. Schon von Feldkirch leuchtet uns Victorsberg mit seinen zerstreuten Häusern und seiner Kirche entgegen und gewährt einen reizenden Anblick. Von seiner Höhe übersieht man die schöne Ebene und 25 Orte. Längs der Rebengeländer der rechtseitigen Vorhöhen hinwandernd, gelangen wir nach Weiler mit 59 H. und 301 E., 2½ St. von Feldkirch; darüber auf einem Bergvorsprunge, dem Burgfelde, zeigen sich die wenigen Überreste Alt-Montforts, des Stammsitzes dieses Hauses, wahrscheinlich 811 erbaut; es wurde 1406 von den Schweizern zerstört.

Der letzte Sprosse dieses Geschlechtes starb 1787 zu Mariabronn bey Tetnang in Armuth. Nicht weit davon liegt das Schlößchen Hahnenberg und auf dem darüber aufsteigenden Frachsernberg die Gemeinde Frachsern mit 60 H. und 312 E., nur durch einen Thaleinschnitt von Victorsberg getrennt, halb in einem Kirschbaumwalde versteckt. Der Frachsernberg erhebt sich östlich zu der durch ihre Aussicht berühmten Hohen Kugel (wahrscheinlich noch ein verirrter Kogl der östlichen Alpen, Kogl geht schon im Özthale in Kugel über, Weißkugel). Nur eine Viertelstunde unter Weiler am Saume des Gebirges liegt das Dorf Klaus mit 76 H. und 400 E. Da hier von Nordosten her ein Bergzug ziemlich weit in die Rheinebene vorspringt und durch seine Inselkette hinüber zu dem Rheine setzt, so ist hier ein Abschnitt der oberen Rheinebene und der unteren. Zugleich wird in dieser, vor den Nordwinden geschützten Bucht das Klima bedeutend gemildert; daher starker Obst- und Weinbau. Der vorspringende Bergrücken wird nicht nur in der Rheinebene mehrfach durchbrochen, sondern auch schon hinter Klaus, und durch diesen oberen Einschnitt, die Klause, führt eine Straße nach Götzis, während ein anderer Weg links ab zu dem ersten schon tieferen Einschnitt in der Rheinebene und daselbst zu der Hauptstraße bringt. Beyde Wege haben ihre Reize. Die Straße durch die Klause ist die alte Straße; sie steigt von Klaus nur wenig an mit herrlichem Rückblick, während sie sich vorwärts in Waldesdunkel verdüstert. Bald heitert sich die Landschaft auf in einer Seitenkammer des großen Rheinsaales; auf einem Hügel erhebt sich, wenn auch gebrochen, stolz der Thurm von Neu-Montfort, wahrscheinlich im Anfange des 13. Jahrhunderts erbaut, darunter eine liebliche Wiesenfläche, zum Theil von prächtigen Nußbäumen umschattet und in der Mitte die ehrwürdige Kirche des h. Arbogast. Nochmals erhebt sich die Straße etwas und die Wälder lassen einen zweyten Vorhang fallen, jenseits dessen sich die prächtige untere Rheinebene entfaltet. In Götzis halten wir, um auch den anderen Weg kennen zu lernen. Von Klaus zieht dieser Weg zuerst gerade nach Westen am Südfuße jenes Vorgebirges hin, bis zu dessen Westcap, wo man die Straße erreicht und auf dieser nördlich fortwandert. Durch eine kleine Ebene von dem Vorsprung des Bregenzerwaldes getrennt, erhebt sich links der Straße eine kleine Kalkfelseninsel aus der Ebene, gekrönt mit der Burgruine Neuburg. In der Mitte des 14. Jahrhunderts gehörte diese Burg dem Geschlechte der Thumb von Neuburg (in Graubündten). Wegen fortwährender Streitigkeiten mit den Montfortern trat Hugo von Thumb das Schloß 1363 an Herzog Rudolph IV. von Österreich ab; doch bald findet man diese Familie wieder als gemeinschaftliche Pfandinhaber dieses Schlosses mit den Montfortern, an welche Jakob von Thumb 1477 seine Ansprüche abtrat. Im J. 1550 fiel Neuburg an Österreich, welches das Schloß an die Grafen von Hohenems verpfändete, doch als landesherrliche Feste in Kriegszeiten. 1679 kam es an die Grafen Clari und Aldringer und durch Heirath an die Grafen von Wolkenstein-Rodenegg, zuletzt an Michael Funk von Braunau. Das Schloß wurde lange Zeit als Gefängniß gebraucht, dann überließ man es dem Verfallen. — Kaum aus dieser ersten Einengung der Rheinebene herausgetreten, erhebt sich links in derselben die größere Felseninsel des Kumenbergs, 2095 Fuß über dem Meere und ohngefähr 850 Fuß über der Ebene; in der Ferne, besonders von Norden, erscheint er als kleiner Hügel. Am westlichen Fuße des Kumens rauscht der Rhein hin und trennt diesen Berg von der jenseits schon in der Schweiz liegenden Felseninsel des Mundlikopfs. Auf beyden Seiten des Kumenberges lagert sich die Gemeinde Koblach mit 128 H. und 690 E. Die Straße bringt uns jedoch, den Kumenberg und Koblach links lassend, zu dem Markte Götzis mit 304 H. und 1800 E. (die Gemeinde 400 H., 2373 E.), 3½ St. von Feldkirch. Wir treten hier wieder aus der Inselkette nördlich hinaus ins freye breite Rheinthal, und an diese Felsenreihe schlugen einst, nach der Sage des Volkes, schon die Wogen des Bodensees. Die meisten Dörfer Vorarlbergs haben Jahrmärkte, hier befinden wir uns aber in einem Markte ohne Markt, weil Götzis vergaß, seine Marktprivilegien erneuern zu lassen. 1 Schule, 1 Wundarzt, 1 Bierbrauerey, 1 Armenhaus. Östlich über Götzis liegt auf dem ersten Bergabsatz die Gemeinde Götziser Berg und noch ein Stockwerk höher Meschach mit herrlicher Aussicht. Eine halbe Stunde unterhalb Götzis läßt die Straße nochmals ein kleines Eiland zur Linken liegen, den rebenumwachsenen Sonderberg, einst den Edelsitz der erloschenen Familie Sandholzer tragend. Darauf theilt sich die Straße in zwey Äste; links zieht die Rheinstraße durch die weite Fläche über die Gemeinde Altach, mit 119 H. und 698 E., zum Rheine und an ihm hinab; die Poststraße hält sich dagegen bis Dornbirn rechts am Gebirgssaume hin. Mit dem Eintritt in die weite Rheinebene ändert sich der Charakter der Landschaft, zur Rechten hat man nur die niedrigeren Höhen des Äußeren Bregenzer Waldes, zur Linken die Vorstufe der Appenzeller Alpen. Zugleich betritt man das Landgericht Dornbirn, 4½ Q.M. umfassend. Die erste Gemeinde ist Hohenems und der erste Ort, Schwefel, hat seinen Namen von einer Schwefel und Alaun führenden Quelle, welche aus einem Felsen hervorbricht und sich als heilsam bey Hautkrankheiten, Rheumatismen, Gicht- und Hämorrhoidalleiden bewährt hat. In früherer Zeit war das Bad mehr in Aufnahme. In dem ehemaligen Badehause befindet sich jetzt die große Baumwollspinnfabrik des Juden Löwengart. Auffallend zerklüftet sich rechts das Gebirge, indem sich hier mehrere kleine Thälchen zu einem gemeinschaftlichen Ausgang in die Ebene drängen. Hier liegt der Markt Hohenems (Hohenembs), 1338 F., mit 301 H. und 2346 E. (die Gemeinde 524 H., 4031 E.), am Fuße hoher und steiler Felsberge, welche theils dicht bewaldet sind. Die Pfarrkirche hat am Hochaltare schöne Bildhauerarbeiten; ferner das Grabmal des Grafen Kaspar und den Cardinalshut des h. Karl Borromäus, dessen Schwester Hortensie die Gemahlin des Grafen Hannibal war. Einige gute Gasthöfe, so besonders die Post, 1 Lesecasino, 2 Ärzte, 1 Wundarzt, 1 Apotheke. Ein schloßartiges Gebäude ist der Waldburg-Zeilsche Pallast vom Grafen Marcus Sitticus von Hohenems, Cardinal und Bischof zu Constanz, 1564 erbaut. Der

Markt gehört zu den gewerbsleißigen. Hauptgewerbe sind: das Zimmern hölzerner Häuser und deren Verkauf in die holzärmere Schweiz, große Spinnereyen, Bandfabriken, Stickereyen u. s. w. Auch der Handel mit den Erzeugnissen ist bedeutend; die hiesigen Handelshäuser stehen in lebhaftem Verkehre mit Leipzig, Triest, Venedig, Livorno, Genua, Ancona und Sinigaglia. An diesem Handel nimmt die hiesige Judengemeinde, welche auch eine Synagoge hat, den thätigsten Antheil. Es besteht hier ein wohlthätig wirkender Judenverein, dessen Streben dahin geht, die Juden dem Schacherhandel zu entziehen.

Man findet hier, wie in der ganzen Umgegend, und wie wir später in Tyrol noch öfters Gegenden antreffen werden, eine seltene Einfachheit und Thätigkeit bey gar oft bedeutendem Reichthume. Das Mädchen, welches die Woche über mit dem Spaten in der Hand mühsam das Feld bearbeitete, erscheint an Festtagen in vornehmem, oft glänzendem, doch nicht geschmacklosem Putze. Es ist diese Sparsamkeit bey dem Handels- und Fabrikleben der Älpler ein schöner Zug im Gegensatz anderer Fabrikslânder, ein Zug der vielleicht aus der Natur des Landes abgeleitet werden mag. Hohenems war der Hauptort der gleichnamigen Grafschaft. Die Grafen stammten aus Graubündten; sie erscheinen schon 942 auf den Turnieren zu Rothenburg an der Tauber, 1079 zu Köln, 1089 zu Halle. Im 14. Jahrhunderte baute Ulrich von Ems mit Kaiser Ludwigs Bewilligung die Burg Hohenems. Eglof und Rudolph von Hohenems fielen mit Herzog Leopold bey Sempach, Goswin und Sigmund im Treffen am Stoß gegen die Appenzeller 1405; Jakob war ein Kampfgenosse Bayard's und fiel bey Ravenna 1512; Marcus Sitticus zeichnete sich im Kampfe gegen die Venezianer aus, erlegte im Zweykampfe in der Schlacht bey Pavia 1525 den Französischen Obersten Langemantel, erwarb sich Ruhm im Kampfe gegen die Türken, war Karls V. Rathgeber auf dem Reichstage zu Augsburg und wurde von ihm in den Freyherrnstand erhoben; Hannibal von Hohenems war siegreich im Kampfe gegen die Mauren in Spanien und Afrika, wie er auch in den Niederlanden focht. Vom Papste wurde er zum Kriegs- und Civilgouverneur des Kirchenstaates und dann von Ferdinand I. zum Oberthauptmanne Vorarlbergs ernannt und in den Grafenstand erhoben; er starb 1587. Mit dem Erlöschen des Mannsstammes 1758 fiel die Grafschaft an Österreich. Von dem Markte steigt man die Leiter hinan, so heißt der steile Felsenpfad, welcher an Abgründen vorüber nach den Burgen von Hohenems führt. Man biegt zuerst rechts in ein Waldthal ein, voll herrlicher Felsenpartien, und hier liegt auf der Höhe Neu-Hohenems, noch von einer Bauernfamilie bewohnt, und die nur auf diesem Steige zugängliche Gemeinde Reute (Emser-Reute). Von hier aus steigt man weiter im Rücken des Berges hinan zur Burgruine Alt-Hohenems, wo sich dem Wanderer plötzlich eine außerordentliche, wahrhaft prächtige Aussicht erschließt; in der Tiefe die große weite Rheinebene, durch die kleine Bergkette bey Götzis angenehm unterbrochen, durchzogen von dem Rheine; darüber die Appenzeller Alpen; im Norden der Spiegel des Bodensees, östlich das Berggewimmel des Bre-

dann überließ man es dem Verfallen. — Kaum aus dieser ersten Einengung der Rheinebene herausgetreten, erhebt sich links in derselben die größere Felseninsel des Kumenbergs, 2095 Fuß über dem Meere und ohngefähr 850 Fuß über der Ebene; in der Ferne, besonders von Norden, erscheint er als kleiner Hügel. Am westlichen Fuße des Kumens rauscht der Rhein hin und trennt diesen Berg von der jenseits schon in der Schweiz liegenden Felseninsel des Mundlikopfs. Auf beyden Seiten des Kumenberges lagert sich die Gemeinde Koblach mit 128 H. und 690 E. Die Straße bringt uns jedoch, den Kumenberg und Koblach links lassend, zu dem Markte Götzis mit 304 H. und 1800 E. (die Gemeinde 400 H., 2373 E.), 3½ St. von Feldkirch. Wir treten hier wieder aus der Inselkette nördlich hinaus ins freye breite Rheinthal, und an diese Felsenreihe schlugen einst, nach der Sage des Volkes, schon die Wogen des Bodensees. Die meisten Dörfer Vorarlbergs haben Jahrmärkte, hier befinden wir uns aber in einem Markte ohne Markt, weil Götzis vergaß, seine Marktprivilegien erneuern zu lassen. 1 Schule, 1 Wundarzt, 1 Bierbrauerey, 1 Armenhaus. Östlich über Götzis liegt auf dem ersten Bergabsatz die Gemeinde Götziser Berg und noch ein Stockwerk höher Meschach mit herrlicher Aussicht. Eine halbe Stunde unterhalb Götzis läßt die Straße nochmals ein kleines Eiland zur Linken liegen, den rebenumwachsenen Sonderberg, einst den Edelsitz der erloschenen Familie Sandholzer tragend. Darauf theilt sich die Straße in zwey Äste; links zieht die Rheinstraße durch die weite Fläche über die Gemeinde Altach, mit 119 H. und 898 E., zum Rheine und an ihm hinab; die Poststraße hält sich dagegen bis Dornbirn rechts am Gebirgssaume hin. Mit dem Eintritt in die weite Rheinebene ändert sich der Charakter der Landschaft, zur Rechten hat man nur die niedrigeren Höhen des äußeren Bregenzer Waldes, zur Linken die Vorstufe der Appenzeller Alpen. Zugleich betritt man das Landgericht Dornbirn, 4½ Q.M. umfassend. Die erste Gemeinde ist Hohenems und der erste Ort, Schwefel, hat seinen Namen von einer Schwefel und Alaun führenden Quelle, welche aus einem Felsen hervorbricht und sich als heilsam bey Hautkrankheiten, Rheumatismen, Gicht- und Hämorrhoidalleiden bewährt hat. In früherer Zeit war das Bad mehr in Aufnahme. In dem ehemaligen Badehause befindet sich jetzt die große Baumwollspinnfabrik des Juden Löwengart. Auffallend zerklüftet sich rechts das Gebirge, indem sich hier mehrere kleine Thälchen zu einem gemeinschaftlichen Ausgang in die Ebene drängen. Hier liegt der Markt Hohenems (Hohenembs), 1338 F., mit 301 H. und 2346 E. (die Gemeinde 524 H., 4031 E.), am Fuße hoher und steiler Felsberge, welche theils dicht bewaldet sind. Die Pfarrkirche hat am Hochaltare schöne Bildhauerarbeiten; ferner das Grabmal des Grafen Kaspar und den Cardinalshut des h. Karl Borromäus, dessen Schwester Hortensie die Gemahlin des Grafen Hannibal war. Einige gute Gasthöfe, so besonders die Post, 1 Lesecasino, 2 Ärzte, 1 Wundarzt, 1 Apotheke. Ein schloßartiges Gebäude ist der Walbburg-Zeilsche Pallast vom Grafen Marcus Sitticus von Hohenems, Cardinal und Bischof zu Constanz, 1564 erbaut. Der

Markt gehört zu den gewerbfleißigen. Hauptgewerbe sind: das Zimmern hölzerner Häuser und deren Verkauf in die holzärmere Schweiz, große Spinnereyen, Bandfabriken, Stickereyen u. s. w. Auch der Handel mit den Erzeugnissen ist bedeutend; die hiesigen Handelshäuser stehen in lebhaftem Verkehre mit Leipzig, Triest, Venedig, Livorno, Genua, Ancona und Sinigaglia. An diesem Handel nimmt die hiesige Judengemeinde, welche auch eine Synagoge hat, den thätigsten Antheil. Es besteht hier ein wohlthätig wirkender Judenverein, dessen Streben dahin geht, die Juden dem Schacherhandel zu entziehen.

Man findet hier, wie in der ganzen Umgegend, und wie wir später in Tyrol noch öfters Gegenden antreffen werden, eine seltene Einfachheit und Thätigkeit bey gar oft bedeutendem Reichthume. Das Mädchen, welches die Woche über mit dem Spaten in der Hand mühsam das Feld bearbeitete, erscheint an Festtagen in vornehmem, oft glänzendem, doch nicht geschmacklosem Putze. Es ist diese Sparsamkeit bey dem Handels- und Fabrikleben der Älpler ein schöner Zug im Gegensatz anderer Fabriksländer, ein Zug der vielleicht aus der Natur des Landes abgeleitet werden mag. Hohenems war der Hauptort der gleichnamigen Grafschaft. Die Grafen stammten aus Graubündten; sie erscheinen schon 942 auf den Turnieren zu Rothenburg an der Tauber, 1079 zu Köln, 1089 zu Halle. Im 14. Jahrhunderte baute Ulrich von Ems mit Kaiser Ludwigs Bewilligung die Burg Hohenems. Eglof und Rudolph von Hohenems fielen mit Herzog Leopold bey Sempach, Goswin und Sigmund im Treffen am Stoß gegen die Appenzeller 1405; Jakob war ein Kampfgenosse Bayard's und fiel bey Ravenna 1512; Marcus Sitticus zeichnete sich im Kampfe gegen die Venezianer aus, erlegte im Zweykampfe in der Schlacht bey Pavia 1525 den Französischen Obersten Langemantel, erwarb sich Ruhm im Kampfe gegen die Türken, war Karls V. Rathgeber auf dem Reichstage zu Augsburg und wurde von ihm in den Freyherrnstand erhoben; Hannibal von Hohenems war siegreich im Kampfe gegen die Mauren in Spanien und Afrika, wie er auch in den Niederlanden focht. Vom Papste wurde er zum Kriegs- und Civilgouverneur des Kirchenstaates und dann von Ferdinand I. zum Obersthauptmanne Vorarlbergs ernannt und in den Grafenstand erhoben; er starb 1587. Mit dem Erlöschen des Mannsstammes 1758 fiel die Grafschaft an Österreich. Von dem Markte steigt man die Leiter hinan, so heißt der steile Felsenpfad, welcher an Abgründen vorüber nach den Burgen von Hohenems führt. Man biegt zuerst rechts in ein Waldthal ein, voll herrlicher Felsenparthien, und hier liegt auf der Höhe Neu-Hohenems, noch von einer Bauernfamilie bewohnt, und die nur auf diesem Steige zugängliche Gemeinde Reute (Emser-Reute). Von hier aus steigt man weiter im Rücken des Berges hinan zur Burgruine Alt-Hohenems, wo sich dem Wanderer plötzlich eine außerordentliche, wahrhaft prächtige Aussicht erschließt; in der Tiefe die große weite Rheinebene, durch die kleine Bergkette bey Götzis angenehm unterbrochen, durchzogen von dem Rheine; darüber die Appenzeller Alpen; im Norden der Spiegel des Bodensees, östlich das Berggewimmel des Bregenzer Waldes. — In der Nähe, besonders aber gegen den Rhein hin, befinden sich große Torflager.

Der Straße nördlich am Gebirgssaume folgend, betreten wir bald das Gebiet der großen Gemeinde Dornbirn (1275 F.) mit 1247 H. und 7277 E., deren Mittelpunkt der langzeilige Markt Dornbirn ist, und selbst dieser hat wieder einen Mittelpunkt, Kirchdorf oder Markt genannt; dieser innerste Kern zählt nur 194 H. und 1165 E., die ganze Gemeinde zerfällt in vier Viertel: 1) Kirchdorf, aus 9 Dörfern, 2) Hattlerdorf, aus 5 Dörfern, 3) Oberdorf, aus 15 Dörfern und Weilern, und 4) Haselstauden, aus 17 Dörfern und Weilern bestehend. Die Pfarrkirche, der Mittelpunkt der Gemeinde, liegt 2¾ St. von Bregenz und ist ein neuer und großer Bau. Hier ist auch der Sitz des Landgerichtes und Dekans und eines Waaren=Controllamtes. Jedes Hauptdorf der Viertel hat seine Kirche, sowie noch mehrere andere Kirchen. Die ganze Gemeinde hat 9 Schulen. Die Schule zu Kirchdorf hat 4 Klassen, die zu Hattlerdorf 3 Klassen. Jedes Viertel hat 1 Wundarzt, der Markt auch 1 Arzt und Vieharzt, wie 1 Apotheke, 4 Jahrmärkte. Dornbirn ist der Mittelpunkt des Gewerbfleißes von Vorarlberg. Die größten Anlagen dieser Art sind: die Baumwollspinnfabrik von Rhomberg und Lenz, eine gleiche von Salzmann, die mechanische Weberey und Spitzengrundfabrik der Ulmer und Salzmann, große Cattundruckereyen und Türkischrothfärbereyen Ulmers und Comp., mehrere große chemische Bleich= und Appreturanstalten, die Färberey von M. Rhomberg, die Schafwollspinnerey von Rhomberg, Danner und Hilbe, das Eisen= und Metallschmelzwerk des Joseph Ignaz Rüsch, wo alle Arten von Maschinen, Instrumenten und Geräthschaften verfertigt werden; mittelst der dabey befindlichen Kupolöfen werden Geschmeidegegenstände geliefert; derselbe Meister hat auch eine neue von ihm erfundene sehenswerthe Sägemühle eingerichtet; eine 1839 privilegirte Wetzsteinfabrik von Joh. Feßler (die Wetzsteine bestehen aus einer neuerfundenen Zusammensetzung): Eine große Fournìersäge von Xaver Feßler liefert täglich 200—800 Blätter, welche nicht nur für Tischlerarbeit, sondern auch für Resonanzböden selbst in Frankreich und England gesucht werden. Auch hier herrscht jene oben erwähnte Einfachheit; die reichen Kaufherren von 50—100,000 Gulden, von der Messe des Auslandes zurückgekehrt, legen ihren einfachen Kittel an, essen mit ihrem Gesinde dieselbe einfache Kost und arbeiten, wie jene. Innerhalb der Gemeinde sprudeln drey Gesundbrunnen, zu Haslach, Kohlegg und Kehlen, welche jedoch wenig besucht werden. Im Oberdorfe stand einst das alte Schloß, eine Besitzung der Grafen von Hohenems; es wurde von den Appenzellern zerstört. An der Achbrücke ist die Schießstätte der Gemeinde und ihr gegenüber die Cavalleriekaserne für 1 Escadron; im Markte eine Infanteriekaserne für 2 Compagnien. Der große Wasserbau an der Dornbirner Ache kostete der Gemeinde 40,000 fl.

Die Straße zieht von Dornbirn, die Höhen verlassend, links gerade nördlich durch die Rheinebene nach Lauterach, am gleichnamigen Bache, welcher unweit des Ortes klar und lauter aus einer Menge starker, aus dem Kiesboden der Ebene hervorsprudelnder Quellen entsteht und sogleich 30 Fuß breit ist, so daß er Kähne trägt und Mühlen treibt. Das Dorf zählt 176 H. und 1296 E. 1 St. von Bregenz und schon zum Gerichtsbezirke der Stadt gehörig. Unweit Lauterach liegt Lerchenau mit einer großen Papiermühle und gut eingerichteten Badeanstalt. Die Quelle enthält Alaun, Schwefel und Eisen. Nur eine Viertelstunde hinter dem Dorfe kömmt man an das Ufer der Bregenzer Ache, des bedeutendsten und eigentlichen Baches des Bregenzerwaldes; eine bedeckte Brücke von 750 Fuß Länge führt über den mächtigen Bach und dessen weites Kiesbett.

Am Eingange von Bregenz machen wir Halt, um noch die zwey Reisegesellschaften, deren eine von Dornbirn aus sich rechts an den durch Orte belebten Saume des Gebirges hielt, die andere am Rheine hinabwanderte, zu erwarten. Um auch diese Wege kennen zu lernen, wandern wir zuerst längs dem Gebirge rechter Hand hin, und kommen auf diesem Wege in einer halben Stunde nach Haselstauden, dem Mittelpunkte eines der Viertel der Gemeinde Dornbirn. Das Gebirge zur Rechten fällt hier bedeutend ab auf die vordere Stufe des Bregenzer Waldes. Wir überschreiten hier die Grenze des Dornbirner Landgerichtes, indem wir das Landgericht Bregenz, 4½ Q.M. enthaltend, betreten. Die erste Gemeinde ist Schwarzach (1800 F.) mit 93 H. und 584 E. Im nahen Schwarzachtobel sind viele Wetzsteinschleifer. Von hier zieht die Bregenzer Straße in den Wald, die Höhe hinan mit herrlichen Rückblicken. Die Sandsteinmasse zwischen dem Schwarzachtobel im Süden und der Bregenzer Ache im Norden heißt, wie die darüber ausgebreitete Gemeinde, der Steusberg, mit 133 H. und 970 E. Auf einem vorspringenden Kopfe glänzt die doppelt bethürmte Wallfahrtskirche von Bildstein, von wo eine ungemein reizende Aussicht sich ausbreitet. Auf den Höhen des Steusberges versammelten sich die Bewohner des vorderen Bregenzerwaldes, um sich zu berathen, hier hielten sie auch ihre Märkte. Im Verfolge des Weges in der Tiefe erreicht man die Gemeinde Wolffurt (1290 F.) mit 228 H. und 1256 E. (das Dorf 169 H. und 928 E.). Geburtsort des Maler Flatz, 1800. Eine Viertelstunde südöstlich, auf einer vortretenden Felsenwand, liegt das noch bewohnte Schloß Wolffurt, dessen erste Herren aus Schottland stammen sollen; jetzt gehört es Bregenzer Bürgern. Auf einem andern Felsen stand einst das Schloß Kuien, von dem nichts mehr zu sehen ist. Es soll einst eine stattliche Burg hier gestanden haben, aus welcher allnächtlich, wie die Sage erzählt, eine goldne Schlange über die Felsenwand herabschoß, um aus dem darunter vorbeyfließenden Rickenbach zu schlürfen. Von hier gehen wir an der Bregenzer Ache, welche rechts aus dem Walde herausströmt, nach Achbrück mit dem guten Wirthshause zum Engel. Wir treffen hier wieder auf die Straße, die uns nach Bregenz führt. Wir folgen nun auch dem dritten Wege im Westen der Hauptstraße, welcher am meisten von derselben abweicht. Von Dornbirn aus zieht eine gerade Straße nordöstlich durch die Rheinebene in die Gemeinde Lustenau (1260 F.) mit 447 H. und 2995 E. Die etwas sumpfende weite Fläche ist mit Canälen und Gräben durchschnitten und dadurch dem Anbaue fähig gemacht. Die Gemeinde Lustenau besteht, wie Dornbirn, aus mehreren Dörfern, sechs an der Zahl. Der hier gebaute Spelz wird sehr gesucht. Es bestehen hier drey Rheinüberfahrten nach der Schweiz. Lustenau ist eine Dorfoase in der weiten zwar angebauten aber unbevölkerten Ebene. Gerade nördlich stößt der Rhein an ein ziemlich isolirtes Felsencap, den Mondstein, welcher den Strom nordöstlich treibt und erst in einiger Ferne nimmt er seine vorige Richtung wieder ein. Um die östliche Ecke des Rheines biegend, erreicht man die Gemeinde St. Johann Höchst mit 318 H. und 1966 E. (das Dorf 264 H., 1770 E.). 2¾ St. von Dornbirn, an der Straße von Bregenz nach Rorschach; 1 Schule, 1 Wundarzt. Der Feldbau ist bedeutend bey großer Fruchtbarkeit des Bodens, und die Häuser liegen in einem Obstwalde. Rheinüberfahrt; große Feinstickerey von Schneider und Benzinger (Chemisetten, Haubenkrägen, Manchetten u. s. w.); die Erzeugnisse, welche viele Hunderte von Mädchen und Frauen in Vorarlberg beschäftigen, gehen nach den ersten Städten der Monarchie. Jenseits einer abermaligen Biegung des Rheines liegt die letzte Gemeinde Vorarlbergs am Rheine hinab, Gaißau, dem jenseitigen schweizerischen Rheineck gegenüber. Von hier an abwärts sumpft der Boden immer mehr. Den Rhein selbst begleiten noch Landstrecken, eine Art Delta, in den See hinein; die äußerste Spitze diesseits des Rheines heißt Rheinspitze. Östlich von dieser Spitze, in der Mitte zwischen der Einmündung des Rheines und der Bregenzer Ache, läuft die Rohrspitze in den See hinein. Wir kehren nach St. Johann Höchst zurück, um die Straße nordöstlich zu verfolgen, die uns nach Fußach (1248 F.) bringt, unweit der Einmündung der Dornbirner Ache oder Fußache in den See; 101 H., 551 E.; 1 Schule, 1 Arzt. Über die Ache führt eine schöne steinerne Brücke, von welcher an der Fluß einen Canal bis zum See bildet. Außer drey Dampfschiffen laufen hier auch viele andere Schiffe ein, da der Ort ein Stapel= und Austauschplatz Vorarlbergs und der angrenzenden Staaten ist. In dem hierher gehörigen Orte Birkenfeld ist die große Baumwollspinnfabrik von Konrad Gyßis. Jenseits der Brücke treten wir auch auf diesem Wege in das Gebiet des Landgerichtes Bregenz. Die erste Gemeinde ist Hard mit 208 H. und 1573 E. (das Dorf 187 H. und 1220 E.), 1¼ St. von Bregenz; 1 Schule, Landungsplatz und Badeanstalt. Große Garn= und Tuchschönfärberey, Druckerey und Bleiche von Jenny und Schindler; 1000 Personen werden beschäftigt. In einer von Weihern umgebenen Ebene liegt das Schloß Mittelweierburg; 1550 von Joh. Christoph Schnabel von Schönstein erbaut, enthält es jetzt eine große Baumwollwebfabrik von Jenny und Schindler. Bey Hard wurden 1499 die Österreicher von den Schweizern geschlagen. Von Mittelweierburg lenkt die Straße östlich hinüber zur Achbrücke und mündet hier in die Hauptstraße ein; auf ihr nähern wir uns dem alten

Bregenz. Schon oft hat der Reisende in seiner Heimath den Namen Bregenz gehört, es ist ja ein uralter Name, auch auf der Reise durch den fleißigen Vorarlberg und durch das Algau hört er diesen Namen oft; ist es doch die Hauptstadt Vorarlbergs. Hat nun der Reisende die ansehnlichen Dörfer, die großen und reichen Märkte durchwandert, sieht er die schönen Landhäuser, besonders das belebte Gasthaus zum Engel an der Achbrücke, sieht er die schwarze Flagge der Dampfschiffe wehen, so nähert er sich ahnungsvoll einer großen, belebten Stadt. Allein Bregenz ist nur ein kleines Städtchen, nicht viel größer als manches Dorf in Vorarlberg, denn es zählt nur 355 H. und 2400 E. (die Gemeinde 388 H., 2818 E.); man bemerkt nichts von dem Luxus im Äußeren, welchen die vielen Reisenden, die Nähe der Schweiz, der Bodensee erwarten lassen und fühlt sich um so heimischer und behaglicher. Die Post ist ein vortrefflicher Gasthof, wo man freundliche und billige Bedienung findet. Den Abend hat man das Vergnügen, den Zapfenstreich des Schützencorps unter den Fenstern zu hören. Die Schlichtheit und Einfachheit ist ein Zug des Vorarlbergers; er weiß, daß er besser, wohlfeiler und freyer im Freyen lebt, als im Gedränge einer großen verschwenderischen Stadt, und er wird dadurch freyer, weil er keine große Hauptstadt hat, eine Schmarotzerpflanze, die dem Lande alle guten Säfte entzieht, ohne ihm etwas dafür bieten zu können. **Bregenz** liegt 53⅞ St. von Innsbruck und 2½ St. von Lindau, 1223 Fuß über dem Meere. Wenn Lindau das Bayrische Venedig ist, so ist Bregenz das Tyroler Triest. Die Stadt steigt amphitheatralisch aus der Ostbucht des Bodensees auf; die Altstadt, nur noch aus 20 Häusern bestehend, liegt auf der Höhe und den Abhängen; die regelmäßigere Neustadt lagert sich ihr zu Füßen. Die Altstadt gleicht mit ihren Thorwegen, Mauern und verrasten Plätzen einer alten großen Ritterburg, welche Ansiedlern überlassen ist. Hier ist das alte Rathhaus, die ehrwürdige Pfarrkirche mit dem schönen Hochaltarblatt (die anbetenden Hirten) und einem anderen guten Gemälde rechts im Kreuzgange (die h. drey Könige). Es bestehen hier: der Sitz des Kreisamtes, des Land- und Criminalgerichtes, ein Polizey-Commissariat, Rentamt, Gefälle-Inspector, Grenzwachen-Inspector, Postinspectorat, eine Zollegstätte, Sparkassenanstalt, Hauptschule und Mädchenschule. Gegenwärtig (1841) ist die Stadt auch der Sitz des Dekans [1]). Ferner 2 Ärzte, 2 Wundärzte, 1 Apotheke, 4 Hebammen, 1 Hospital für die Bürger, versehen von den barmherzigen Schwestern, 1 Hospital für fremde Gesellen, 1 Siechen-(Leprosen-)Haus, 2 Kasernen, die See- und Annakaserne (einst ein Kloster); die Besatzung besteht aus einem Bataillon. Ein Lesecasino, ein Theater, Freytags ein Kornmarkt, daher große Kornhäuser; wöchentlich werden hier 16,000 halbe Wiener Metzen Getraide verkauft und jährlich dafür 1 Million Gulden umgesetzt. Außerdem drey Jahrmärkte. Die Buch- und Kunsthandlung von Teutsch.

---

1) In Vorarlberg wechselt dieser Sitz, insoferne nicht der Ort, sondern die Person diesen Sitz bedingt. Die Dekane werden durch Stimmenmehrheit der Pfarrer des Dekanats erwählt.

Eine besondere Gesellschaft betreibt den Handel mit Salz, Brenn- und Bauholz auf sechs großen Schiffen. Ein anderes einträgliches Gewerbe der Stadt ist der Handel mit Rebstecken, der schon unter den Monfortern blühte. Die ganze Umgegend, besonders aber der Bregenzerwald, beschäftigt sich mit der Verfertigung der Stecken; der Abzugscanal, der Großhandel, geht aber nur durch Bregenz. An bestimmten Orten werden die Stecken aufgehäuft, von Sachverständigen untersucht und mit dem Probestempel versehen. Von 1814—20 wurden 16,542,360 Rebstecken hier abgesetzt. Das Tausend kostet 11 fl. 50 Kr.; jährlich werden nur in das Ausland 2,024,000 Stück für 23,950 fl. 40 Kr. ausgeführt. Die Stadt scheint Vorrömischen Ursprunges zu seyn; die Römer machten sie zur Mansion Brigantia. Diese Römische Ansiedelung befand sich, Ausgrabungen zufolge, wahrscheinlich auf dem jetzigen Ölrain und einem Theile der jetzigen Altstadt. Durch die Völkerwanderung verwüstet, tritt Bregenz wieder im 9. und 10. Jahrhunderte im Besitze der Grafen von Bregenz auf; Ulrich I. war der erste als solcher. Nach dem Erlöschen dieses Geschlechtes fiel die Stadt an die Montforter, von denen sie auch 1409 eine Stadtordnung erhielt. Um diese Zeit rückten die Appenzeller heran, um die, wie sie meinten unvorbereitete Stadt zu überrumpeln. Aber eine arme Frau, Guta, welche als Bettlerin unbeachtet in Appenzell die ganze Berathschlagung über dieses Vorhaben erfuhr, eilte in ihre Vaterstadt, um die drohende Gefahr mitzutheilen. Die Vorbereitungen zum Empfange der Feinde wurden nun so getroffen, daß ihr Überfall nicht nur mißlang, sondern auch eine große Niederlage den 13. Januar 1408 herbeyführte. Die Gebeine der erschlagenen Appenzeller ruhen in der alten Seekapelle. Die ehrenwerthe Guta erhielt einen bleibenden Orden; denn noch jetzt fügt der Nachtwächter (von Martini bis Lichtmeß) seinem gewöhnlichen Rufe: „Ehre der Guta!" bey. Max I. schenkte der Stadt das Zollrecht und Weggeld, wogegen sie die Stadtmauern (der Altstadt) erhalten mußte. Im 30jährigen Kriege wurde Bregenz von den Schweden erobert, welche 40 Tonnen Goldes entführten, und bey ihrem Abzuge die Befestigungen zerstörten. Im Österreichischen Erbfolgekriege wurden 1744 die Franzosen von den Bürgern zurückgeschlagen. Unter den Montfortern von Bregenz verdient besonders Hugo von Montfort als Ritter, Minnesänger und Freund Oswalds von Wolkenstein eine Erwähnung. Beyde zogen als Ritter und Sänger nach Litthauen, Compostella und Jerusalem. Eine Handschrift seiner Lieder befand sich auf der berühmten Bibliothek zu Heidelberg, die im blinden Glaubenseifer dem Vatican übergeben wurde. Dennoch soll diese Handschrift den Weg wenigstens zu Deutschen, nach St. Gallen, gefunden haben.

Die größte Merkwürdigkeit ist der Bodensee, den wir daher auch zuerst kennen lernen.

Der Bodensee, vom Schlosse Bodman so genannt, einst Lacus Brigantinus, Lacus Rheni, Acronius oder Acromus, Lacus Bodamicus, jetzt auch Constanzer See genannt, erstreckt sich von Bregenz bis Bodman 18 Stunden von S.O. nach N.W., zwischen dem 47° 29′ und 47° 49′ der nördlichen Breite und 26° 36′ und 27° 25′ der östlichen Länge; von Bregenz bis Constanz beträgt seine Länge 14 Stunden; die größte Breite zwischen Rorschach und Langenargen 5 Stunden; die größte Tiefe (nach von Riedls Stromatlas von Bayern) zwischen Arbon und Friedrichshafen 960 Fuß, ohngefähr gerade in der Mitte des Sees; sein Flächeninhalt nimmt 9½ Q.M. ein. Seine Oberfläche liegt 1200 F. über dem Meere; sein Umfang, die kleinen Buchten abgerechnet, beläuft sich auf 40 Stunden, wovon 30 St. auf Deutschland (Österreich 6 St., Bayern 4½ St., Würtemberg 5½ St., Baden 14 St.) und 10 Stunden auf die Schweiz (Canton St. Gallen und Thurgau) kommen. Beym Schmelzen des Schnees steigt der Spiegel um 10—21 Fuß. Außer diesem Anwachsen des Sees findet noch ein periodisches, auf den meisten größeren Seen bemerkbares Steigen und Fallen statt, hier Ruhß, am Genfer See Seiches genannt. Am 25. Februar 1549 stieg der See in einer Stunde fünfmal eine Elle hoch. Dieses Anschwellen ist am stärksten am Ausflusse des Sees, am schwächsten am oberen Ende; bey Tage im Frühjahr und Herbst am häufigsten. Die Dauer einer Ruhß übersteigt selten 25 Minuten; je veränderlicher das Wetter ist, desto häufiger tritt sie ein. Die gefährlichsten Winde sind der Föhn (Südwind), der Nordwestwind und Ostwind. Wegen der offnen Lage ist er häufiger den Stürmen ausgesetzt, als die in dem Gebirge liegenden Seen. Bey starken Stürmen wird seine Wassermasse bis 18 Fuß tief aufgewühlt. Auch Wasserhosen sind nicht selten. Eine andere eigenthümliche Erscheinung, welche jedoch auch einige andere Seen haben, ist das Blühen des Sees; dann ist der See mit einem gelblichen Überzuge bedeckt, besonders im Frühjahre, daher es von Einigen für Blüthenstaub angesehen wird, von den Obstwäldern des Seegestades darauf geweht.

In früheren Zeiten fror er häufiger und stärker zu, als in der neueren Zeit; 1695 fror der See zum letzten Mal so zu, daß man darüber fahren konnte. Einst, ehe sich der Rhein sein Bett im jetzigen Rheinfalle so tief ausgespült hatte, stand der Seespiegel viel höher, wie die Berlinger Sandhügel und die Öninger Kalkschieferflötze beweisen mit ihren unzähligen Versteinerungen aus der Schöpfung des Bodensees. Auch in ihrer äußeren Bildung zeigen die hinter Bregenz und im Rheinthal aufragenden, öfters einstürzenden Bergwände die einstigen Seegestade. Gegen Nordwesten läuft eine fünf Stunden lange und eine Stunde breite Seebucht aus, der Überlinger See; der Zellersee ist jedoch eine abgeschlossene Kammer, indem der Rhein bey Constanz aus dem Bodensee tritt und erst eine halbe Stunde darauf den Zellersee erreicht. Dieser Zeller- oder Untersee würde, wenn er nicht neben dem großen Bodensee läge, für einen bedeutenden See gelten, indem seine Oberfläche noch über 1 Q.M. enthält. Im Bodensee liegt am Eingange zum Überlingersee die Insel Meinau und im Zellersee die Insel Reichenau. Um den größten Theil des Sees, und zwar meistens an seinem Gestade hin, führt eine Straße. Die Hauptzuflüsse des Sees sind: der Rhein, die Dornbirner Ache, die Bregenzer Ache, die Leiblache, der Argen, der Schussen, die Urnauer Aach, die Seefelder Aach, die Stockache, die Goldach, die Steinach. Die Sage, als ob man den Durchfluß des Rheines bemerken könne, mag von den Erscheinungen herrühren, welche Luftströmungen auf jeder, selbst kleinen, Wasserfläche strichweise hervorrufen.

Vindelicier, Sueven, Römer, Alemannen und Franken beherrschten nach einander den See; Tiberius soll die Schifffahrt auf ihm eröffnet haben. Im Mittelalter entstanden Schifferinnungen. Im 15. und 16. Jahrhunderte war die Schifffahrt sehr lebhaft; später erlag sie durch die Drangsale des dreyßigjährigen Krieges. Neuerer Zeit wurde sie jedoch wieder besonders durch die Dampfschifffahrt belebt; gegenwärtig befahren vier Dampfschiffe den See; den Lauf anzugeben, ist unthunlich, da bisweilen Änderungen eintreten, und man findet in den meisten Orten schon in einiger Entfernung vom

See die Angaben des Laufs in den Gasthäusern angeschlagen[1]). Die größten Schiffe werden *Lädischiffe* genannt, welche eine Last von 3000 Centnern tragen. Ihnen folgen die *Halblädis* und *Segner*. Wie sein südlicher Nebenbuhler, der Gardasee, trug auch der Bodensee Kriegsschiffe. Gustav Horn, der Schwede, baute im dreyßigjährigen Kriege eine Kriegsflotte zu Buchhorn (jetzt Friedrichshafen), u. a. die Galeere Christina, mit 22 Kanonen. Eine spätere Schwedische Flotte, von Wrangel in Bregenz ausgerüstet, behauptete sich bis zum Westphälischen Frieden. Auch die Österreicher erfochten hier einen Seesieg über die Franzosen. 1824 befuhr das erste Dampfschiff den See. Eine so große Wasserfläche zieht auch eine Menge Wasser- und Ufervögel herbey, die sonst im Lande zu den Seltenheiten gehören: der schwarze Storch, der Nachtreiher, Purpurreiher, die Taurische Ralle, die Löffelente, der Pfeilschwanz, die Kropfgans und der Kormoran sind die ungewöhnlicheren Arten derselben. In strengen Wintern, wo die Seen der Umgegend zufrieren, sammeln sich hier die Wasservögel in großer Menge. Die merkwürdigsten Fischarten, welche die meisten Reisenden interessiren, sind: Aal, Quappe, Rheinlanke (bis 20 Pfund), Lachsforelle, Rothforelle, Blaufelche und Schleihe. Das nördliche Ufer ist wärmer als das südliche, als Sonnenseite; der Weinbau steigt hier noch 500 Fuß über das Ufer oder 1700 Fuß über das Meer hinan. Auch der Reisende wird, wenn er die Wahl hat, nur das eine Ufer besuchen zu können, besser thun, das nördliche Ufer zu bereisen, weil von hier aus hinter dem grünen Berg- und Hügelgurt des Seebeckens noch die Bergriesen Appenzells und Vorarlbergs hereinschauen und der Landschaft einen außerordentlichen Reiz geben; dieses ist besonders gegen Osten hin der Fall, wo man sich im Süden das weite Rheinthal öffnen sieht. Auf der Süd- oder Schweizerseite hat man dagegen jenseits der weiten Seefläche die wenig darüber hinziehenden Flachrücken vor Augen, was bey dem langen Weg zuletzt langweilig wird.

Wir widerstehen der Versuchung, unsre Leser um den ganzen Bodensee herumzuführen, da es an Monographien über denselben nicht fehlt und derselbe den meisten Schweizerreisenden mehr am Wege liegt, denen aber, welche von Bregenz aus die Rundreise machen wollen, rathen wir, erst nach ihrer Rückkehr dahin die Höhen um diese Stadt zu besteigen, weil sie sich dann erst für alle die Orte interessiren werden, die sie hier erblicken, oft nur als weiße Pünktchen. Sonst verhallen eine Menge Namen von Orten, die sie kaum einmal gehört haben, ohne Theilnahme an ihrem Ohre. So groß ferner der See auch erscheint, von einer Höhe gesehen, so erhält man dennoch einen würdigeren Begriff, wenn man ihn einmal an seinen Ufern umkreist hat.

Ehe der Reisende Bregenz, dessen Inneres wir schon kennen, verläßt, muß er wo möglich suchen, den Untergang der Sonne hier, und zwar in der Tiefe, zu genießen, oder auf einer kleinen Felsenhöhe bey der Klause, welche ein Schirmhäuschen bezeichnet. Wenn man die Sonne im August gerade über der fernsten Seefläche untertauchen sieht, wenn ihre feurige Kugel unmittelbar in den Wasserspiegel niedersinkt, wenn ihre Strahlen dann auf der 18 Stunden langen Fläche daherfahren wie Blitze und der ganze See einem Lavastrome gleicht, der hinauswogt ins Unendliche, während seine Gestade schon in grauen Nebelschleyer gehüllt sind, daß man sie nicht mehr unterscheiden kann von der Luft, dann hat man ein Schauspiel genossen, das man nur auf dem Meere wiederfindet.

Ausflug nach Lindau. Auf der Straße braucht man zwey Stunden, das Dampfschiff aber bringt in nicht einer Stunde dahin. Wir folgen der Straße. In einer Stunde überschreiten wir die Österreichisch-Bayrische Grenze. Die Inselstadt Lindau schwimmt immer näher heran, bis wir an die 1128 Fuß lange Brücke gelangen, welche die Stadt mit dem festen Lande verbindet. Wegen seiner Lage hat die Stadt den Namen: das Schwäbische oder Bayrische Venedig. Die Stadt zählt 543 H. und 2600 E. Der sichere und geräumige Maximilianshafen für 69 größere und 200 kleinere Fahrzeuge

1) Bey des Verfassers Anwesenheit in Bregenz kam das Würtembergische Dampfschiff von Friedrichshafen täglich um 7 Uhr über Lindau an.

besteht seit 1812. Die Stadt war bis 1802 freye Reichsstadt, wo sie dem Fürsten von Bretzenheim als Entschädigung zugetheilt wurde, der sie 1804 an Österreich abtrat, von wo sie 1805 durch den Preßburger Frieden an Bayern kam. Im Kriege 1809 wurde Lindau von den Vorarlbergern mehrmals angegriffen und auch einmal erobert. Lebhafter Speditionshandel. Gute Gasthöfe: die Krone (Post), die Gans und das Schaf. Die St. Stephans- oder Pfarrkirche (evangelisch) mit sehr schöner Orgel; die Stifts- oder Marienkirche (katholisch); die St. Peterskirche und die eingegangene Dreyfaltigkeitskirche mit der Stadtbibliothek. Da die Stadt früher ein Waffenplatz der Römer war, so findet man noch manche Bruchstücke ihrer Werke; so namentlich die sogenannte Heidenmauer am Eingang und die Burg des Constantius Chlorus. Die Stadt liegt auf drey Inseln, welche durch Brücken mit einander verbunden sind. Wo nur ein freyes Plätzchen ist, hat man eine herrliche Aussicht, besonders hinüber in die Öffnung des Rheinthales und auf die Vorarlberger und Appenzeller Alpen, aus denen der Säntis mit seinem Gletscher vor allen hervorragt. Auch hier noch ist der Sonnenuntergang ein prächtiges Schauspiel.

Auf dem Delta der Bregenzer Ache, nur eine halbe Stunde von Bregenz, liegt Vorkloster mit den Gebäuden der aufgehobenen Benediktinerabtey Mehrerau. Dieses Kloster soll von den Heiligen Columban und Gallus 611 gestiftet worden seyn an der Stelle der Kapelle der heiligen Aurelia, welche hier den Martertod durch Attila 453 erlitt. Zu Wohlstand und Reichthum konnte es das Kloster nie bringen. Jährlich wurde zur Zeit seiner Blüthe von Bregenz aus ein Faschingsaufzug von 60—70 Bregenzern, als Ritter gekleidet, dahin unternommen; das Kloster wurde von ihnen belagert und kapitulirte. Die Sieger zogen ins Kloster ein und ein Schmaus folgte. In die Stadt zurückgekehrt, beendigte ein Ball das Fest, welches zum Andenken des Beystandes gefeyert wurde, den die Bregenzer Bürger dem Stifte gegen die Schweizer geleistet hatten.

Im Osten lehnt sich Bregenz an die alte Bucht des Sees, den Pfannenberg, der sich halbkreisförmig um Bregenz in langem Zuge herumzieht; in der Tiefe ist er sanft abgedacht und angebaut, der obere Rand aber bildet einen Steilabfall, als ob sich die tieferen Massen von ihm losgerissen und etwas in die Tiefe gesenkt hätten. Der höchste Punkt hat eine Meereshöhe von 3360 F. und erhebt sich also über den Bodensee 2160 F. Schon mehrmals setzten Bergschlipfe des Pfannenberges die Stadt in Schrecken und aus den meisten Zimmern der Post sieht man noch jetzt eine solche Plaike (Bergschlipf), welche bey nassem Wetter bricht. Wegen der herrlichen Aussichten, die man von allen Punkten des Pfannenberges hat, findet man hier eine Menge Edelsitze. Auf der Südspitze des Pfannenberges ragt aus altem Gemäuer eine kleine Kirche auf, die Gebhardskirche, weßhalb auch der ganze Berg der Gebhardsberg genannt wird. Hier stand das alte Schloß Pfannenberg, einst Römischer Wartthurm über Brigantium, wie die Grundfesten des Mauerwerkes vermuthen lassen. Im zehnten Jahrhunderte war Graf Otto Verwalter des Schlosses unter den Churräthischen Präfekten, der Vater des heiligen Gebhard, welcher hier 949 geboren war. Er wurde Bischof zu Constanz und starb daselbst 996. Im Jahre 1647 zerstörten die Schweden das Schloß, worauf 1723 das jetzige Kirchlein erbaut wurde, jetzt Wallfahrtskirche, welche zwey Gemälde von Flatz enthält. Jeder Fremde, welcher nach Bregenz kömmt, wird auch außer dem 27. August, dem eigentlichen Wallfahrtstage, heraufpilgern. Reisende, welche von Feldkirch kommen, haben, wenn sie in der Post zukehren, den Bodensee noch nicht gesehen; wollen sie sich daher eine eigenthümliche Überraschung bereiten, so wallfahrten sie, ehe sie an den See gehen, wenn es die Tageszeit gestattet, zur Kirche, legen aber auch als eigentliche Pilger zuvor das Gelübde ab, sich auf dem Wege nicht umzusehen. Eine halbe Stunde dauert diese Buße. Man betritt das Stübchen des Kastellans, Küsters und Wirthes, das dem Zimmer eines Thürmers gleicht; die Fenster werden geöffnet und zwar zuerst nach Westen, da liegt der Bodensee fast in seiner ganzen Ausdehnung, wenigstens bis Constanz, vor dem erstaunten Pilger; mit einem Blicke überschaut er jetzt den Raum, den er durchwanderte, wozu er viele Tage brauchte; doch nur flüchtig überfliegt er denselben, er eilt an das andere Fenster gegen Süden; hier breitet sich das ganze Rheinthal aus hinauf bis Feldkirch, rechts begrenzt durch die Appenzeller Gebirgswelt, aus welcher der Säntis aufragt, links die immer höher sich aufbauenden Berglinien des Bregenzerwaldes *bis* zu den Hochgipfeln des Rhätikons. Vor Allem aber erstaunt der Fremde über die senkrechte Tiefe, in die sein Blick unmittelbar aus dem Fenster fällt; denn wenn man von Bregenz die grüne Höhe heraufgestiegen ist und durch das Thor in den ehemaligen Burghof tritt, ahnet man den Abgrund nicht, über welchem man schwebt; erst hier erschließt er sich. Die Ebene wird von den Silberbändern der Bregenzer Ache, Dornbirner Ache und des hie und da durchblitzenden Rheines durchzogen. Nun erst, nachdem man sich an der Aussicht gelabt, nimmt man auch seine Zuflucht zu dem großen hier sich befindenden Fernrohre, und nun wird es ein besonderes Vergnügen seyn für den, der zuvor den See und das Rheinthal bereist hat, alle die Orte wieder aufzusuchen, welche er durchwandert hat. Nur der rothe sogenannte Schafhäuser Wein ist zu sauer und zu theuer, vielleicht weil man etwas in die Schweiz hineinsieht. Auf einer mehr nördlichen Plattform des Pfannenberges sind die noch wenigen Überreste der einst gefürchteten Rugsburg, früher vielleicht Römischer Wartthurm.

Von Bregenz südöstlich liegt der Bregenzerwald, der dritte Hauptbestandtheil Vorarlbergs. Hierunter versteht man das Gebiet, welches westlich durch das Rheinthal, südlich durch das Gebiet der Ill und des Lechs, östlich durch das Bayrische Algau (Illergebiet) und nördlich durch das tiefere Bayrisch-Bregenzer Gebiet begrenzt wird. Er umfaßt 9½ Q.M. Der Hauptbach *ist die* Bregenzer Ache, welche alle Gewässer des Waldes aufnimmt[1]). Eine besondere Eigenthümlichkeit des größeren Theiles des Gebietes besteht in den vielen langgestreckten Rücken, welche aus der nördlichen Hälfte des *Illerthales* von Osten herüberziehen nach Westen, und diese Rücken, welche *der Grünsandsteinbildung* angehören, werden wiederum von der nicht hohen Wasserscheide zwischen Iller und Bregenzer Ache quer von Norden nach Süden durchsetzt. So*wie die* Wasserscheide, so durchschneidet aber auch die Bregenzer Ache diese Rücken, daher ihr oft seltsam gekrümmter Lauf. Je weiter nach Norden, desto mehr streichen die Rücken von Nordost nach Südwest, und hier verflächen sie sich zu Hochebenen. Hieraus folgt die verschiedenartige Bildung dieses Gebietes. Im Norden die breiten Massen mit Hochebenen, zum Theil der Molasse, größtentheils der Grünsandformation angehörig. Die Thäler sind tiefe, nur vom Wasser ausgewühlte Gräben und Furchen, von Ansiedelungen und Wegen gemieden; die Straßen übersetzen sie nur nothgedrungen und ziehen sich oft in weiten Krümmungen herum, um den Tobeln auszubeugen. Daher ist die ganze Bevölkerung über die Hochebenen zerstreut. Dieses ist der Äußere Bregenzerwald. Südlich beginnt die Grünsandformation mit höheren scharfkantigen Bergrücken, welche gegen Norden öfters sehr steil und in Felswänden abfallen und 5—6000 Fuß Höhe erreichen. Die Ache durchschneidet diese Rücken ebenfalls in vielfa-

1) Hie und da greift das politische Gebiet über die Wassergrenzen, während es an andern Stellen über dieselben zurückgedrängt wird. Wir halten uns hier an das Gebiet der Ache.

chen Krümmungen. Nach dem jedesmaligen Durchschnitt einer Kette tritt sie in eine jener Rinnen, läuft in ihr, rechts und links die durch dieselben herbeyrinnenden Zubäche aufnehmend, eine Strecke fort bis zu einem abermaligen Durchschnitte. Das vielfach gekrümmte Thal besteht daher jetzt aus Engen und Weitungen. Die Orte, die in der vorigen Strecke weithin zerstreut umherlagen, sind jetzt in den lieblichen Thalweitungen und Kesseln zusammengedrängt und liegen auf deren Thalböden. Hinter dieser Region erscheint der Alpenkalk mit schon höheren Köpfen bis gegen 8000 F., besonders da, wo unser Gebiet an das Lechgebiet stößt. Hier werden die Orte seltener und die Gegend alpenhafter; es wechseln auch hier wildschauerliche Engen mit Thalkesseln, doch von geringem Umfange. Diese zwey letzteren Strecken bilden den Inneren Bregenzerwald. Der ganze sogenannte Wald ist mit dem schönsten Grün überkleidet und in weiten Strecken von großen Forsten umschattet. Auf dem Schmelz der herrlichsten Wiesen und Alpen, wie auf dem Schatten der Wälder beruht der Wohlstand, das Haupteinkommen des Wälders; denn in Hinsicht auf Viehzucht und deren Erzeugnisse gehört der Wald in Tyrol zu den ersten Bezirken, und der Bodensee ist ein guter Ableiter des Holzes in die Umgegend, welche, wie oben angedeutet, außer dem gewöhnlichen Bedarf auch noch sehr viel an Rebstecken und zum Verkauf gezimmerter Häuser nöthig hat. Doch ist der fleißige und genügsame Wälder nicht damit zufrieden, seine Gewerbthätigkeit nimmt auch an dem Fleiße des Unterlandes Theil; besonders ist dieses der Fall mit der Feinstickerey, wozu die Muster aus der Schweiz geschickt werden. Allenthalben sieht man daher Mädchen, hier Schmelgen genannt, unter dem Schatten der Kirschbäume sitzen, mit dieser Arbeit beschäftigt, während der größere Theil der männlichen Bevölkerung entweder auf den Alpen die Sennerey betreibt, oder den Holzgeschäften nachgeht, oder als Maurer ins Ausland wandert, während die älteren oder schwächeren Männer hinter dem Webstuhle sitzen. Die Bewohner sprechen eine eigenthümliche Mundart. Hier findet, namentlich im Vorderen oder Äußeren Walde, der Sprachforscher die Stammwörter, Formen und Ausdrucksweise des Nibelungenliedes wieder [1]). Im Inneren Walde herrscht andere Sitte und Sprache. Die Bewohner desselben standen bis 1400 unter einem einfachen Meier als Richter. Von dieser Zeit an wählten sie einen eignen Landammann. Zur Wahl desselben, wie zu allen Landtagen, Gerichtssitzungen u. s. w., bestand ein sogenannter Saal im Freyen, eine Art Bühne, welche auf Säulen ruhte und zu welcher die Theilnehmenden auf Leitern hinanstiegen. Letztere wurden dann hinweggenommen und nicht eher wieder angelegt, als bis die vorliegende Sache entschieden und beendigt war. Auf dieser Bühne wurden auch die öffentlichen Volkstänze, nur unter Begleitung eines Pfeifers, ohne alle Schmausereyen, in Gegenwart des Landammanns und der Gemeinde gehalten. Die Schmelgen brachten ihren Buben Feldrüben mit, die gemein-

1) Ein Näheres hierüber, wie auch ein kleines Idiotikon, findet man in der Zeitschrift des Ferdinandeums 1827, B. 3. S. 268.

schaftlich verzehrt wurden. Sie waren die einzigen Vorarlberger, welche nach der unmittelbaren Reichsfreyheit strebten und sich den Beschlüssen der Kirchenversammlung zu Constanz gegen Friedrich m. d. l. T. unterwarfen.

Aus der Ferne gesehen, wie aus den Höhenangaben, möchte der Reisende, welcher aus dem inneren höheren Gebirge kömmt, den Schluß ziehen, als ob in diesem nordwestlichsten Vorgebirge der Deutschen Alpen nichts Neues zu suchen sey, und dennoch bietet sich dessen unendlich viel dar, wozu das Volk so viel beyträgt durch seine eigenthümliche, außerordentlich ansprechende Frische. Wegen der zahlreichen Bäder findet der Reisende auch allenthalben ein gutes Unterkommen. Reisende, welche nur fahren, können, der Straße folgend, oft nur auf großen Umwegen zu ihrem Ziele gelangen. Ob nun gleich die Bregenzer Ache unsere Führerin ist, so müssen wir ihren düstern Schlund dennoch vermeiden; wir folgen ihr jedoch, so gut es geht.

Zwischen Kennelbach und Wolffurt tritt sie aus ihrer Schlucht heraus in die Rheinebene und dehnt sich wohlgemuth in der ungewohnten Weite fast zu sehr aus. Ihr tief eingeschnittener Graben zieht östlich hinein bis zur Einmündung der Rothach. Zur Linken in der Höhe hat man noch die östliche Fortsetzung des Gebhardsberges, auf welcher eine Straße von Bregenz über Langen, mit 124 H. und 829 E., nach Weiler in Bayern zieht. Von hier an schwingt sich das immer grabenmäßig in die Hochflächen eingeschnittene Thal rechtwinkelig nach Süden, den ersten Rücken, welcher von Nordost herabzieht zu den Rheinthalhöhen, auf welchem Bildstein liegt, durchschneidend. Auf dem nordöstlich gegen Algau aufsteigenden breiten Rücken lagert sich die große Gemeinde Sulzberg, 3192 F. über dem Meere (politisch noch zum Bregenzer Gericht gehörend), mit 376 H. und 2539 E. Da die Höhe, auf welcher die Gemeinde zerstreut umher liegt, der Sulzberg, allseitig auf Österreichischem Gebiete von Gräben (*Rothach*, Bregenzer Ache und Weißach) umfurcht wird, so ist die Gemeinde zu Wagen sehr schwer zugänglich. Das eigentliche Dorf liegt eine halbe Stunde von der Bayrischen Grenze, 4¾ Stunden von Bregenz. Die Kirche steht auf luftiger, weit ausschauender Höhe, ist ganz neu und hat ein gutes Altarblatt. 1 Schule. In den Tiefen, wie auf den Höhen, finden sich große Torflager, welche in einer kalten Gegend, wo das Holz außerdem eine wichtige Waare ist, doppelt schätzbar sind. Die Bewohner von Sulzberg schlugen hier im dreyßigjährigen Kriege die Schweden und 1744 die Franzosen. Von hier ist Joh. Konrad Blank, geb. 1757, Professor der Mathematik an der Akademie der bildenden Künste zu Wien; 1827 daselbst ermordet durch Severin von Jaroszinsky, einem ehemaligen Schüler, um ihn zu berauben. Er wurde entdeckt und gehängt. Nach dem Durchbruche durch den Sulzberg wendet sich die Ache wieder eine kurze Strecke nordöstlich, um die von dort herkommende Weißach aufzunehmen. Ihr Thal bildet einen ähnlichen Einschnitt, wie das Hauptthal. Unweit der Brunstbrücke, wo eine Art Fahrweg von der südlichen Hochebene zur nördlichen des Sulzberges über die Weißach setzt, kömmt rechts die Bolgenache herein. Auf dem Rücken, welcher in den Winkel zwischen beyden Einschnitten herabsetzt, kömmt auch die Hauptstraße herab, setzt über die Bolgenache und geht im Weißachthale nordöstlich fort über die Bayrische Grenze bis Höfen, wo sich die Weißach plötzlich nach Süden wendet und nach Art dieser Bäche einen der langgestreckten Rücken südlich durchschneidet. Die Straße wendet sich von Höfen hinaus nach Staufen, wo sie sich an die östlich von Gunthofen und Immenstadt durch das Constanzer Thal nach Weiler und Lindau ziehende Straße anschließt (siehe unten). Nachdem das Weißachthal jenen Rücken durchschnitten, tritt es in die lange Rinne, welche südlich von dem langgezogenen Rücken des Rindalpenhornes, 6212 F., begrenzt wird, dessen Steilabfälle gegen dieses Thal gerichtet sind. Es zieht östlich hinan, ist aber nur noch von Sennhütten belebt. Der Rücken, welcher es nördlich begleitet, parallel mit dem Rindalpenhorn, ist viel niedriger; daher hat man vom Rindalpenhorn eine herrliche unbeschränkte Aussicht. Nach drey Stunden gelangt man an den wasserscheidenden Querriegel dieser Thalrinne, wo die Weißach zwischen dem Dreherberg und Rothenkopf entspringt; jenseits dieses Sattels setzt die Rinne fort; in ihr fällt der Steigbach hinab zur Iller bey Immenstadt.

Wir kehren zum Einflusse der Bolgenache in die Weißach zurück. Die Furche dieses Baches steigt südlich hinan und erschließt sich nach diesem Durchschnitte des Bergrückens des Rindalpenhornes und Hochhetrys (Hochhädrich), 4836 F., des Bayrischen Grenzpfeilers, zu einer bedeutenden Thalfläche. Auf der Hochebene zwischen Weißenach und Bolgenach, zu welcher sich der ebengenannte Rücken verflacht hat, liegt die Gemeinde Riefensberg mit 160 H. und 925 E., politisch noch zum Landgericht Bregenz gehörig, von welcher Stadt es sechs Stunden entfernt ist. Der Ort liegt sehr hoch und war einst nur eine Alpe. Wir folgen der Bolgenache von ihrer Vereinigung nicht unmittelbar, sondern der Straße, welche westlich über ihrer Tiefe hinführt. Sie erreicht bald die sehr bevölkerte Hochfläche, welche durch vier Bachrunste quadratisch abgeschnitten wird von den übrigen Bergmassen; im Osten begrenzt diese Hochfläche die Bolgenache von ihrem Einflusse in die Weißach bis Hüttisau; im Norden die Weißach von der Bolgenache bis zu ihrem Einflusse in die Bregenzer Ache; westlich diese Ache aufwärts bis zur Einmündung der Seuberache (Süberache); südlich dieser letzte Bach bis gegen Hüttisau, wo sein Bett nur durch eine niedrige Sattelgegend von dem Bolgengebiet getrennt wird. Der erste Ort, welchen die Straße auf dieser Höhe erreicht, ist Krumbach, 2670 F., eine Gemeinde von 176 H. und 1114 E. Zu der Gemeinde gehören die Bäder Roßbad und Kreßbad mit kalischen Schwefelquellen, gegen Gicht und Rheumatismen heilsam. Die Straße, welche die Bolgenache immer zur Linken in der Tiefe läßt, bringt uns nach Hüttisau, 2856 F., einer großen Gemeinde von 262 H. und 1314 E., welche sich in einer schönen weiten Ebene ausbreitet. Die Bolgenache fließt hier frey durch die weite Thalmulde. Die Häusergruppe bey der Pfarrkirche heißt Platz, denn hier werden die drey Jahrmärkte gehalten. Der Weiler Rain ist Geburtsort des Geschichtsforschers Joseph Bergmann, Aufseher der Münz-, Antiken- und Ambrasersammlung in Wien. Zu dieser Gemeinde gehören auch die Bäder Korlen, mit kalisch-erdigen Quellen, heilsam gegen Hämorrhoidalleiden, Hysterie u. s. w., gut eingerichtet, und das stärker besuchte (1834 von 512 Gästen) Bad Hinteregg, mit erdigen Eisenquellen (alkalisch-salinischem Stoffe nach Staffler), heilsam gegen Augenweh und Geschwürschäden. Von hier führt westlich die Straße nach Lingenau; wir folgen jetzt noch der Bolgenach, deren Thal sich nun östlich in die höheren Gebirge hineinzieht und von dem letzten Kirchdorfe, schon im Bayrischen Gebiete, Balderschwang, das Balderschwanger Thal genannt wird. Hier beginnt die Sennhüttenregion im Thale. Dieses wendet sich in seiner letzten Strecke wieder südlich, und hier entspringt am westlichen Abhange des Hinteren Bolgen die Bolgenach. Östlich fließt von diesem Gebirgsstock ebenfalls eine Bolgenach zur Iller hinab, von wo wir den Bolgen ersteigen werden.

Um jedoch auch die schöne Straße, auf welcher die Reisenden, wenigstens theilweise, fortwandern werden, kennen zu lernen, kehren wir in das Rheinthal und zwar nach Schwarzach (zwischen Dornbirn und Bregenz) zurück, von wo die Gebirgsstraße anhebt. Sie ersteigt in mehrfachen Windungen einen Bergrücken; rechts in der Tiefe tost die Schwarzach; herrliche Rückblicke auf das Rheinthal; weiter oben, wo sich diese Aussicht durch das Eindringen in das Gebirge verliert, stürzt links ein artiger Wasserfall herab. Auf dem Höhenpunkte der Straße liegt ein einsames Wirthshaus in der Bergschlucht. Bald öffnet sich diese und man befindet sich in der artigen Thalmulde von

Alberschwendy, wo uns die Schwarzach, die wir heraufwärts in der Tiefe zum Begleiter hatten, ruhig und klar entgegenrinnt durch Wiesenauen. Die 318 H. mit 1945 E. liegen weit umher zerstreut durch den Thalboden und an den Abhängen. Das eigentliche Dorf zählt jedoch nur 20 H. mit 136 E. und liegt 3¼ Stunden von Bregenz, zu dessen Gerichtsbezirke diese Gemeinde noch gehört. Fußreisende thun wohl, von hier aus über den Rücken der Lorena nach Schwarzenberg zu wandern, theils weil dieser Weg um einige Stunden kürzer ist, als die Straße, theils aber auch wegen der schönen Aussichten, die er ins Rheinthal, über den Bodensee und in den oberen Bregenzerwald darbietet. Wir folgen jedoch der Straße, um wieder an die Ache, unserem Hauptführer, zu kommen. Die Straße zieht ostwärts und umbiegt da, wo der Rücken der Lorena von der Ache durchschnitten wird, diesen südlich. Hier steigt ein Zweig derselben in die Tiefe, übersetzt die Ache auf einer kühnen Brücke und erhebt sich jenseits wieder zur Hochfläche nach Lingenau, einer großen Gemeinde, welche sich auf dem Südrande jener erwähnten quadratischen Hochfläche bis Hüttisau hinzieht, mit 214 H. und 1156 E., 1 Schule mit drey Classen, 1 Arzt und 8 Jahrmärkten; Sitz des Dekans des Bregenzerwaldes. Die Straße setzt fort über Hüttisau, Krumbach und Immenstadt. Südlich steigt von Lingenau die Straße zu dem Seubers- oder Subersbache hinab und jenseits nach Großdorf hinan. Das Seubersbachthal zieht östlich hinan, wendet sich dann, eine Bergkette durchschneidend, südlich in das höhere Gebirge; auf einer Höhe östlich über dem Bache liegt am Fuße des 5194 Fuß hohen Feuerstädter Berges die kleinste Gemeinde des Waldes, Sibratsgfäll, 3186 F.; die Gegend ist hoch und alpenhaft. Links zieht ein Seitenthal hinüber nach Bayern, wo dieser Grund Hirschgrundgraben heißt. Die jenseits ins Illergebiet fortsetzende Thalrinne führt nach Dib. Das Hauptthal südlich durchbricht nun eine Bergkette, deren höchster Punkt im Westen die Winterstaude, 5916 F. hoch, ist; sie setzt dann über die Lingenauer Höhe weiter fort zur geschichtlich merkwürdigen Bezeck (siehe unten). Hinter dieser düsteren Enge weitet sich das Thal zu dem schönen Alpenboden Schönebach aus, von wo die Thäler strahlenförmig aus einander laufen. Das interessanteste Thal ist das südlich stark in den Felsengurt aufsteigende, welcher durch den Gottesackersberg, Hoheneifer, 6678 F. (an der Bayrischen Grenze) und Didam gebildet wird. Die öden Felsenkahre umsäumen schöne Alpen. Westlich parallel mit dem vorigen zieht das Höllbachthal hinan, durch dessen nicht von Schroffen vermauerten Hintergrund ein Weg nach Schoppernau im oberen Bregenzer Achenthal führt. Die westlich ziehenden Seitenthäler liegen zwischen den oben erwähnten Gebirgsrücken, welche im innern Walde sich nicht mehr, wie im äußeren, verflachen, sondern ihre scharfkantigen Rücken beybehalten; durch diese Furche gelangt man westlich in die Strecke der Bregenzer Ache von Bezau bis Mellau.

Wir kehren auf den gewöhnlichen Verbindungswegen zurück nach Großdorf. Wir kommen daselbst über den Weiler Fallenbach, wo die Bregenzer Wälderinnen, in Schlachtordnung aufgestellt, einen glänzenden Sieg über die damals entarteten Schweden erfochten. Auch nicht ein Feind entkam, den 4. Januar 1647. Noch heute heißt die blutgetränkte Stätte die rothe Egge und noch heute verkündet ein Glockenzeichen um 2 Uhr den Gemeinden zu Egg, Andelsbuch und Schwarzenberg die Befreyungsstunde. Großdorf gehört zur Gemeinde Egg, welche in 394 H. 1784 E. zählt. Das Dorf Egg selbst zählt nur 12 H. und 46 E. und liegt an der Bregenzer Ache, 2 Stunden von Bezau. 1 Schule, 1 Wundarzt, 3 Jahrmärkte. 31 Weiler, zu der Gemeinde gehörig, lagern im Umkreis einer Stunde umher. Auch zwey Bäder liegen im Gebiete dieser Gemeinde: Hub, mit eisenhaltiger Schwefelquelle, und Hinteregg mit einer Quelle, welche Kohlen- und Schwefelsäure enthält. Südlich von Egg lagert sich die Gemeinde Andelsbuch mit 220 H. und 1136 E. an dem Nordabhang der Lingenauer Höhe und Bezeck in einer schönen hügeligen Fläche, vom Brüllbache durchzogen. Die Pfarre ist sehr alt; 1 Schule, 1 Jahrmarkt. Geburtsort Jost Metzlers, des Geschichtschreibers des Stiftes St. Gallen. In der Gemeinde besteht das Bad Gfall oder Fahl, mit salinischer Eisenquelle, heilsam gegen Rheumatismen, Hysterie und chronische Diarrhöe. Von hier aus können wir entweder nach Egg zurückkehren auf die Straße, die uns über die Ache und jenseits hinan nach Schwarzenberg bringt, wo wir vorhin die Hauptthalstraße von Bregenz verließen. Eben dahin gelangen wir, wenn wir von Andelsbuch gerade westlich längs des Abhanges der Bezeck nach Bersbuch wandern, ½ Stunde. Hier kömmt die Bregenzer Ache aus einer Felsenenge von Süden heraus und eine kühne Brücke bringt uns auf die jenseits hinziehende Hauptstraße (von Bregenz über Schwarzenberg nach Bezau). Wer noch nicht in Schwarzenberg war, folgt der Straße rechts hinan zu diesem keine Viertelstunde entfernten Orte. Endlich führt eine dritte Straße, doch etwas steil, über die Bezeck nach Bezau. Wir besuchen zuvor Schwarzenberg. Diese Gemeinde mit 293 H. und 1435 E. lagert sich auf das östliche Fußgestell des 4626 Fuß hohen Hochälpele, welches östlich in der Tiefe von der Bregenzer Ache umflossen wird. Die Höhe selbst aber bildet ein vom Lindenbache durchflossenes, von Westen nach Osten gegen die Ache sich senkendes Thälchen. Das Pfarrdorf der Gemeinde heißt Zum Hof am Schwarzenberg und hat 31 H. mit 149 E., 2 St. von Bezau, 6½ St. von Bregenz. Hier lebten die Eltern der berühmten Malerin Angelika Kaufmann, welche jedoch selbst bey einer zufälligen Reise derselben in Chur am 30. October 1747 geboren wurde. Von ihrem Vater, einem Maler, wurde sie bis ins 13. Jahr unterrichtet, wo sie nach Italien kam. In England erwarb sie sich zuerst ihren Ruhm, kehrte später aber nach Rom zurück, wo sie 1807 starb. Noch im Jahre 1802 sandte sie das schöne von ihr gemalte Altarblatt in die hiesige Kirche. Ihre Büste steht im Pantheon Roms. Am Eingange zur Kirche ist auf der Seite eine schwarze Marmorplatte mit der Inschrift eingemauert: „Der edlen am 5. November 1807 im 60. Jahre ihres Alters in Rom gestorbenen Frau Angelika Kaufmann, der ersten in der Malerkunst, der großen Wohlthäterin der Armen und Kirche zu Schwarzenberg, der Zierde ihres Vaterlandes zum steten Andenken dankvollst gewidmet den 12. Jun. 1809." Kunstfreunde kehren deßhalb im Gasthaus zum Lamm ein, da die Wirthin nicht nur eine Verwandte der Künstlerin ist, sondern mehrere sehr gute Gemälde von ihr, u. a. auch ihr Bildniß, von ihr selbst gemalt, besitzt. Die Volkstracht der Wälder kann man hier am besten sehen; sie ist reinlich und größtentheils schön, wenigstens die weibliche. Die Männer haben, wie um Gastein im Salzburgischen, Berchtesgaden und auf dem Brenner, lange schwarze Röcke. Die weibliche Kleidung besteht in einem schwarzen, fein gefalteten, leinenen Rock, welcher oben unter der Brust mit einem ledernen Gürtel umfaßt ist; dieser zeigt silberne Verzierungen. Das Hals- und Busentuch, der Goller, ist weiß und hat oft feine Stickereyen. Die Ärmel der jungen Mädchen sind roth; treten sie in das Jungfrauenalter, so vertauschen sie diese mit schwarzen Ärmeln. Das einzige Entstellende sind, wie auch in vielen Gegenden Tyrols, jene häßlichen, dicken, pyramidalen, wollenen Hauben, Schapeln genannt; Andere tragen auch Sammetkäppchen, mit Otterfellen verbrämt, wie in manchen Gegenden Bayerns. Die Bauart ist hier, wie im Rheinthal überhaupt, hohe Giebeldächer; die Wetterseite der Häuser mit schuppenartig zugeschnitzten Schindeln überkleidet. Hinter den hellen Fenstern zeigen sich weiße Vorhänge; der bedeckte Vorsprung vor dem Hause wird die Laube genannt. — Nordwestlich führt ein Steig über die Lose nach Dornbirn. Auf der Höhe genießt man einer weiten und schönen Aussicht über das Rheinthal, den Bodensee und Appenzell.

Wir folgen nun der Straße thaleinwärts und erreichen die schon vorhin erwähnte Thalenge, welche durch den Rücken der Winterstaude, Lingenauer Höhe und Bezeck gebildet wird; im Osten wird dieser Rücken von dem Thale des Seubersbachs durchschnitten; hier im Westen von der Bregenzer Ache. Es ist dieser Zug die erste höhere Gebirgswoge, der Grenzwall des Äußeren oder Vorderen und Hinteren Waldes. Im Westen der Ache setzt er im Klausberg fort. Die Ache beschreibt hier einen nach Westen gehenden Bogen, indem sie sich erst, auf jenen Bergrücken treffend, westlich, dann nördlich und zuletzt wieder östlich wendet. Bald nach dieser Biegung der düsteren Bergesenge, auf deren Boden die Straße dicht neben der Ache hinführt, öffnet sich die Schlucht östlich zu einem lieblichen, aber geschlossenen Thalkessel, in welchem der Hauptort des Waldes, das Dorf Bezau, liegt, 2 St. von Schwarzenberg, 8½ St. von Bregenz. Die Gemeinde zählt 236 H. und 1006 E., das Dorf 180 H. und 777 E. Von der Straße führt links eine Brücke hinüber nach Bezau auf das rechte Ufer, während die Hauptthalstraße am linken fortläuft. In Bezau ist der Sitz des Landgerichtes, 1 Kapuzinerkloster, 1 Schule mit drey Klassen, 1 Arzt, 2 Jahrmärkte. Im Norden fällt der erwähnte Gebirgswall von der Lingenauer Höhe bedeutend gegen Westen ab und bildet ein den Bogen der Ache ausfüllendes Mittelgebirge, die geschichtlich merkwürdige Bezeck, 600 Fuß über Bezau erhaben. Hier oben stand nämlich jenes hölzerne, auf hohen Säulen ruhende Gebäude, auf dessen freie Höhe man nur auf Leitern steigen konnte, wo alle Sitzungen, alle Versammlungen und Gerichte des inneren Waldes gehalten wurden. Die Versammlungen bestanden gewöhnlich nur aus dem Landammann und 24 Geschworenen; in wichtigen Fällen traten noch 48 Ausgeschossene hinzu. Alle hier gefaßten Beschlüsse wurden in dem Gesetzbuche oder Landesbrauche eingezeichnet. Erst unter der Bayrischen Regierung wurden diese Versammlungen völlig aufgehoben; die Bezeck bleibt aber dennoch dem Volke ein altehrwürdiges Heiligthum. Über die Bezeck geht ein Fahrweg nach Andelsbuch. Östlich zieht eine jener Thalrinnen zwischen den parallelen Rücken in das Seuberbachthal. Ein Weg führt durch dieselbe in dem Grebentobel empor und jenseits der quer durchsetzenden Wasserscheide durch den Höllbockstobel hinab zum Seuberbach nach Sibratsgfäll. Auf der Höhe der Wasserscheide hat man zur Linken im Norden die schon genannte Winterstaude, 5916 F. hoch, welche eine schöne und umfassende Aussicht, besonders über das durchwanderte Gebiet, gewährt. Von Bezau kehren wir auf die Straße jenseits der Brücke zurück und wandern auf ihr thalaufwärts. Durch noch eine Art Enge, obgleich weiter und kürzer als die vorige, treten wir nach einer halben Stunde in eine andere Schleußenkammer der Ache, nach Reute, das diesen Paß zum Theil bewacht; denn die Kirche und Schule liegen links auf der Höhe des von Osten heranziehenden Bergriegels über dem Örtchen. So schön die Ansicht dieser Parthie ist, so herrlich ist die Aussicht von der Kirche, nördlich in den Thalkessel von Bezau und südlich in den von Bizau, 2340 F. Auch dieser Rücken wird im Osten vom Seuberbach durchschnitten. Die Gemeinde zählt nur 76 H. und 408 E., das Dorf 14 H. und 56 E. Östlich davon liegt das Bad mit kalisch-salinischer Eisenquelle, heilsam gegen Gicht, Rheuma, Bleichsucht und Geschlechtsleiden. Die Anstalt ist gut eingerichtet, der Wirth ein gebildeter gereister Arzt; daher stark besucht (1826 600 Gäste). Von hier stammt Peter Kaufmann, ein Verwandter der Künstlerin, ein Schüler Canova's; er war Hofbildhauer in Weimar und starb 1829. Der Bizauer Bach, welcher bey Reute in die Ache fällt, führt uns östlich hinan in der Thalrinne nach Bizau, einem großen Dorfe von 137 H. und 664 E. (die Gemeinde 142 H., 699 E.), in einer Erweiterung der Thalrinne. Durch diese Erweiterung führt südlich ein malerischer Weg an der einsamen Waldkapelle St. Wendelin vorüber über eine Höhe, die Schnepfecke, nach Schnepfau im oberen Thale der Ache. Östlich führt ein Steig durch die Thalrinne über einen nicht hohen Querriegel in den schönen Alpenboden Schönebach am Seuberbach. Von Reute aufwärts durchschneidet das Thal abermals in einem nach Westen ausgehenden Bogen eine von Osten nach Westen ziehende Bergkette. Der Weg auf wohlgebahnter Straße ist außerordentlich reich an Bildern, die in der halben Stunde bis Mellau schnell auf einander folgen. Mellau gehört zu den interessanten Punkten des Waldes durch seine schönen und großen Umgebungen. Das Thal der Ache, bisher von Norden nach Süden ziehend, wendet sich von hier östlich, in einer jener Thalrinnen fortgehend. Im Süden des Thales zieht nach Osten zu die Felsenmauer der 6457 F. hohen Canisfluhe. Die Gemeinde zählt 131 H. und 627 E., das Dorf nur 45 H. und 218 E. Sehenswerth ist der Wasserfall des Flubbachs, welcher sich unweit der Straße an der Klause 250 Fuß hoch herabstürzt. Noch größer und schöner ist der Kobelbach- oder Mellauerfall, welcher sich 300 Fuß herabwirft in einem Sturz, besonders schön und groß, wenn die darüber befindliche Wasserstube zur Holztrift geschlagen wird. Durch das Mellenthal, aus welchem jener Bach herabstürzt, geht ein Steig in das Laternser Thal und nach Rankweil. Umzogen wird das Mellenthal von einem Kranze hoher Berge, unter denen der 5772 F. hohe Mörzel, der Hohe Freschen, Hohe Blanken, 6434 F. hoch, und der Hohe Koyen die bedeutendsten sind. Von Mellau folgen wir dem Thale östlich nach Schnepfau 1 St., 2280 F. Auf dem Wege dahin hat man zur Rechten stets die wilde Felsenmauer der Canisfluhe, die sich in wenigen Absätzen mit Zacken, Wänden und Thürmen unmittelbar aus der Tiefe des Thales erhebt. Hinter ihr steigt noch eine Parallelkette, und dazu etwas höher, auf, welche mit ihr eine Masse bildet und nur durch Alpenmulden getrennt wird. Auf dieser Kette erhebt sich der Mittagsspitz 6606 F.; denn er zeigt den Umwohnern von Mellau die Mittagsstunde, und der Hohe Glockner. Von dem Dorfe Schnepfau, mit 49 H. und 231 E., nimmt das Thal der Ache nochmals eine südliche Richtung und bildet zwischen der Canisfluhe und der östlich fortsetzenden Mittagsfluhe wieder eine wilde Enge. Bey der großen Gemeinde Au, wo aus Südwesten der Argen in die Ache kömmt, erweitert sich das Thal bedeutend. Zu dieser Gemeinde gehören Jagdhausen mit der Pfarrkirche und Schule, Argenau, Argenzipfel, Schrecken, Rehmen. Die Gemeinde zählt 237 H., 1316 E. Durch das Argenthal geht ein Steig nach Sonntag im Walserthal. In demselben Thalkessel, noch ¼ Stunde von Jagdhausen, liegt das Dorf Schoppernau mit 69 H., 327 E. (die Gemeinde 108 H., 521 E.). Die Gegend von Au und Schoppernau ist einer der letzten Thalböden der Ache. Südöstlich zieht sich nun der Steig im Thale hinauf durch eine Schlucht nach dem Alpenboden von Hopfreben. In einer Schlucht liegt ein Schwefelbad, welches besonders die Senner brauchen. Abermals durch eine enge Schlucht an der Ache emporsteigend, kommen wir in den letzten Boden, in welchem zur Verwunderung des Reisenden noch ein Dorf, Schrecken, mit 43 H. und 191 E. liegt, in einer durch Lawinen verheerten Gegend, schon zu Sonnenburg gehörig. Im Süden auf der Höhe gegen das Lechthal liegt der Körbersee, aus welchem die Ache abfließt. Nach Krumbach im Lechgebiet nur 1 Stunde am 7998 Fuß hohen Widderstein vorüber.

Allgemeines über Vorarlberg. Das wichtigste Gewerbe ist die Viehzucht, im Bregenzer Walde wie im oberen Vorarlberg schon von der Natur bedingt, und in der tiefen Rheinebene durch den feuchten Boden veranlaßt. Käseerzeugung bringt den Hauptgewinn und der Käse gehört zu dem besten des Deutschen Alpenlandes. Der Viehzucht folgt der Obstbau, dessen Hauptnutzen im Erzeugniß des daraus gebrannten Geistes besteht. Mancher Bauer verkauft jährlich für 3—500 fl. Obst. Auch die Bienenzucht ist hier einträglich; die Bienen werden wie das Vieh auf die Vor-, Mitter- und Hochalpen getrieben, und es gibt Besitzer von 3—500 Stöcken. Der Weinbau herrscht nur im unteren Vorarlberg, und es wird nur Kritzer oder Mostwein gepreßt. Der Ackerbau trägt trotz des ziemlich großen Gebietes der Rheinebene doch kaum die Hälfte des Bedarfs wegen des größeren Ertrags der Viehzucht, wie des Fabrikwesens.

Eine dagegen wieder sehr wichtige Erwerbsquelle geben die Waldungen. Der Holzreichthum wirkt besonders wohlthätig wegen der angrenzenden Holz bedürfenden Länder und Bezirke. Bau-, Brenn- und Rebsteckenholz. Außerdem liefern die Wälder Streu, Pech und Pottasche. Endlich steht auch das Fabrikwesen auf einer hohen Stufe und der dadurch hervorgerufene Handel hat keinen geringen Wohlstand erzeugt, wie wir oben sahen.

Algauer Alpen.

Unter diesem Namen verstehen wir das ganze Illergebiet innerhalb des Gebirges, oder auch die Alpen Oberschwabens, also eigentlich die Schwäbischen Alpen. Mit wenigen Ausnahmen gehört das ganze Gebiet gegenwärtig zum Königreich Bayern, zum Kreise Schwaben; nur an einigen Stellen lagert sich Tyrol über den hohen südlichen Grenzrücken in das oberste Illergebiet, während im Westen Bayern auch in das Rheingebiet bis zum Bodensee eingreift. In hydrographischer Hinsicht gehört unser Gebiet der Iller und durch diese der Donau, während das eben durchwanderte Gebiet dem Rheine angehörte; umgeben ist das Algau im Westen und Süden von dem Gebiete der Bregenzer Ache, im Osten und Süden von dem des Lechthales; denn diese beyden Gebiete reichen sich im Süden des Illerthales gleichsam die Hände und trennen es dadurch von dem Inn- und Illgebiete; nur das Walserthal drängt sich aus dem Thale der Ill nahe heran.

Auf gewöhnlichen Charten erscheint das Illerthal als ein auf allen Seiten von gleichhohen Gebirgen umschlossenes, nur nach Norden sich öffnendes Alpenthal, dessen Seitenthäler fächerförmig zusammenlaufen. Allein eine solche Chartenzeichnung stützt sich nur auf die hydrographischen Verhältnisse. Die westliche Thalseite ist eine Fortsetzung des Bregenzer Waldes; der nördliche Theil der Molasse, der südlichere der Grünsandformation angehörig, daher niedrig, mit sanften Formen. Die Grünsandformation zeichnet sich aus durch die langgezogenen Bergrücken, welche eine westöstliche Richtung haben und in langen Reihen parallel neben einander hinlaufen; die Wasserscheiden durchsetzen sie die Quere von Süden nach Norden. Erst im Süden treten die Kalkalpen heran aus dem obersten Bregenzer Walde und umziehen das ganze südliche Gebiet in gewaltigen Massen, treten dann als östliche Thalwand, oder vielmehr Masse, auf und als solche viel weiter nach Norden vor; und während sie im Westen bey Oberstdorf aufhören, dringen sie auf der Ostseite bis Sonthofen vor, wo sie durch das Thal der Ostrach von Hindelang an bis Sonthofen von der Grünsandformation im Norden geschieden werden, welche hier wieder als nordöstlich gezogene Rücken fortsetzen; der Grünten ist der merkwürdigste Berg unter ihnen. Im Süden von Oberstdorf dringen die Seitenthäler in die Kalkalpen ein, ähnlich den obersten Seitenthälern des Zillerthales. Die Alpen ziehen von West-Süd-West nach Ost-Nord-Ost; allein ihr nördliches Vorrücken geschieht nicht allmählig, sondern absatzweise durch plötzliches Vorspringen der Kalkkette in gewissen Entfernungen. Ein solcher nördlicher Vorsprung ist das hohe Gebirge im Osten der Iller.

Wegen seiner Lage ist das Illerthal bedeutend rauher, als der untere Vorarlberg; denn es liegt höher (Immenstadt am untersten Ende liegt schon 2000 F.) und ist den Nordwinden geöffnet. Viehzucht und Holzgewerbe sind daher, wie im Bregenzer Wald, Hauptgewerbe. Besonders liefert das hügelige Vorland von Lindau über Weiler und Staufen vieles Holz und erzeugt einen soliden Wohlstand; auch das nicht so nachhaltige Fabrikwesen des Vorarlbergs zieht sich hier herüber. Das Hochland gibt einem sehr großen Viehstande Unterhalt; die Algauer Käse werden durch ganz Deutschland verkauft. Statt der flachen Alpengiebeldächer der Häuser zeigen sich hier häufiger die hohen Spitzgiebel Vorarlbergs, was dem aus dem Vorarlberg herkommenden weniger, als dem von Osten über den Hindelanger Paß von Tannheim kommenden Reisenden auffällt.

Nach dieser Übersicht reisen wir von Bregenz durch das Vorland nach Sonthofen.

Von Bregenz aus durchziehen wir, das Seeufer links, Weinberge und Obstgärten rechts lassend, die Bregenzer Klause, und erreichen zwischen üppigen Geländen die Österreichisch-Bayrische Grenze. Bald darauf erhebt sich die Straße in vielen Windungen zu dem hohen Rande der Nordostbucht des Bodensees hinan. Auf der Höhe hat man noch einen schönen Rückblick auf die ganze Spiegelfläche des Bodensees und seine Umgebungen bis tief nach Würtemberg, Baden und in die Schweiz hinein. Dann entzieht eine Hohle, die Molassenbildung aufschließend, alle Aussicht und führt in ein anderes Gebiet; das östliche Oberschwaben liegt vor uns. Der erste Ort ist Scheidegg, auf einer Höhe liegend zwischen kleinen Zubächen des Bodensees und der Bregenzer Ache. Sehr große Holzgeschäfte. Der Engel ist ein recht gutes Wirthshaus und der Reisende findet bey dem unterrichteten Wirthe Auskunft über Gewerbe und Geschäfte. Die Gegend ist ein Gehügel, welches rechts im Bregenzer Wald höher ansteigt, bis sich in immer duftiger werdenden Höhen die höheren Gebirge entfalten [1]). Der charakterlose Mensch ist schwerer zu behandeln, als der fest entschiedene Charakter; so ist auch die Straße durch jedes Gebirgsvorland unregelmäßiger, bergauf, bergab, als im Gebirge, wo dieses nicht so leicht Seitenwege erlaubt. Daher schwebt auch hier der Reisende fortwährend auf einem unsteten Gewoge. Von Scheidegg geht es ziemlich tief hinab nach Weiler, einem kleinen Markte von 406 E. an der Rothach, welche südlich zur Bregenzer Ache abfließt; Baumwollspinnereyen. Von Weiler führt die Straße wiederum hinauf nach dem Markte Staufen unter dem Bergschlosse gleiches Namens. In dem Gasthofe am Platz findet man ächte, gute, treuherzige Schwaben, gute und billige Bewirthung. Auffallend, schon von Bregenz an, ist der weibliche Kopfputz. Auf dem Hinterkopf sitzt ein kleines Häubchen und vor dem Scheitel desselben

1) Leider kann der Verfasser über die südliche Aussicht keine Auskunft geben, da ein sehr heißer Tag alle Fernsicht, wie oft in den Vorbergen, in Nebelschleyer verhüllte.

breitet sich wie ein Heiligenschein, oder wie ein Pfauenrad, ein großes florartiges Rad aus, meistens von schwarzer Farbe. Staufen liegt auf der Wasserscheide (zwischen dem Bregenzer Achen-Rheingebiet und der Staufenach, welche durch den Alpsee bey Immenstadt zur Iller-Donau geht). Dem Laufe der Staufenache folgend, zeigt sich bald eine wieder etwas mehr geordnete Gegend, die sich dem Gedächtniß des Reisenden mehr einprägt. Es ist das Constanzer Thal, von der genannten Staufenache von Westen nach Osten durchflossen und den Fuß der höheren Alpen von den niedrigeren Vorhöhen trennend. Staufen liegt eigentlich außerhalb der Hauptstraße von Weiler nach Immenstadt, welche nördlich ausbeugt; allein die Kutscher von Sonthofen und Scheidegg oder Lindau wählen gerne die Station Staufen als Endpunkt ihrer Fahrt, weil der Reisende hier leicht neues Fuhrwerk erhält und sie selbst zur rechten Zeit wieder heimkehren können. Bey Gelnhofen zwischen Weiler und Immenstadt verläßt der Reisende die Hauptstraße und trifft bald unter Staufen beym Eintritt in das Constanzer Thal wieder in dieselbe ein. Wer von Bregenz oder Lindau durchaus mit einerley Fuhrwerk fährt, bleibt auf der Hauptstraße; wer schneller fortzukommen wünscht, fährt vom Bodensee bis Scheidegg, nimmt hier neues Fuhrwerk beym Engelwirth nach Staufen und von da nach Sonthofen. Die Straße nähert sich hier wieder den Alpen und im Süden erheben sich unweit derselben wieder der Gerenstein, 5008 F., dahinter das Rindalpenhorn, 6212 F. In der Mitte des Constanzer Thales liegt Wiedmannsdorf; ein gutes Wirthshaus ladet zur Einkehr, um sich zu erholen und auch über die Erwerbsquellen zu erkundigen. Der Wirth hat 50 — 60 Kühe auf der Alpe. Auch der nördliche Höhenzug, Thaler Höhe, erhebt sich noch zu 3895 F., erscheint aber theils wegen relativer geringer Höhe, theils im Angesicht der höheren Alpen unbedeutend, trägt aber dennoch schöne Alpen mit Sennhütten. Jenseits des Baches liegt Kirchdorf, in kirchlicher Beziehung der Hauptort des Thales. Von Wiedmannsdorf führt die Straße bald von dem linken auf das rechte, südliche Ufer der Staufenache; die Häusergruppe mit der Kapelle gleich jenseits der Brücke ist Constanzen, welches dem ganzen lieblichen Thal den Namen gab. Bald darauf zeigt sich der reizende Spiegel des Alpsees, ohngefähr eine Stunde lang, von lachenden, lieblichen Ufern umgeben. Die Straße führt an seinem südlichen Gestade hin. Auf der östlichen Uferhöhe thronen die Ruinen von Rothenfels, einst Sitz der Grafen von Königseck-Rothenfels. Nördlich davon liegen die Ruinen des Schlosses Werdenstein. An einer Mühle vorbey, hinter welcher ein niedlicher Wasserfall herabschäumt, gelangt man nach Immenstadt. Dieses Städtchen liegt an der Ache, welche aus dem Alpsee durch den Vorderen oder Kleinsee zur nahen Iller fließt, 6 Stunden von Kempten. 1872 E., ehemals Hauptort der Grafschaft Königseck-Rothenfels; das gräfliche Schloß in der Mitte der Stadt ist jetzt Sitz des Landgerichtes. Leinwandfabriken und Handel mit Leinwand. Poststation. Die Gegend wird immer interessanter. Kaum ist man um eine Ecke gebogen, so eröffnet sich südlich amphitheatralisch die ganze Gebirgswelt des oberen Illerthales; Berge thürmen sich himmelan in hundert Zacken und Formen; jenseits der Illerebene erhebt sich, fast isolirt erscheinend, der Grünten 5000 F. hoch. Das Illerthal breitet sich beym Eintritt der Alpseer Ache zu einer kleinen Ebene aus. Häusergruppen, sich wieder dem eigentlichen Alpenstyle nähernd, begleiten uns. Jenseits Blaybach kömmt der Au- oder Schwarzenbach in das Illerthal. Bey Seyfriedsberg vorüber kommen wir, die Iller überschreitend, in 2½ Stunden von Immenstadt nach Sonthofen, dem ersten Standquartiere in den Algauer Alpen, von wo wir mehrfache Ausflüge unternehmen. Gasthöfe: der Hirsch und der Adler. Sonthofen ist ein Markt und Sitz des gleichnamigen Landgerichts, mit 825 E.; in der Nähe ein Eisenhüttenwerk.

Ausflüge. Schon von Immenstadt her hat der Grünten unsere Aufmerksamkeit auf sich gezogen durch seine Lage und Gestalt; daher ist er unser erstes Ziel. Er ist bekannt sowohl wegen seiner schönen Aussicht, als auch in geognostischer Hinsicht. Man wandert von Sonthofen nach dem Dorfe Burgberg, über welchem sich die schöksten Ruinen der gleichnamigen Burg erheben. In der Kirche ein sehr interessantes Altarblatt, die Niederlage der Ungarn auf dem Lechfelde darstellend. In der Nähe hat man im Torfe 3—4 Fuß tief eine hölzerne Straße gefunden. Bey der Besteigung des Grünten gibt eine Sennhütte auf schöner waldumschlossener Matte einen guten Anhaltspunkt. Auf dem Gipfel, welchen man in drey Stunden auf ziemlich bequemen Wegen erreicht, breitet sich ein weites und herrliches Panorama aus. Im Norden das ganze flachhügelige Vorland der Alpen, besonders das Illerthal; nördlich in einiger Ferne Kempten und selbst noch der Münster in Ulm; im Osten das Aufsteigen des Vorlandes zum Hochland, die Gebirge von Füssen und Hohenschwangau; im Westen die Bergwelt des Bregenzer Waldes, über dessen langgezogene Rücken man hinwegschaut zum Bodensee; doch der interessanteste Theil der Rundsicht ist der südliche Horizont, der einen großen Theil des oberen Illerthales entfaltet; durch die vielen hier sich erschließenden Thäler, wie durch die Verschiedenheit der Höhen entfaltet sich hier ein außerordentlich buntes Gemisch von Farben und Tönen. In geognostischer Hinsicht ist der Grünten merkwürdig, weil hier die ältesten Tertiärformationen vorkommen und in diesen wird auf Eisen gebaut. In dieser Formation, welche durch Eisenbergwerke erschlossen ist, die hoch oben am Grünten ihren Eingang haben, finden sich viele Versteinerungen (Echiniten, Terebrateln, Krebse u. A.).

Ein anderer Ausflug führt nördlich an der Iller hinab in sieben Stunden nach Kempten (15¾ Meile von München), das Campodunum der Römer; daher viele Römische Alterthümer in der Nähe des ehemals festen Schlosses Hilarmont. Schöne Lage, theils in der Tiefe (die alte ehemalige, größtentheils evangelische Reichsstadt), theils auf der Höhe (die katholische Neustadt), 1161 H. (nach Anderen 850 H.) und 5200 E. Kattunfabrik, Leinweberey, Durchgangs- und Zwischenhandel zwischen Süden und Norden, wie auch Hauptstapelplatz der Algauer Erzeugnisse, besonders des Käse. Weit in der Umgegend umher liegen, wie auch in Südbayern am Fuße der Alpen, die Bauernhöfe zerstreut, jeder mit seinen Besitzungen um sich herum. Herrlich ist der Blick von einer Höhe über diesen Theil Oberschwabens, das Algau, in die Öffnung des Illerthales, in den Gebirgsschoos der Algauer Alpen. Von Kempten aus wird die Iller schiffbar. Da das Illerthal weiter hinab keine besonderen Reize hat, so kehren wir zum Gebirge zurück nach Sonthofen und unternehmen noch andere Ausflüge.

Der nächste derselben führt uns im Thal der Ostrach hinein. In zwey Stunden erreicht man, östlich diesem Bache, welcher bey Sonthofen in die Iller mündet, entgegen reisend, den schönen Markt Hindelang; der Adler daselbst, wahrscheinlich der beste Gasthof des oberen Illergebietes, ladet daher zum Standquartier für die nächste umliegende Gegend, welche viel des Schönen und Großartigen aufzuweisen hat, ein. Geburtsort des Bildhauers Eberhard. In der Gottesackerkapelle der schöne Altar von Lederle.

Zuerst führen wir den Reisenden, welcher von hier östlich, vielleicht nach Reute und Füssen am Lech, zu reisen gedenkt, auf der dahin führenden Straße bis an unsere dießmalige Gebietsgrenze. Es gibt zwar von Sonthofen aus auch eine Straße, die außen um das Gebirge nach Füssen führt, und sie hat auch ihre Reize, die wir noch kennen lernen werden; aber dem Gebirgsfreunde ist diese eben anzuführende, auch fahrbare Straße zu empfehlen.

Eine halbe Stunde über Hindelang liegt Obersdorf, das nicht mit dem hernach zu erwähnenden Oberstdorf verwechselt werden darf. Ehe wir jedoch noch dieses Dorf erreichen, verläßt die Straße das Thal, steigt in mehrfachen Windungen zu einer bedeutenden und steilen Höhe hinan, zum sogenannten Vorderen Joch, wo ein Grenzwachhaus auf der Bayrisch-Österreichischen Grenze sich befindet. Von hier hat man einen schönen Tief- und Einblick in das westliche, nach Sonthofen hinabziehende Ostrachthal, wie in den eigenthümlichen Gebirgskessel der Besonderen Ache, welche bey Obersdorf in die Ostrach mündet. Recht eigenthümlich ist die Aussicht hinab auf die Orte Obersdorf und Hindelang, wenn man aus Tyrol herüberkömmt und hier die Schwäbischen Alpen betritt. In der Tiefe des Thales blickt man auf die geschlossenen Dörfer, deren spitzgiebelige Ziegeldächer (wenigstens theilweise) zwischen den sich durchdrängenden Obstbäumen hervorragen und daher den Mitteldeutschen Dörfern mehr ähneln. Die Straße betritt hier das oberste Quellgebiet der Wertach, ein mehrfach durch Gießbäche durchfurchtes ödes Gebiet; sie zieht unter den Felsbergen hin, deren kahle Platten und Furchen die oberste Mulde, die Wiege jenes Thales, bilden, und erreicht, wieder aufsteigend, mit der Tyroler Grenze das Gebiet der Vils, das sogenannte Hintere Joch, in Tyrol auch nur das Joch genannt. Ein herrlicher Blick eröffnet sich hier in die oberste Thalstufe des Vilsthales, Thannheim genannt. Ein ganz anderer Charakter zeigt sich in der neuen Aussicht; eben blickten wir noch in das tiefe, düster eingeengte Ostrachthal; jetzt liegt ein ziemlich weites, hochgelegenes Alpenthal, mehrere Stunden weit hingestreckt, vor uns; seine grüne ebene Thalsohle ist überstreut mit Höfen und Stadeln, deren flache Schindeldächer weither schimmern; in der Ferne überragt von dem wild aufgezackten Schaffschroffen. Die Straße führt das Joch hinab zur Österreichischen Grenzmauth Schattwald im obersten Vilsthal, über Höfen, dem Hauptorte (ziemliches Wirthshaus beym Bräuer), Nesselwängl und durch den romantischen Paß Gacht nach Weißenbach am Lech, und an diesem hinab nach Reute und Füssen.

Wir kehren nach Hindelang zurück, um von hier einen Ausflug in das Gebiet der Besonderen Ache zu machen, welche diesen Namen mit Recht verdient; denn ihr Gebirgskessel bildet einen besonderen Ring auf der Ostseite des Illerthales, abgeschnitten nördlich und östlich durch das Ostrachthal, wie südlich durch das Oythal von der übrigen Gebirgswelt des Illerthales. Geognostisch gehört aber die nordwestliche Abtheilung dieses Felsenringes vom Enschkopf bis zum Horn noch zur Formation des Bregenzer Waldes und Grüntens, und ist nur als leichter durchschneidbar durch Iller und Ostrach von ihrer Hauptmasse abgeschnitten, während der übrige Theil des Ringes, der vom Enschkopf an südlich zum Nebelhorn (7000 F.), dann nordöstlich zum Daumen (7000 F.), nördlich über den Rothspitz und Brenenberg in das Ostrachthal zieht, dem Alpenkalke angehört. Diese hohen Kalkfirste, welche das Gebiet der Besonderen Ache in Südwest, Süd und Ost umstehen, sind eine Fortsetzung der Kalkalpen des südwestlichen Illerthales; sie bilden einen jener Vorsprünge der Alpen, durch welche die Kalkalpen allmählig aus Osten nach Nordosten hinanziehen. Dennoch bildet dieses Thal gleichsam ein kleines Nachbild des Illerthales in Ansehung des Umfangs. Von Obersdorf aus besucht man eine Klamm, eine Felsenschlucht, die ein Bach noch vor der Mündung der Besonderen Ache bildet. Nächst Obersdorf erreicht man Hinterstein, das letzte Dorf des Thales, das sich von hier an südlich hinanzieht als Hintersteiner Thal, zu dessen hinterem, höherem Thalboden die Eisenbrecherklamm führt, eine äußerst enge und wilde Felsenschlucht, in welcher die Volkssage alle bösen Landammänner in rothem Wammse und großer Perrüque nach ihrem Tode hausen läßt. Das Thal scheidet von hier an das Gebiet der Iller und des Lechs, und liegt zwischen den Gebieten der Besonderen Ache und des Lechs, in 7—8500 F. hohe Felsrücken eingeklemmt. Weiter hinauf ebnet und weitet sich der Grund, von sehr hohen Bergen begleitet; links ragt der Hochvogel auf, einer der höchsten Berge des Gebietes, 8161 F., nach Andern 9184 F., Grenzstein zwischen Iller und Lech, wie zwischen Tyrol und Bayern. Sein Gipfel steht auf einem in das Lechthal hinauslaufenden Seitenrücken, und bildet den hintersten Schlußstein des Hintersteiner Thales, aus welchem, diesen Berggipfel rechts lassend, ein Pfad hinüber in das Lechthal nach Forchach bringt. Von hier aus soll der Hochvogel allein ersteiglich seyn; auch von Tyrol aus muß man erst auf Bayrisches Gebiet herüber, und zwar entweder auf dem eben genannten Jochpfad, oder auf einem anderen, welcher von Oberstdorf aus durch das Oythal über das Joch unter dem Wilden vorüber in das Hornbachthal (Lech) führt, wo man sich zuletzt, ehe man das Lechthaler Joch erreicht, links über ein anderes Joch in das oberste Hintersteiner Thal wendet und von hier aus den Gipfel ersteigt. Dieses soll nicht schwierig seyn und nur eine halbe Stunde der Steigeisen über ein geneigtes Eisfeld bedürfen. Der Gipfel bildet eine breite Platte, obgleich der Berg aus der Tiefe spitzig erscheint[1]). Aus dem Hintersteiner Thale, das sich zuletzt gabelt, führt ein Pfad über ein Joch südlich unter dem Nebelhorn hinüber nach Oberstdorf im oberen Illerthale. Der rüstige Bergsteiger, welcher das Illerthal bereist, wird daher wohlthun, statt aus dem Hintersteiner Thal über Hindelang nach Sonthofen zurückzukehren und dann im ebenen Thale nach Oberstdorf hinaufzugehen, sogleich über das Joch, wodurch die oben erwähnte ringartige Gruppe der Besonderen Ache mit dem südöstlichen Felsenrand des Illergebietes zusammenhängt, hinüber nach Oberstdorf steigen.

Von Sonthofen wandern wir das Illerthal hinauf zuerst an der östlichen Seite der Iller. Über Altstetten (76 H., 753 E.), Hinang, darüber eine Burg, Schöllang, rechts auf einem Hügel noch vor der Iller die Burg Burgegg, und Reichenbach nach Ruben. Oberhalb dieses Ortes entsteht die Iller aus dem Zusammenflusse der Breitach, welche aus dem noch größtentheils Vorarlbergischen Thale Mittelberg (wegen seiner Wegverbindung mit dem jenseitigen Walserthal auch das Walserthal genannt), der Stillach, welche aus dem Rappenalpenthal kömmt, und der Trettach entsteht, die hier an einem Orte zusammen kommen.

Auf der Straße die Trettach überschreitend, kommen wir in die oberste Thalfläche des Algaus, in welcher der bedeutende Markt Oberstdorf liegt (hier ist wieder ein Standquartier des Reisenden zur Bereisung des obersten Illerthales), 4 Stunden von Sonthofen, 1521 E., Burg, Eisengrube und Ham-

1) Der Verfasser hat diese Nachrichten von einigen Tyrolern aus Hornbach und Sonthofenern, welche letztere jedoch nicht selbst oben waren, während die Tyroler ihn erstiegen hatten, um Adlernester auszunehmen. Ein Jäger in Oberstdorf soll der beste Führer seyn. Besteiger müssen sich daher daselbst oder in Hinter-Hornbach nach Führern umsehen, wo wir sie nennen werden.

merwerk. Bey Loretto, einem Wallfahrtsorte, bis wohin die Thalstraße führt, hat man einen schönen Über- und Einblick in die vorhin genannten Thäler, die von hier strahlenförmig nach Osten, Süden und Westen in das Hochgebirge hinansteigen.

Zuerst besuchen wir das Gebiet des

Trettachthales. Die Bergwände treten wie Felsenpfeiler schroff in das Thal herein; links zuerst das Gaishorn, dann folgen die Lugenalp, über welche ein hohes, kahles Felsenhaupt, der Ferner, auftaucht, der Trauchberg, und im fernen Hintergrund die Mädelegabel, 9000 F. hoch, der höchste Berg des ganzen Algaus. Das Thal ist größtentheils eng und wild, voller Abstürze und Steingerölle. Ein Pfad führt durch dasselbe über ein hohes Joch in 7 Stunden von Oberstdorf nach Holzgau am Lech unter der Mädelegabel hin, welche von großen Schneefeldern umlagert ist.

Das interessanteste Seitenthal der Trettach ist das Oythal. Schon die untere Hälfte ist wild, von hohen Felsenschroffen umstarrt. Plötzlich ist das Thal geschlossen und selbst das Wasser hat sich keine Klamm durchschneiden können. Die Ache bildet hier einen der schönsten Wasserfälle in zwey Absätzen. Wild stürzt sie sich plötzlich in einen finstern Felsenschlund, aus welchem die zusammengepreßte Luft ihr Wasser wieder in Staub hinaufwirbelt oder als Wasser aus der engen Kluft hinausschleudert; wieder etwas gesammelt tritt der grünklare Bach aus dem engen Schlunde heraus, wirft sich aber sogleich wieder einen Abgrund hinab; hier schwebt die Schaumsäule frey vor dem Auge. Der Wasserfall heißt hier der Stäubi. Erreicht man den obersten Absturz, so betritt man einen hohen, ebenen Thalboden, umstanden von hohen, grauen Bergriesen, darunter sich die imposante Masse des Rauhecks auszeichnet, das in seinen Schluchten einen Hochsee birgt. Nur Alpensträucher umziehen die grünen Matten, mit welchen sich die grauen Wände in der Tiefe noch umhüllen. Rechts schauen die Zacken des Hofatsspitzes, links des Laufbachecks herein. Von hier steigt der oben genannte Pfad über das Joch nach Hornbach im Lechgebiete.

Der zweyte Ausflug von Oberstdorf führt uns ins Rappenalpenthal, dem obersten im Kalkhochgebirge liegenden Theil des Thales der Stillach. Die hohe Felsenpyramide, welche den Eingang des Trettachthales von dem der Stillach trennt, ist der Schroffen. Eine halbe Stunde hinter Oberstdorf hört die Straße auf; das Thal biegt sich rechts um ein niederes, langgestrecktes Vorgebirge, auf welchem der einsame Freyberger See liegt. Durch eine Thalenge, im Gschlaf genannt, gelangt man wieder in eine etwas weitere, aber theils versandete Thalfläche, in welcher die Faistenau liegt, eine zerstreute Häusergruppe. Eine sehr interessante Seitenparthie von hier aus bietet die Besteigung des Schlappolt, eines hohen Berggipfels, westlich von der Faistenau, mit herrlicher Rundsicht ins Illergebiet, auf den Bregenzer Wald; unter seinem Gipfel liegt der wildromantische, wenn auch kleine, Schlappoltsee und seine Alpe, wo man Erfrischungen erhalten kann. Den Schluß der Thalfläche macht die Birgsau, ebenfalls eine kleine Häusergruppe. Hierauf schließt das Thal seine Pforten und die Stillach durchzieht einen engen Schlund bis zu dem kleinen Dorfe Einödsbach, das jenseits des Baches liegen bleibt. Hier spaltet der Linkerskopf das Thal; links, gerade südlich, zieht ein enger Felsenschrund hinan, das Schneeloch, unter den Steilwänden des Trettachspitzes und der Mädelegabel, der beyden höchsten Felsenhäupter des Illergebietes. Das Hauptthal, welches von hier an rechts oder südwestlich fortsetzt, heißt das Rappenalpenthal; es wird nach kleinem Aufstieg wieder weiter. In seinem Hintergrunde führt ein merkwürdiger, aber guter, vielfach gewundener Felsenweg über den Schroffen, der nicht mit dem schon genannten verwechselt werden darf, hinüber ins Lechthal nach Lechleiten und dann entweder links das Lechthal hinab, oder rechts hinauf und über ein Joch in das Walserthal (siehe Feldkirch-Bludenz), oder auch nach Süden gerade aus durch das Zürserthal und über ein niedriges Joch, von wo der Steig rechts gerade hinab nach Stuben oder links an den Wänden hin auf die Höhe des Arlbergs führt.

Wir kehren nach Oberstdorf zurück. Um von hier aus in das nächste, südwestlich aufstrebende Seitenthal der Iller, der Breitach, zu gelangen, übersteigt man jenes schon beym Freyberger See erwähnte Vorgebirge, welches vom Schlappolt zwischen Breitach und Stillach herabzieht. Dasselbe ist ziemlich angebaut. Jenseits hinab gelangt man in die erste Weitung des Thales, in der Oib genannt. Von hier spaltet sich das Thal; links kömmt die Breitach, also das Hauptthal, herab; es ist nicht nur durch eine Felsenklamm, sondern auch durch ein sogenanntes Schanzl, das sich gegenwärtig in einen Schlagbaum verwandelt hat, verschlossen; denn von hier an aufwärts ist das Thal österreichisch (Vorarlberg) und heißt Mittelberg oder Walserthal, weil der Weg durch dasselbe über ein Joch in das jenseitige Walserthal führt. Das Schanzl, wo man in den Vorarlberg einbricht, ist ein Ziel, ein Vergnügungsort der Oberstdorfer, indem man hier einen wohlfeilen und guten Tyroler Wein trinkt. Ernst und erhaben ist der Blick von hier thalaufwärts in die grauen Wände und die vielfach gezackten Berggipfel. In finsterer Schlucht braust die Breitach und die ganze Bevölkerung des Thales muß sich auf das Mittelgebirge, die unterste Bergstufe, hinaufziehen, daher der Name Mittelberg. Es ist das einzige bevölkerte Seitenthal des obersten Illergebietes, indem 1400 Menschen hier auf den Bergterrassen hausen, meistens von Alpenwirthschaft (Käse) und Stickerey lebend. Getraide wird gar nicht gebaut. Wegen einer einst hier herrschenden Pest wurde das Thal abgesperrt, wodurch Hungersnoth entstand. Seit dieser Zeit versieht sich jeder Hausvater mit einem Getraidevorrath, welcher besonders in der Theurung von 1816—17 sehr wohlthätig aushalf. Die erste Gemeinde ist Rietzlen (2670 Fuß). Bey Hirschegg erreicht man die Thalebene und den Bach wieder. Die Gemeinden Mittelberg und Bad (2928 F.) mit einem Bade, liegen durch die ganze Region zerstreut. Mehrere Jochpfade führen hinüber in das oberste Gebiet der Bregenzer Ache; das Starzljoch ist das besuchteste und führt von Bad in 4 Stunden nach Schoppernau im Bregenzerwalde. Von hier aus thalaufwärts führt ein zweyter Jochpfad in das erwähnte Walserthal, das wir schon aus dem Wallgau besuchten.

Gehen wir wieder zurück zum Schanzl an die Grenze, so finden wir unterhalb desselben links einen Grund, das Rohrmoserthal, aus welchem die Starzlach herauskömmt. Durch dasselbe aufwärts steigend, kömmt man am Möser Hag auf die niedrige Wasserscheide, jenseits an die Quelle der Bregenzer Ache und in 5 Stunden nach Silbratsgfäll im Bregenzer Walde.

Gehen wir von hier an auf der linken, westlichen Thalseite der Iller wieder hinab, so finden wir, daß sich mit dem letztgenannten Seitenthal die Bergmassen bedeutend erniedrigen und besänftigen. Die Gebirgswogen sind nicht mehr so scharf, sie schlagen nicht mehr über, sondern wölben sich sanfter. Die Grünsandformation und der Fugultenschiefer, die den vorderen Bregenzer Wald bilden, ziehen hier herüber, wie schon oben bemerkt wurde.

Um uns von den merkwürdigen geognostischen Verhältnissen dieser Gegend zu überzeugen, gehen wir von Tiefenbach, dem untersten Orte des Breitachthales, links über die untersten Ausläufer der Berge, besuchen im Vorübergehen die Felsenklamm des Hirschensprunges, kommen nach Maiselstein, unterrichten uns hier in der geognostischen Sammlung des Pfarrers und gehen dann in dem Thale der hier vorüberströmenden Schönberger Ache hinauf, indem dasselbe den besten geognostischen Durchschnitt verschafft, besteigen dann den aus ihm nördlich 5057 Fuß sich erhebenden Bolgen, in der geognostischen Welt berühmt wegen seiner granitischen Geschiebe, die in ungeheurer Größe den Berg selbst bis auf seinen Gipfel bedecken. Auch die Aussicht von seinem Gipfel ist sehr interessant. Jenseits steigen wir durch das Thal des Bol-

14 *

genbachs wieder hinab in das Schönbergerthal und in diesem nach Fischen an der Iller. Über Polsterlang und Osterschwang kommen wir bey Sonthofen jenseits der Iller vorüber bey Seyfriedsdorf an die Mündung des Aubachs. An ihm hinauf können wir noch einen Bergausflug auf das Rindalpenhorn, 5588 Fuß hoch, unternehmen. Es ist der höchste Gipfel dieses Gebirgs und einer langen von Südwest gegen Nordost ziehenden Kette, deren Fortsetzung und Nordostcap der schon bekannte Grünten jenseits der Iller ist. Eine herrliche Aussicht weit nach Norden ins Flachland, östlich auf die ganze Linie des Alpenabfalls, südöstlich und südlich in die obere Gebirgsgegend des Illerthales, westlich auf den Bodensee und die Schweizer Alpen.

Vorland zwischen Iller und Lech. Wir folgen von Sonthofen der äußern am Gebirge hinführenden Straße zum folgenden Gebiete, dem des Lechs, um das dazwischen liegende Vorland kennen zu lernen, da wir die innere Verbindung im Gebirge über Hindelang schon kennen und noch näher kennen lernen werden.

Von Sonthofen führt die Straße über Burgberg (siehe Grünten), Agathzell, Stephans-Rettenberg (1100 E.) mit der Burgruine Rettenberg, Kranzegg, und von hier zur Wasserscheide hinan zwischen Iller und Lech. Jenseits der flachen Höhe geht es hinab zuerst zur Starzlacher Wertach, welche sich bald darauf in einer weiten Niederung bey Wertach mit der Wertach vereinigt.

Die Wertach selbst entspringt am Kühgrundkopf. Wir durchschnitten schon oben von Hindelang aus auf der Straße von dort durch das obere Vilsthal ins Lechthal zwischen dem Vorderen und Hinteren Joche ihr oberstes Quellgebiet. Sie senkt sich dann schnell zur Tiefe, tritt bald darauf aus dem Gebirge hinaus und erreicht unterhalb Augsburg den Lech.

Von Wertach führt die Straße das Thal hinab und biegt dann rechts ab nach Nesselwang, einem Marktflecken von 1200 E., an dem Mühlbache, welcher eine halbe Stunde nördlich davon in die Wertach fällt. Die hügelige Gegend gewinnt durch die fortwährende südliche Begleitung der Alpen. Der 5553 F. hohe Edelsberg tritt mit seinen Ausläufern bis Nesselwang heran. Sein Gipfel, mit einer Pyramide versehen, gewährt eine herrliche und weite Fernsicht. Über eine Höhe gelangt man nach Kappel und Weißbach. Hier theilt sich die Straße, indem ein Zweig südlich ins Vilsthal und durch dasselbe ins Lechthal zwischen Reutte und Füssen führt, während die andere außen am Gebirge hingeht nach Füssen. Das Thal, in welchem die erstere Straße hinläuft, ist das der Faulen Ache und besonders deßhalb merkwürdig, weil diese Ache, welche aus einigen kleinen Seen nördlich von Kappel zusammenfließt, aus dem vorliegenden Flachland in das Gebirge fließt zur Vils, ein gewiß wohl kaum anderwärts vorkommendes Beyspiel. Es hält ihr schwer, gegen den Strom zu schwimmen, daher ist es eine langsame, faule Ache. Von Weißbach nach Kreuzegg hinüber überschreiten wir die Faule Ache, indem wir uns auf dem nördlichen Straßenzug halten. Die Straße bringt uns bald darauf an den 395 Tagwerk (zu 40,000 Q.F.) haltenden Weißensee, $\frac{5}{8}$ Stunden lang und $\frac{1}{4}$ Stunde breit. Dadurch, daß die Straße an seinem nördlichen

Ufer hinführt, gewinnt er an Reiz; denn im Süden ziehen die schönen Bergketten des Vils = und Lechthales, eine Reihe über der anderen, hin. Der wildaufgezackte, von allen Seiten her auffallende Felsenberg ist der Aggenstein, in Tyrol (oberes Vilsthal) Schaffschroffen genannt, der Theiler des obern von Osten nach Westen und des untern von Westen nach Osten ziehenden Vilsthales. Da der Säuling bey Füssen und Hohenschwangau einige Ähnlichkeit mit ihm hat, wenn man ihn auf der Straße von Füssen nach Reute sieht, so wird er in der Ferne gewöhnlich mit diesem verwechselt. Vom Weißensee nördlich liegt der 655 Tagwerk fassende Hopfensee. Wir erreichen hiermit das Lechthal selbst bey Füssen.

Das Lechthal und sein Gebiet.

In Tyrol wird unter Lechthal nur ein Theil desselben, oberhalb Reutte bis zur Vorarlberger Grenze, so genannt, die Gegend von Reute und abwärts, so= wie der Vorarlbergische Antheil, welcher Thanberg heißt, davon ausgeschlossen; wir aber verstehen darunter das ganze Lechthal, so weit der Lech in ihm fließt, von seiner Quelle an. Das Lechthal ist auf der Nordseite das größte Kalkalpenthal, indem es sich 24 Stunden lang durch die Alpen Tyrols windet, meistens, die kleinen Biegungen abgerechnet, in nordöstlicher Richtung. Bayern greift hier am wenigsten in das Gebirge ein, so daß man nur 1 Stunde der oben angegebenen Länge auf Bayern rechnen kann.

Von Augsburg herauf führt die Straße über die Steppe des Lechfelds, über das auf ihr liegende Landsberg nach Schongau, von wo wir das Lechthal zu unserm Gebiete rechnen. Am schönsten macht sich Schongaus Lage, wenn man auf der Straße von München über den hohen Peißenberg herab und Peiting plötzlich an die blaugrünen Fluthen des Lechs kömmt und jenseits auf steiler Ufer= und Thalhöhe, die hier in eins zusammenfallen, die alten Mauern Schongaus erblickt und dann, die Brücke im Thale übersetzend, die steile Straße hinanzieht. Einträgliche Gewerbe sind: Gerberey, Wachsbleichen und Verfertigung musikalischer Instrumente. Etwas westlich liegt das Dorf Altenstadt, das alte Schongau. In der Nähe zieht eine alte Römerstraße von Süden (Füssen) nach Norden (Augsburg). Im Mittelalter blühte Schongau besonders auf durch den Straßenzug aus Italien nach Deutschland.

Von Schongau führen zwey Straßen auf beyden Seiten des Lechs hinauf nach Füssen, und fährt man dahin, so fragen die Kutscher daher, ob man durch Bayern (linke, östliche Seite) oder durch Schwaben (westliche Seite des Lechs) fahren wolle. Die Reise durch Bayern bietet des Interessanten mehr. Auf der westlichen Seite führt die Straße südwestlich am Haßlacher See vorüber nach dem großen Dorfe Bernsbeuern, von wo man einen Ausflug auf den nahen 3900 F. hohen Auerberg machen kann, der Nebenbuhler des östlich vom Lech liegenden Peißenbergs. Seine Abhänge sind angebaut und mit Häusergruppen bedeckt; seinen Gipsel schmückt, wie den seines östlichen Nachbars, eine

Kirche. Der Berg besteht aus Molasse, der Gipfel aus Kalk. Sehr schöne Aussicht auf die Alpenkette und das vor ihr ausgebreitete Flachland. Die Straße nähert sich hierauf dem Lech und erreicht diesen Fluß, der meistens in einer tief eingeschnittenen Furche hinströmt, bey Lechbruck, wo eine Seitenstraße den Lech überspringt und nach Steingaden führt. Unsere Straße entfernt sich wiederum vom Lech, indem sie uns nach Roßhaupten bringt, einem großen Dorfe von 114 H. Abermals kommen wir darauf auf die Höhe unmittelbar über den Lech bey Dietringen und steigen dann herab in die weite Thalsohle und Fläche des Flusses, auf welcher wir nach Füssen kommen, 10 Poststunden oder sogenannte Säulen (Meilenzeiger) von Schongau.

Interessanter ist die andere Straße von Schongau über Steingaden nach Füssen.

Von Schongau durch das Lechthal auf das östliche Ufer setzend, erreichen wir zunächst das alte und große Dorf Peutingen, ehemals Peutingau, auf Hügeln erbaut, 192 H., mit einer Burg Ludwigs des Bayern, die er dem Stifte Ettal schenkte, aber 1348 von Herzog Ludwig dem Brandenburger wieder ausgetauscht wurde; der Mühlbach durchschneidet das Gebiet. Von Peutingen führt die Straße durch eine öde, waldige Gegend, durch das Dorf Staltana in vier Stunden (von Schongau) nach Steingaden. Von Peutingen aus befinden wir uns auf der von München über Stahrenberg und Weilheim nach Füssen gehenden Straße. In Steingaden hatte Welf VI., Bruder Heinrichs des Stolzen von Bayern, 1147 ein Prämonstratenserkloster gestiftet. Derselbe liegt auch nebst seinem Bruder Welf VII. in der Kirche begraben und ihre Bildnisse sind in Riesengröße am Portale aufgestellt. Gegenwärtig befinden sich hier, da das Kloster aufgehoben, eine Schule, Pfarrwohnung, Gasthaus, zugleich Post, und Stuterey. In der Nähe Sandsteinbrüche (feiner, grauer Sand) mit Versteinerungen; es ist in ihnen ein Keller angelegt. Dicht hinter dem Orte, unmittelbar unter der Münchner Straße, durch eine äußerst reizende Landschaft geht der Weg zwischen grünen Hügeln, auf denen Wald= und Häusergruppen wechseln, überragt von den ferneren duftigen Massen des Gebirges. Man gelangt nach und nach auf eine Höhe, von der sich bald ein herrliches Landschaftsgemälde entfaltet; in der Tiefe eine hügelige, angebaute Fläche, die sich 4 Stunden weit bis Füssen erstreckt; links begrenzt zunächst von dem Trauchberg, der noch der Sandsteinformation angehört; südlicher treten die Kalkalpen an die Ostseite dieser großen Niederung, bis im Süden die ganze Kette der Kalkalpen auftritt und den südlichen Horizont schließt; hoch erheben sich unter ihnen der Säuling und Aggenstein. Bey dem Dorfe Trauchgau zieht die Straße in diese Tiefe hinab und bey Halblech kömmt man an eine wilde Schlucht, welche sich zwischen dem Trauchberge und Buchberge hineinzieht und aus welcher der wilde Halblech herauskömmt; sein breites, mit zahllosen Trümmern bedecktes Fluthbett zeigt die Wuth seiner Fluthen. Er scheidet den Sandstein vom Kalk. Über eine kleine Höhe erreicht man abermals ein neues überraschendes Bild, dessen Mittelpunkt der Spiegel des Bannwaldsees ist; die Straße führt zwischen ihm und dem östlichen Jagdberg südlich eine halbe Stunde fort. Der See enthält 669 Tagwerke (zu 40,000 Q. Fuß) an Flächeninhalt. Immer herrlicher entfaltet sich das Landschaftsgemälde von Füssen; eine Bergreihe steigt hinter der anderen empor; dort in der Tiefe unter den Massen des Säulings die reizende Schwanenburg, Hohenschwangau, hier freylich durch die darüber aufragenden Massen sehr herabgedrückt; rechts davon zeigt sich Füssen mit seiner Burg. Kurz vor dem Dorfe Schwangau führt links eine Seitenstraße ab nach Hohenschwangau, welche diejenigen einschlagen können, die am Morgen oder Mittag hierher kommen, um so diesen sehr interessanten Abstecher auf dem Wege nach Füssen sogleich zu machen; man erspart fast eine Stunde Wegs. Wir aber gehen erst nach Füssen, um in diesem behaglichen Standquartier auszuruhen und uns umzusehen.

Äußerst malerisch thront die alte Feste und die ummauerte Stadt mit ihren rothen Ziegeldächern, die selbst Kirch= und Burgthürme decken, auf sanfter Höhe jenseits des Lechs, an welchem die Straße hinführt, und wie dieser einen großen Bogen bildet, so daß man die ganze Ostseite der Stadt in weiten Bogen umkreist, bis man an die südliche Seite kömmt, von wo die Brücke nördlich hinüberzieht über den Lech zur Stadt hinan.

Die Stadt Füssen liegt 28 Stunden von München, 24 Stunden von Augsburg, 11 Stunden von Kempten, 29 von Lindau und 30 von Innsbruck, 2430 Fuß über dem Meere und hat 242 H. mit 1535 E.; durch eine Straße emporsteigend, gelangt man links durch ein enges Gäßchen in die Hauptstraße, welche sich wieder abwärts zieht; die Häuser haben unten Bogengänge; links liegt die Post, eins der heitersten, freundlichsten und gemüthlichsten Gasthäuser. Die Stadt hat ihren Namen oder soll ihn haben von der Lechkluft oberhalb des Ortes, von den Römern Fauces Alpium genannt, ein Name, welchen dann das Kloster von St. Mang annahm, um welches sich der Ort ansiedelte. Der heilige Magnus, der Apostel dieser Gegend, kam 746 aus dem Kloster von St. Gallen und gründete das Kloster Faucena unter Pipin dem Kleinen. Das Kloster bestand über 1000 Jahre.

Merkwürdigkeiten: die Burg ruht auf Felsen, gehörte ehemals den Fürstbischöfen von Augsburg, jetzt dem Könige von Bayern, wurde erbaut 1322 von dem Bischof Friedrich I., und ist ein alterthümliches Gebäude, das von jedem Reisenden, besonders dem Alterthumsfreunde, besucht zu werden verdient; darin: der Rittersaal mit Malereyen und Schnitzarbeiten, die Zimmer mit ihren Schnitzereyen an der Decke, die Burgkapelle, die Ritterküche, die Vorraths= und Speisekammern, der schöne Treppenthurm mit Basreliefs, der Storchenthurm mit seiner herrlichen Rundsicht und Holzschnitzereyen, der Ziehbrunnen, 72 Fuß tief. — Das Rathhaus 1472 erbaut, wenigstens theilweise. — Die ehemalige Benediktinerabtey St. Mang mit ihrer Pfarrkirche; wenn auch letztere nicht dem besseren älteren Geschmacke angehört, denn sie wurde 1701 gebaut, so bietet sie doch manches Interessante: Freskogemälde von Pelegrini, die Magnuskapelle mit dem Heiligthum, dem St. Magnusstabe, seinem Kelche und seiner Stola. Der Thurm, wie einige Grabdenkmäler, sind Überreste der älteren Zeit, beym Umbau des Klosters und der Kirche benutzt. Selbst das Gastzimmer in unserem Gasthofe ist geschichtlich; denn hier wurde 1745 Friede zwischen Bayern und Österreich geschlossen (Österreichischer Erbfolgekrieg); darauf bezieht sich die an der Wand befindliche Inschrift [1]). Die vielen und großen Waarengewölbe bezeugen den ehemals bedeutenden Durchgangshandel, als Venedig, Augsburg und Nürnberg blühten. Die freundliche Zuvorkommenheit der Bewohner Füssens wird gewiß dem Fremden den Ort doppelt lieb machen. Doch wir fliegen nun aus, nachdem wir unser Nest geordnet haben, um einzusammeln, da wir nur Zugvögel sind.

Von Reutte nach Füssen durchbricht der Lech mehrere Reihen der Kalkalpen, welche nach außen zu immer niedriger werden. Der vorderste und niedrigste Felsenzug ist der Rücken des Burkenbühls und Faulenbachs, auf dessen Ostcap die Burg Füssen liegt und der rechts des Lechs östlich in dem Galgenberg fortsetzt, aber schon nach einer Viertelstunde in die Ebene von Schwangau abbricht. Zwischen ihm und dem folgenden Rücken fließt der Lech eine Strecke von Westen nach Osten, bis er nördlich durchbricht. Durch die östliche Fortsetzung des dadurch entstandenen Grundes führt die Straße nach Hohenschwangau. Die zweyte Felsenkette, welche südlich von der vorigen und parallel mit ihr von Westen nach Osten zieht, ist am Austritt des Lechs am niedrigsten. Der Alpenfluß hat sich hier eine enge Ausgangspforte erzwungen, eine Felsenkluft, in welche er sich donnernd und schäumend wirft. Die östliche Fortsetzung des Felsenzugs steigt zum Calvarienberg, Hutlersberg und Kienberg auf, welcher ebenfalls östlich nach einer halben Stunde in die Ebene von Schwangau abfällt, während die westliche über den Vilserberg zu dem Haiduckenkopf fortsetzt, das unterste Vilsthal von dem Flachlande, wie Tyrol von Bayern scheidet. Zwischen dem Burkenbühl und seinem südlichen Parallelzug, dem Vilserberg, liegt ein Thälchen, der Alatseegraben, welches bey Füssen links in den Lech mündet und in welchem einige kleine Seen, der Alatsee, Ober-, Mittel- und Untersee liegen. Am Haiduckenkopf vereinigen sich beyde Bergzüge. Es folgt südlich die dritte wieder höhere Kette, vom Lech bald oberhalb der Mauth durchbrochen und von der Lechbrücke übersprungen; die östliche Fortsetzung ist der Schwarzenberg, und für uns wichtig, weil auf seinem gegen Osten wieder niedriger werdenden Rücken, auf einem Felsenkopf, die Burg Hohenschwangau liegt. Da die beyden vorderen Rücken, ehe sie die Ebene von Schwangau erreichen, in dieselbe abbrechen, so wird dadurch dem Blicke von Hohenschwangau aus die ganze nördliche Ebene eröffnet. In der Vertiefung hinter diesem letzten Rücken liegt der Alpensee, in welchem sich die Burg spiegelt, und über das niedrige Joch, welches den Rücken mit dem dahinter höher aufsteigenden Gebirge, dem Säuling, verbindet, führt die Straße in das Lechthal bey Pinswang von Hohenschwangau herüber.

---

1) Europa singt ein Freudenlied,
Was man geglaubet so bald nimmer,
Geschahe doch, es wurde Fried',
Und zwar allheut in diesem Zimmer;
Es ward das tapfere Guelfenhaus
Mit Österreich versöhnet aus.
Es grüne Bayern und dem nichts gleich,
Das höchste Haus von Österreich.
24. April 1745.

Nach dieser geographischen Übersicht wird es uns leichter seyn, uns in unseren Ausflügen zurecht zu finden.

Der Lechfall. Zu ihm führt uns nur ein kleiner, aber interessanter Spaziergang, und zwar dieselbe Straße, welche uns hernach im Lechthale hinaufführt, daher der Reisende, welcher das Thal hinaufreist, diesen Weg bis zu seiner Wanderung dahin versparen kann.

Aus der Stadt gehen wir über die Brücke auf das rechte Ufer und folgen der Straße aufwärts. Rechts in der Tiefe der über Felsenrisse schäumende Lech; die vielen Mühlen, zwischen und auf das Geklipp erbaut, jenseits die Felsenburg und das Städtchen im Hintergrund, die hinter einander aufsteigenden Bergketten, aus denen der Aggenstein durch seinen Zackengipfel aufragt, sind dem aus dem sanfteren Flachlande hereinkommenden Reisenden neue Erscheinungen, ein originelles Bild. Das Gebirge zeigt hier zuerst in der Tiefe seine rauhe Seite. Allmählig zieht die Straße höher hinan; doch sie braucht nur wenig Steigung, um das erste niedrige Joch zu überwinden, da sie dem Lech selbst nicht folgen kann, wegen der Enge seines Schlundes.

Auf der Höhe angekommen, vernimmt man bald einen dumpfen, fast unterirdischen Donner; ein Fußpfad führt rechts durch eine Art Zaun auf eine Felsenplatte, hier öffnet sich plötzlich ein gähnender Schlund und oberhalb desselben, wo die flachere Thalsohle an die Felsenkette stößt, wirft sich der milchige, blaugrüne Lech über einige Riesenblöcke in den Schlund. Der Fall ist nicht hoch, aber malerisch, und wird nur in etwas durch ein Kunstwehr gestört, das jedoch höchstens einem quervorgelegten Baume gleicht. Es füllt eine Wasserleitung, welche die eben erwähnten Mühlen treibt und mit kühner Hand an den Wänden des Abgrundes hingeleitet ist. Hier ist auch der Magnussprung; denn hier soll der heilige Magnus den Lech überschritten haben, zu welcher Sage eine fußtrittähnliche Vertiefung Veranlassung gab, sowie der fromme Glaube an den hier einst wirkenden Heiligen. Dem Falle aufwärts sehend, erblickt man wieder sanftere Gegenden, wenn auch von höheren Gebirgen umgeben.

Mit diesem Ausflug läßt sich der auf den Calvarienberg verbinden. Man steigt von der Straße sogleich links hinan, im Angesicht des oberen Lechthales, erreicht in einer kleinen halben Stunde die Höhe und wird hier durch die Aussicht auf Füssen und das flache Land belohnt; auch zeigen sich hier schon manche Sprößlinge der höheren Alpen, u. A. die schöne Alpenrose (Rhododendron). Auf gebahntem Wege steigt man nach Füssen hinab.

Zu einem der interessantesten Ausflüge gehört unstreitig der nur ¾ Stunden betragende nach Hohenschwangau. Der Weg dahin führt zuerst eine Strecke in einem kleinen Grunde, östlich zwischen dem Galgenberg und Kienberg (siehe oben), fort, wodurch wir auf kurze Zeit von der Außenwelt völlig abgeschnitten werden; das Leben der Stadt, das Rauschen des wilden Bergstromes ist verschwunden. Doch bald, indem der nördlich vorliegende Galgenberg abbricht, treten wir wieder in das Flachland hinaus und erblicken das schon durchwanderte Dorf Schwangau. Der Fahrende folgt der Straße durch dieses Dorf und biegt dann rechts auf der oben angezeigten Straße wieder nach Süden spitzwinkelig ein. Der Fußweg verläßt aber die Straße und zieht sich auf einem Damme durch das Röhrach, eine sumpfige Niederung, welche südlich, gegen das Gebirge zu, auf welchem Hohenschwangau thront, in den Schwansee übergeht. Kühn und stolz erhebt sich jetzt der bewaldete Felsen, gekrönt durch die südliche Wartburg, wie man Hohenschwangau in mehrfacher Hinsicht genannt hat. Die Burg, welche vorhin aus nördlicher Ferne, wegen der dahinter bis 7000 Fuß hoch sich erhebenden Gebirge, auf einem ganz kleinen Hügel zu liegen schien, schwebt hier hoch über uns, indem die Hochgebirge sich wegen der Nähe verkriechen. Hinter der Burg bildet das höhere Gebirge, der Alpelekopf, Gropersgrub, Kitzberg und Schwarzenberg, eine Gebirgsbucht, in deren Schooße der Alpensee liegt. Gerade vor den Ausgebaut, so bietet sie doch manches Interessante: Freskogemälde von Pelegrini, die Magnuskapelle mit dem Heiligthum, dem St. Magnusstabe, seinem Kelche und seiner Stola. Der Thurm, wie einige Grabdenkmäler, sind Überreste der älteren Zeit, beym Umbau des Klosters und der Kirche benutzt. Selbst das Gastzimmer in unserem Gasthofe ist geschichtlich; denn hier wurde 1745 Friede zwischen Bayern und Österreich geschlossen (Österreichischer Erbfolgekrieg); darauf bezieht sich die an der Wand befindliche Inschrift [1]). Die vielen und großen Waarengewölbe bezeugen den ehemals bedeutenden Durchgangshandel, als Venedig, Augsburg und Nürnberg blühten. Die freundliche Zuvorkommenheit der Bewohner Füssens wird gewiß dem Fremden den Ort doppelt lieb machen. Doch wir fliegen nun aus, nachdem wir unser Nest geordnet haben, um einzusammeln, da wir nur Zugvögel sind.

Von Reutte nach Füssen durchbricht der Lech mehrere Reihen der Kalkalpen, welche nach außen zu immer niedriger werden. Der vorderste und niedrigste Felsenzug ist der Rücken des Burkenbühls und Faulenbachs, auf dessen Ostcap die Burg Füssen liegt und der rechts des Lechs östlich in dem Galgenberg fortsetzt, aber schon nach einer Viertelstunde in die Ebene von Schwangau abbricht. Zwischen ihm und dem folgenden Rücken fließt der Lech eine Strecke von Westen nach Osten, bis er nördlich durchbricht. Durch die östliche Fortsetzung des dadurch entstandenen Grundes führt die Straße nach Hohenschwangau. Die zweyte Felsenkette, welche südlich von der vorigen und parallel mit ihr von Westen nach Osten zieht, ist am Austritt des Lechs am niedrigsten. Der Alpenfluß hat sich hier eine enge Ausgangspforte erzwungen, eine Felsenkluft, in welche er sich donnernd und schäumend wirft. Die östliche Fortsetzung des Felsenzugs steigt zum Calvarienberg, Hutlersberg und Kienberg auf, welcher ebenfalls östlich nach einer halben Stunde in die Ebene von Schwangau abfällt, während die westliche über den Vilserberg zu dem Haiduckenkopf fortsetzt, das unterste Vilsthal von dem Flachlande, wie Tyrol von Bayern scheidet. Zwischen dem Burkenbühl und seinem südlichen Parallelzug, dem Vilserberg, liegt ein Thälchen, der Alatseegraben, welches bey Füssen links in den Lech mündet und in welchem einige kleine Seen, der Alatsee, Ober-, Mittel- und Untersee liegen. Am Haiduckenkopf vereinigen sich beyde Bergzüge. Es folgt südlich die dritte wieder höhere Kette, vom Lech bald oberhalb der Mauth durchbrochen und von der Lechbrücke übersprungen; die östliche Fortsetzung ist der Schwarzenberg, und für uns wichtig, weil auf seinem gegen Osten wieder niedriger werdenden Rücken, auf einem Felsenkopf, die Burg Hohenschwangau liegt. Da die beyden vorderen Rücken, ehe sie die Ebene von Schwangau erreichen, in dieselbe abbrechen, so wird dadurch dem Blicke von Hohenschwangau aus die ganze nördliche Ebene eröffnet. In der Vertiefung hinter diesem letzten Rücken liegt der Alpensee, in welchem sich die Burg spiegelt, und über das niedrige Joch, welches den Rücken mit dem dahinter höher aufsteigenden Gebirge, dem Säuling, verbindet, führt die Straße in das Lechthal bey Pinswang von Hohenschwangau herüber.

---

1) Europa singt ein Freudenlied,
Was man geglaubet so bald nimmer,
Geschahe doch, es wurde Fried',
Und zwar allheut in diesem Zimmer;
Es ward das tapfere Guelfenhaus
Mit Österreich versöhnet aus.
Es grüne Bayern und dem nichts gleich,
Das höchste Haus von Österreich.
24. April 1745.

Nach dieser geographischen Übersicht wird es nun leichter seyn, uns in unseren Ausflügen zurecht zu finden.

Der Lechfall. Zu ihm führt uns nur ein kleiner, aber interessanter Spaziergang, und zwar dieselbe Straße, welche uns hernach im Lechthale hinaufführt, daher der Reisende, welcher das Thal hinaufreist, diesen Weg bis zu seiner Wanderung dahin versparen kann.

Aus der Stadt gehen wir über die Brücke auf das rechte Ufer und folgen der Straße aufwärts. Rechts in der Tiefe der über Felsenriffe schäumende Lech; die vielen Mühlen, zwischen und auf das Geklipp erbaut, jenseits die Felsenburg und das Städtchen im Hintergrund, die hinter einander aufsteigenden Bergketten, aus denen der Aggenstein durch seinen Zackengipfel aufragt, sind dem aus dem sanfteren Flachlande hereinkommenden Reisenden neue Erscheinungen, ein originelles Bild. Das Gebirge zeigt hier zuerst in der Tiefe seine rauhe Seite. Allmählig zieht die Straße höher hinan; doch sie braucht nur wenig Steigung, um das erste niedrige Joch zu überwinden, da sie dem Lech selbst nicht folgen kann, wegen der Enge seines Schlundes.

Auf der Höhe angekommen, vernimmt man bald einen dumpfen, fast unterirdischen Donner; ein Fußpfad führt rechts durch eine Art Zaun auf eine Felsenplatte, hier öffnet sich plötzlich ein gähnender Schlund und oberhalb desselben, wo die flachere Thalsohle an die Felsenkette stößt, wirft sich der milchige, blaugrüne Lech über einige Riesenblöcke in den Schlund. Der Fall ist nicht hoch, aber malerisch, und wird nur in etwas durch ein Kunstwehr gestört, das jedoch höchstens einem quervorgelegten Baume gleicht. Es fällt eine Wasserleitung, welche die eben erwähnten Mühlen treibt und mit kühner Hand an den Wänden des Abgrundes hingeleitet ist. Hier ist auch der Magnussprung; denn hier soll der heilige Magnus den Lech überschritten haben, zu welcher Sage eine fußtrittähnliche Vertiefung Veranlassung gab, sowie der fromme Glaube an den hier einst wirkenden Heiligen. Dem Falle aufwärts sehend, erblickt man wieder sanftere Gegenden, wenn auch von höheren Gebirgen umgeben.

Mit diesem Ausflug läßt sich der auf den Calvarienberg verbinden. Man steigt von der Straße sogleich links hinan, im Angesicht des oberen Lechthales, erreicht in einer kleinen halben Stunde die Höhe und wird hier durch die Aussicht auf Füssen und das flache Land belohnt; auch zeigen sich hier schon manche Sprößlinge der höheren Alpen, u. A. die schöne Alpenrose (Rhododendron). Auf gebahntem Wege steigt man nach Füssen hinab.

Zu einem der interessantesten Ausflüge gehört unstreitig der nur ¾ Stunden betragende nach Hohenschwangau. Der Weg dahin führt zuerst eine Strecke in einem kleinen Grunde, östlich zwischen dem Galgenberg und Kienberg (siehe oben), fort, wodurch wir auf kurze Zeit von der Außenwelt völlig abgeschnitten werden; das Leben der Stadt, das Rauschen des wilden Bergstromes ist verschwunden. Doch bald, indem der nördlich vorliegende Galgenberg abbricht, treten wir wieder in das Flachland hinaus und erblicken das schon durchwanderte Dorf Schwangau. Der Fahrende folgt der Straße durch dieses Dorf und biegt dann rechts auf der oben angezeigten Straße wieder nach Süden spitzwinkelig ein. Der Fußweg verläßt aber die Straße und zieht sich auf einem Damme durch das Röhrach, eine sumpfige Niederung, welche südlich, gegen das Gebirge zu, auf welchem Hohenschwangau thront, in den Schwansee übergeht. Kühn und stolz erhebt sich jetzt der bewaldete Felsen, gekrönt durch die südliche Wartburg, wie man Hohenschwangau in mehrfacher Hinsicht genannt hat. Die Burg, welche vorhin aus nördlicher Ferne, wegen der dahinter bis 7000 Fuß hoch sich erhebenden Gebirge, auf einem ganz kleinen Hügel zu liegen schien, schwebt hier hoch über uns, indem die Hochgebirge sich wegen der Nähe verkriechen. Hinter der Burg bildet das höhere Gebirge, der Alpelekopf, Gropersgrub, Kitzberg und Schwarzenberg, eine Gebirgsbucht, in deren Schooße der Alpensee liegt. Gerade vor den Ausgang dieser Bucht hat sich der Felsenberg der Burg hingepflanzt, westlich durch einen halben Einschnitt von Schwarzenberg, östlich durch einen tiefen Thaleinschnitt von dem Alpeleskopf getrennt. Durch letzteren Einschnitt, durch welchen jedoch kein Wasser der Bucht abfließt, gelangen wir, nachdem wir wieder auf die Straße gekommen sind, zu dem Dorfe Hohenschwangau, wo wir beym Bräuer einkehren. Überrascht wird gewiß jeder Reisende, wenn er hier aus dem Flachlande hereintritt, sich plötzlich rings von hohen Gebirgen umschlossen zu sehen, die sich in einem herrlichen, wahrhaft smaragdenen Spiegel, dem Alpensee, verdoppeln; über die nächsten, oben genannten Berge erheben sich bedeutend höhere, einen weiten Kranz bildend. Der 7000 F. hohe Säuling ist der König derselben.

In einer felsigen Seitenkammer des Sees liegt der kleine Schwanenteich. Schroff baut sich aus ihm der Schwanenstein mit der Burg auf. Diese war in frühester Zeit Römercastell, dann unter Dietrich von Bern eine Gothenburg. Hierauf umsproßte die Poesie des Mittelalters, wie jetzt der Epheu, die hochaufstrebende Burg. Da hier alles schwant (Schwangau, Schwanensee, Schwanenteich, Schwanenstein, Hohenschwangau), sollten daher nicht die Ritter gesungen haben? Der Schwanstein war ein Tummelplatz des Minnesangs. Zum Theil dieselben Sänger, die sich auf der romantischen Wartburg hören ließen, sangen auch hier ihre Weisen; auch hierher floh Luther seiner Gewissensfreiheit willen vom Augsburger Reichstage, und fand ein gastfreundliches sicheres Obdach. Sein Genius war der letzte hier hausende Geist, der letzte Schwan. Von da an umbrausten nur wilde Kriegsstürme die Burg: Moritz von Sachsen, Schärtlin von Burtenbach, endlich der dreyßigjährige Krieg. Tief und tiefer schlug der Nützlichkeitsgrundsatz Wurzeln, um alles Edle zu ersticken, bis nach Vertreibung des Erbfeindes aus Deutschland wieder die wohlthätigen Strahlen einer Frühlingssonne den Boden erleuchteten. So sollte auch dieser Sitz der Romantik im besseren Sinne des Wortes noch den Klauen der Gemeinheit entrissen werden. Die Mauern, die Zeugen so vielen edlen Glanzes gewesen waren, welche Römer, Gothen, Welfen, Hohenstaufen, Schyren, tapfere Ritter, liebliche Sänger und Glaubenshelden beherbergten, sollten auf den Abbruch versteigert und vielleicht zu Schweinställen verwendet werden: da rettete sie der Kronprinz von Bayern vom Untergange und verwandelte die trauernden Trümmer in einen sinnigen Tempel der Kunst, der uns die Zeiten, die über diese Mauern hingezogen, vergegenwärtigt, und zwar auf einem der schönsten Punkte, welche die Natur geschaffen; hier der Blick ins Gebirge hinauf bis über die Sennhüttenregion auf kahle Felsenfirste, dort hinaus in die lachenden Fluren des Flachlandes und in die Tiefe hinab auf die blauen Fluthen der Seen; der Wasserreichthum, der überall belebend hervorsprudelt, der edle jener Zeit entsprechende Baustyl und die alle Zeiten der Burg vergegenwärtigenden Zimmergemälde, verbunden mit dem Geschmack der neuern Zeit.

Wir ersteigen jetzt die Burg selbst. Unweit des Gasthauses führt eine Fahrstraße zum Theil ziemlich steil um den Schwanstein hinan, umduftet von lieblichen Alpenpflanzen; ein Fußweg zweigt sich rechts ab. Durch drey Burgthore, welche theils mit schönen Steinhauerarbeiten, theils mit entsprechenden Fresken geschmückt sind, erschließt sich der Hof. Ehrwürdige Linden mit steinernen Ruhebänken und Tischen, ein frisch aus der Wand hervorsprudelnder Brunnen, im Hintergrunde die Stallgebäude mit Fresken, nach Schwanthalers Entwurf, schmücken denselben. Hieran schließt sich der Burggarten, von Mauern umgeben. Die sich von hier erhebende Burg ist drey Stock hoch, ein unregelmäßiges Viereck, an drey Ecken mit oben achteckigen Thürmen und mit einem besondern Erkerbau versehen. Der obere Mauerrand ist ausgezackt und verdeckt das Dach völlig. Aus dem Burghof führt eine Treppe in das Erdgeschoß der Burg, zuerst in eine Halle mit Ritterrüstungen ausgeschmückt. Die Zimmer des Erdgeschosses sind einfach aber geschmackvoll, gewölbt und dienen meistens zur Aufnahme der Dienerschaft. Auf einer schönen Treppe gelangt man in einen Vorsaal, aus welchem man in den Speisesaal tritt.

Mit dem Speisesaal beginnt die Reihenfolge der auf die Sagen und Geschichte der Burg bezüglichen Wandgemälde. Dieser Saal versinnlicht die Sage vom Schwanenritter nach Konrad von Würzburg, Erfindung von Ruben, ausgeführt von Neher, L. Quaglio und A. Adam (die Pferde); schöne Kronleuchter nach Quaglio, von dem Gürtlermeister Santer, der Tisch von Glink, die anderen Möbel von Steibl. Drey Seitenzimmer: im ersten wird das Leben der Burgfrauen dargestellt. Die Bilder erfunden von Ruben und ausgeführt von D. und L. Quaglio, Neher, X. Glink und Adam; die Tischlerarbeit vom Tischlermeister Glink. Im zweyten, dem Kaiser Karls- oder Erkerzimmer: Gemälde erfunden von Schwind und ausgeführt von X. Glink. Sie erzählen die Geburt und Jugendjahre Karls des Großen (der nach der Sage am Stahrenberger See in der Reismühle geboren wurde). Die Möbel sind aus Cedernholz nach D. Quaglio's Angabe von Glink. Herrliche Aussicht auf den Alpensee und in die Gebirgswelt. Das dritte Zimmer enthält die merkwürdigsten Sagen und Begebenheiten der Burg und Umgegend: 1) Konradins Abschied von seiner Mutter; 2) Kaiser Maximilians I. Unterredung mit Gayler von Kaisersberg zu Füssen 1519; 3) Bestürmung des Klosters Rothenbuch durch Georg von Schwangau 1280; 4) der Minnesänger Hilpolt von Schwangau; 5) Kaiser Lothars Tod im nahen Breitenwang 1137; 6) Konrad von Schwangau wird verwundet nach Steingaden gebracht 1310; 7) Luthers Flucht von Augsburg nach Hohenschwangau 1518. Die sieben Gemälde wurden erfunden und ausgeführt von Lindenschmit; künstliche Uhr, 1537 verfertigt, die Möbel aus Eschenholz von Fortner.

Der zweyte Hauptsaal, der Schyrensaal, ist dem Stammgeschlechte des königlichen Hauses geweiht, von dem Kronprinzen angegeben, und von Lindenschmit zusammengestellt und ausgeführt. In den Erkerfenstern schöne Glasgemälde; sehr schöner und merkwürdiger Tisch aus Kehlheimer Marmor vom Jahre 1538. Ein anstoßendes Zimmer, das Türkische, enthält die Erinnerungen des Kronprinzen von seiner Reise in dem Oriente. Außer den Gemälden auch Geschenke des Sultans; die Möbel sind aus Cedernholz. Im folgenden Stock betreten wir zuerst den Heldensaal. Die Wandgemälde stellen die Thaten Dietrichs von Bern und seiner Helden dar. Erfindung von Schwind, Ausführung von den schon genannten; altdeutscher Baustyl, Glasmalereyen. Seitenzimmer: 1) die Welfenstube (Eckzimmer), Inhalt der Gemälde: die Hauptbegebenheiten Heinrichs des Löwen, von Lindenschmit erfunden und ausgeführt. Die Geräthe aus Nußbaumholz im entsprechenden Style. 2) Das Ritter- oder Erkerzimmer enthält die Sage von König Autharis (Autharis, König der Lombarden, wirbt um Theodelinde, Tochter des Königs Garibald in Bayern, erhält Zusage und macht sich dann selbst auf den Weg, aber unerkannt, unter der Maske eines Gesandten, um seine Braut zu sehen; er findet sie schön, und sie erräth ihn aus einer Berührung seines Fingers bey der Zurückgabe des geleerten Bechers, vertraut aber ihr Geheimniß nur der Amme. Auf der Rückkehr gibt er sich den begleitenden Bayern zu erkennen). Erfindung von Schwind, Ausführung von Glink und Albr. Adam. Schöne Geräthe, besonders ein eingelegter Tisch von Fortner; Gürtlerarbeit von Block. 3) Das Zimmer im Eckthurm stellt in neun Wandgemälden die Erziehung des Ritters und sein späteres Leben dar. Erfindung von Schwind, Ausführung von Mich. Neher, Pferde von Albr. Adam; die Überschriften von Daxenberger; Geräthe aus Cedernholz von Fortner. Auf der linken Seite des Saales zwey Zimmer: 1) die Staufenstube, Friedrichs I., II. und Konradins Thaten und Schicksale, erfunden und ausgeführt von Lindenschmit. Geräthe aus Ahorn, von Glink und Frank. 2) Schlafcabinet des Kronprinzen; Gemälde aus Tasso's befreytem Jerusalem, erfunden von Schwind, ausgeführt von Glink.

Das dritte Stockwerk ist nur der Dienerschaft eingeräumt, aber ebenfalls im mittelalterlichen Geschmacke ausgeführt. Auf einer Treppe gelangt man auf die höchste Zinne des Daches, wo man eine herrliche Aussicht hat, und wo eine große Fahne die Gegenwart des Kronprinzen anzeigt. Sehenswerth sind außerdem der zwar kleine, aber durch seine

Aussicht, wie seinen duftenden Inhalt äußerst reizende Schloßgarten; der Löwenbrunnen, aus Eisen gegossen, ähnlich dem in Alhambra. Aus der von den Löwen getragenen Schale springt ein Wasserstrahl 36 Fuß hoch in die Höhe. Erfindung von D. Quaglio, Ausführung von Schwanthaler. Südliche Gewächse umstehen in Kübeln den Brunnenplatz, den ein herrlicher Blick in die Tiefe auf den See verschönert. Das Felsenbad, durch eine Glasbeleuchtung in Rosenschimmer gehüllt. Das Schwanen- oder Rosenbassin, so genannt von den Rosen, die es einhüllen und dem großen ehernen Schwan (von Schwanthaler), der sich in der Mitte erhebt. — Die Herrschaft Hohenschwangau bestand ursprünglich aus vier Burgen, dem Vorderen und Hinteren Hohenschwangau, dem Scheiblingsthurme und dem Frauensteine. Der Scheiblingsthurm verschwand 1479 und an seine Stelle trat der Name Schwanstein. Die jetzige Burg wurde in der ersten Hälfte des 16. Jahrhunderts von den Brüdern Heinrich und Georg von Schwangau zu bauen angefangen. Nach Heinrichs Tod kam die Herrschaft durch Kauf 1544 an Hansen Baumgartner von Baumgarten, welcher den Bau so ausführen ließ, wie er sich jetzt noch erkennen läßt. Die Ruinen von Vorder- und Hinter-Schwangau liegen auf dem östlichen Berge der jetzigen Burg Neudeck. Die vordere und hintere Ruine sind durch einen Felsen getrennt. An der Felsenecke von Neudeck zeigen sich Überreste eines Römischen Castells. Neben diesen Ruinen stürzt der Pöllat (der Bach, welcher das Thal hinter dem Säuling durchfließt, unter der Ruine von Neudeck in die Ebene tritt und unterhalb Schwangau in den Lech fließt) in schönen Wasserfällen zur Tiefe. Zwischen dem Einschnitte der Pöllat und dem Ausgange des Thales, in welchem der Alpensee liegt, erhebt sich eine Höhe, auf welcher eine ausgehauene Stelle die Jugend genannt wird; hier eröffnet sich eine sehr schöne und bunte Aussicht in die Ebene, auf den Spiegel des Alpensees, Hohenschwangau u. s. w. Ein anderer belohnender Spaziergang von Hohenschwangau bringt uns in ¾ Stunden auf den Schwarzenberg zu dem Grenzsteine, welcher einst Schwaben (Hochstift Augsburg), Bayern und Tyrol schied; besonders schön der Blick hinab auf den Lech, wo er in seinen Schlund stürzt. Noch lohnender ist der weitere Ausflug von Hohenschwangau auf den Tegelberg (2 Stunden) und zu dessen höchstem Gipfel, dem 5900 Fuß hohen Brandschroffen; nördlich die unendlichen Flächen von Bayern und Schwaben mit ihren Seen; südlich die ganze Gebirgswelt, wo sich vor allen die Zugspitze und die Özthaler Eisriesen hervorheben; westlich erblickt man selbst einen Theil des Bodensees. Bergsteiger werden es nicht versäumen, den nahen, die ganze Gegend beherrschenden Säuling, welcher 7000 F. hoch ist, zu besteigen (4 St.). Man geht über die Jugend zum Älpele, von wo der steilere Anstieg beginnt. Der Wald geht bald in Krummholz über, mit dessen Hülfe man die steilen Felsenabsätze überwindet. Schon auf ziemlicher Höhe kömmt man auf den Flecken oder die Gemswiese, von welcher man über den Säulinggrath zur höchsten Spitze, welche mit einem Kreuze versehen ist, emporklimmt. Die Aussicht ist dieselbe, wie vom Brandschroffen, doch noch umfassender und durch den Blick in die steile Tiefe, auf die Zinnen der Burg, den Spiegel des Alpensees, das Lech- und Vilsthal ausgezeichnet.

Der Reisende, welcher von Füssen das Lechthal hinauf nach Reutte reist, braucht nicht von Hohenschwangau nach Füssen zurückzukehren, sondern kann auf schöner Straße über eine niedrige Höhe in das Lechthal bey Pinswang gelangen (zwischen Reutte und Füssen). Dem Reisenden aber, welchen sein Weg nicht in das obere Lechthal führt, ist die folgende Thalstrecke bis Reutte und dessen Umgebung als ein Ausflug von Füssen aus anzurathen.

Wir dringen jetzt von Füssen in das Gebirge ein, den Lech thalaufwärts verfolgend.

Bis Reute führt eine Hauptstraße im Lechthale hinan, welche sich dort aus demselben entfernt und über Ehrenberg, Lermos, den Fernpaß nach Imst und in das obere Innthal, oder nach Mieminngen und Innsbruck ins untere Innthal zieht.

Auf der uns schon bekannten Straße von Füssen kommen wir am Lechfall vorüber. Thal und Fluß weiten sich oberhalb des Felsenriegels wieder aus. Letzterer hat große Sandbänke. In einer halben Stunde kömmt man an die Österreichische Grenzmauth. Nur links drohen Wände und überschütten wohl die Straße bisweilen, wie die zahllosen Felsblöcke umher beweisen. Eine Überraschungsscene folgt; denn gewiß glaubt jeder Reisende, dort im Westen im breiten Lechthale hinaufzublicken, als er plötzlich diesen Fluß links aus einer Felsenkluft hervorbrechen sieht mit einer schönen Brücke, der Ulrichsbrücke, in einem Bogen überspannt, welcher auf die gegenseitigen Felsenrisse sich stützt. Erst hier werden wir durch einen dreyfachen Wegweiser aufgeklärt. Der Arm rechts nach Westen in das vermeintliche weite Lechthal hinaufzeigend, weist nach Vils hin, und also ist jenes weite, in der bisherigen Richtung fortlaufende Thal das Thal der Vils, in welchem wir nun auch sogleich hinaufwandern, dem Wegweiser folgend.

Es ist der Straßenzug von Innsbruck nach Kempten, auf welchem wir schon von Kempten und Sonthofen her kamen, ihn aber dann verließen an der Faulen Ache.

Das Vilsthal ist ein seinem Laufe nach eigenthümliches Thal. Sein Quellengebiet liegt oben am Haldensee; das obere Tyrolische Thal heißt Thanheim, und hat eine ostwestliche Richtung; es erfolgt dann der Pfrontner Durchbruch von Süden nach Norden; dann die untere Thalstrecke, welche halb Bayrisch, halb Tyrolisch ist, und eine westöstliche Richtung hat. Diese letzte Strecke ist es, in welcher wir hier hinaufblicken.

Das Städtchen Vils ist der Hauptort der untern Strecke, liegt 2460 F. über dem Meere, ¼ Stunde vor dem Einfluß der Vils in den Lech, 97 H., 545 E. Jenseits der Vils erhebt sich im Norden am Unterberg ein Felsen mit den Ruinen von Vilseck, einer Burg der Hohenecker, der ehemaligen Herren der Stadt. Am Fuße des Felsens die uralte St. Annenkapelle mit einem Bilde von Riep, welcher 1764 hier starb. Die neue Pfarrkirche hat schöne Bildsäulen (den h. Ulrich und h. Anton von Padua), vom Bildhauer Sturm. Auf dem Gottesacker die Gräber der Freyherren von Hoheneck. Große Unglücksfälle erlitt das Städtchen im dreyßigjährigen Kriege. Besonders hart wurde dasselbe 1800 getroffen, wo es die Franzosen nach einem Siege über die Österreicher völlig ausplünderten. Der hohen, den Nordwinden mehr ausgesetzten Lage wegen ist das Klima rauh, wenn auch jenseits der Alpen bey dieser Höhe schon Wein, Nüsse und Kastanien gedeihen. Die Flora soll sehr reich seyn. Südlich von Vils stürzt im Kessel der Alpstrudel, ein herrlicher Wasserfall, in zwey Absätzen herab. Der Vils weiter aufwärts folgend, treten wir vor Steinach wieder auf Bayrisches Gebiet. Bey diesem Dorfe selbst kömmt man an jene merkwürdige Gegend, wo die Gewässer aus dem Lande herein in das Gebirge fluthen. Das Nordgebirge öffnet sich und man wundert sich nicht wenig, durch diese Pforte die Vils und neben ihr die schon oben erwähnte Faule Ache hereinströmen zu sehen. Ein Seitenthal, das Achenthal, führt in der bisherigen Richtung des Vilsthales fort nach Westen, während das Hauptthal nördlich in das flache Land hinausgeht. Hier liegt die große Gemeinde Pfronten. Bis Pfronten, auch Ried genannt, führt die Straße, welche dann das Vilsthal verläßt und nach Kempten fortsetzt. Das Hauptthal nimmt jetzt wieder seine vorige Richtung nach Westen an, und dringt wieder in das Gebirge ein zwischen dem Pfront-ner- und Edelsberg. Äußerst einsam und eng zieht es in dieser Richtung hinan, 1½ Stunden; dann an der Wasserscheide gegen die Wertach angekommen, wendet es sich südlich und wird zwischen dem Hangenden- und Feuerschroffen eine wilde, unzugängliche Schlucht.

Auf etwas beschwerlichen Pfaden kommen wir, südlich emporbringend, in die obere Thalstufe der Vils und betreten wieder Tyrol; das Thal ist jetzt breit und eben und zieht östlich hinan. Diese obere Strecke des Vilsthales heißt Thanheim oder Tann-heim. Schon von Hindelang im Algau machten wir einen Ausflug wenigstens bis auf das Hintere Joch und schauten von dort herab in dieses Thal.

Bey Schattwald passiren wir die Mauth. Das ganze Thal ist eine abgeschlossene, hochgelegene Thalebene; die Ansiedelungen liegen durch das ganze Hochthal zerstreut.

Wenn die Stadt Vils schon 2460 F. hoch liegt, so mag die Höhe dieser Oase, rings von Gebirgen umschlossen, gewiß nahe an 4000 F. betragen. Am auffallendsten ist der Aufstieg aus dem oberen Lechthal durch den Paß Gacht, den wir von dort aus besuchen werden, und welcher der zweyte Abzugsgraben dieses einstigen Hochsees war, von dem der Haldensee ein Überrest ist. Dieser See liegt in der Mitte der langgestreckten Hochthalebene, auf der Wasserscheide, ohne sichtbaren Abfluß nach Westen oder Osten. Nur das Gebiet der Vils mit dem Haldensee, 2½ Stunden, wird Thanheim genannt. Der Hauptort ist Höfen, wo der Reisende bey dem Bräu Müller einkehrt. Dieses Wirthshaus war einst Eigenthum der Montforter. Erwerbsquellen: Getraidebau nicht hinreichend, dagegen Flachsbau blühend zur Ausfuhr; Viehzucht stark, besonders Galtvieh; jährliche Auswanderungen als Maurer u. dergl.

Wir betreten jetzt bey Schattwald das Thal und die von Hindelang über's Joch herabkommende Straße; hier befindet sich nebst der Mauth ein Bad (Eisen-Schwefelquelle gegen Gicht, Rheuma, Lähmungen, Hautausschläge). Durch Häusergruppen fortwandernd kommen wir nach Höfen, mit 83 H. und 426 E., wo die große und schöne Hauptkirche der ganzen Thalgemeinde liegt, mit Deckengemälden von Keller. Geburtsort des Kupferstechers Martin Schädle. Von hier steigt der oberste Theil des Vilsthales, die Thalfläche verlassend, südlich in das umgränzte Kalkhochgebirge empor zum Vilsalpensee, der Wiege der Vils. Oberhalb des Sees bildet der Bach einen schönen, 250 F. hohen Wasserfall, verbirgt sich dann unter den Felsen und kömmt erst vor dem See wieder zum Vorschein. Ein Pfad führt an ihm vorüber, dann über ödes Felsengeräll, und ein Joch in das hier westlich anstoßende Illergebiet (Hintersteiner Thal). Der See ist, wie der hoch über ihm südöstlich liegende Traualpsee, sehr fischreich. Der Ausflug zu den Hochseen und Wasserfällen der Vils von Höfen aus soll, nach Augenzeugen, sehr lohnend seyn.

Der Verfasser erfuhr leider erst nach seiner Durchreise durch dieses obere Vilsthal etwas von jenen Merkwürdigkeiten. Bey Thanheim spukt das Bogner Ungeheuer, welches südlich vom Orte in dem Bognerberg wohnt, bey Annäherung eines Gewitters dumpf zu heulen anfängt; dann wirft es sich auf Vorübergehende oder Fahrende, und wirft sie mit ihren Wagen um oder schiebt sie auf die Seite. Beym Ausbruch des Wetters selbst zieht sich das Ungethüm in seinen Hinterhalt zurück und verstummt. Aus einer engen Felsenspalte bricht nämlich ein heulender Luftstrom bey Annäherung eines Gewitters hervor, welcher wirklich eine große Gewalt hat, und wegen der Töne diese Spukgeschichte ins Daseyn rief.

In der Weite der Thalfläche kommen wir von Höfen bey dem Dorfe Kren, mit 89 H. und 376 E., links vorbey, wo man sich ein Thal nach Norden öffnen sieht, das auch nur durch eine äußerst flache Wasserscheide von unserer Thalfläche geschieden wird und den dritten Abfluß des einstigen Hochsees bildete. Die Fortsetzung dieses Thales ist das

Achenthal, welches, wie wir oben sahen, bey Steinach in die Vils mündet. In der Kirche Fresken von Keller aus Pfronten, Ant. Zeiler aus Reutte und Rief aus Kren.

Bald darauf erblicken wir hinter dem Dorfe Haldensee den Halden- oder Haldersee, dessen schöner grüner Spiegel, eine halbe Stunde lang und eine Viertelstunde breit, die Thalfläche einnimmt; er wetteifert in Ansehung seines Fischreichthums mit dem schon obengenannten. Seine Umgebungen sind lieblich und von hier aus, seinem westlichen Gestade, nimmt er sich am besten aus; auch noch die höheren Kalkalpen haben hier, wie überhaupt in einem großen Theil des Lechgebietes, das Eigenthümliche, im Gegensatz ihrer andern Brüder, daß sie oft bis auf ihren Scheitel mit auffallend grünen Matten überdeckt sind. Der einzige Schafschroffen (Aggenstein), der sich nördlich über den See erhebt, macht davon eine Ausnahme, weißgrau runzelt er seine Stirne und entsendet wildzerrissene Schluchten, gefüllt mit Kalkgetrümm. Eine besondere Eigenthümlichkeit dieses Sees ist sein rosiges Gestade; denn es ist fast allenthalben, besonders hier, mit der lieblichen, rothblätterigen Rose (rosa rubrifolia) umbuscht, so daß sie zum Charakter des Bildes gehört.

Der Straßenzug erreicht nun über Nesselwängl das Gebiet des Weißenbachs und führt an diesem durch den wildromantischen Paß Gacht ins obere Lechthal bey Weißenbach, 3 Stunden von Reutte, von wo wir wieder heraufsteigen werden.

Wir kehren jetzt nach diesem Ausflug durch das Vilsthal wieder zu dessen Einmündung in den Lech zurück, an die Ulrichsbrücke, und gehen nun im Hauptthale hinauf. Es wurde oben bemerkt, daß an dieser Brücke ein dreyfacher Wegweiser stehe; wir waren dem westlichsten gefolgt; jetzt bleiben uns noch zwey Wege im Lechthale selbst hinauf, welche sich vor Reutte wieder vereinigen, übrig. Der eine führt auf der Ost-, der andere auf der Westseite des Flusses hinan.

Der erstere führt links ab, ehe man von Füssen her die Ulrichsbrücke überschreitet und ist der ältere; an einer Felsenenge war die Straße einst durch den Kniepaß verrammelt, dessen Trümmer noch stehen. Joseph II. ließ diese einst schlechte Straße verbessern, besonders an jener Brücke, wie noch jetzt eine Marmortafel sagt. Die andere überschreitet die Brücke, zweigt sich dort von der Straße nach Vils ab und geht auf der West- oder linken Seite des Lechs hinauf; sie ist neueren Ursprungs, aber jetzt die Hauptfahrstraße.

Kaum hat man die Brücke überschritten und ist durch diese Felsenklause des Lechs vorgedrungen, so eröffnet sich sogleich eine neue Aussicht in eine der Kammern, in welche das Lechthal von Reutte nach Füssen zu getheilt wird, oder eigentlich von Heiterwang herab.

Das Charakteristische der ganzen Gegend des Lechthales, oder vielmehr der Strecke von Heiterwang herab bis Füssen, besteht in der Reihenfolge der quer von Westen nach Osten durchsetzenden Felsenriegel, eine Bildung, die selbst die besten Charten nicht treu darstellen. Hier nur die allgemeinsten Züge. Von Heiterwang auf der Poststraße von Innsbruck kommend, erblickt der Reisende den ersten Felsenriegel an der Ehrenberger Klause, über welchen östlicher der Abfluß des Plansees als schöner Stäubi herabstürzt; der zweyte verengt das Thal bey Pflach, den dritten hat der Kniepaß benutzt, den vierten überspringt die Ulrichsbrücke, den fünften der heilige Magnus oder gar Julius Cäsar, auf dem fünften thront die Burg von Füssen. Die Einzelheiten der Felsenriegel um Füssen haben wir schon kennen gelernt; diese Felsenriegel sind fast alle, wenigstens mit ihrem Eintritt ins Thal, niedrig, aber sehr auffallend. Zwischen ihnen liegen die Schleußenkammern der ehemaligen Seen.

In der ersten Kammer lag Füssen, in der zweyten die Österreichische Mauth, in der dritten, in welche wir jetzt eintreten, liegt Pinswang (41 H., 232 E.). Die Hauptbergmasse, die wir hier erblicken, ist der Hohe Säuling, die Achse der meisten Landschaftsbilder in einem bedeutenden Umkreise. Hier zuerst erklärt man sich durch seine Ähnlichkeit die öftere Verwechselung mit dem Schafschroffen oder Aggenstein. Auf der Hauptstraße kömmt man nicht nach Pinswang, dessen Thurm man jenseits des Lechs erblickt. Ober- und Unterpinswang werden durch eine Felseninsel, einen untergeordneten Riegel, getrennt. Dort kömmt die Straße über das Schwangauer Gitter von Hohenschwangau (1 St.) herein.

Die Gemeinde Musau, mit 45 H. und 273 E., zieht von hier längs der Straße fort; plötzlich legt sich ein Felsenriegel quer durch das Thal; der Lech durchbricht ihn links vor uns, und in der Thalenge, die dadurch entsteht und die jenseitige Straße etwas zum Aufstieg nöthigt, liegt der ehemalige Kniepaß, von dem nur noch wenig Überreste vorhanden sind.

Unsere, die diesseitige, Straße durchschneidet rechts, wie dort der Lech links (aufwärts), die niedrige Felsenkette. In dieser Gegend stürzt der Sabach, einen herrlichen, doch von der Straße halbversteckten Wasserfall bildend, herab. Er kömmt aus dem Reinthal vom Schafschroffen herab. Man gelangt in das zweyte Thalbecken; in einem einsamen, wenn auch kärglichen Wirthshause findet der Reisende wenigstens guten Wein und recht gute Leute. Bald darauf theilt sich die Straße abermals. Die Hauptstraße führt über Nieder-Letzen und überschreitet dann den Lech, um sich mit der alten Kniepaßstraße bey Pflach zu vereinigen. Die andere zieht unter den westlichen Wänden, von dem hier in viele Arme getheilten Lech gedrängt, über Ober-Letzen und Am Lech nach Reutte, wo sie sich mit der vorigen vereinigt. Wir folgen jetzt jener.

Wunderbar wird der Reisende auf der Brücke überrascht. Er tritt in die Krisis des Lechthales, wo sein voriger Charakter umschlägt in einen andern durch die veränderte Richtung des Thales. Solche Übergangspunkte bilden immer einen Tummelplatz verschiedener geologischer Elemente, wodurch die Alpenthäler an Abwechselung gewinnen. Die Krisis des Lechthales besteht hier darin, daß es aus einem, viele Rücken durchsägenden Thale ein Längenthal wird, während eine Seitengegend nach Ehrenberg und Heiterwang zu noch den vorigen Charakter beybehält. Plötzlich öffnet sich auf der Brücke, wo wir stehen bleiben, das zuvor zwar nicht schmale, aber durch viele Scheidewände verriegelte Gemach, der Bildersaal des Lechthales. Reutte ist unstreitig der Glanzpunkt des ganzen Thales. Wir stehen über dem Lech, dessen inselreiches Bett sich gegen Reutte und Breitenwang seeartig ausdehnt. Ein Felsenhügel links, auch noch zur

Riegelformation gehörig, bildet den Rahmen des Bildes. Rechts über Reutte thront das ehrwürdige Ehrenberger Schloß mit seiner bekannten Klause; gerade darüber der Thoneller, der in alle Seitenthäler lugt, links davon der Rothenstein und der Loreakopf (siehe Imst), kenntlich an einer Schneemulde; darunter der auffallend grüne Berg ist der Mähberg oder der Mähder (mähbare Bergwiesen). Die Gärtnerwand zieht sich dann hinter dem von der linken Seite vortretenden Tauern. Jenseits der Brücke kommen wir nach Pflach, einem Dorfe mit 40 H. und 248 E. In der Kirche Gemälde von Fr. Ant. Zeiler aus Reutte; ehemals berühmt wegen Eisenbergbau im Säuling, der sich hier noch immer, wie über Hohenschwangau erhebt. Er soll von hier leicht ersteiglich seyn. Julius Cäsar, der wohl nicht hierher gekommen ist, spukt hierum dennoch überall; schon bey Füssen soll er zu Pferd über den Lechschlund gesprengt seyn; auch hier soll er am Säuling ein Bad besucht haben. Von Pflach kommen wir an einer alten, vom Jahr 1515 stammenden, Gothischen Kapelle vorüber mit altdeutschen Gemälden, die ihren Ursprung dem Bergsegen des Säulings verdankt, welcher jedoch erloschen ist, nach Reutte.

Das Thal bey Reutte weitet sich sehr aus und war einst ein See, wie so viele andere Seebecken; außer der Horizontalfläche des Bodens sprechen auch die einzelnen abgesonderten Hügel, die ehemaligen Inseln, dafür. Wenn auch rings von hohen Gebirgen umgeben, stehen sie doch in solcher Ferne von dem Mittelpunkte, daß sie nicht durch ihren Ernst abschrecken, sondern durch ihren Ferndust anziehen; sie werden außerdem durch eine Vorstufe vermittelt. Fünf Thaleinschnitte zerlegen außerdem noch den Gebirgskranz in eben so viele Gruppen.

Wir lassen uns in der Post nieder, einem guten Gasthause, um von da aus Ausflüge in die interessante Umgegend zu machen. Der Markt ist freundlich gebaut, hat 150 H., gegen 1000 E. und liegt 2480 F. über dem Meere. 13 St. von Imst, 3½ St. von Füssen, 5 St. von Lermos. Postwechsel zwischen Füssen und Lermos; Landgerichtssitz (19½ Q.M.), Criminalgericht, Salinenforstamt, Magistrat, Knaben= und Mädchenschule, 1 Arzt, 3 Wundärzte, 1 Hospital, 1 Armenversorgungsanstalt, 4 Bierbrauereyen, 2 Jahrmärkte, 1 Wochenmarkt. In kirchlicher Beziehung aber steht der Markt unter der Kirche von Breitenwang. Daß die Römer hier waren, beweisen viele aufgefundene Alterthümer. Außer dem Hauptstraßenzug aus dem Innthale bey Imst über den Fern, Lermos und Heiterwang ging, jenen Alterthümern zufolge, noch eine Seitenstraße über den Hahntenn nach Nassereit. In der Völkerwanderung schlugen sich Bruchstücke der Alemannen hier nieder. Hierauf deuten vielleicht die Benennungen auf wang (Heiterwang, Breitenwang, Bärwang, Wängl, Nesselwängl, Nesselwang und Pinswang). Sie wurden, wie die Gegend, entwildert durch den Algauischen Bonifacius, St. Magnus. Er wurde von Pipin dem Kleinen unterstützt und war der Gründer von Aschau (Am Lech), Reutte gegenüber, und Breitenwang; erst später wurden die Erlenauen am Lech ausgereutet und Reutte erscheint 1441 vollständig ausgebildet. Vielfache, oft sehr harte Schicksale trafen den Ort, wie seine Lage als Grenzort und an einer Hauptstraße in der Nähe wichtiger Pässe erwarten läßt: Schmalkaldischer Krieg, 1572 Erdbeben, 1611 Pest, 1621 Hungersnoth; bessere Zeiten unter Leopold V. und seiner Gemahlin Claudia von Medicis. Stiftung eines Franziskanerklosters. 1635 Pest und Verheerungen der Schweden. Nach dem Westphälischen Frieden bessere Zeiten. 1700 Viehseuche, 1701 großer Brand; im Spanischen Erbfolgekriege Bayrische Besatzung, Brand. Hierauf wieder bessere Zeiten. Dann die traurigen Franzosenkriege bis 1814; diesem Jahre zu Ehren das Denkmal auf dem Platz; 1816 Theuerung. Viele Verschönerungen verdankt der Markt dem Landrichter Marberger. Die St. Annenkirche, mit Gemälden (den h. Franziskus und Antonius) von Paul Zeiler. In dem anstoßenden Franziskanerkloster zwey Gemälde von Zeiler und Riep. Fabriken: für Fischbein und Papier; Gypsbrüche in der Nähe. Gebürtig sind aus Reutte: der Mathematiker, Optiker und Astronom Ant. Mar. Schyrle, † 1605; Paul Zeiler, Maler, † 1731 als kaiserlicher Hofmaler; Jakob Zeiler, des Vorigen Sohn, Mitglied der Akademie zu Wien als Maler, † 1783; Franz Ant. Zeiler, Maler, † 1795; Anton Leitenstorfer, Maler (Hofmaler zu Mannheim), † 1795; Balth. Riep aus Kempten, hier aber ansäßig.

Ausflüge. Im Südosten von Reutte erhebt sich hinter grünen Vorbergen ein hohes Kalkgebirge, westlich und östlich abgesondert von den übrigen Gebirgen, der Tauern, also ein Bruchstück aus der östlichen Alpenwelt. Er ist die Achse unseres ersten und Hauptausflugs, indem wir seinen Fuß umwandern und dadurch sogleich zwey Ausflüge verbinden, den Stuiben- und Stäubifall, Plansee, Heiterwanger See und Ehrenberg, und diese kleine Tagreise, besonders wenn wir auf der Straße Pferde zu Hülfe nehmen, bis nach Lermos ausdehnen können. Die erste Strecke des Weges bis Heiterwang müssen wir zu Fuß machen, wenn auch eine Art Fahrweg bis zum Plansee führt. Ist es eine Reisegesellschaft, so bedarf sie keines Führers, wenn sie irgend mit der Örtlichkeit durch die Charte vertraut ist; nur der Einzelne wird wegen der großen Einsamkeit, die ohne Gesellschaft langweilig wird, wohlthun, einen Führer mitzunehmen; denn 4—5 Stunden ist die Gegend hauslos, wild und oft unheimlich. Von unserem Gasthause gehen wir die Straße hinauf und biegen dann links in ein Seitengäßchen ein, das uns sogleich ins Freye bringt. Über schöne Wiesen führt der Weg durch eine Allee in weniger als einer Viertelstunde nach Breitenwang. In einem der letzten Häuser dieses sehr alten Dorfes starb Kaiser Lothar 1137, als er aus Italien zurückkehrte. Man braucht sich nicht lange nach dem merkwürdigen Hause umzusehen; es ist schon eine Erwerbsquelle, wie der nahe Stäubi, geworden. Die Pfarre kömmt schon 1153 vor. Die Kirche uralt, aber später erneuert, mit hohem Kirchthurme und schönem Geläute; in ihr Gemälde von Haas, Selb und Zeiler; schöner Kirchhof mit Arkaden, darin Holbeinischer Todtentanz und sehenswerthe Holzarbeiten von Sturm. Der Pfarrer ist Dekan des Landgerichtes. Das Dorf zählt nur 35 H. mit 236 E. In der Nähe Gypsbrüche. Hinter Breitenwang beginnt ein Gehügel von aufgeschüttetem Gebirge, mit Rasen überzogen, und man folgt dem Fußpfade, welcher der Richtung der Thalöffnung entgegenführt. Auf der Höhe dieses Gehügels, Roßrücken genannt, angekommen, ruht man aus, um zugleich den schönen belehrenden Rückblick zu genießen; das ganze Panorama von Reutte liegt unter uns. Im Norden das schon durchwanderte Lechthal hinab, beherrscht vom Säuling; nordwestlich über Reutte und Aschau die hohe und doch grüne Umwallung des Gachtpasses, wo nur der Gimpelspitz felsengrau die grüne Hälle durchbricht als Eckpfeiler des Lechthales; südwestlich ins obere Lechthal, wo der Hochvogel schwebt; gegen Süden der Thoneller und rechts von ihm die Hochgipfel des Rothlechthales; unter ihnen der ganze Felsenriegel der Ehrenberger Klause und unter diesem die freundliche Häusergruppe des Bades Kreckelmoos. Wir senken uns jenseits wieder hinab in ein waldiges Thal, vom Rauschen und Donner seiner Gewässer belebt. Es ist das Achenthal, wie wir deren noch mehrere kennen lernen werden. Die Staubsäulen und der ferne Donner der Wasserfälle sind unsere Führer durch das Dickicht des Gestrüppes. Wir steigen erst hinab, gehen an der Ache, oder, wie man sie hier auch nennt, Arche, oft unter schurrenden Wänden vorüber und dann wieder aufwärts. Unser Gastwirth, der Posthalter Angerer, hat schon durch Anlegung guter Wege gesorgt, das schöne Naturschauspiel von allen Seiten zu betrachten. Die Ache oder Arche ist der Abfluß des Plansees, den sie eine Stunde oberhalb verläßt. Der Kalk dieser Alpen hat ein dichteres Gefüge, das verkünden schon die grünen Matten, welche so viele Hochgipfel umkleiden, etwas Außergewöhnliches in den Kalkalpen; daher auch die mit Wasserfällen bezeichneten Stufen eines Thales (siehe Einleitung). Im Ganzen sind es vier Abstürze, von denen die beyden obersten die kleinsten, die unteren die höchsten sind und unter diesen ist wieder der unterste Sturz der größte. Die Höhe des untersten Sturzes beträgt 90 Fuß. Ziemlich breit erreicht der Bach den Rand und stürzt fast unaufgehalten in die Tiefe, wo er sich schäumend, perlend und stäubend sammelt, um aus dem engen Felsenkessel hervorzustrudeln und sich nochmals über ein niedriges Felsenwehr zu werfen. Auf schwankendem, doch sicherem Steg überschreitet man den Bach und gelangt auf gebahntem Pfad zum stäubenden Kessel, wo die Abendstunden die geeignetsten sind, um den Regenbogen zu sehen. Man kehrt über den Steg zurück und steigt durch den Wald empor, links den Abgrund unter sich, in welchem die Wasserfälle toben. Der zweyte obere Sturz ist 56 F. hoch. Hierauf folgen noch einige niedere Stürze. Die ganze Umgegend ist wild und düster. Der Weg senkt sich darauf in die Thalebene herab, von welcher die Wasserfälle hinab in das tiefere Thal stürzen. Hier kömmt auch eine Art Fahrweg von Reutte rechts herab. Äußerst einsam und still ist diese Gegend; nur der Donner der Wasserfälle wird noch aus der fernen Tiefe heraufgetragen; die alte Kapelle trägt nicht zur Belebung bey. Man wird plötzlich überrascht durch die grün schillernden Wellen eines Sees; es ist eine Zunge des Plansees; er liegt 2892 F., also 400 F. über Reutte. Am Ausflusse der Arche aus dem See theilt sich der Weg; links führt der Fahrweg fort gegen Nordost, zuerst noch eine Stunde lang am Gestade des Sees hin, erreicht dann unweit des Kaiserbrunnens, an dem Kaiser Ludwig auf einer Jagd trank, eine trocken gelegte Seebucht. Bey den Thorsäulen erschließt sich das Thal Ammerwald, aus welchem der Ammerbach hereinfließt; durch dieses Thal führt ein Weg, doch nicht ganz fahrbar, in das jenseitige Bayrische Ammer- oder Amberthal und nach Ettal. Ein sehr hoher Berg erhebt sich, schon im Bayrischen, Hochplatt, mit Eis- und Schneefeldern. Das Loisachgebiet tritt mit dem Nader- und Neuerwaidbach in die östliche Seebucht herein, nur durch eine niedrige, das Thal durchziehende Wasserscheide vom Plansee getrennt. Durch dieses Thal geht ein an Naturschönheiten reicher Weg in das Loisachthal und nach Garmisch. Unweit des nordöstlichen Seeufers steht eine einsame Kapelle, mit schönem Altargemälde von Paul Zoller; durch diese Seebucht führen Pfade in dieses Gebiet.

Wir kehren zum Ausfluß des Sees zurück, wo ein Steg über eine schmale Seeenge führt. Diesem folgen wir. Der Pfad wird bald eng zwischen dem Steilabsturz des Tauern und dem See. Mühsam muß man, bisweilen Bergschlipfe erkletternd, unter und über umgestürzte Bäume hinwegkriechen. Jenseits starrt die Seewand über dunkle Forste auf; rechts das Brandjoch; links über dem Hintergrunde der Zinken- oder Zwergenberg und Geyerkopf. Des Auf- und Abkletterns müde, ist man froh, wieder festeren Boden unter sich zu haben auf der Landenge zwischen dem Plansee

15 *

und Heiterwangsee. Letzterer ist nur eine Fortsetzung des vorigen und wurde durch die Schuttmassen des Pitzenbaches getrennt; dieser sammelt seine Gewässer in dem Amphitheater des Blattbergs, das sich unsern Blicken nach und nach gegenüber entfaltet mit seinen schauerlichen Wänden. Heiterer lacht uns der Spiegel des Heiterwanger Sees entgegen; denn seine westliche Bucht mündet in die weite Gegend von Heiterwang. Wenn auch der Thöneller ernst hereinschaut, so wird er durch eine heitere, sonnige Gegend von dem düsteren Vorgrunde getrennt und erscheint als schön erleuchtete Pyramide, verdoppelt in den Fluthen des Sees. Der Pfad führt übrigens wieder sehr schmal zwischen den Wänden des Tauern und dem See hin. Überrascht wird man rechts durch einen kleinen aber tiefen Felsenkessel, mit dunkelblauem Wasser gefüllt und mit rothem Moose überzogen. Zu bedauern ist, daß der Reisende so wenig Fahrzeuge auf diesen fischreichen Seen findet, um sich den beschwerlichen Weg zu ersparen. Wer den Weg umgekehrt macht, findet bey Heiterwang leichter Gelegenheit solcher Art. An einer Mühle vorüber und über grasige Hügel gelangt man in die Thalweitung von Heiterwang. An dem einfachen aber gemüthlichen Wirthshause findet der Reisende al Fresco die Durchreise Josephs II. Nach den Umständen kann der Reisende nun den Ausflug bis Lermos im Loisachgebiet erweitern oder auf der Straße nach Reutte zurückkehren; denn er befindet sich hier wieder auf der Poststraße. — Die Gegend von Heiterwang gehörte einst zu dem Spiegel des Plansees, ehe er sich sein jetziges Bett an der Stuibe so tief einschnitt, und wahrscheinlich wird eine Zeit kommen, wo der jetzige Plansee eine trockene Fläche darstellen wird bey einem nothwendig später tieferen Einschnitt der Stuibenfälle und der Ausfüllung der Tiefe von den Bächen. Alles Wasser dieser Gegend fließt auch noch dem Plansee zu. Von hier bis Lermos führt der Straßenzug scheinbar durch ein einziges Thal, das jedoch hydrographisch zu zwey Flußgebieten gehört; denn von hier an gehört die Strecke noch eine Stunde lang zu unserem Lech-Planseegebiet über Büchlbach und Wengl bis Lähn auf der Wasserscheide, von wo man hinab in das Loisach-Isargebiet nach Lermos kömmt, in das *oberste Thalbecken* der Loisach.

Wir machten schon oben von Imst im Oberinnthal einen Ausflug nach Lermos und lernten dort einen Theil des Füssen-Imster Straßenzuges kennen. Den zweyten Gemäldesaal dieser Straße bildet die Strecke von Reutte nach Lermos, in dessen Mitte wir durch eine Seitenthür vom Plansee her eintreten; wir wenden uns von Heiterwang aus erst links, südöstlich, um die eine Hälfte, dann rechts, nordwestlich, um die andere Hälfte kennen zu lernen. Es ist durchaus nicht einerley, ob man von Heiterwang nach Lermos oder umgekehrt reist; im ersteren Falle entwickelt die Straße ihre Hauptreize von Heiterwang an nach Lermos in immer steigendem Maaße. Das Unterhaltende unserer ersten Wanderung nach Lermos besteht, außer in den sich links und rechts aus den Thälern vorschiebenden Schuttmassen der Seitenthäler, in den wechselseitig vortretenden Bergwänden, unter denen sich besonders die oben genannten Mähder durch ihre frischgrünen Matten mitten in den Kalkschroffen auszeichnen. Nichts gleicht aber dem fernhaften Zauberspiel, welches der Hintergrund des ganzen Thales darbietet; im Südwesten öffnet sich die Thalspalte; dort aber schwebt eine himmelragende Luftgestalt, deren Weiß und Grau der Fremdling kaum zu enträthseln vermag; eben glaubt er die zarte und doch so große Gestalt erfaßt zu haben, als sie seinen Augen entflieht; doch ebenso schnell schwebt eine andere gleich riesenhafte Gestalt, eine Pyramide, an ihrer Stelle; man traut über diesen schnellen Wechsel der Versetzstücke seinen Augen nicht; gleich darauf erscheint wieder die erste Gestalt. Es ist das schroffe, völlig nackte, 10,000 Fuß hohe Wettersteingebirge, welches bey den Windungen des Thales und der Straße bald die Zugspitze, bald den Sonnenspitz vorschiebt, diese höchsten Kalksteinriesen der Nordalpen. Doch wir eilen jetzt das Thal der Ache von Heiterwang aus hinan. Bey Büchlbach (546 C.) öffnet sich westlich rechts ein Seitengrund, in welchem die Gemeinde Bärwang liegt, ½ Stunde von Büchlbach. Durch dieses Thal führen Wege in das Rothlech- und Namlosthal, sowie südlich nach Imst. In der Kirche zu Büchlbach ein schönes Altarblatt von Riep und Fresken von Franz Ant. Zeiler und Jakob Zeiler. Weiter hinan im Hauptthale kommen wir über Wengl nach Lähn, auf der Wasserscheide zwischen Lech und Loisach; der Name des Ortes enthält seine Geschichte. Er ist nämlich den Lawinen oder Lähnen sehr ausgesetzt. Im Jahre 1450 wurde der Ort von einer Lähne heimgesucht, welche die Kapelle und mehrere Häuser vernichtete und 22 Menschen begrub; die anderen, zwar auch alle begraben, wurden nach dreytägigem Arbeiten gerettet. Der Ort, früher Mittewald geheißen, wurde nun auf dem Schutt der Lawine neu gebaut und Auf der Lähn genannt. Im Jahre 1689 ging abermals eine Lawine nieder, begrub 11 Häuser, 46 Menschen und alles Vieh; 20 wurden lebendig ausgegraben. Eine Tafel an der Kirche vergegenwärtigt diese Unglücksfälle. Auch in der neuesten Zeit ereigneten sich ähnliche Fälle.

Von hier eilen wir an der jungen Loisach, die hier ihren Ursprung hat, in ¾ Stunden hinab nach Lermos, wenn auch diese Strecke schon einem anderen Flußgebiet, das wir bald besuchen werden, angehört. Lermos liegt am Abhange einer niedrigen Höhe, an der Mündung der Loisach in ihr erstes Seebecken, das aber trocken gelegt ist. Hier in Lermos entfalten und enträthseln sich auch zuerst die vorhin uns vorgaukelnden Zauberbilder zu einem festen ganzen Gemälde der großartigsten Kalkalpennatur. In der Tiefe die weite, grüne, ebene Thalfläche der Loisach, in welcher die Gemeinden Ehrwald und Biberwies, von Hügelketten durchzogen, in einem Dreyecke mit Lermos liegen; aus ihr ragen die ungeheuren Massen der Zugspitze und des Sonnenspitzes 10,000 F. hoch auf. Sie stehen, besonders die Zugspitze, als abgesonderte riesige Felsblöcke umher; nur ihr Fußgestell, entstanden aus dem Geröll, das die Steinrisse entsenden, ist von Nadelholz umschattet; bey weitem der größte Theil der Masse erhebt sich fast senkrecht, völlig kahl, empor; die weißgraue Farbe der Wände wird nur unterbrochen durch die frischen rothen Anbrüche.

Sehr treffend wurde einst die ganze Gegend vom Fernpaß (siehe Imst) bis zur Ehrenberger Klause Zwischenthoren genannt; denn die Straße steigt von Imst im Innthaler Gebiet über den niedrigen wasserscheidenden Sattel[1]) des Fernpasses in das oberste Loisachgebiet, biegt aber sogleich links oder westlich um, setzt über die eben genannte Wasserscheide in das Lechgebiet über, und erreicht, der Ache bis Heiterwang folgend und dann diese verlassend, einen der oben genannten Felsenriegel des Lechthales, durchbricht diesen an der Ehrenberger Klause, um hinab in das Lechthal bey Reutte zu gelangen; daher liegt diese Strecke der Straße zwischen dem sie überwölbenden Thor des Fernes, wie der Ehrenberger Klause, und übersteigt drey Rücken oder Thörl. Lermos ist außerdem die nächste Poststation von Reutte; die folgende ist Nassereit, von wo sich der Straßenzug rechts über Imst ins Oberinnthal und Etschthal und links über Miemingen nach Innsbruck ins Unterinnthal theilt.

Wir kehren nach diesem Ausfluge bis Heiterwang zurück und können, wenn wir auf dem etwas mühsamen Weg von dem Stuibenfalle an den Seen herum müde geworden sind, von Lermos einspännig mit Extrapost zurück nach Heiterwang und Reutte fahren. Wer in Heiterwang übernachtet, kann auch den anderen Morgen noch einen Ausflug auf den Thoneller, die Thaneller oder Turnella unternehmen. Von wo man sich der Gegend von Reutte auch nähert, überall ist dieser Berg die Nase der ganzen Gegend. Von Heiterwang ersteigt man die Spitze in drey Stunden und eine herrliche Rundsicht über die schon beschriebene Gegend, wie über das obere Lechthal, das Bayrische Flachland und in das Südwestgebirge, belohnt hinlänglich. Der Reisende, welcher von Reutte auf der Straße herauf nach Heiterwang kam, geht von hier rechts hinab

---

1) Übergangshöhen werden häufig, besonders in den Norischen Alpen, Thore oder Thörl genannt.

zum Plansee und verfolgt den Weg, welchen wir heraufstiegen. Wir dagegen folgen der Straße nach Reutte, rechts, wie schon den ganzen Tag über, den Tauern lassend. Die Straße steigt eine kurze Strecke hinan, um sich aus dem Gebiete der Plansee Ache über den Katzenberg zu erheben, senkt sich dann jenseits in eine waldige düstere Schlucht hinab, welche den Felsenriegel des Schlaßbergs durchbricht. Bey einer Wendung der Schlucht und Straße erscheint, hoch oben schwebend, die Ruine der Feste Ehrenberg und bald darauf die unter ihr liegende bekannte Ehrenberger Klause, durch welche die Straße führt. Das einzige schwere Geschütz, das der Reisende noch vorfindet, sind die Bierfässer, die ihn jedoch freundlich bewillkommnen; denn nichts schmeckt besser, als an einem heißen Tage ein Humpen schäumenden Bieres in den Gewölben, die so oft vom Kriegsgeschrey wiederhallten, oder oben auf der Kegelbahn, wenn es in den Gewölben zu dumpfig ist. Die Berge, in welche man dort über die Kapelle hinweg hineinsieht, umschließen das Thal des Rothen Lechs. Doch nicht nur der Durst und die Müdigkeit, sondern auch die Geschichte dieser Feste wird den Reisenden veranlassen, hier einige Zeit zu rasten, wozu die wildromantische Lage um so mehr auffordert. Die Feste ist wahrscheinlich Römischen Ursprungs, wurde dann unter Theodorich dem Ostgothen ein fester Haltpunkt und zugleich Mittelpunkt eines Gerichtes, das noch jetzt, wie so viele Gerichte in Tyrol, von seinem Stammorte den Namen Ehrenberg hat. Der Kriegsoberste der Feste war bis auf die neueren Zeiten auch Richter im ganzen Tyrolischen Lechthale. Die Herrschaft des Schlosses war, öfterer Verpfändungen wegen, wechselnd. Im Jahre 1497 war der von Max I. hochgeschätzte Augsburgische Patricier Goffenbrot Befehlshaber und der Kaiser hielt sich mehrmals der Jagd wegen daselbst auf. Goffenbrot erhielt endlich 1501 das Schloß als lehnsherrliches Gut, wurde jedoch von neidischen und unredlichen Beamten im nächsten Jahre vergiftet. Hierauf gab es Max I. als Pfand an die Fugger, welche es dem berüchtigten Günstling Ferdinands I., Gabriel von Salamanca, als Hochzeitsgeschenk überließen. Nach der Flucht dieses allgemein Verhaßten kam es an die Landesregierung zurück. Im Schmalkaldischen Krieg brach zuerst Schärtlin von Burtenbach in Tyrol ein, zerstörte Reutte und eroberte die Feste Ehrenberg. Er hinterließ eine schwache Besatzung und rückte auf der Straße nach Innsbruck vor, um dem Kaiser die Hülfe aus Italien abzuschneiden; allein, von den Häuptern des Bundes nicht unterstützt, mußte sich der tapfere und einsichtsvolle Feldherr zurückziehen; er ließ eine Besatzung in der Feste. Die Tyroler erstürmten sie; doch zog die Besatzung frey ab. Hierauf folgte der Einfall des Kurfürsten Moritz von Sachsen, hauptsächlich gegen den verderblichen Einfluß Spaniens auf Deutschland gerichtet, 1552. Er gewann die Klause durch Umgehung des Passes auf unserem eben beschriebenen Wege über die Stuibe, den Plansee nach Heiterwang, indem er sie nun von zwey Seiten angriff. Das Schloß aber, von dem berühmten, schon bey Innsbruck erwähnten, Büchsenmeister und Stückgießer Gregor Löffler vertheidigt, konnte nicht erobert werden. Moritz ließ Beobachtungstruppen zurück, verfolgte seinen Siegeslauf nach Innsbruck, nöthigte den Kaiser zur Flucht und kehrte dann, nach damaliger Sitte mit der Beute der Unglücklichen beladen, zurück. Die Burg wurde den tapfern Tyrolern zurückgegeben. So groß auch das Unglück war, so wurde dennoch durch die Natur des Gebirgs viel geschützt und geborgen, und man findet daher hier nicht die vielen sogenannten Wüstungen, Gegenden, wo einst Dörfer standen, wie im nördlichen Deutschland, wo der dreyßigjährige Krieg die edelsten Keime Deutschlands, besonders zuletzt durch Französisches Gift, ertödtete. In diesem traurigen Kriege, dem Deutschen Peloponnesischen Kriege, erschienen die Schweden mit dem Erbfeinde, den Franzosen, konnten jedoch nicht vordringen. Leopold V. nöthigte sie zum Rückzuge. Bernhard von Weimar stürmte vor bis Reutte, konnte aber den Felsenriegel der Klause nicht sprengen. Ebenso wenig konnte es 1646 Wrangel. Im Spanischen Erbfolgekrieg eroberten die Bayern die Feste; nur ein kleines Österreichisches Beobachtungsheer stand in Heiterwang. Letzteres und

Bauern der Umgegend erstiegen den Schloßkopf, einen das Schloß überragenden Kopf, schafften Geschütze hinauf und beschossen die Feste so glücklich, daß die Bayern, doch unter den ehrenvollsten Bedingungen, abzogen. Nun wurde auch der Schloßkopf mit großem Kostenaufwande befestigt. Hierdurch ward die Feste ein dreyfaches Bollwerk, dessen Theile sich gegenseitig deckten, Klause, Schloß und Schloßkopf. Die Klause faßte zwey Compagnien, das vierstöckige Schloß hatte vier Kasernen, 16 Officierzimmer, drey Bäckerstuben, eine Kapelle, ein Krankenhaus, 56 Kanonen, Lebensmittel für 600 Mann auf einige Jahre, einen Exercierplatz, zwey Brunnen und zwey verborgene Gänge zu Ausfällen. Der Schloßkopf hatte 18 Kanonen, aber nur Cisternenwasser. Jetzt schied sich auch die Gerechtigkeitspflege von diesem Sitze aus und wurde nach Reutte verlegt. Unter Josephs II. Regierung, wo die meisten Festungen als unbrauchbar eingingen, wurde auch diese Feste 1783 verkauft und zum Theil abgebrochen; nur die Klause erhielt sich wohnlich als Anhaltspunkt der Fuhrleute, die von Reutte den Berg heraufkommen. In den Franzosenkriegen erwachte dennoch wieder das Bedürfniß eines festen Anhaltspunktes und die Feste wurde 1796 wieder etwas hergestellt. Als 1800 durch Österreichs Unglück auch Ehrenberg übergeben wurde, zerstörten es die Feinde.

Wir ziehen jetzt durch die Klause hinab nach Reutte; ehe wir uns weiter umsehen, blicken wir bey dem Austritt aus dem Thorgewölbe zurück auf das ehrwürdige Gemäuer; malerisch ist aus dem Helm des Thorwappens eine Fichte gleich einem schattenden Helmbusche emporgesproßt. Die Straße hinabeilend, entfaltet sich abermals das herrliche Landschaftsgemälde von Reutte. An einem der Felsenhügel, die auch hier die Thalebene unterbrechen, an welchem die Straße hinzieht, machen wir nochmals Halt und blicken hinauf zur Feste, die hier wie ein Adlernest auf hohem Felsen thront.

In der Nähe, eine halbe Stunde von Reutte, liegt das Bad Krekelmoos, welches wir vorhin vom Roßrücken, wo wir uns von Reutte aus auf dem Weg zum Stuibenfall zuerst umsahen, erblickten. Es liegt am Fuße des Tauern, war schon in der ältesten Zeit bekannt; doch erst, als Johann Ammann in Reutte 1719 zum Besitz kam, wurden zweckmäßigere Gebäude aufgeführt und das Bad selbst von den badliebenden Tyrolern stark besucht. Es hat zwey Quellen, die eine ist eine Schwefel-, die andere eine kupferhaltige Salzquelle; die erstere gegen Gicht, Zittern, Hartleibigkeit, die letztere gegen Harnbeschwerden, unregelmäßigen Monatsfluß u. dgl. wirksam.

Von Reutte aus besuchen wir nun noch das obere Lechthal. Wir gehen deßhalb über die Lechbrücke nach Aschau oder Am Lech, dem ältesten Orte der Gegend, von den Karolingern dem h. Magnus zu Füssen geschenkt. Die ganze Gemeinde, mit 99 H. und 598 E., oder das ganze dazu gehörige Gericht, später Ehrenberg genannt, hatte ihr eignes Gesetz, Bauding genannt. In Aschau die alte Heilige-Geistkirche, 1431 erneuert. Glockengießerey und Feuerspritzenfabrik. Wegen der häufigen Überschwemmungen des Lechs wurde die Pfarre 1465 nach dem etwas höher liegenden Wengl verlegt. Alle zunächst liegenden kleineren Orte gehören zu dieser Pfarre; 1600 E. Die neue Kirche hat Gemälde von Riep und Zeiler. Von hier ziehen wir nun der Straße nach das obere Lechthal hinauf.

Der Charakter dieses oberen Lechthales ist im Ganzen ziemlich einförmig, da es trotz seiner Länge nur im Kalkgebirge liegt, welches dem Fluß nur ein schmales Fluthbett übrig läßt, und dieses ist entweder immer, oder nur bey großem Wasser überschwemmt; daher die Thalsohle ein Kiesbett, durch welches der grüne Fluß in Schlangenwindungen, viele Kiesinseln und Sandbänke umschließend, zieht.

über Höfen, mit 83 H., 426 E. und Ziegelbrennereyen, kommen wir bald an eine Verengung des Thales, die man schon von weitem erblickt. Das Rothlechthal gewährt hier gegen Süden eine malerische Perspective auf die Kalkhochgebirge seines Hintergrundes. Bey einem großen Wehr und einem Holzrechen vorbey, welcher den Holzreichthum und die Holzgewerbe verkündet, kommen wir nach Weißenbach. Unweit eines Schlagbaumes kehren wir ein, der Wirth hat zugleich ein kleines Hammerwerk. Recht gute Leute, gutes Bier und an einer Grenzscheide gelegen, machen das Wirthshaus zu einem Standquartier geeignet. Die Leute unten in der Wirthsstube sprechen nur von ihren Holzgeschäften, und wir merken, daß wir in den Holzgau, die Mittelzone des Lechthales, gekommen sind; aus den Fenstern unseres Zimmers können wir gerade im Hintergrunde den 9000 F. hohen Hochvogel sehen.

Ehe wir im Hauptthal weiter gehen, machen wir rechts einen Seitenausflug durch den Paß Gacht in eine Gegend, in welche wir schon von zwey Seiten, von Hindelang aus über das Joch und im Vilsthale herauf, herkamen, in die Thalmulde des oberen Vilsthales, oder von Thanheim. Die östliche Hälfte dieses Hochthales gehört dem Gebiet des Weißenbaches an, welcher durch den Paß Gacht herabstürzt und bey Weißenbach in den Lech mündet. Wir folgen von Weißenbach aus der Straße, welche hier das Lechthal verläßt und steigen mit ihr an dem Weißenbach hinan. Sein weites Kiesbett ist mit der blaugrünen wilden Tamariske überwuchert, die in der Ferne dem auf ähnlichen Plätzen vorkommenden Sanddorn gleicht. Die Straße steigt schneller an, als das Bett des Baches, das daher bald in einer schwindelnden Tiefe unter uns liegt; Straße und Bach haben ihre Bahn in Felsen gesprengt. Nur dann und wann erlaubt eine Brücke über die rechts von den Felsen herabrauschenden Gießbäche dem Blicke, in die Tiefe der Schlucht zu dringen, in welcher der Weißenbach schäumt. Wie bey den meisten Gebirgspässen, ist auch hier die Straße, wo sie am eingeengtesten ist, durch ein Thorgewölbe überbaut und verschlossen, und dieses ist der eigentliche Paß Gacht. Schön ist der Rückblick durch die schauerliche Klamm in das Lechthal. Weiter hinan windet sich die Straße schneckenförmig die steile Höhe hinan. Das Gestein ist Kalkthonschiefer, oft auffallend wechselnd geschichtet. Der Fußsteig durchschneidet in kürzeren Windungen die Umschweife der Straße. Nach einer starken Stunde Steigens hat man eine ebenere Thalregion erreicht; links jenseits des Baches liegt die Häusergruppe Raut, wo sich das Thal spaltet und der Weißenbach durch den Zusammenfluß des Birkbaches und der Oberen Ache entsteht. Ersterer kömmt von dem Luchspitz herab, an dem jenseits am Traualpensee die Vils entspringt; letzterer folgen wir in dem nun bis zum Haldensee ebenen Thale. Bey einer Wendung des Thales liegt eine Schneidemühle recht malerisch noch im Schatten hoher Kalkberge. Aber woher kömmt es nur, daß in dieser romantischen Gegend die Berge so unanständige Namen haben, was sonst in den Alpen gerade nicht der Fall ist? Dort rechts der hohe, doppelt gewölbte Kalkschroffen über der Schneidemühle ist der Metzena...; etwas links der spitzigere Berg ist der Hundsa... und der von ihnen jenseits bey Pinswang hinabeilende Bach der A...bach; ist man endlich aus diesem Passe hinaus und wendet sich von der bisherigen nördlichen Richtung westlich, so droht schon wieder ein hoher Bergkopf aus dem fernern Hintergrunde, der Besch....r. Der bedeutendste Ort dieses Gebietes ist Nesselwängl mit 99 H. und 445 E.; schmal windet sich die Gasse durch den Ort, oft durch Fuhrleute gesperrt, welche hier Halt machen. Die Wände des Schaffchroffen oder Aggenstein drohen allein als starre graue Felsgebilde, von Wolken umraucht; alle anderen Berge sind mit dem frischesten Grün bis auf die höchsten Gipfel überkleidet, was auf eine ungewöhnliche Bildung der hiesigen, wie überhaupt vieler Lechthaler Kalkalpen deutet. Von Reutte führt ein näherer Steig über dieses grüne Gebirge am Gimpelspitz vorüber ohne beschwerlichen Anstieg; auf der Höhe des Joches öffnet sich eine schöne Aussicht theils hinab auf Reutte und seine Umgebungen, theils nach Thanheim. Reisende, welche von Füssen aus diese Gegenden in einem Ausfluge zu besuchen wünschen, gehen von Füssen nach Hohenschwangau, besteigen den Säuling und kommen bey Pflach von Reutte ins Lechthal herab oder gehen von Hohenschwangau über das Schwangauer Gitter nach Pinswang und Reutte, wandern dann zum Stäubi, Plan- und Heiterwangsee nach Heiterwang, Lermos, Heiterwang (auf den Thaneller), durch die Ehrenberger Klause wieder nach Reutte zurück. Von hier am Lech hinan bis Weißenbach, durch den Paß Gacht ins obere Vilsthal, von wo man die Ursprungseen und Wasserfälle der Vils besucht. Über Kren gelangt man nördlich durch das Enge Thal nach Steinach in dem unteren Thale der Vils, von wo man auf der Straße nach Füssen zurückkehrt. Wer in diese Wanderung noch ein recht schauerliches Bild aufnehmen will, dehnt dieselbe von Heiterwang oder vom Thaneller durch das Thal des Rothlechs aus, welches dann bey Weißenbach zum Lechthal mündet. Den erstangegebenen Weg, doch ohne Säuling und Thaneller, würde man in vier Tagen zurücklegen. Doch wir kehren nach Nesselwängl zur Fortsetzung unseres nur noch kurzen Weges zurück. Nach einer halben Stunde kommen wir an den uns schon bekannten Haldensee, welcher, obgleich mitten im Thale, dennoch auf der Wasserscheide gegen das Gebiet der Vils liegt. Wir kehren nach Weißenbach an den Lech zurück.

Weißenbach gegenüber klafft das enge Rothlechthal. Dieses ist in seinem Ausgange furchtbar wild und schwer zugänglich; erst weiter hinan öffnen sich seine düsteren Wände und gestalten sich zu sanfteren Formen, und hier ist es daher auch durch die angrenzenden Thäler über niedrige und flache Jochhöhen am zugänglichsten, und zwar östlich über Bärwang mit Büchlach an der Ehrenberger Straße und westlich über Ramlos im Namloser oder Stanzacher Thale, welches oberhalb Weißenbach bey Stanzach, parallel mit dem Rothlechthal, zum Lech zieht. Auch bilden die genannten Orte, Namlos, Bärwang und Brand (im Rothlechthale selbst), welche in dem Hintergrunde der drey Thäler liegen und sich über die flachen Satteljöcher die Hände reichen, nur eine Gemeinde. Die wildeste, schauerlichste und düsterste Gegend findet der Reisende da, wo das Wurmthal in das Rothlechthal einmündet. Eine Mühle, in die Nacht dieser Kluft eingeklemmt, trägt mehr zur Verdüsterung der Gegend, als zu ihrer Erheiterung bey, wenn man bedenkt, hier wohnen zu müssen.

Wir kehren nochmals nach Weißenbach zurück, um im Lechthale aufwärts zu wandern. Bey Weißenbach selbst befinden sich Gypsbrüche. Das Lechthal von hier an aufwärts ist sehr einsam, denn der Lech nimmt mit seinen Sand- und Kiesbänken und vielen Armen die ganze Thalsohle ein. Düsterer Ernst liegt über der Gegend, denn auch kein angebautes Mittelgebirge zeigt sich; es schauen keine freundlichen Häuser von besonnten Höhen herab in die Dämmerung des Thales. In zwey Stunden erreicht man über Forchach das Dorf Stanzach, links jenseits den Lech liegen lassend, an der Einmündung des Stanzacher oder Namloser Thales. Es ist seinem Nachbar, dem Rothlechthale, in seiner Düsterheit ähnlich; in seiner oberen Ausweitung liegt Namlos, durch leichte Wege mit Brand, Bärwang und Heiterwang in Verbindung; nach Imst führen, wenn auch höhere, Jochübergänge. In der Nähe Galmeygruben. Stanzach schräg gegenüber auf dem linken Ufer des Lechs, ½ Stunde entfernt, oder 2½ St. von Weißenbach, 4½ St. von Reutte, liegt **Hornbach**, an der Mündung des **Hornthales**, welches vom **Hochvogel** herabkömmt. Die Gemeinde, welche in diesem Thale sich hinaufzieht, heißt

Hinterhornbach. Dieses Seitenthal ist dem Reisenden und Freunde großer Naturscenen besonders zu empfehlen. Selten wechseln in solchen Gegensätzen die lieblichsten und sanftesten Gestalten mit den wildesten und großartigsten, die saftigsten Matten und Waldgruppen mit den senkrechten weißen Kalkschroffen, aus deren schneegefüllten Buchten die Wolken aufrauchen. Merkwürdig ist der Steg, welcher 186 Fuß über den Schlund des vom Hochvogel herabbrausenden **Jochbaches** gespannt ist. Die besten Führer für die Umgegend, auch auf den Hochvogel (siehe die Algauer Alpen oder das Gebiet der Iller) sind der Gemsenjäger **Christian Köpfl** in Hinterhornbach, und **Lorenz Weißer** und **Lechleiter** in Vorderhornbach.

Die Verheerungen des Lechs nöthigen einen Theil der Bewohner zu zeitweiligen Auswanderungen; sie treiben dann Kleinhandel oder lassen allerley Merkwürdigkeiten sehen, als Gemsen, Adler u. s. w. Von Hornbach an zeigen sich wieder häufigere Ansiedelungen, wodurch das Thal lieblicher wird; der Lech hält sich in engeren Schranken. Bis Stanzach gehörte das Gebiet noch zu Reutte oder Aschau; von Stanzach an beginnt im Sinne der Tyroler das sogenannte **Lechthal** und zwar **Unterlechthal**, da früher das Gebiet von Reutte in weltlicher und kirchlicher Hinsicht zu Füssen gehörte. Der Hauptort dieses Tyroler Unterlechthales ist **Elbigenalp**, der nächste Ort aber von Hornbach ist **Mortenau** oder die **Mordaue**, so genannt, weil hier eine plündernde Streifschaar Schärtlins im Schmalkaldischen Kriege aufgerieben wurde; *da die Weiber sich hierbey besonders tapfer schlugen, haben sie noch bis auf den heutigen Tag das Vorrecht, in der Kirche vor den Männern zum Opfer zu gehen.* Nach Anderen heißt der Name Mortenau, eigentlich **Martinau**, **Martinsaue**.

Über Elmen, mit 400 E., kommen wir an die Ausmündung des links vom Innthaler Scheiderücken herabkommenden Thales **Pfafflar**, vom **Streinebache** durchströmt. In ihm liegt die Gemeinde **Bschlaps** mit 96 H. und 320 E. Mehrere Jochübergänge verbinden durch dieses Thal den Lech mit dem Inn; sie umgehen das hohe Haupt des **Muttekopfs**. Im Lechthale hinauf bringt der Weg zunächst nach **Unterhöfen**. Die alte Glocke daselbst *mußte* ein Bauer stiften, da er seiner Verlobten nicht treu blieb. Südlich öffnet sich hier das Thal **Gramais**; die in ihm liegende Gemeinde gleiches Namens gehört geistlich und weltlich nach Imst. Über das **Zamserjoch** führt ein Steig nach **Zams** bey Landeck. Die Häusergruppe Unterhöfen gehört zu der größern Gemeinde **Heselgehr** mit 146 H. und 702 E. Es beginnt mit dieser Gemeinde jener größere Wohlstand, welcher das obere Lechthal so sehr auszeichnet. Es befinden sich hier eine Gelb- und Glockengießerey mit großem Betriebe, eine Bierbrauerey und ein treffliches Gasthaus. Noch zu dieser Gemeinde gehört der Weiler **Luxnach** am **Loserbach**, welcher gewöhnlich am 24. April aus einer Felsengrotte plötzlich mit ganzer Stärke hervortost, sich schäumend in die Tiefe wälzt, eine Mühle treibt, aber am 11. November wieder ebenso plötzlich verschwindet [1]). Eine Stunde höher hinan erreichen wir die Gemeinde Elbigenalp, den Hauptort des sogenannten Unterlechthales; heitere, reinlich glänzende Häuser begrüßen den Fremden. Die Gemeinde zählt 142 H. mit 669 E., welche weithin in vielen Häusergruppen zerstreut liegen. Es ist das älteste Pfarrdorf der Gegend, einst eine Alpe, dem Stifte Füssen gehörig; die Sennhütten wurden nach und nach feste Wohnungen und erhielten eine Kapelle, die noch jetzt auf dem Gottesacker stehende Kapelle des heiligen Martin, des Schutzpatrons der Senner, im Deutschen Style. Später erst wurde die jetzige Pfarrkirche erbaut. Der Altar in ihr, im Römischen Style, stammt aus dem Kloster Ettal. Die Deckengemälde sind von Jakob Zeiler, die Kreuzwegbilder von Paul Zeiler. Auf dem Ölberg, mit einer Wallfahrtskirche, hat man eine schöne Aussicht, thalauf- und abwärts; über dem Dorfe hoch oben erblickt man den Fallebacher Ferner am Wetterspitz und in einem anderen Felsengiebel das Fallebacher Fenster, eine natürliche Felsenöffnung, durch welche man hindurchsehen kann. Nordwestlich liegt das Bernhardsthal, dessen Bach schöne Wasserfälle bildet und viel Schwefel- und Eisentheile enthält. In dem zu dieser Gemeinde gehörigen Dorfe Obergiblen wurde Joseph Koch, einer unserer berühmtesten Landschaftsmaler, den 27. Jul. 1768 geboren; er starb zu Rom den 12. Januar 1839. Hier leben auch große Handelsleute, welche großartige Handelshäuser in Amerika haben (Sprenger in Neu-York). Bey Lend betreten wir die Gemeinde Stockach, mit 175 H., 745 E., und gehen auf das rechte Lechufer über, wo das Lend- oder Madauthal mündet. Dieses Thal theilt sich zwey Stunden von Lend bey Madau in drey Äste; zuerst rechts gegen Südwest zieht das Alperschoner Thal empor und ein Steig durch dasselbe und jenseits hinab durch die Schnauner Klamm nach Schnaun auf die Arlberger Straße; gerade südlich geht das Parseyerthal zum Parseyerspitz hinan; endlich links öffnet sich das Reththal gegen Südosten; ein Steig durch dasselbe bringt jenseits durch das Metriolthal am Letzbache hinab und dessen schönem Wasserfall vorüber nach Landeck. Bey dem Dorfe Stockach ergießt sich der Sulzlbach in den Lech. Nördlich jenseits des Lechs liegt der Weiler Seesumpf; hier stand einst in grauer Vorzeit der Dingstuhl, ein schloßartiges Gebäude, wo Gericht (Ding) gehalten wurde; doch jede Spur ist verschwunden.

Wir betreten nun das sogenannte Oberlechthal; nach einer Verengung des Thales weitet sich dasselbe wieder aus und hier liegt die Hauptgemeinde von Oberlechthal, Holzgau, mit 131 H. und 480 E., 11⅞ Stunden von Reutte, der Sitz des Lechthalischen Handelsstandes. Seinen Namen hat der Ort als ehe-

1) Ich erkläre mir diese ziemlich regelmäßige Erscheinung aus dem Schmelzen eines Schneefeldes, welches nur während jener Zeit von der Sonne beschienen wird; vor und nach dieser Zeit aber, wenigstens in der warmen Mittagsstunde, in den Schatten eines nahen Berges tritt.

maliges Holzmagazin für die unteren Gegenden zu der Zeit, als die Eisen- und Kupfergruben des Säulings noch im Gange waren. Der oft verderbliche Höhenbach bildet hier den schönen Höhbachfall. Allenthalben gute Gasthäuser, namentlich bey den Häusergruppen Spielstuben und Höhenbach (Hechenbach). In der Kirche, welche auf einem Felsen ruht, gute Bilder; Hochaltarblatt von Keller, Seitenaltarblätter von Jakob Zeiler. Wenn auch schon lange die Forste gelichtet und Alpen und Wiesen zum Theil an ihre Stelle getreten sind, so mag doch der Grund des hiesigen Handelsstandes seinen Ursprung in diesen Forsten gefunden haben. Ein Jochpfad führt über das Mädelejoch unter der hohen Mädelegabel vorüber in die jenseitige im Illergebiete liegende Spielmannsau. Oberhalb Holzgau im wieder enger werdenden Thale liegt die letzte Gemeinde des sogenannten Lechthales, welche sich jedoch noch gegen vier Stunden hinzieht. Der Hauptort, nach welchem diese Gemeinde benannt wird, ist Steg (die ganze Gemeinde 155 H. mit 646 E.) an der Einmündung des vom Süden herabkommenden Kaiserthales.

Da, wo 1¼ Stunden von Steg der Almajurbach in den Kaiserbach mündet, liegt schon in bedeutender Höhe die Gemeinde Kaisers mit 32 H. und 176 E., zum Landgerichte Landeck gehörig, während Steg nach Reutte gehört. Auch dieser Ort scheint aus einer Sennhüttenniederlassung entstanden zu seyn, wie der Name Kaisers (Kaiser, Kaser die Sennhütte) deutet. Nur in guten Sommern gedeiht noch Roggen und Gerste. Ein Jochsteig führt von hier in fünf Stunden über das Kaiserjoch nach Pettneu an der Arlberger Straße im Stanserthale.

Bis Steg führt von Reutte der Fahrweg im Lechthale hinan; von hier beginnen die Fußsteige. Die letzten zur Gemeinde Steg gehörigen Dörfer sind Gehrn und Lechleiten. Es beginnt nun die letzte und oberste Thalstrecke, das Vorarlbergische Lechthal, welches sich unter dem Namen Thanoder Tannberg noch fünf Stunden bis zur Lechquelle hinanzieht. Nur noch die untersten Fußgestelle der Berge umdunkelt Wald; ein weit größeres Gebiet nehmen schon die Matten der Alpenregion ein, aus welchen hohe kahle Kalkmassen aufragen. Links kömmt das Zürserthal südlich von dem Arlberg her. Dieser Standpunkt bietet ein großes eigenthümliches Bild. Als Eckpfeiler zwischen Lech- und Zürserthal steigt das Omeshorn in grauen Wänden empor; über dem Hintergrunde des Zürserthales thürmt sich das Doppelhorn der Roglerspitze (7386 F.) auf; ein weitgedehntes Schneefeld verbindet beyde Gipfel. Den Hintergrund des Lechthales erfüllt der 8460 F. hohe Schafberg, zwischen dessen Hörnern ein Ferner lagert. Durch das Zürserthal führt ein schon beym Arlberg angeführter Steig nach Stuben oder auf den Arlberg selbst. Oberhalb Zug beginnt das Lechthal stärker anzusteigen; es windet sich links südlich unter der begletscherten Schwarzen- und Rothenwand, 8526 F., empor zur Alpe Formarin, wo der Lech dem Formarinsee unter der Rothenwand entrauscht; dieses ist der Ursprung des Lechs, 5310 F.

Rechts hinan von Lechleiten, wo sich das Lechthal südwärts wendet, zieht ein Seitengrund westlich fort über Warth, 4536 F., mit 25 H. und 119 E., und noch eine Stunde weiter hinan Krumbach, 4830 F., die höchste Gemeinde Vorarlbergs und eine der höchsten in Tyrol, mit 12 H. und 60 E. Keine Ackerfrucht und kein Baum gedeiht mehr. Die Kirche steht auf einem Hügel am Fuße des 8000 Fuß hohen Widdersteins, welcher der Eckstein zwischen Iller (Algau), Lech (Tyrol) und Bregenzer Ache (Vorarlberg) ist; hier steht sie geschützt gegen die häufig von mehrfachen Seiten niedergehenden Lawinen. Der Schnee ist so groß im Winter, daß es den Anwohnern oft schwer fällt, zur Kirche zu kommen. Zwischen dem Widderstein und dem hochgelegenen Kälbelesee geht ein nicht sehr hoher Jochsteig nach dem ebenfalls hochgelegenen Dorfe Schrecken im Quellgebiete der Bregenzer Ache.

Das Lechthal ist arm an Naturerzeugnissen, selbst die Viehzucht ist im Vergleiche mit anderen Alpengegenden unbedeutend, der Getraidebau bey weitem nicht ausreichend; Erdäpfel und Flachs sind Haupterzeugnisse; der Flachs wird als Garn zum Theil auch ausgeführt; doch wird wegen des Reinlichkeitssinnes der Lechthaler, welche ihre Leibwäsche wöchentlich zwey= bis dreymal wechseln, viel für das Thal verwendet.

Aus diesen Gründen legten sich die Bewohner auf den Handel und erwarben sich bey ihrer fortwährenden Einfachheit und Sparsamkeit ein großes Vermögen. Schon im Unteren Vorarlberg begegneten wir großem Reichthum bey außerordentlicher Sitteneinfachheit; hier überrascht in der armen, rauhen und hohen Gebirgsgegend, wo man wenig Fabriken, keine schönen und blühenden Gefilde erblickt, wie dort bey Dornbirn, jener Reichthum um so mehr. In Steg und Elbigenalp gibt es Händler von 80—150,000 Gulden Vermögen, in Holzgau von 200—400,000 Gulden. Der Wurzel, der die Lechthaler entsprossen, bleiben sie treu. Ihr gewöhnliches Geschäft besteht in Schnittwaaren, von denen sie große Lager in Frankfurt, den Niederlanden und in Nordamerika anlegen. Sie heirathen fast nur aus dem Thale und ihre Frauen besorgen während ihrer Abwesenheit das ganze Hauswesen. Sie kommen jährlich öfters, doch alle zwey Jahre auf längere Zeit. Das gewonnene Geld wird auf liegende Gründe verwendet. Ihre Häuser sind im Innern schön und geschmackvoll eingerichtet; ihre Kleidung an Sonn= und Festtagen ausgesucht, doch bey dem im Thale bleibenden weiblichen Geschlechte nach der Thalestracht. An den Wochentagen ist Kleidung und Thätigkeit nicht unterschieden von der des armen Bauern. Das Wenigste verwenden sie auf ihre Tafel, die fast der Sennhüttenkost gleicht: Erdäpfel und saure Milch, Milchmus aus Gerste. Die Häuser sind wohlgebaut, doch im Alpenstyl, mit vielem Schnitzwerk versehen. Schöne Wirthshäuser laden den Fremden zur Reise dahin ein. Bier ist das allgemeinste Getränke, Branntwein selten. Das Volk ist Alemannischen Stammes; seine Sprache nähert sich dem Oberinnthale; außerdem kann man hier Holländisch, Französisch, Italienisch und Englisch sprechen hören.

Das Ammer= oder Amberthal[1]).

Den Namen leitet man aus dem Keltischen Ambro = verschlingen; viel=

1) Repertorium des Atlasblattes, Murnau. Obernbergs Anleitung u. s. w. S. 62 ff.

leicht weil sie an mehreren Stellen von ihrem eigenen Kiesbette oder Gries verschlungen wird. Von Ettal an heißt der Fluß gewöhnlich erst Amber oder Ammer.

Wertach und Lech stehen in gleichem Verhältniß zu einander, wie Amber und Isar; und da sich beyde erst unterhalb unseres Gebietes mit ihren Hauptflüssen vereinigen, so sehen wir die Amber, wie vorhin die Wertach, als besonderen Fluß an, und halten es mit der Isar, wie mit dem Lech. Wir wandern nämlich an der Amber hinab bis zu ihrem nördlichsten Glanzpunkte, dem Ammersee, wandern dann östlich, besuchen die Ufer des Stahrenberger= oder Würmsees und gehen nach München an die Isar, von wo wir an diesem Flusse hinaufziehen bis zu seinem Quellgebiete.

Wir versetzen uns, um das gegenwärtige Ambergebiet von oben herab zu durchwandern, wieder an die nördlichen Gestade des Plansees. Dort ergießt sich der Ammerwaldbach in den See; an ihm wandern wir hinan und hinüber über die Ammerwaldalpe, wo wir aus Tyrol in das Königreich Bayern übertreten, an die erste Quelle der Amber, Linder genannt. Links kömmt der zweyte Quellbach, die Säger, herab. Bey der Vereinigung beyder Bäche taucht der Name Amber wieder aus dem Gries[1]) als Linder= oder Ambergries. Das Thal ist im Ganzen sehr versandet, wie schon der hier herrschende Name Gries verkündet, und hat eine östliche Richtung, wie der 5—6000 F. hohe, im Norden dasselbe begleitende Felsenkamm. Von Süden her öffnet sich das Elmaugries ebenso breit, wie das Hauptthal, und zieht zum Griesberg hinan. Rechts ragt der Friederspitz als einer der höchsten Felsberge auf.

Das Hauptthal wird bey dem Weiler Graswang (Grieswang) Graswanger Thal genannt. Es wird weiter, aber auch versandeter. Die Amber wird hier von dem Gries verschlungen, und völlig trocken liegt der graue Thalboden. Bald darauf bricht sie jedoch, unterirdisch verstärkt, mächtig hervor und heißt gewöhnlich hier erst Amber. Bey der Ettaler Mühle umfließt die Amber eine Insel, indem sie sich plötzlich nach Norden wendet und die vorhin erwähnte Felsenkette durchbricht. Die Thalfurche setzt zwar auch jenseits noch in östlicher Richtung fort, wird aber gleich darauf durch einen Sattel, jenseits dessen das Wasser zur Loisach bey Oberau fällt, gesperrt. Auf der Höhe dieses wasserscheidenden Sattels, den man kaum als Wasserscheide erkennt, liegt das berühmte Kloster Ettal, der interessanteste Punkt des obersten Amberthales, zu dem wir es noch zählen wollen, weil die Loisach der interessanten Punkte genug hat. Ludwig der Fromme heirathete die Tochter Ethiko's, eines Welfen, der hier herrschte, Judith (die Mutter Karls des Kahlen). Dennoch mochte Ethiko durchaus kein näheres politisches Verhältniß mit den Karolingern anknüpfen; und als daher sein Sohn Heinrich dennoch in ein Lehnsverhältniß zu seinem Schwager Ludwig trat, verdroß ihn dieses so, daß er sich in eine der ödesten Gegenden des Gebirgs zurückzog und für sich daselbst ein Kloster erbaute,

1) Kies= und Sandanhäufungen durch Flüsse und Gießbäche.

welches jedoch in der Gegend von Graswang gestanden haben soll; nach Andern ist es das spätere Ettal, dessen Name bald aus Ethiko=Thal, bald aus Odes Thal abgeleitet wird. Ehemals hieß die Gegend des Klosters Ampferang (im Amberwinkel, wo sich die Amber umbiegt). Geschichtlich gegründet wurde das jetzige Kloster Ettal 1330 von Ludwig dem Bayern. Bey dem Graben des Grundes fand man Überreste eines Römischen Castrums. 1711 wurde eine Ritterakademie daselbst gestiftet, welche aber bey einem großen Brande 1744 wieder ihr Ende erreichte. Das Kloster wurde jedoch bis 1753 wieder in seinem gegenwärtigen Zustande aufgebaut, 1803 aufgehoben und ist jetzt Besitzung der Familie von Baur. Das Gebäude überrascht in der Gebirgseinsamkeit durch seine Pracht. Es ist im Italienischen Style aus größtentheils hier gebrochenem Marmor aufgeführt. Im Innern Gemälde von Joh. Jak. Zeiler aus Reutte, Mart. Knoller, Hermann aus Kempten, Wink aus München, Scheffler aus Augsburg. Bekannt ist die marmorne Bildsäule der heiligen Jungfrau, welche Kaiser Ludwig in Italien erhalten und bey seiner Rückkehr dem Stifte geschenkt hatte. Neben dem ehemaligen Kloster ein Gasthof. Im Norden setzt der schon genannte Felsenrücken, welcher das ganze obere Ammerthal in einer schnurgeraden Richtung begleitet und von der Amber durchbrochen wird, östlich fort. Wie in der ersten Strecke im Westen des Amberdurchbruchs die Klammspitze, 6595 F. hoch, die höchste Spitze ist, so hier das Ettaler Mannl (Mannl, Mandl oder Mantl heißen im Gebirge Steinhaufen, von Ersteigern auf der Bergspitze angehäuft, aus der Ferne Männern ähnlich), 5591 F. Auf dem Rückwege zur Ettaler Mühle (Mahl=, Holz= und Steinsägemühle) kömmt man bey der Bärenhöhle vorüber.

Bey Ettal befinden wir uns wieder auf einer Hauptstraße, einst Römerstraße, dann im Mittelalter eine Haupthandelsstraße von Augsburg über Ammergau, Ettal, Partenkirch, Mittewald, Innsbruck u. s. w. Diese Straße führt von Ettal aus eine lange Strecke das Amberthal hinab, daher folgen wir ihr. Von Ettal kehren wir erst zur Amber zurück, durch ein schönes Gebirgsthor zwischen rechts dem Laberberg, links dem Kofel, welches sich die Amber ins Vorland gebahnt hat. Wir erreichen hier zunächst Oberammergau, 2850 F. üb. d. M., ein großes Dorf von 156 Häusern und mit einer schönen Kirche; zur Römerzeit Arces Covelicae (Kofel), Station auf der Straße von Parthanum (Partenkirch) ad Coveliacos nach Augusta Vindelicorum. Am Kofel einst Gold= und Silberbergwerke, nach Urkunden von 1432 und 1464. Bekannt ist es außerdem durch die Verfertigung hölzerner Schnitzwaaren und Glasgemälde, von denen man hier bedeutende Niederlagen findet. Auch durch ihre mimische Darstellung der Leidensgeschichte, welche sie in gewissen Zeitabschnitten im Freyen aufführen, haben sie sich besonders neuester Zeit Ruf erworben und ein großes Publikum herbeygezogen. Das Nichtgemeine dieser Darstellungen mag eine Folge ihres plastischen Geschäftes seyn. Eine Stunde weiter hinab liegt Unterammergau, 2745 F. üb. d. M., ebenfalls ein bedeutendes Dorf von

114 H., deren Bewohner sich hauptsächlich mit dem Brechen, Bearbeiten und Versenden der Mühl=, Schleif= und Wetzsteine beschäftigen.

Nach der Durchgangspforte von Ettal nach Oberammergau erweitert sich das Thal bedeutend und die Bergformen werden milder; links lehnt sich an jene oben erwähnte, von Westen nach Osten ziehende Felsenkette der Trauchberg, dessen Westgehänge zum Lech wir schon von Steingaden bis Hohenschwangau kennen lernten. Er vermittelt jene starre Mauer als ein milderes, wenn auch wenig niedrigeres, Vorgebirge. Der Hohe Bleichberg, 5645 F., daselbst ist nur um 900 F. niedriger als der 6595 F. hohe Klammspitz. Hydrographisch wird dieser Trauchberg, oder eigentlich das Trauchgebirge, im Westen durch den Halblech, im Osten durch die Halbamber fast ganz von seiner *Grundlinie*, dem höheren Gebirge, abgeschnitten. Was im Westen der Trauchberg, das ist im Osten der Amber der Aufacker, dessen höchster Punkt dieses sich an den südlichen Laberberg und das Ettaler Mannl anlehnenden Vorgebirges der Große Aufacker, 5327 F., ist. In beyden Dörfern gibt es gute Gasthöfe. Diese beyderseitigen hohen Vorgebirge begleiten uns noch eine Strecke. Bey der Einmündung der Halbamber treten die Berge zurück und das freye Vorland liegt vor uns. Aber wie es öfters der Fall ist, der Freyheit folgt Zügellosigkeit, wie bey den meisten Alpenflüssen. Die Thalrinne ihres elterlichen Hauses war ihnen nicht weit genug; kaum erreichen ihre Wogen die Freyheit des Flachlandes, so überfluthen sie das weite, keinen Widerstand leistende Gebiet. Aber die Fluthen waren nicht rein und gerade der Schmutz war es, der ihnen ihre Wucht im Anfang ertheilte, sie aber bald verließ, sich zu Boden setzend. *Aber gerade dieser* Schlamm war es auch, welcher den Nachkommen so *enge* Fesseln anlegte. Daher ist mit dem Austritte der Flüsse aus den Alpen in die Ebene ihr Bett so eingeschränkt, daß sie sich nur in kurzen Krümmungen bewegen können. Zwischen dunkeln Nagelfluh= und Geröllwänden fließt die Amber nach Norden. Auch wir können daher dem Flusse nicht folgen, sondern der Straße, welche über Saulgrub und am Soyener See vorüber nach Bayersoyen, mit 63 H. und drey Gasthöfen, und Echelsbach, einer Karawanserey des Mittelalters, wo auf dieser Straße, Rottstraße genannt, die Kaufmannsgüter von Venedig nach Augsburg stationsweise, wie jetzt durch Posten, verladen und verführt wurden. Wegen Unsicherheit der Straßen und des kostspieligen Geleites waren immer bestimmte Tage festgesetzt, an welchen Fuhrkarawanen abgingen, und eine solche Station war Echelsbach, wo die Straße, das Amberthal diesseits hinab=, jenseits hinaufkletternd, die Amber überschreitet. Sie führt uns nun am linken Ufer hinab über Rottenbach oder Raitenbach, 2605 F. üb. d. M., einem ehemaligen Augustinerkloster, 1085 von Herzog Welf I. von Bayern gestiftet, 1803 aufgehoben, mit Überresten einer Römischen Straße, nach Ramsau. Amber und Straße umziehen hier eine Berginsel, den Hohen=Peißenberg, 3145 F. Die Amber wendet sich hier rechtwinkelig aus ihrer bisherigen nördlichen Richtung nach Osten. Ihr Bett ist noch immer eine von steilen Geröll=

wänden eingeschlossene Schlucht, Amberleite genannt, ein Name, der auch bey der Lechfurche gebraucht wird. Diese auffallende Umbiegung der Amber ist eine Folge des Peißenbergs, der ihr als ein Kalkgebilde entgegentritt und sie zu einem Umwege nöthigte. Ebenso stößt sich der Straßenzug an diesem Berge und umzieht ihn westlich.

Der Hohe Peißenberg, 3145 F. über dem Meere, ist der zweyte Glanzpunkt im Gebiete der Amber.

Anstatt daher der Amber weiter zu folgen, bleiben wir der Straße treu, wenn sie uns auch wieder etwas westlich, selbst in schon besuchte Gegenden, führt, nach Peiting, das wir auf dem Wege von Schongau nach Füssen besuchten. Doch der herrliche Gasthof zum Bräuwastle in Peiting läßt eine solche Station gern nochmals besuchen. Von hier biegt die Straße ebenfalls, wie vorhin die Amber, rechtwinkelig um und führt dem Peißenberg gerade entgegen, der bey dem unmerklichen Anstiege immer niedriger zu werden scheint. Der letzte Ort am Fuße des Gipfels ist Hätten mit einem guten Gasthause. Der Fußreisende kann von hier gerade den eine halbe Stunde entfernten Gipfel ersteigen; der bequemere Fahrende kann noch bis auf den höchsten Punkt der Weilheimer Straße sich ziehen lassen und dann in einer Viertelstunde den Gipfel ersteigen; den Wagen muß er bey kurzem Aufenthalt warten lassen, oder entweder nach Unterpeißenberg oder dem Bad Sulz vorausschicken. Am besten ist es immer, von Hätten zu Fuß den Berg zu ersteigen und den Wagen um eine bestimmte Zeit auf den höchsten Straßenpunkt zu bestellen; der Fußweg von Hätten über den Gipfel bis zu jenem Straßenpunkt beträgt ¾ Stunden, der Weg von Hätten bis zu jenem Straßenpunkt eine starke Viertelstunde. Von Weilheim kommend (ohne das Bad Sulz, eine Sommerfrische der Münchner, zu besuchen), fährt man von Unterpeißenberg bis zum Gipfelpunkt der Straße, steigt dort zum Gipfel hinan und schickt den Kutscher voraus nach Hätten, wo er wartet. Der Gipfel, aus Kalk bestehend, ragt aus der ihn umhüllenden Masse hervor, und ist mit frischem Grün und lustigen Waldgruppen bedeckt. Auf ihm befinden sich eine Wallfahrtskirche, ein Kloster, eine Sternwarte, von dem vorhin erwähnten Kloster Raitenbuch gestiftet, und ein Gasthaus. Herrlich und großartig ist das Panorama dieser aus der weiten Hochfläche des Vorlandes auftauchenden Berginsel. In der Tiefe liegt die Niederung, welche sich fast am ganzen Fuße der Deutschen Alpen hinzieht, ausgebreitet; darüber steigt eine Kette hinter der anderen in immer duftigeren Fernen zum Himmel auf. Es wird behauptet, man könne den Glockner sehen; unmöglich wäre es nicht, daß seine Spitze vielleicht durch eine Gebirgslücke herauslugte, aber der Verfasser hat bey ganz heiterem Himmel nichts ihr Ähnliches gesehen. Die höchste, gerade im Süden und zunächst aufsteigende Bergmasse ist die Zugspitze, 10,000 F. Im Flachland reicht der Blick über Augsburg und München hinaus, gegen Südwesten bis zu den Appenzeller Alpen; der Ammersee und Staffelsee sind die vorzüglichsten Seen, die um den Berg sich windende Amber der nächste Fluß des Panoramas.

Vom Gipfel steigt man östlich in $\frac{3}{4}$ Stunden hinab in das Bad Sulz, beynahe am Fuße des Berges; eisenhaltiges Schwefelwasser, gegen Lähmungen, Schlag, Reißen, Gicht, offene Geschwüre u. s. w. Es ist neuerer Zeit gut eingerichtet und wird ziemlich, besonders von Münchnern, besucht.

Bey Unterpeißenberg, einem ansehnlichen Dorfe von 96 H. mit einem guten Gasthofe, kommen wir wieder auf die Straße, weßhalb der Wagen auch von Hätten bis hierher vorausgeschickt werden kann. Die Straße bringt uns nach Polling, einem alten Orte und Stifte. In der Stiftskirche das merkwürdige, über 1000 Jahr alte Kreuzbild, auf eine Haut gemalt; Tuffsteinbrüche. Guter Gasthof. An der Amber hinab sind wir in $\frac{3}{4}$ Stunden in Weilheim, einer Stadt mit 386 H. und 1906 E. In der Post und beym Bräuwastl gute, freundliche und billige Bedienung. Freundliche Lage. Im Jahre 750 noch Dorf; es wurde vom Herzog Arnulf 934 mit Mauern umgeben und 1331 zur Stadt erhoben. In der Pfarrkirche Gemälde von Loth; vom Thurme herrliche Aussicht. Mehrere Stiftungen für Arme und Kranke. Schon von älteren Zeiten her ist die Stadt oft durch Brandunglück heimgesucht, vor Allem zuletzt in dem für Südbayern in dieser Hinsicht unglücklichen Jahre 1834 (Reichenhall, Murnau, Weilheim).

Noch oberhalb Polling, gerade da, wo die Amber den Fuß des Peißenbergs in östlicher Richtung passirt hat, mündet die von Süden herkommende Ach. Ihr aufwärts folgend, kommen wir in eine Gegend, welche einst ein großer See bedeckte, dessen Überreste noch im Staffel- und Riegsee vorhanden sind. Der Staffelsee, in reizender Lage, hat $4\frac{1}{2}$ Stunden im Umfang; seine größte Länge von Süden nach Norden nicht ganz eine Stunde, die Breite etwas über eine Stunde. Die tiefste Stelle 96 F.; 2198 F. über dem Meere, 218 F. über dem Starnberger See; sieben Inseln, darunter Wörth die größte und allein bewohnte; im achten Jahrhunderte ein Kloster, von den Ungarn zerstört. Im Süden wird der Staffelsee durch eine merkwürdige Hügelkette, aus Nagelfluhe bestehend, begrenzt; sie zieht wie ein künstlicher Damm lineal von Westen nach Osten an dem südlichen Gestade des Sees hin, welches sie ebenso scharfgeradlinig abschneidet, und das Gebiet des Sees und der Amber von dem der Loisach scheidet. Auf dem nördlichen Abhang dieses nach weiter gegen Osten fortsetzenden Dammes oder Dünenzuges liegt das Städtchen Murnau; Postwechsel auf der Straße von Partenkirch nach München; 214 H., 1000 E.; Glas- und Federmalerey. In den Jahren 1619, 1775 und 1834 brannte der Ort fast ganz ab; litt im dreyßigjährigen Kriege durch die Schweden, 1809 durch das Vordringen der Tyroler. Seit 1344 Stadt. 1332 wurde Murnau von Ludwig dem Bayer dem Kloster Ettal geschenkt. Östlich von Murnau liegt der Riegsee, ohne sichtbaren Abfluß, 2240 F. über dem Meere. In der Mitte zwischen Riegsee und Staffelsee läuft die Poststraße von Murnau nach Weilheim, welches wir über Spatzenhausen (Gefecht zwischen den Bayern und Tyrolern 18. July 1809) wieder erreichen und nun unsere Weiterreise im Amberthal fortsetzen zum

Dritten Glanzpunkte des Amberthales, dem Ammersee. Seine Länge mißt $4\frac{1}{2}$ Stunden, seine Breite $1\frac{1}{2}$ Stunden, Umfang $10\frac{1}{4}$ Stunden, Tiefe 264 F.; fischreich, doch ohne Renken und Salblinge, die sein Nachbar, der Würmsee, hat. Das ganze westliche Gestade ist flacher, als das östliche, aber allenthalben grüne Umforbung; doch steht er an Reiz dem Würm- oder Starnberger See nach. Wegen der größtentheils flachen Ufer ist er auch von Stürmen mehr heimgesucht, als jener. Unweit des Einflusses der Amber in den See liegt der Markt Diessen, welcher Römischen Ursprungs seyn soll (Damasia); 800 Hauptort des Gebietes Lechrain. 225 H., 900 E.; Viehzucht; öfteres Brandunglück; auf dem Berge das Kloster Diessen. Im Jahre 1132 verlegte Graf Berchtold II. von Andechs das Kloster in das Schloß. Später wurde es aufgehoben. Rechts über einer Seitenbucht auf einer Höhe liegt Andechs, Wallfahrtskirche und Schloß, 2415 F., von wo man den größten Theil des Ammersees übersehen kann. In der Kirche Denkmäler der Grafen von Andechs. Die Burg dieser Grafen wurde von dem regierenden Herzoge Ludwig I. zerstört, weil sein Vetter Otto (VIII.) von Wittelsbach den Kaiser Philipp (von Hohenstaufen) zu Bamberg 1208 ermordet und der Graf von Andechs daran Theil genommen hatte. Nördlich führt uns die Straße (von Weilheim über Andechs nach München) rechts ab an den kleineren Pilsensee, in dessen Fluthen sich das Schloß Seefeld spiegelt. Von dem Schlosse aus hat man eine herrliche Aussicht zunächst über den kleinen Pilsensee, weiterhin über den ganzen Ammersee bis zum Peißenberg und dem fernen Hochgebirge; links glänzt Andechs von seiner Höhe. Das Schloß umgeben schöne Anlagen. Etwas nördlicher ruht der größere Wörthsee mit einer Insel in stiller Waldeinsamkeit, der wahre Gegensatz des nicht fernen äußerst belebten Starnberger Sees. Um auch die Hauptstraße nicht zu versäumen, gehen wir am Ammersee wieder hinauf über Vorderfischen, wo wir in die etwas moosige Niederung der Ammer vor ihrem Einflusse in ihren See kommen, und bald darauf nach Pähl, einem Dorfe am südlichen Fuße jener mehrfach erwähnten Bergstufe, welche sich von Norden her in immer größeren Wellenschlägen hier plötzlich zu der mehrerwähnten großen Niederung am Fuße der Alpen, einem ehemaligen allgemeinen See, abfällt. Hier auf der Straße von Weilheim über Starnberg nach München bildet der Hirschberg diese Stufe, auf welche wir hernach gelangen werden. Über dem Dorfe Pähl, auf einem Vorsprung des Hirschberges über der Vereinigung der Straßen von Landsberg im Lechfelde und von München nach Weilheim, liegt das in alterthümlicher Hinsicht merkwürdige Hochschloß; viele Römische Alterthümer bezeugen den Römischen Stamm, das Mittelalter benutzte die festen Grundmauern. Im Jahre 1632 wurde es von den Schweden erobert und zerstört. Ein Theil der Burg, Herrn von Grosch gehörig, ist bewohnt, mit schönen Anlagen umgeben und gewährt eine prachtvolle Aussicht.

Gleich darauf gelangen wir auf die Weilheim-Starnbergische Straße und ersteigen mit ihrer Hülfe den hohen und steilen Hirschberg; noch an seinem Abhang liegt Monnetshausen. Auf der Höhe des Berges, oder eigentlich der Hochebene, hat man einen herrlichen Rückblick. Doch weit größer ist die Überraschung, weit tiefer der Eindruck, den diese Aussicht auf den von München oder noch weiter von Norden kommenden Reisenden macht. Den Charakter dersel-

16 *

den bezeichneten wir schon in der Einleitung bey den Bildern des Vorlandes.

Über Traubing, Willing und Pöcking kommen wir nach dem reizenden Starnberg, am Starnberger= oder Würmsee.

Dieser See gehört zu den lieblichsten Bildern Oberbayerns. In der Mitte zwischen der Hauptstadt und dem Gebirge gelegen, ist er der Sammelplatz, der Vermittler beyderseitiger Reize, der Natur und der Gesellschaft. Die Natur lächelt im Vorgrunde mit allen sanften Reizen und verhüllt die ferneren großartigen, ernsten und wilden Formen in ein zartes, duftiges und rosiges Gewand. So wenig sonst Oberbayern bevölkert ist, so hat sich doch an den reizenden Gestaden dieses Sees die Bevölkerung zusammengedrängt und diese Ansiedelungen sind verschönert durch Geschichte, Anlagen und Niederlassungen aller Art.

Der See streckt sich 5½ Stunden von Süden nach Norden aus, mit größter Breite von 1½ Stunden; seine größte Tiefe hat er bey Garazhausen, gegen 420 F.; sein Umfang 12 Stunden. Hauptfischarten Renken, Lachsforellen, Waller (bis gegen 56 Pfund schwer), Karpfen (bis 34 Pfund schwer), Hechte u. A. Der Bach, welcher dem See entströmt, heißt die Ache, und hat erst, so weit sie den ehemaligen jetzt moosigen Seeboden durchfließt, einen trägen Lauf, wie sich leicht denken läßt; erst weiter hinab, wo sie das ehemalige Seeufer bey Leutstetten verläßt, gewinnt sie ihren eigentlichen Fall wieder und wird noch mehr angetrieben durch das einfallende Ketwasser. Von hier an erhält sie erst den Namen Würm, was auf den nicht sehr frühen Rückzug des Sees schließen läßt, indem natürlich der Bach seinen Namen erst dort erhielt, bis wohin der See reichte; in der Gegend von Dachau vereinigt sie sich mit der Ammer. Der Zufluß des Sees besteht in kleineren Bächen, welche sich keines hohen Stammes rühmen können.

Die merkwürdigsten Orte an seinem Gestade sind: Starnberg, ein mittelalterliches Schloß am nordwestlichen Ende des Sees; unter ihm das schöne Dorf Starnberg mit drey guten Gasthäusern: die alte Post bey Kienast mit einem Garten und schönen Aussichtspunkten, die jetzige Post und bey Rupaner. Das erste Schloß soll ein Starnberger erbaut haben; daß jetzige ließ Herzog Wilhelm III. von Bayern, 1544 aufführen. Etwas nördlicher vom See entfernt, da, wo die Würm ihren Namen erhält, liegt das jetzt dem Fürsten von Öttingen=Wallerstein gehörige Schloß Leutstetten, das sich einst auch in den Fluthen des bis dorthin reichenden Sees spiegelte; nicht weit davon die Heilquelle Petersbrunn (gegen Hautkrankheiten). Noch etwas weiter abwärts liegt der Karlsberg und darunter an der Würm die Reismühle, in welcher Karl der Große der Sage nach geboren seyn soll. Das königliche Lustschloß Berg mit schönen Gärten und Gasthaus; Possenhofen, Garazhausen, Kempfenhausen, Leonihausen, Allmannshausen, Amerland, Bernried, Tuzing und am südlichsten Anfangspunkte Seeshaupt; überall herrliche Aussichtspunkte auf die Ufer des weiten Spiegels. Die nördlichsten Gestade haben jedoch immer den Vorzug der Aussicht auf die Alpen über den Seespiegel hinauf; daher auch hier die meisten Lustschlösser. Man kann lange hier verweilen, wenn man Zeit hat; der Gebirgsreisende aber wird von seinem Magnet schon zu stark angezogen. Der bequemere Münchner glaubt indeß schon eine Gebirgsreise gemacht zu haben, wenn er sich zum

Starnberger See hat fahren und auf demselben wiegen lassen, wenn auch das Gebirge noch fast ebenso duftig vor ihm liegt, wie bey München. Wer sich aber länger hier aufhalten und alle Einzelnheiten des Sees genießen will, den verweisen wir auf die in München erschienene Monographie: Karte des Starnberger Sees und seiner Umgebungen; ferner 17 sauber gestochene An- und Fernsichten derselben, nebst kurzer Beschreibung des Sees, in der Lindauerischen Buchhandlung.

Wir eilen jetzt auf der Straße nach München fort. Dieselbe erhebt sich nach Percha, von wo wir noch einen Rückblick auf den See werfen und dann in ein Thal hinabkommen, aus dem wir uns wieder ebenso schnell erheben. Den Geologen interessiren hier die Riesengeschiebe von Granitblöcken; der herrliche Wald den Naturfreund. Über Wangen gelangt man nach Forstenried, links läßt man das königliche Jagdschloß Fürstenried. Wir befinden uns nun in dem Forstenrieder Forste oder Jagdparke, wo dem Reisenden anzurathen ist, wenn er Hunde mit sich führt, dieselben angebunden bey sich zu behalten. Der Forst gehört zu der großen Waldzone, welche die Hauptstadt im Süden umkreist. In der Mitte des Forstes zwischen der vierten und dritten Stundensäule durchschneidet die Salzburg-Augsburgische Römerstraße unsere Straße; eine kleine Unterbrechung der langweiligen Strecke, wenigstens in dem Gedankengange. Endlich öffnet sich eine weite Durchsicht und in blauem Duft zeigt sich das Zwillingspaar der Frauenthürme der Hauptstadt, jedoch nur um den Fremden zu necken; denn noch schweben sie gleich einem Phantom 3 Stunden lang vor ihm, ehe er sie erreicht. Der nächste Ort, wenn man den Forst verläßt, ist Untersendling, ein wohlbekannter Vergnügungsort der Münchner; wegen seiner hohen Lage auf der Isarthalwand schöne Aussicht auf die Stadt und das Gebirge. An der Kirche, an der uns die Straße vorüberführt, stellt ein Frescogemälde die Bauernschlacht bey Untersendling gegen die Österreicher 1705 dar, von Lindenschmit erfunden und ausgeführt.

So nahe die Hauptstadt (¼ Stunden) winkt, so würden uns ihre vielfachen Reize in ein Labyrinth verführen und von dem Zwecke unserer Gebirgswanderung entfernen, wir können dem Reisenden daher nicht als Führer dienen.

Das Isarthal und sein Gebiet.

Der eigenthümliche Charakterzug dieses Thales ist eine oft unbegreifliche Einsamkeit, welchen kein anderes Alpenthal kennt; die Isar durchschneidet keinen See, sondern nur ein ehemaliges Seebecken, desto reicher an großen Seen sind die Zuflüsse.

Am Ende des Dorfes Sendling, wo wir hereinkamen, steht ein doppelarmiger Wegweiser, der uns rechts nach Starnberg, wo wir herkommen, links nach Wolfratshausen, wo wir hin wollen, zeigt. Da wir jetzt das Ufer der Isar erreicht haben, so folgen wir letzterer Straße, die uns auf der Kante des Isarthales flußaufwärts führt.

Durch die den Münchnern wohlbekannten Lustorte Hessenlohe und Ebenhausen kommen wir auch hier durch einen Theil des Forstenrieder Forstes.

Die Wände des Isarthales, welche bey München sich linker Seits weit zurückziehen, treten hier wieder dicht an einander; jenseits erblickt man das alte Schloß Grünwald; hie und da bringt uns die Straße dicht an den Abhang und gestattet einen äußerst eigenthümlichen Anblick. Die Wände, halb eingeschurrt, sind steil und bestehen aus Geröll; oft treten mächtige Geschiebe aus ihnen hervor, und der eingeengte Strom bricht wild seine blaugrünen Wogen an ihnen; die Höhe umschattet dunkler Wald. Die blauen Massen des Hochgebirgs schweben in gaukelnden Bildern über dem saftigen Grüne der Baumwipfel. Auch hier durchschneiden wir noch im Forste die Römerstraße von Salzburg nach Augsburg; hier ist sie, wie jenseits des Flusses bey Grünwald, noch außerdem durch Schanzen und Wälle gedeckt gewesen. Nach vier Stunden erreicht man Bayerbrunn (26 H.); in der Nähe die wenigen Spuren der Stammburg der Herren von Bayerbrunn, unter denen sich Konrad von Bayerbrunn besonders in der Schlacht bey Ampfing auszeichnete. Zerstört wurde die Burg in den Fehden der Bayrischen Fürsten unter einander durch Herzog Heinrich von Landshut. Man gelangt jetzt in die Region der prächtigen Buchen- und Eichenhayne des Vorlandes. Rechts bleibt auf einer luftigen Höhe Hohenschäftlarn liegen. Von Zell, dem nächsten Orte an der Straße, kann man links den den Münchnern wegen seiner Aussicht und seines guten Gasthofes wohlbekannten Weiler Ebenhausen besuchen und diesen kleinen Ausflug noch bis hinab an die Isar ausdehnen.

Ist man die steile Wand hinabgestiegen, wo man nichts zu finden glaubt, als Wasser und Sand, so wird man überrascht durch das im achten Jahrhundert gestiftete Norbertinerkloster Schäftlarn, jetzt ein wohleingerichtetes, ziemlich besuchtes Bad. In der ehemaligen Kloster-, jetzt Pfarrkirche, Gemälde und plastische Werke von Albrecht, Straub und Wolf, alle drey Bayern (1716—1782); Gräber der Ritter Konrad von Bayerbrunn, Sweikerus von Gundelfing, des Verwesers Rechlinger von Haltenberg am Lech u. A., Zeitgenossen Ludwigs des Bayern. Die Quellen dieses Seifenbades brechen aus der Thalwand hervor, frieren nie und werden auch getrunken, heilsam gegen Rheumatismus, Leibschäden, Hämorrhoidalleiden und Schleimflüsse. Außerdem befinden sich hier eine Brauerey und Steingutfabrik. Zurückgekehrt zur Straße, kommen wir auf derselben nach der siebenten Stundensäule an den Abhang der Thalwand und werden hier durch eine prächtige Aussicht überrascht. Rechts auf grüner Höhe eine alte Burg, 1737 durch den Blitz zerstört, in der Tiefe der Markt Wolfratshausen, begrenzt durch die Loisach, welche hier unter dem Orte in die Isar fällt. Darüber hinaus jene mehr erwähnte große Niederung am Fuße der Alpe, voller Fluren, Wald- und Häusergruppen; darüber die ernsten aber verklärten Gestalten der Alpen. Der Markt Wolfratshausen liegt eingeengt in einer langen Gasse zwischen rechts der Thalhöhe und links der Loisach, jenseits derselben die Halbinsel, welche durch den Zusammenfluß der Loisach und Isar entsteht. Der Markt hat 190 H. und 500 E. Unter den Gasthäusern ist die

Post das besuchteste. Bey Hochwasser ist die Loisach sehr fischreich, als Abfluß des Kochlsees.

Wir verfolgen jetzt zuerst, ehe wir im Hauptthale der Isar weiter aufwärts gehen, das Seitenthal der Loisach.

Das Loisachthal. Dieses Thal besteht aus einer Reihe von großen Seebecken, welche von oben herab in einer nordöstlichen Reihe auf einander folgen. An dem obersten Seebecken dieser Seenymphe standen wir schon bey Lermos (siehe Ausflug von Reutte); es ist jener große Thalkessel von Ehrwald die Wiege der Loisach unter dem Schutze der Zugspitze. Durch ein enges Thal entschlüpft die Loisach der Geburtsstätte in östlicher Richtung und erreicht, das Vorgebirge der Zugspitze, auf welcher der Eibsee ruht, umgehend, das zweyte Seebecken von Garmisch und Partenkirch, von Süden nach Norden gezogen. Durch einen sehr schmalen Engpaß bey Eschenlohe tritt sie nördlich hinaus in ein sehr weites drittes Seebecken, das Eschenloher Moos, aus dessen nordöstlicher Ecke sie wieder in östlicher Richtung durch einen engen Canal ein viertes großes Seebecken erreicht, das noch theilweis von einem prächtigen Spiegel bedeckt ist, dem Kochlsee; sie krümmt sich südlich, um diese herrliche Bucht zu durchströmen, wendet sich dann wieder nördlich und erreicht in dieser Richtung die Isar. Wir folgen jetzt diesen Schlangenwindungen der Loisach aufwärts, doch nehmen wir die große Straße von München nach Innsbruck bis zum Kochlsee zur Führerin, da sie ziemlich nahe neben ihr hinzieht. Der erste bedeutende Ort ist Königsdorf, 83 H. mit 440 E.; es stand einst hier die Burg der Ritter von Hechenkirchen, im dreyßigjährigen Krieg verwüstet; Grabdenkmäler dieser Ritter in der Kirche. Königsdorf ist gewöhnliche Mittagsstation der Kutscher von München nach Innsbruck. Die Loisach bildet rechts moosige Flächen. Über Kirnsee gelangt man an die Achmühle, von welcher links seitwärts auf einer Höhe Heilbrunnen liegt, dessen Wasser neuester Zeit als Adelheitsquelle berühmt geworden ist, 14 H., 2 Gasthöfe; die Quelle eisen-salzhaltig; schon 1059 bekannt, 1530 vom Herzog Wilhelm IV. als Bad gebraucht, 1659 von der Churfürstin Henriette Adelheit acht Jahre lang gebraucht, bis sie ihrer Kinderlosigkeit abhalf, daher der Name Adelheitsquelle. Trotz der jetzigen Berühmtheit suche man kein glänzendes sogenanntes Bad.

Auf der Hauptstraße forteilend im Genusse der immer mehr sich entfaltenden Gebirgsnatur, zacken sich immer grotesker die duftigen Alpengipfel über den frischen Baumgruppen und die unter ihrem Schatten ruhenden Alpenhäuser in ihrem eigenthümlichen Schmuck auf. Bey Bichel durchkreuzt die an dem ganzen nördlichen Fuß der Bayrischen Alpen hinführende Salzstraße unsere Münchner-Innsbrucker Straße.

Der zweyte Postwechsel von München ist Laimgruben. Links der dunkle Waldberg mit schon scharfkantigen Formen ist der 4268 F. hohe Zwiesel; hinter ihm hin zieht eine 2000 F. höhere Felsenkette, aus welcher sich die Benedictenwand (6104 Fuß) vorzüglich hervorhebt; rechts etwas ferner stehen die Felsengipfel, welche den Kochlsee zur Hälfte umgürten, der Herzogsstand und Heimgarten. Ganz in der Nähe zwischen uns und der Loisach erblicken wir rechts die prächtigen Gebäude des ehemaligen Benedictiner-Klosters Benedictbeuern mit seinen Doppelthürmen, gestiftet 740 von den Grafen von Antorf, eingeweiht vom heiligen Bonifacius; nach mehrfachen Verwüstungen wurde es immer wieder hergestellt, bis es 1803 aufgehoben wurde; 1805 Gründung des Frauenhoferischen optischen Instituts, welches 1819 wieder nach München verlegt wurde; jetzt Militär-Fohlenhof. Das Frescogemälde in der Stiftskirche von C. Asam, die Altarblätter von Amigoni, Fischer, K. Loth, Rottenhamer, Weiß, A. Wolf, Jak. Zeiler und J. Bapt. Zimmermann. Bierbrauerey, Branntweinbrennerey, Pottaschensiederey, Glashütte, als Überbleibsel des optischen Instituts.

Ausflug auf die in 6 Stunden erreichbare Benedictenwand. In der Post zu Laimgruben gutes Unterkommen.

Wir befinden uns von der Achmühle an in dem untersten und letzten großen Seebecken der Loisach, das jetzt trocken gelegt ist bis auf den Kochlsee, in welchen es sich allmählig durch Moos und Schilf verliert. Es wird im Norden durch eine gleiche, schnurgerade Hügelreihe geschlossen, wie das zweyte Seebecken, in welches wir hernach treten werden, das Eschenloher Moos; letzteren Hügelzug lernten wir schon als südliches Gestade des Staffelsees kennen. Von Bichel, kurz vor Benedictbeuern, führt rechts die Salzstraße fort über Sindelsdorf (2 Kirchen, Gasthof, 49 H.), Habach und Söchering, von wo man auf die Hauptstraße von München über Weilheim nach Partenkirch bey Spatzenhausen gelangt. Von Sindelsdorf führt südlich die Vicinalstraße nach Großweil, an dem Einflusse der Loisach in den Kochlsee, wohin wir hernach kommen werden. Der zu Wagen Reisende, welcher den Kochlsee zu sehen wünscht, aber nach Partenkirch geht, fährt bis Kochl, schickt dann den Wagen zurück und bestellt ihn auf dem angegebenen Weg über Sindelsdorf und Großweil nach Schlechdorf.

Von Laimgrub aus führt uns unsere Straße dem Gebirge immer näher; schon haben wir links den Zwiesel im Rücken, schon erblicken wir die Benedictenwand links im westlichen Profil, während rechts sich nur Gehügel zeigt. Über Ried und Besenbach (Schleif-, Wetz- und Sandsteinbrüche), kommen wir nach Kochl, einst Chochalon genannt, mit 275 E., einst ein Frauenkloster, 965 durch die Ungarn verwüstet und nicht wieder hergestellt. Guter Gasthof. In der Nähe ein Gypsbruch, der beste in Bayern. Südlich des Ortes liegt der äußerst reizende und erhabene Kochlsee. Im Süden von hohen Felsenbergen ummauert, bildet er eine prächtige Bucht, den innersten Busen des ehemaligen größeren Sees, der sich gegen Norden zum Flachlande erschließt. Die Loisach fällt, von ihrem bisher nordöstlichen Laufe sich südlich wendend, in ihn und fließt wiederum nördlich aus ihm hinaus; er hat eine halbmondförmige Gestalt; das nordöstliche Horn heißt, weil es schon durch seine Moosansiedelung mit Schilf und Rohr bedeckt ist, der Rohrsee. Die Länge des Sees vom Einflusse der Loisach bis zu ihrem Ausflusse 1½ Stunden, Breite 1 Stunde, Fläche 2854 Tagwerk, größte Tiefe 252 F., Meereshöhe 2058 Fuß. Er stürmt oft plötzlich ohne äußere Veranlassung; nach Angabe der Fischer beginnt eine solche Bewegung aus der Tiefe, und nimmt nach der Höhe an Stärke zu. Da wir uns etwas hier verweilen, können wir entweder das Gasthaus in Kochl oder das jenseits des Sees reizend gelegene Schlechdorf mit einem guten, viel besuchten und am See selbst liegenden Gasthause zum Standquartier wählen. Wir fahren in dieser Absicht über den See, in dessen smaragdenem Spiegel die stolz sich erhebenden Felsenwände des Hohen Heimgarten (6098 Fuß) und Herzogenstandes (5987 F.) sich spiegeln. Schlechdorf wurde 772 Augustiner Probstey, 1803 aber aufgehoben. In der Kirche Gemälde von Wink und Winter. Das Stiftsgebäude hat eine herrliche Lage am See. Dieser bietet von hier aus die schönste Ansicht. Zu drey sehr interessanten Ausflügen werden wir eingeladen. Wegen der großen Seespiegel, welche in der Nähe liegen, läßt sich schon vermuthen, daß die meisten Bergspitzen herrliche Aussichten gewähren. Wir wählen zuerst den nächsten höchsten Gipfel, den Heimgarten. Wir steigen rechts westlich an der Kühnlahne hinan bis gegen die Hohe Tanne, wenden uns dann südlich zum Osterberg und Röthelstein, bey den Thorsäulen vorüber, zwey 36 F. von einander stehenden senkrechten Felsen von 18 F. Höhe und 5 Fuß Dicke, und erreichen die Käseralpe fast unmittelbar unter der Spitze des Heimgartens, die man in zwey Stunden erreicht. Ein anderer Weg führt etwas südlich von Schlechdorf durch die Häselrißlahne und den Schmalen Winkel hinan zur Käseralpe. Aussicht: Vorgrund die tiefen zum Theil bewaldeten Schluchten und Alpen des Fußgestelles; tiefer die dunkeln Spiegel des Kochl- und großen, aber ganz von Gebirgen umschlossenen Walchensees. In weiterem Umkreis sind gelagert im Süden die Hochgebirge der Kalkalpen, das Karwändelgebirge und der Wetterstein mit der Zugspitze, im Norden das Flachland.

Ein zweyter Ausflug führt uns über den See entweder nach Kochl oder an die Sägemühle des Laingrabens an der Hauptstraße nach Innsbruck, und wir folgen derselben, so weit sie noch unserem Gebiete angehört. Links zeigt bald ein Wegweiser zu einem Wasserfall. Die Straße bringt uns darauf an den Kesselberg, ein niedriges Bergjoch des Vorderzuges der Kalkalpen, welches den Herzogenstand und Jochberg (weiterhin die Benedictenwand) mit einander verbindet, aber den Kochlsee vom höher gelegenen Walchensee, oder Loisach und Isar scheidet. Vor 1492 führte hier nur ein Saumpfad, und die eigentliche Straße von München nach Innsbruck ging über Weilheim, Murnau und Partenkirch nach Mittewald, bis Heinrich Bart nach seinem Plane und auf des Herzogs Albrecht IV. Kosten die jetzige Straße anlegte, wie das Straßendenkmal in Reimen besagt. Die Straße verläßt den See und steigt hinan; links über ihr die Wände des Sonnenspitzes. Bald wird man durch das Rauschen des Wassers rechts von der Straße abgelockt und erblickt einen schönen, niedlichen Wasserfall. Dieser Bach ist unstreitig ein Abfluß des hochgelegenen Walchensees, denn er tritt unmittelbar über dem Fall wie hingezaubert aus dem Berge hervor. Auf der Straße erreichen wir den Höhenpunkt Auf der Absätz und somit die Grenze unseres Loisachgebietes; der Reisende steigt auf die Höhe rechts, einem Rain, wohin ein Fußpfad führt, hinan, um hier überrascht zu werden; denn ein großer Theil des Walchensees liegt in naher Tiefe unter ihm und dieser Standpunkt ist unstreitig der schönste für diesen großen, hochgelegenen, einsamen Alpensee. Dunkele Waldberge umgürten allenthalben sein Gestade; von hier aus gesehen nimmt es auch noch fernere Gebirge, das ganze Karwändelgebirge, in seinen Spiegel auf. Das Ganze ist das erhabenste Bild der Einsamkeit, die sich nur zwischen Wasser, Wald und schneegefleckte Felsenwüsten theilt. Die große blaue Fluth, umnachtet von schwarzen Fichtenforsten und umsäumt von duftigen, 8000 Fuß hohen Felsenhöhen, in dem Spiegel verdoppelt, ohne eine menschliche Wohnung zu sehen, ist ein einziges Bild der Alpenwelt. Er liegt 687 Fuß über dem Kochlsee.

Von hier kann der Reisende entweder der Straße nach Innsbruck folgen, oder über den See zur Jachenau fahren, Wege die wir hernach kennen lernen werden. Wir besteigen von hier aus noch die uns schon bekannte Benedictenwand. Der Weg dahin führt am Jochberge vorüber in 5 Stunden über mehrere Alpen. Die Aussicht ist schön, steht aber der vom Heimgarten nach.

Wir setzen unsere Wanderung im Loisachthal aufwärts fort.

Von Schlechdorf, wo die Loisach in den See fällt, führt die Vicinalstraße nach Groß- und Kleinweil. Zwischen beyden Orten kürzt ein Canal den Lauf der Loisach ab, welche durch die südliche Einbiegung zum Kochlsee einen Umweg von 3½ Stunden macht; der Canal schneidet diesen Bogen ab und braucht bis zur Wiedervereinigung mit der Loisach nur 1 Stunde. Er dient zum Flößen, und wurde 1712 von dem Kloster Benedictbeuern angelegt. Auf dieser Strecke floß die Loisach gerade von Norden nach Süden. Bey Kleinweil wendet sich das Thal plötzlich gegen Südwest und zieht durch das Vorgebirge als schmaler Wiesengrund. Durch ihn gelangen wir aufwärts in das zweyte große Seebecken der Loisach, aus dessen Fläche aber kein Seespiegel aufblinkt; die weite Ebene bildet ein Moos, das nach den umliegenden Ortschaften das Murnauer, Höhendörfer und Eschenloher Moos genannt wird. Aus ihm tauchen sieben isolirte Hügel, Köchel genannt, auf, ehemalige Inseln. Im Norden verschließt jener merkwürdige dammartige Hügelzug das Becken gegen den Staffelsee.

Wir erreichen jetzt die von München über Weilheim nach Partenkirch führende Straße und wenden uns hier wieder mit der Loisach nach Süden. Links kömmt der Kirchenbach aus dem Vorgebirge heraus; an ihm liegt das wegen seiner Wetzsteinbrüche bekannte Ohlstadt; in der Nähe ein schöner Wasserfall. Südlich verengt sich die Moosfläche und wird durch einen schmalen Engpaß von dem folgenden Abschnitte getrennt. Von dem westlichen Vorderzuge des Gebirges, zu dem das Ettaler Mankl gehört, läuft ein ganz schmaler Felsenrücken in die Ebene herein und stürzt steil mit dem Festbühel in dieselbe ab, sich jenseits dieser Klause, welche die Loisach durchbrochen hat, wieder schnell erhebend zum Osterfeuerspitz und weiterhin zum Heimgarten. Dicht vor diesem Durchbruch liegt das Dorf Eschenlohe, äußerst reizend wegen des Durchblicks hinauf in die obere Thalfläche der Loisach und auf die sie umwachenden Bergriesen, unter denen die Zugspitze sich vorzüglich durch ihre ungeheure Masse auszeichnet. Auf dem Fest- oder Vestbühel lag einst die Burg der Grafen von Eschenlohe, deren letzter, Udalschalk, Bischof von Augsburg, 1203 die Grafschaft seinem Bisthum schenkte. Ludwig der Bayer kaufte sie, um das von ihm gestiftete Ettal damit zu bereichern. In der Nähe Schwefelquellen.

Wir treten jetzt durch benannten Paß in den Vorhof eines der erhabensten Tempel der Kalkalpenwelt, wo sich, wie selten, das Liebliche des Vorlandes unmittelbar an die erhabensten und großartigsten Scenen der Kalkalpen anschließt. Zugleich betreten wir ein drittes aber trockengelegtes Seebecken der Loisach, welches langgestreckt von Norden nach Süden zieht. Die riesenhaften und duftigen Gestalten der Wettersteingruppe erfüllen den ganzen Hintergrund.

Über Oberau, wo rechts her die uns schon bekannte Straße von Ettal kommt und in unsere einmündet, und Farchant führt uns eine Brücke wieder auf das rechte Ufer der Loisach. Auf einer Vorhöhe rechts ruhen die wenigen Trümmer von Werdenfels, einst bewohnt von einem Zweige der Eschenloher, von denen noch jetzt das Landgericht Werdenfels zu Garmisch seinen Namen hat.

Immer großartiger gestaltet sich die Scene, der wir uns nähern. Das schon weite Thal öffnet sich bald links und rechts zu einer weiten Gegend, über welche sich im Süden die Masse des Wettersteins unmittelbar, nur von niedrigem Gehügel, das ihm entstürzt ist, umhüllt, 10,000 Fuß hoch aufsteigt. Unter dem Wettersteine verstehen wir den massigen Kalkalpenstock, welcher durch Loisach, Gaisach (Loisachgebiet), Gaisbach, weiter hinab die Lütasch, das Isarthal von Scharnitz bis Krün, dem Kranzbache (Isargebiet) und Kankerbache (Loisachgebiet) von der übrigen Alpenwelt tief abgeschnitten wird. Nur enge Schluchten dringen in diese gewaltige Kalkmasse ein, daher bietet sie nicht die Mannigfaltigkeiten Berchtesgadens. Schon von München aus, und überhaupt aus der Ferne, bildet der Wetterstein die auffallendste Gruppe, besonders durch seinen gewaltigen Absturz gegen Westen in das Seebecken der Loisach bey Ehrwald; denn westlich setzt die Hochwelt der Kalkalpen um eine Stufe südlicher und nicht in gleicher Höhe fort, so daß der Wetterstein als ein Vorgebirge erscheint. Um so auffallender erscheint jener Absturz, als sich gerade dort die Gruppe am meisten erhoben hat, zur Zugspitze (10,093 F.), welche sich, ohne ihren Namen Spitze zu rechtfertigen, wie ein Adlernest auf die Gruppe gesetzt hat. Jener Schneestreifen, welcher an der Wand des Wettersteins schräg von Westen nach Osten herabzieht, ist der Anfang des Höllthalferners; die Schlucht, welche dort herabsteigt, das Höllthal, und der hochaufstrebende Felsenstock davor der Wachsenstein (8358 F.). Links von ihm, der andere Thorpfeiler des Höllthales, ist der 7943 F. hohe Alpspitz oder Alberspitz, dahinter der Reinthalschroffen (8591 F.). Das östlichste Ende des ganzen Wettersteinzuges bildet der Wetterstein selbst im engeren Sinne, 8150 Fuß hoch.

Der erste bedeutende Ort, in welchen wir jetzt kommen, ist Garmisch, etwas seitwärts von der Straße; ein großes Dorf mit 274 H. und 1300 E., auf beyden Seiten des Flusses, Sitz des Landgerichtes Werdenfels. Die Loisach wird hier durch Aufnahme der einmündenden Partenach flößbar. Diese führt uns in ein Seitengebiet. Am Kankerbache, einem Seitenbache der Partenach, liegt eine halbe Stunde von Garmisch der alte Markt Partenkirch in äußerst großartiger Gegend, deßhalb, wie Berchtesgaden, schon durch die Kunst vielfach dargestellt. Die von hier nach Mittewald ziehende Straße geht durch diesen Ort. Im Stern und in der Post soll man ein gutes Unterkommen finden. Der Ort ist sehr alt, bey den Römern Partanum oder Partenum, wie eine an der Straße aufgerichtete Tafel besagt; hier führte eine Römerstraße hindurch nach Vindelicien, die Päffe des Walchensees auf bequemerem fast ebenem Wege umgehend. Hier soll auch, nach einer Sage, im Mittelalter der kaum beschwichtigte Brand zwischen Hohenstaufen und Welfen zu großer Lohe entbrannt seyn, denn hier soll sich Friedrich I. vor Heinrich zum Fußfalle erniedrigt haben auf seinem Zuge nach Italien. In der Nähe des Marktes, doch jenseits des Baches, liegt das Kainzen- oder Kanitzerbad mit schwefelhaltiger Quelle, ein theils wegen seiner Wirksamkeit, theils wegen seiner schönen Lage ziemlich stark besuchtes Bad, eine beneidenswerthe Sommerfrische der Münchner. Der Gebrauch des Bades hat sich heilsam befunden bey Lähmungen, Podagra, hysterischen, hypochondrischen und hämorrhoidalischen Zufällen [1]). Die Gäste wohnen in Partenkirch und essen in der Post. Da das Bad auch gegen Bleichsucht mit Erfolg gebraucht wird, so heißt es in der Umgegend das Bad der bleichen Jungfern. Um die schöne wahrhaft großartige Umgegend zu überschauen, steigt man zu der St. Antonskapelle hinan, welche gerade an der Ecke der Vorberge liegt, wo sich das untere Loisachthal zum Seebecken von Partenkirch erschließt. In der Kapelle ein schönes Altarblatt von dem Venezianer Betterini.

Ein größerer, etwas angreifenderer Ausflug führt in das Reinthal. Dieser Ausflug wird den aus dem nahen Lande kommenden Reisenden um so mehr überraschen, als er hier aus der lieblichsten, angebautesten und bevölkertsten Gegend plötzlich mitten in die wildeste, großartigste und einsamste Gebirgsnatur versetzt wird; doch gehört zu diesem Ausfluge gutes Wetter und etwas Gebirgsrüstigkeit. Das Reinthal ist das einzige bedeutende Thal, welches unmittelbar aus lachenden Umgebungen in den Kern der sonst sehr geschlossenen Masse des Wettersteins hineinklafft. Es öffnet sich gerade südlich von Partenkirch und ihm entströmt die Partenach, während der Kankerbach östlich von Kaltenbrunn herkömmt, der niedrigen Wasserscheide gegen die Isar, nach Mittewald zu, über welche auch die Straße dahin führt.

Schon der Eingang des Thales ist eng, und nachdem man eine Brücke überschritten, führt der Steig, wegen der Enge des Thales, die Höhe hinan und zieht sich an den Wänden hin, links in der Tiefe die Partenach, rechts waldige Höhen. Der einzige bewohnte Ort und Anhaltspunkt für den Reisenden in dieser großen wilden Einsamkeit ist der Reinthalhof. Er muß der Stützpunkt mehrfacher Unternehmungen seyn. Eine Stunde lang oberhalb dieses Hofes dauert die düstere Einsamkeit der Waldungen noch fort, dann tritt starre Wildheit an ihre Stelle. Riesenwände, starr und kahl, streben zu beyden Seiten auf und der Steig wird von den Wänden zur Tiefe gedrängt. Hier wird der Bach durch eine Schneelähne in seinem Laufe gehemmt und bildet die Blaue Grümpe, einen kleinen Eissee. Nochmals verengt sich das Thal zur wilden Schlucht; aus dieser heraustretend erschließt sich ein wunderbares großes Amphitheater, auf dem Platte genannt; treppenförmig, in Riesenstufen steigen die grauen Kalkmassen, mit Gebröckel überschüttet, empor; oben endlich spannt sich von einem Ende der Wand zum anderen das weißgrüne Eisgefilde des Plattacher Ferners aus. Seinen Eisgrotten entrauscht ein Theil der Partenach. Die weiße Fläche des Ferners wird von einer kalkweißen, hoch in die Lüfte aufragenden Zackenmauer halbkreisförmig überragt, ähnliche Bilder darstellend, wie die Ferner des Dachsteins von der Gosau herauf. Der Wetterschroffen, Schneefernerkopf, die Brunnthalspitze und vor allen die 10,093 Fuß hohe Zugspitze sind die ausgezeichnetsten Spitzen dieser Mauer. Die

1) Der Kanitzer Brunnen bey Partenkirch nebst seinen Umgebungen von Dr. G. Ludwig Dietrich, München 1834.

nördliche Wand von der Zugspitze bis zur Brunnthalspitze trennt den Plattacher Ferner von dem nördlich ins Höllthal hinabziehenden kleineren Höllthalferner. Der rüstige Wanderer, der außerdem noch das oberste Loisachthal, Lermos, Ehrwald, den Fernpaß und Eibsee besuchen und von da nach Partenkirch zurückkehren will, kann den Weg von hieraus sehr abkürzen, wenn er von der einen Quelle der Partenach, welche aus dem Geklüft des Kalkes hervorbricht, gerade südlich über eine Felsenscharte des Wettersteins, Auf der Leiter genannt[1]), in die Thalrinne hinübersteigt, welche die Wettersteingruppe von der Hohen Mundi trennt und durch welche das Wasser westlich nach Ehrwald zur Loisach und östlich durch die Lütasch zur Isar bey Scharnitz fließt. Der Jochsteig bringt ohngefähr bey der Pestkapelle auf die Wasserscheide und man kann dann rechts zur Loisach und von da über die erwähnten Orte nach Partenkirch zurückkehren, oder links in der Lütasch hinab zur Scharnitz wandern, oder aus letzterem Thale, rechts abbiegend, über ein niedriges Joch nach Telfs zum Inn. Vom Reinthalhof hat man bis zum Plattacher Ferner 4 Stunden; von da über die Leiter bis Ehrwald auch 4—5 Stunden.

Wir kehren wieder zum Reinthalhof zurück, um noch einige Ausflüge in dieser wildgroßen Gegend zu unternehmen. Zuerst wenden wir uns östlich, setzen über die Partenach und ersteigen jenseits die Schachenalpe mit einem schönen Hochsee, 4 St. vom Reinthalhofe. Von hier steigen wir nochmals höher hinan und erreichen in 2 St. das Teufelsgesäß. Hier hat man die beste Übersicht fast des ganzen Reinthales, zwischen seinen Wänden hinauf bis zum Plattacher Ferner und dessen großes Felsenamphitheater. Ein anderer, ebenfalls durch die großartigsten Bilder belohnender Ausflug, den man zum Theil als Rückweg nach Partenkirch wählen kann, führt südwestlich vom Reinthalhofe in 3 Stunden zum 6000 Fuß hoch gelegenen Stuibensee, in dessen dunkeln Spiegel sich der unmittelbar an ihm aufsteigende Alberspitz spiegelt. Aus dem Bodenlahnerthale, durch welches der Weg zum Stuibensee führt, wieder eine Strecke zurückkehrend, schlägt man sich links nach Nordwesten, um auf die Kreuzalpe und das Kreuzjoch zu gelangen, nur 1½ St. vom Reinthalhofe und 3½ St. von Partenkirch. Hier eröffnet sich eine prachtvolle Aussicht, die um so mehr überrascht, als man, aus dem Dunkel des Reinthales heraustretend, die weite Welt überschaut; westwärts über die Berge des Bregenzerwaldes und Lechthales, nordwestlich ebenfalls über die Lechthaler und Algauer Alpen; in der Tiefe blinkt der inselreiche Eibsee; nördlich fährt der Blick hinaus ins freyere flachere Land, in welchem der Staffel-, Rieg- und Starenberger See ihre blauen Spiegel zeigen. Vom Kreuzjoche steigen wir nieder auf die Hammersbacher Alpe. Hier überrascht den Reisenden eine Scene eigenthümlicher Art; er steht auf dem Rande des Abgrundes; tief schneidet sich der Schlund des Höllthales ein, welches der Hammersbach durchtobt; nicht ohne Verwunderung kehrt der Blick aus der sanfteren Ferne in die wilde Felsenwildniß zurück, die sich in der Tiefe erschließt; er dringt durch das Höllenthor hinauf in dieser wilden Schlucht bis zum Höllthalkahr, welches oben der Höllthalferner umgürtet; den Hintergrund schließt auf eine würdige Weise die Zugspitze. Ohne zum Reinthalhofe zurückzukehren, steigt man von hier sogleich nach Partenkirch hinab in 3 Stunden. Am besten thut man, zu diesem Ausfluge von Partenkirch, mit einigen Vorräthen versehen, in aller Frühe aufzubrechen und vom Reinthalhofe aus noch den Ausflug auf das Teufelsgesäß diesen Tag zu unternehmen. Den zweyten Tag füllt der Besuch des Plattacher Ferners aus; man übernachtet abermals im Reinthalhofe. Den dritten Tag früh aufbrechend, besucht man den Stuibensee und kehrt über die Kreuzalpe, das Kreuzjoch und die Hammersbacher Alpe zurück. Wer das Teufelsgesäß nicht besucht, bricht Nachmittags in Partenkirch auf, um im Reinthalhofe zu übernachten u. s. w.

1) Leider konnte der Verfasser diesen Steig nicht selbst kennen lernen und daher ist es nöthig, sich vorher über dessen Beschaffenheit zu erkundigen.

Ein anderer ebenfalls sehr lohnender Ausflug führt uns von Partenkirch nördlich auf das daselbst vorliegende Gebirge. Unser Ziel ist der Krotenkopf, welcher 7181 Fuß Höhe hat und leicht ersteiglich ist. Man wandert über die Österalpe zur Küh- oder Eschenloher Alpe ziemlich allmählig hinan. In der letzten Alpe übernachtet man; ist das Wetter heiter, so ersteigt man noch Abends den Gipfel, denn man weiß nicht, ob am anderen Morgen nicht Nebel und Wolken die Aussicht verhüllen; hat man sie am Abend gesehen und es ist hell, so wird der Reisende gewiß nicht unterlassen, den Gipfel auch nochmals zu ersteigen, um die Sonne bey ihrem Aufgange zu begrüßen. Ungemein schön und erhaben ist das Rundgemälde dieses Gipfels. Die Schönheit dieser Aussicht besteht in dem gruppenweisen Auftreten der Gebirge, zwischen denen bald sich fernes Flachland, bald Seespiegel, bald fernere Gebirge zeigen. Die ganze Wettersteingruppe, in deren Rein- und Höllthal man gerade hineinblickt, ist der erhabenste Gegenstand des Rundgemäldes; unter der Zugspitze zieht der niedrige Rücken des Thörls nach Norden, unter welchem sich der Spiegel des Eibsees, und über welchem die Lechthaler und Algauer Alpen aufragen. Am nördlichen Ende des Thörlrückens kömmt die Loisach hervor, deren Lauf man bis zum Kochlsee verfolgen kann; diesen See selbst deckt der Heimgarten; links von diesem, gerade im Norden, breiten sich die Ebenen von Bayern aus. Rechts vom Heimgarten blinkt der große grüne Spiegel des Walchensees aus seinem düsterumwaldeten einsamen Gebirgskessel herauf; über ihn hin eilt der Blick in der Jachenau hinab zum Isarthal, das man selbst eine Strecke verfolgen kann. Über der Scharnitz steigt das hohe Kahrwändelgebirge und rechts davon der Solstein auf; aus dunkler Tiefe leuchtet der kleine Barmsee von daher. Durch die Gebirgsrinnen der Kalkalpenzüge eilt östlich der Blick bis in die breiste Tauernkette Salzburgs.

Wir kehren nach Partenkirch zurück, um unsere Wanderung in dem Loisachthale fortzusetzen und den letzten Ausflug, nach dem Eibsee, damit zu verbinden.

Die meisten Reisenden werden wohl den kürzesten Weg über den Eibsee nach Ehrwald einschlagen. Das Wettersteingebirge stürzt mit seinem Westcap, der Zugspitze, furchtbar steil nach Norden und Westen nieder. Nördlich stützt sich der Fuß dieses Riesen auf ein Vorgebirge, welches als Rücken unter dem Namen Thörlgebirge beginnt, nördlich aber sich ausbreitet, und auf dieser Hochebene liegt in einem eigenthümlichen Bergkessel der Eibsee. Die Loisach wird durch dieses Vorgebirge genöthigt, aus ihrem obersten Seebecken zuerst nördlich, dann mit ihrem Eintritt nach Bayern östlich diese vorgeschobene Bergmasse zu umfließen. Der Weg von Garmisch im Loisachthal selbst ist einsam und eine enge waldige Schlucht. Kurz vor Ehrwald mit dem Eintritte nach Tyrol erschließt sich der eigenthümliche oberste Thalkessel der Loisach, den wir schon von Imst her, wie von Reutte aus besuchten. Der See, der ihn einst bedeckte, ist abgelaufen, daher der Boden feucht. Nur eine schlechte Vicinalstraße führt durch das Thal von Garmisch her. Auch von hier aus gesehen, bildet die Zugspitze und ihr jäher Absturz auf der Ostseite des Thales einen ungemein großartigen Anblick. Belohnender ist der andere Weg über das erwähnte Fußgestelle der Zugspitze. Nach dem Eibsee folge man aber nicht dem gewöhnlichen Wege nach Ehrwald, dieser trennt das großartige Bild, indem er zwischen dem See und der Zugspitze hindurchführt. Man gehe deßhalb über Untergrainau, steige an dem Fernköpfl vorüber zwischen dem Zunderkopf rechts und dem Lerchwald links hinan und südlich hinab zum See. Hier hat man den See als Vorgrund und die Zugspitze als nahen aber großen Hintergrund auf einem Bilde. Der gewöhnliche Weg führt von Garmisch oder Partenkirch aus über den Hammersbach nach Obergrainau; von hier durchwandert man eine Gegend, welche einst ebenfalls einen See trug; noch deuten kleine Spiegel und Moosstrecken, wie mehrere rundliche Bühel, der Rosensee, der Badersee, der Hinterbühel, darauf. Nun steigt man hinan zu dem Weiler Eibsee, der an dem Gestade dieses eigenthümlichen Sees liegt. Der See hat keinen sichtbaren Abfluß und eine Tiefe von 144 Fuß.

Das ganze nördliche Gestade ist vielfach ausgeschnitten, voll tiefer Buchten, ebenso vieler felsiger und bewaldeter Vorgebirge und versprengter Vorposten derselben, einer Menge Inseln; diese, weil sie als abgerundete Kuppen auftauchen und bewaldet sind, heißen meistens Bühel, wie Sassenbühel, Steinbühel, Schönbühel, Scheibenbühel, Alpenbühel, Brachsenbühel, die Ludwigsinsel, Schöne Insel und Brachseninsel; die tief eingeschnittensten Buchten sind der Untersee, Brachsensee und Steinkring. An diesem nördlichsten Gestade, wohin man von dem Weiler Eibsee zu Wasser fährt, entwickelt der See seine größten Reize, Schönheiten ganz eigner Art, die kaum ein anderer See aufzuweisen hat; die steil abbrechenden Vorgebirge, die vielen felsigen und bewaldeten Inseln, welche sich in der grünen Fluth spiegeln, und dann gerade im Süden, nur eine halbe Stunde entfernt, die steil und grausig 10,000 Fuß sich aufbauenden weißgrauen Wände der Zugspitze. Südöstlich, nur durch eine kleine Landenge getrennt, liegt der kleine Frillensee. Vom südlichen Gestade führt der Fußsteig empor durch eine waldige, düstere Gegend, nur erleuchtet von den hoch über dem Haupte schwebenden Zinnen der Zugspitze. In einer Stunde vom Eibsee erreicht man das Thörl, eine Benennung, die (wie der Tauern am Plansee) sich aus den östlichen Alpen hierher verirrt hat. Das Thörl bildet den Scheiderücken und die Grenze zwischen Tyrol und Bayern. Jenseits hinab gelangt man über eine Grenzzollwache in einer Stunde nach dem ersten Tyroler Dorfe Ehrwald, in dem obersten, jedoch trokkenen Seebecken der Loisach, in welchem sich ihre Quellbäche sammeln. Drey bedeutende Dörfer liegen an dem Gestade dieses ehemaligen Sees; im Osten, im Schatten der Zugspitze, Ehrwald mit 143 H. und 1350 E.; am südlichen Gestade das Dorf Biberwier, am Fuße der Silberleite und des hohen pyramidalen Sonnen- oder Bleyspitzes, eines Nebenbuhlers des Wettersteins, bekannt seit alten Zeiten wegen des Bleybaues. Die gegenwärtige Ausbeute beträgt jährlich 2000 Ctr. Bley und 6000 Ctr. Galmey, 650 Ctr. Zink. Das Schmelzwerk steht am Eingange in's Dorf, welches in 74 H. 700 E. zählt. Biberwier liegt an dem Straßenzuge von Reutte durch die Ehrenberger Klause, und über den Fernpaß nach Imst und Innsbruck. Wir besuchten auch schon auf Ausflügen sowohl von Imst, als von Reutte aus diese Gegend. Von Biberwier südlich steigt der Fernpaß mit seinen schauerlichen, großartigen und reizenden Bildern hinan. Von Südosten öffnet sich ein Seitengrund zwischen den Wänden des Wettersteins und Sonnenspitzes, aus welchem der Gaisbach herabkömmt. In demselben aufwärts steigend erreicht man bald die Wasserscheide, die Geissel genannt, wo die einsame Pestkapelle liegt, zum Andenken an die Pest 1646 erbaut. Von hier führt der oben erwähnte Steig links schräg hinan an den Wänden des Wettersteins, und über die Scharte Auf der Leiter zum Plattacher Ferner und das oberste Reinthal. Von der Geissel senkt sich der Thalboden wieder, aber immer zwischen den Kalkhochgebirgen des Wettersteins und der Hohen Mundi hinziehend, zuerst als Geisthal, weiter hinab als Lütasch oder Leutasch, zwischen Mittewald und Scharnitz zur Isar gehend.

Wenden wir uns, von Biberwier nördlich der Poststraße folgend, so erreichen wir in einer halben Stunde Lermos, den dritten Ort des Seebeckens, mit 128 H. und 790 E. Bey Lermos hat man die schönste Übersicht des ganzen oberen Thalraums mit dem erhabensten Anblick des Wettersteins. Aus der söhligen Thalfläche tauchen ähnliche Bühel auf, wie aus dem Eibsee.

Von Lermos folgen wir der Poststraße noch bis Lähn, wo die Loisach entspringt, das wir aber schon oben bey Reutte kennen lernten.

Von Wolfratshausen geht der Reisende auf der schon bekannten Straße nach Königsdorf und dann über Fischbach, die Hauptstraße verlassend, nach Tölz, oder setzt auf halbem Weg bey Königsdorf über auf das rechte Isarufer, wo man auf die von München auf dem rechten Ufer über Grünwald, Beigarten, Ascholding, Bairawies und Hechendorf nach Tölz führende Straße kömmt.

Der Markt Tölz bildet unstreitig einen der lieblichsten Punkte des Isarthales. Er zeichnet sich durch Größe, Wohlhabenheit, Thätigkeit seiner Bewohner, schöne Lage, heitere Bauart im Alpenstyle, gute Wirthshäuser u. dgl. aus. Er zählt 507 H. und 3000 E., 1 Pfarrkirche, 3 Filialkirchen, ehemaliges Kloster, 3 Kapellen, Rathhaus, 4 Beneficiatenhäuser, 1 Posthaus, 2 Schulen, 1 Krankenhaus, 1 Armenhaus, 19 Brauhäuser, 20 Branntwein-, 2 Wein-, 5 Wirthshäuser, 1 Ziegelhütte, 3 Salz-, 1 Getraideniederlage, 22 Mahl-, 6 Öhl-, 17 Schneide-, 1 Lohmühle, 1 Tuchfabrik, 1 Wollmanufactur, 1 Salpetersiederey, 3 Eisenhämmer, 2 Leinwand- und eine Wachsbleiche. Außerdem belebt die Floßfahrt auf der Isar den Verkehr. Handel mit Bier durch ganz Bayern und mit Tischlerwaaren. Der Markt liegt 2467 F. üb. d. M. an dem Einfluß des Ellbachs in die Isar, gerade am Austritt derselben aus dem Gebirge, so daß der Blick in dem weiten gerade nach Süden ziehenden Gebirgsthale hinauf schweifen kann, bis die Kalkhochgebirge der rauhen Gebirgswelt zwischen Scharnitz und dem Achensee das weitere Vordringen verhindern. Der Markt ist aus der Burg Teliz, Tülz oder Töllezt entstanden, kömmt aber nicht vor dem zwölften Jahrhunderte vor. Nach dem Aussterben der Herrn von Teliz 1270 fiel die Burg an die Herzoge von Bayern, worauf der Ort von Kaiser Ludwig zum Markt erhoben wurde. Im 30jährigen Kriege wurde er von den Schweden geplündert, doch durch den Muth der Einwohner wieder befreyt. 1742 abermals von den Panduren unter Trenk geplündert; doch abermalige glückliche Bekämpfung des Feindes. 1770 stürzte die Burg ein und wurde abgebrochen. Die alte Pfarrkirche, 1454 nach einem großen Brande wieder hergestellt, enthält Wappen und Grabmäler der Herren von Pienzenau, Thor, Quidobon, Münzer, Lichtenberg, Rusdorf u. A. Auch die beyden andern Kirchen, auf dem Calvarienberg und des Franziskanerklosters, sind groß und schön. Unter den Gasthäusern zeichnet sich das von Reindl durch seine Terrasse aus, von deren Garten man eine herrliche Aussicht auf das ganze obere Isarthal hat. Noch erweiterter ist diese Aussicht auf dem Calvarienberg. Tölz, in der Mitte zwischen dem Starnberger-, Kochl-, Walcher-, Tegern- und Schliersee, wie anderer interessanter Gebirgsgegenden gelegen, bietet daher einen der gemüthlichsten und reizendsten Anhaltspunkte zur Bereisung der Umgegend dar.

Unsere Reise führt uns von Tölz im Isarthal hinauf. Auch das Isarthal selbst von hier an aufwärts bedeckte einst ein See bis hinauf zum Einfluß der Jacheh. Dörfer, Weiler, Schlösser reihen sich wie in einem Garten an einander, überragt von stufenweis höher ansteigenden Gebirgen. Der erste bedeutende Ort, in den wir kommen, ist Länggries, ein Dorf von 106 H. und 616 E. 2¼ Stunden von Tölz entfernt; zwey Gasthöfe. Lang hingestreckt an dem Gries der Isar, rechtfertigt es seinen Namen durch seine Lage. Jenseits der Isar auf ihrem linken Ufer befindet sich bey Murrbach ein guter Marmorbruch (grau mit weißen Adern und eingewachsenen Seesternen); die Marmore zu Schleißheim und Nymphenburg sind daher [1]).

Gleich oberhalb Länggries kommen wir an die Parallelstelle von Füssen (am Lechfall), des Ammerdurchbruchs oberhalb Oberammergau, des Loisachdurchbruchs bey Eschenlohe und des noch nicht durchbrochenen Kesselbergs zwischen Walcher- und Kochlsee. Denn auch hier setzt derselbe Vorderzug der Bayrischen Alpen, quer durch das Isarthal von der Benedictenwand herabziehend, über den Bärenstein zu dem genannten Marmorbruch und erhebt sich jenseits der Isar sogleich wieder in einem Vorgebirge, dem Felsenhügel, auf welchem das alte Hohenburg lag, dessen zahmerer Sprößling sich an dem Fuße jenes Hügels als prächtiges Schloß angesiedelt hat. Über Hohenburg erhebt sich der Vorderzug wieder schnell über den Hals zum Geigerstein (5414 F.) und Fokkenstein. Durch diese von beyden Seiten vorspringenden Vorgebirge wird das Isarthal auf eine kurze Strecke zusammengeschnürt, erweitert sich aber sogleich wieder. Schon eine Viertelstunde von Länggries haben wir diesen Paß durchwandert und links, kurz vor der Einmündung des Hirschbachs an jener Felsenhöhe, zeigt sich das schöne Schloß Hohenburg, auf einer Terrasse ruhend, mit seiner Hauptseite gegen N.W. gerichtet; es ist ein Glanzpunkt der Gegend durch seine Größe und Schönheit. Das alte Hohenburg stand, wie schon gesagt, auf jenem Vorgebirge, und diesem Standpunkte verdankte sein Nachkömmling seinen Namen. Am Ende des 12. Jahrhunderts von den Hohenburgern bewohnt, vermachte Albero von Hohenburg seine Güter größtentheils dem Kloster Tegernsee; dann fiel es an die Schellenberger und in der Mitte des 16. Jahrhunderts an die Hörwarthe, deren Stammburg es wurde. 1707 brannte das alte Schloß ab, worauf 1712 das jetzige neue erbaut wurde. Den Hirschbach überschreitend, welcher links vom hohen wildzerrissenen Kampen herabkömmt, gelangen wir über Anger nach Hochreut, wo wir auf einer Fähre die Isar übersetzen und an der Mündung des Schwarzenbachs, bey einer Gypsmühle vorüber, an die Öffnung des Thores Jachenau kommen.

Die Jachenau wird von der Jachen oder Jachna, dem einzigen sichtbaren und offenen Abfluß des hochgelegenen und großen Walchensees, durchflossen, ist 4 Stunden lang, fast immer ziemlich breit; die Häuser der Gemeinde, 60 an der Zahl mit 456 E., lagern durch das ganze Thal zerstreut; die Kirche mit dem Pfarrhofe und einem großen Wirthshause liegt am oberen Ende des breiten Thales, wo dasselbe plötzlich verschlossen ist. Von allen Seiten strömen Bäche herab in diesen obersten Thalraum; die Jachen selbst kömmt links, bevor man noch das Wirthshaus erreicht, herab und der Pfad neben ihr hinan führt über den Kobelberg, ihre Engen und Stürze vermeidend, nach der einsamen Häusergruppe Niedernach, wo sich auf einmal der weite, düstere, umwaldete Spiegel des Walchensees erschließt. Die Kirche von Jachenau liegt an der Vereinigung der Kleinen und Großen Laine, von denen die erstere am Jochberg, die andere an der Benedictenwand entspringt; unterhalb der Kirche ver-

1) Von diesem Marmorbruch aus kann man über die Kothalpe, das Brauneck, die Vordere Langenalpe, Krotenalpe, Vordere und Hintere Scharnitzalpe und Bichler Alpe auf die Benedictenwand in vier starken Stunden steigen.

einigt sich die Laine mit der Jachen. Die Straße, welche durch die ganze Jachenau führt, zieht über den Fieberberg zwischen Laine und Jachen nach Sachenbach, ebenfalls am Walchensee, in einer starken Stunde, und von da an dem Ufer desselben hin in einer Stunde nach Urfeld, der Häusergruppe, wo die Münchner Hauptstraße vom Kochlsee herkömmt; so daß man von Urfeld südlich der Straße über Mittewald nach Innsbruck, oder nördlich über den Kochlsee u. s. w. folgen kann. Von Niedernach am Ausfluß der Jachen führt ein Fußsteig rechts um den in den See vorspringenden Fischberg herum nach Sachenbach auf die Straße, oder auch links am ganzen südlichen Gestade fort bis dahin, wo die Münchner Poststraße von dem Posthause Walchensee den Katzenkopf überstiegen, nochmals an den See tritt.

Die Jachenau interessirt hauptsächlich in volksthümlicher Hinsicht. Ein herrlicher, hochgewachsener Menschenschlag, in welchem sich das Bayrische Gebirgsleben am stärksten ausgeprägt hat, bewohnt das Thal. Der spitze Hut mit schmaler Krempe, geschmückt mit Gemsenbart und Spielhahnfedern, die graue Joppe mit grünem Kragen, die bloßen Kniee bezeichnen den Gebirgssohn. Hier ist hauptsächlich das Schnaderhüpfeln (improvisirter jodelnder gegenseitiger Wettgesang, in welchem sich gewöhnlich zwey Gegner aufziehen) zu Hause. Die Bewohner beschäftigen sich hauptsächlich mit dem Fällen und Triften des Holzes aus den dunkeln Forsten in die Jachen und von dieser zur Isar. Wirthshäuser findet man zwey; von unten herauf das erste, ohngefähr 3 Stunden vom Eingang, bey einem Bäcker; das zweyte größere, wenn auch nicht bessere, bey der Kirche.

Der interessanteste Theil dieses Ausfluges ist unstreitig der Walchensee wegen seiner Größe, hohen Lage und der Einsamkeit seiner Gestade.

Der Walchen- oder Wallersee hat einen Umfang von 7 Stunden, Länge von 2 Stunden und Breite von 1¼ Stunden; 4795 Tagewerk Flächeninhalt, 672 F. Tiefe und liegt 2745 F. üb. d. M., 687 F. über dem nahen Kochlsee. Er bildet ein großes Dreyeck, dessen Spitze gegen Norden an dem Kessel liegt; von den beyden Winkeln an der südlichen Grundlinie laufen tiefe Buchten, die eine nach Osten zum Ausfluß der Jachen, die andere nach Westen zum Einfluß der Obernach, des Hauptzuflusses; im Norden wird diese Bucht durch den weit in den See hineintretenden Rücken des Katzenkopfs von der folgenden, an welcher das Posthaus liegt, getrennt. Auch die östliche Seite hat noch einige kleinere Buchten. Die Gebirge, welche den See unmittelbar umgürten, sind fast alle noch bewaldet bis zu ihren Gipfeln; erst in größerer Ferne ragen gegen Norden einzelne höhere Felsenberge, wie der Heimgarten und Herzogstand, Sonnenspitz, Jochberg und die Benedictenwand über die Waldregion empor; steht man aber am nördlichen Gestade, so wird die südliche Waldzone von einer hohen schneegefleckten Riesenmauer, dem 8000 F. hohen Karwändelgebirge, überragt, das in seinen magischen Fern- und Höhenduft gehüllt, von der Abendsonne vergoldet, diesem See bey der Stille seiner Ufer seinen Hauptreiz verleiht. Bey dem Erdbeben in Lissabon 1755 wurde auch der Walchensee, wie viele andere, auch Norddeutsche, Seen auf ungewöhnliche Weise bewegt. Die in dem See vorkommenden Renken wurden 1441 aus dem Kochlsee hierher verpflanzt, die Sälblinge aus dem Tegernsee.

Von Urfeld aus begleitet die Müncher-Innsbrucker Poststraße den See auf seiner ganzen westlichen Seite bis zu dem Dörfchen Walchensee, mit einem Post- und Wirthshause; dritte Poststation von München (Wolfratshausen, Benedictbeuren, Walchensee), 18 Poststunden, halber Weg zwischen Innsbruck und München und daher Hauptstation der Kutscherreisenden. Fische und Wild sind immer zu haben. Eine Spazierfahrt des Abends auf dem großen, einsamen, dunkeln Spiegel hat ihren eigenen Reiz. Der Ort wurde von dem Abte Konrad von Benedictbeuren angelegt im 12. Jahrhundert; der Abt Otto erbaute die Kirche 1291; 1494 kam das Wirthshaus hinzu und 1691 die Post. Die Engen umher wurden 1703 durch den Abt Eliland muthig vertheidigt, und die einzige kleine Insel, Sassau, von demselben befestigt und mit Geschäft versehen, als Zufluchtsstätte der Mönche. Auf der nahen Halbinsel liegt das Klösterle, ursprünglich von Hieronymitanern, später von zwey Benedictinern besetzt.

Folgen wir der Poststraße nach Süden, so führt dieselbe über den schon erwähnten Katzenkopf, einen Bergrücken, der sich von Südwesten in den See hereinzieht und jene Halbinsel bildet, auf welcher das Klösterle liegt. Jenseits zieht die Straße wieder steil hinab zur Südwestbucht des Sees, geht an dieser vorüber und dann an der Obernach, dem Hauptzufluß des Sees, hinan, in einer waldigen, einsamen Gegend bis zum kleinen Sachensee, jenseits dessen sich die Straße wieder senkt, nach Wallgau, am Abhange gegen das Isarthal. Hier wird man plötzlich durch eine neue Aussicht überrascht; grüne Matten, mit Heustadeln und zerstreuten Alpenhäusern bedeckt, machen den Vorgrund, die grauen nackten Wände des Karwändels den grotesken Hintergrund links; rechts in größerer Ferne zeigen sich die höhern Kalkhörner des Solsteins und Kreutzspitzes.

Doch wir kehren in das Isarthal zurück.

Noch eine Stunde lang oberhalb Hochreut bleibt das Isarthal weit, ist aber stark versandet; wendet sich dann südwestlich, und anstatt, wie vorher, die Bergketten zu durchbrechen, bildet es jetzt eine schmale Rinne zwischen zwey langgestreckten Bergrücken, im Südosten den Schergenwieserberg und im Nordwesten den Rauhenberg. Wie in allen Fällen dieser Art, wird die Gegend einförmig; die Thalsohle ist nur zwischen der Isar und ihrem Griese getheilt, fast ohne alle menschliche Wohnungen.

Endlich nach dreystündiger Wanderung erreicht man das Ende des Schergenwieserberges, und hier bricht die Walchen aus einer Schlucht hervor. Die Stärke, wie die außerordentliche Klarheit und smaragdene Färbung, verkündet abermals eine Seenymphe; sie entströmt dem südlich, *ebenfalls hochliegenden* Achensee in Tyrol, zu dessen südlichem Gestade wir *schon aus dem Innthale* heraufstiegen. Wie der Walchensee einen sichtbaren und unsichtbaren oder unterirdischen Abfluß hat, so auch der Achensee. Merkwürdig ist noch die Verwechselung der Namen der beyden Bäche, welche diesen Seen entströmen und nicht weit von einander, der eine von Westen, der andere von Osten her, der Isar zufließen; aus dem Walchensee strömt die Jachen oder Achen, aus dem Achensee die Walchen zur Isar. Wir folgen nun dem Laufe der Walchen aufwärts durch das Achenthal, ehe wir im Isarthal weiter fortgehen.

Das Achenthal hat eine Strecke lang eine schmale Wiesenthalsohle, die sich nur am Achselköpfl verengt. Es ist einsam und waldig. Etwa nach zwey Stunden kömmt von Süden (unser Thal zieht uns von Osten her entgegen) der Hühnerbach vom hohen Demelsjoche herab, als Grenzbach auf dieser Seite. Das rechtseitige Ufer bleibt noch eine Strecke Bayrisch. Von hieran aufwärts an der Dachstubenalpe vorüber, führt der Pfad auf der Höhe über den Abgründen und Engen hin, welche der Bach durchbraust. Bey Achenwald, wo man auf die Poststraße von München über Tegernsee und Achenthal nach Innsbruck kömmt, werden beyde Ufer des Baches Tyrolisch und der Bach erhält nun den Namen Ache. Die Straße führt links, nördlich durch einen kleinen Seitengrund über die Kaiserwache (Mauth), zum niedrigen Joch der Stubenalpe hinan, und jenseits in das oberste Gebiet der Weißach (Mangfallgebiet) und dann über Kreut nach Tegernsee, rechts durchs Achenthal, am See vorüber ins Innthal. In Achenwald findet der Reisende ein leidliches Unterkommen, und der Fahrende oft eher Pferde beym Wirth, als in der Post des größeren Dorfes Achenthal. Achenwald liegt in einer kleinen Erweiterung des Thales und man überschreitet hier die Brücke. Man muß sogleich auf der Straße, der wir nun südöstlich folgen, wieder eine Thalstufe ersteigen, in welche sich die Ache ein tiefes Felsenbett eingespült hat. Ein unterhaltendes Schauspiel gewährt es, von der hohen Straße herab in die Tiefe, auf die prächtigen, schäumenden, smaragdenen Fluthen der Ache zu blicken. Wieder an einer ebenen Stelle an die Ache kommend, erreicht man eine Riesenkohlenstätte, die Kohlstatt genannt. Das Thal verengt sich nach diesem schwarzen Kohlenbecken auf kurze Zeit nochmals, um sich bey Leiten, wo der Ampelsbach östlich hereinkömmt, wieder zu erweitern. Höhere Gebirge zeigen sich, welche die bisherige Thalenge verbarg. Links, in der weiten Öffnung des Ampelsthales, ragt, vor allen durch Gestalt ausgezeichnet, der, hier wenigstens, als isolirtes Felsenhorn erscheinende Gufferl über 7000 F. hoch auf; rechts neben ihm der 7254 F. hohe Unnütz, der Anfang der Felsenkette, welche von hier an die Thalspalte des Achensees links, östlich begleitet. Denn von hier aus gleicht das Hauptthal einer von Norden nach Süden quer durch die ganze Hochkalkalpenkette bis zum Innthal durchsetzenden Spalte, deren tiefste südlichste Hälfte noch mit Wasser gefüllt ist; die nördlichere Hälfte hat sich nach und nach durch den Abzug des Sees dahin in sumpfiges Land verwandelt. Auf diesem ehemaligen Seeboden, der seine Entstehung noch nicht verleugnen kann, liegt das große Dorf Achenthal zerstreut. 153 H. mit 1080 E., 424 Joch Ackerland, 680 Joch Wiesen, 1320 Joch Hutweiden, 48 Pferde, 30 Ochsen, 642 Kühe, 376 Schafe und 46 Schweine. Salpetersiederey und Pulvermühle, zwey gute Gasthöfe, darunter eine Post, wo man aber nicht immer auf Pferde rechnen darf, weil es keine Hauptpoststraße ist. Der Ort liegt 6 Stunden von Tegernsee und fast ebenso weit von Schwatz. In der Kirche das Grabdenkmal der Gräfin Johanna von Tannenberg, welche, München wegen der Cholera 1836 verlassend, hier derselben erlag. Die Gemeinde ist Geburtsort des Anton Aschbacher, eines tapferen Kriegshelden und Ehrenmannes in jeder Hinsicht. Von 1800 an bis 1814 stand er überall an der Spitze, wo es dem Erbfeinde Deutschlands galt. Sein Edelmuth und seine Menschenliebe erwarben ihm allgemeine Achtung. Eben diese waren es auch, welche ihn antrieben, sich um die Aufseherstelle der Lazarethe zu bewerben. Er erhielt sie, wurde aber ein Opfer seiner Liebe zu Langres 12. März 1814.

In einer halben Stunde über Achenthal erreicht man die Ufer des Achensees.

Der Achensee mag gegen 1000 Fuß über dem Innthale liegen, indem man eine Stunde braucht, um von dort herauf zu steigen, und 2939 F. üb. d. Meere; 2 Stunden lang, eine halbe Stunde breit, 2400 F. tief; hat eine dem Gardasee ähnliche ausgezeichnet dunkelblaue Farbe; die Renken des Achensees gelten als die besten, außerdem Hechte, Sälblinge und Grundforellen; friert im Winter so fest zu, daß man mit schweren Lasten darüber hinfahren kann. Wie der Walchensee zeigte auch er bey dem Lissaboner Erdbeben starke Bewegungen; sein Spiegel sank plötzlich um 4 Fuß; so daß binnen 24 Stunden die Ache nicht abfloß. Man hat hier am nördlichen Ende die Wahl, entweder links der Straße zu folgen, oder auf einem Nachen den See hinanzusteuern. Da beyde Bergwände, die östliche und westliche, steil sind, so kann sich die Straße an der östlichen Wand nur sehr mühsam hinwinden, bald ruht sie, zu steile Wände umspringend, auf Pfählen, die in den Fluthen des Sees stehen, bald ist sie von der überhängenden Felswand so überwölbt, daß keine hochbepackten Wagen passiren können; auch ist sie, wie sich unter solchen Umständen erwarten läßt, sehr schmal, so daß lange Strecken an ein Ausweichen nicht zu denken ist. Schweres und hochbeladenes Fuhrwerk läßt sich daher über den See fahren. Die Aussichten von der Straße über die blaue Fläche auf die jenseitigen steilen, hohen Kalkalpen mit ihren Schluchten und Tobeln und den aus ihnen hervortretenden Schuttbergen, auf die Matten und die Waldgruppen, auf den zwischen jenen Schluchten herabziehenden Rücken und endlich auf die

17 *

kahlen Risse der höheren Kalkalpen, ist sehr unterhaltend; man verliert aber die ganze östliche Thalwand, die auch ihre eigenthümlichen Reize hat, man thut daher besser, besonders der Fußreisende, wenn er sich überfahren läßt. Rechts die erste, vielfach durch Schluchten zerrissene, oben kahle Wand ist der Seekohr- und Rabenspitz. Diese westliche Thalwand senkt sich überhaupt in einer ununterbrochenen Linie von ihren Gipfeln zum See ab, während die linke zuerst auf eine kleine Fläche niedersetzt und von dieser in einer kleinern Stufe in den See springt. Der nördlichste Flügelmann dieser östlichen Bergkette ist der schon erwähnte 7254 F. hohe Unnütz; diese Felsenkette wird nach Süden zu über das Kogeljoch und Spieljoch niedriger, zeichnet sich aber durch ihre eigenthümliche, künstlichen Mauerwerken ähnliche, Felsengebilde aus. Eine schöne Abwechselung mitten in die etwas starre westliche Thalwand bringt die Pertisau, indem der See sich zugleich etwas östlich wendet. Der Rabenspitz bricht ab und eine große Gebirgslücke gewährt einen malerischen Einblick in verschiedene Thäler, welche sich durch die Gruppirung der Berge, zum Theil von schönen, großartigen Formen, kenntlich machen, wie die bedeutenden Schneemassen auf und zwischen ihnen ihre Höhe bekunden. Im auffallenden Gegensatz gegen die Nacktheit und Kälte jener inneren Hochwelt erscheint die üppig grünende Flur der Pertisau, der Ausguß jener Hochthäler, links des Falzthurner-, rechts des Gernthales. Durch beyde Thäler führen Jochsteige in die angrenzenden Thalregionen; durch das erstere in die Riß (Isargebiet) am Sonnenjoch vorüber und in das Stallenthal (siehe oben); durch das letztere über das Pfansjoch in die Dürrach (Isargebiet). Auf der grünen Pertisau liegt eine Art Fischergemeinde, ebenfalls einst ein Lieblingsaufenthalt des Jagd und Fischerey liebenden Sigmund. Sanftere Formen umschließen das obere Ende des Sees und seine Gestade beleben sich, wenn auch nur durch einsame Hütten. Am südlichen Ende des Sees erreichen wir Buchau, wo wir landen. Erst hier, wenn man der Straße ins Innthal hinab folgt, nach Jenbach (siehe oben), bemerken wir die hohe Lage des Sees. Links auf der Höhe, dem Mittelgebirge des Innthales schon angehörig, liegt das schöne Dorf Eben, 41 H., 232 E., 1½ St. von Jenbach, 3½ St. von Schwatz, dessen Kirche in das Thal hinableuchtet. In ihr ruhen die Gebeine der heiligen Rothburga, der treuen und frommen Dienstmagd der Rottenburger. Von ihnen wegen ihrer Mildthätigkeit gegen die Armen verstoßen, fand sie hier eine Zuflucht; da aber mit ihr der Segen von jenem Hause wich, führte sie der Rottenburger zurück und damit den Segen seines Hauses. Ihr Leichnam wurde aber hierher zurück gebracht.

Von Eben aus hat man eine herrliche Aussicht auf das Zillerthaler Eisgebirge [1]).

Fortsetzung des Isarthales. Dieses Thal verengt sich jetzt sehr stark, indem von Norden her der Hennenkopf und von Süden, vom Dürrenberge und Demelsjoch herab, das Hühnerköpfl an die Isar herantritt und nicht nur das Thal, sondern auch das Bett der Isar auf 20 Fuß verengt; Felsenriffe setzen mitten durch den Fluß, welcher, wild schäumend, 15 Fuß hoch über dieses Felsenwehr herabrauscht; eine gefährliche Stelle für die Floßfahrt. Gleich oberhalb des Falles, wo sich der Thalboden sehr erweitert, mündet die Dürrach, aus dem Hochgebirge kommend, welches hier im Süden der Isar ein großes Amphitheater bildet und in seinem äußeren Rande das Achenseer Gebiet und die Riß (Isar) berührt. Der Kranz dieses Amphitheaters beginnt mit dem Hühnerköpfl und zieht zum Dürrenberg und Demelsjoch, Hühnerberg, Rothewandkopf, Juifen, Pfansjoch, Keelberg, Hasenthalberg und Fleischbank,

1) Den Ausflug auf die nahe Mauritzalpe siehe oben.

wo er wieder mit dem Scharfreiterspitz, 7165 Fuß hoch, an das Isarthal vortritt. Das ganze obere Thalgebiet gehört zu Tyrol, der untere Stamm nach Bayern. Fast das ganze Thal ist unbewohnt, in der Tiefe bewaldet, weiter hinan sehr alpenreich, aber auch voll schroffer Schneiden und Wände, ein eigentliches Wildrevier. Von Tölz bis zum Fall, wie nicht nur die Sturzparthie der Isar, sondern auch eine Häusergruppe mit zwey Wirthshäusern heißt, sind es 6½ Stunden, und der Fall gehört gewiß zu den interessantesten Parthien des eigentlichen Isarthales. Die Weitung des Thales oberhalb des Falles heißt in der Aue. Das Thal wird nochmals durch die nördlichen Ausläufer des Scharfreiters eingeengt, worauf es sich wieder zu der weiten aber ganz einsamen Krametsau erweitert. Diese wird im Westen durch den von Süden vortretenden Grasberg und die aus dem südlichen Gebirge herabströmende Riß begrenzt. An der Einmündung dieses bedeutenden Baches liegt die Häusergruppe Riß und eine Sägemühle, ohngefähr 2 Stunden von Fall, oder 8½ Stunden von Tölz, 5¾ Stunden von Mittewald.

Das Seitenthal, die Riß, steigt weit in das südliche Kalkgebirge hinan und lehnt sich gegen Süden an die Quellbäche der Isar, die sich in ihrem oberen Laufe wieder östlich umbiegt, an das Bomperthal, Stallerthal, Achenseerthal und die Dürrach, und hat mit diesen Thälern, welche wir schon meistens kennen, einerley Natur. Es wird nur im Sommer von Sennern, Köhlern, Holzarbeitern und umherstreifenden Jägern bewohnt. Wegen der zahlreichen Alpen befindet sich ein Seelsorgeposten in dem Mittelpunkt dieser Region, da wo Ronnbach, Thorbach und Riß zusammenfließen. Etwas aufwärts im Hauptthale, auf kleiner Fläche, steht noch ein Jägerhaus. Nur der unterste Theil des Thales gehört zu Bayern, das ganze obere Thalgebiet nach Tyrol. Die Grenze steigt in dem von Südwesten herabkommenden Fermersbach hinan, und auf den schneidigen Rücken des Karwändelgebirgs, von dem sie zwischen Mittewald und Scharnitz wieder hinab zur Isar geht. Das enge Fermersthal enthält mehrere Schleußen oder Klausen zum Holztriften, und an seinem obersten Ende liegt die Verein-Alpe, eine Sennhüttengruppe an einem kleinen See. Ein Pfad führt durch dieses Thal und über diese Alpe, unter den hohen Wänden des Karwändels vorüber, nach Mittewald. Die Riß ist reich an großen Forsten und der Maler findet hier die schönsten Baumgruppen aller Gattungen, besonders schöne ehrwürdige Ahorne; desgleichen ist das Alpenleben hier gleichsam ein Ersatz für die Einsamkeit der Tiefen. Aus eben diesem Grunde ist das ganze Gebiet ein wahrer Thiergarten.

Im Isarthal selbst führt der Doppelpfad auf beyden Seiten der Isar noch drey lange einsame Stunden fort zwischen der Isarkanzel im Süden und dem Isarberg im Norden. Die Isarkanzel ist die abfallende Wand eines langgestreckten Bergrückens, dessen Haupt der Hohe Grasberg ist. Er trennt das mit dem Isarthal parallellaufende Fischbachthal, welches in die Riß mündet, von dem erstern. Der Fischbach entströmt einem Amphitheater von hohen Felsengipfeln, das sich nördlich erschließt; der Soiernspitz, 7583 F. hoch, Feldernkopf, der kleinere Soiernspitz und Krapfenkohrspitz sind die höchsten Zinnen der Ringmauer. Im Innern dieses Felsenringes liegen die drey Soiernseen, zwey nahe an einander, der dritte bedeutend höher. Eine Sennhütte spiegelt sich in dem blauen Spiegel, rings umragt von grauen, schneegestreifsten Kalkriesen. Der Reisende, der diesen interessanten Ausflug machen will, braucht keinen großen Umweg zu machen, indem er von der Krametsau, wo der Fischbach in die Riß mündet, statt in dem etwas langweiligen Isarthal hinauf fortzuwandern, in dem Fischbachthale hinaufsteigt bis zu den Seen der Solern-Alpe; zurück geht er nur eine halbe Stunde, wo ihn ein Weg über einen niedrigen Sattel, die Fischbachalpe, in das Isarthal bey Wallgau bringt. Das Isarthal selbst, von der Krametsau aus, ist eintönig, eng, vielfach von den Armen der Isar durchkreuzt und mit Gries überschüttet.

Nach zwey Stunden, ohne vielleicht einem menschlichen Wesen begegnet zu seyn, erreicht man eine Schneidemühle, wo der Weg wieder fahrbar wird, und auf ihm betreten wir nach einer Stunde wieder das offnere, zwar sehr versandete, aber doch wieder von Ortschaften belebte Thal bey Wallgau, bis wohin wir schon vom Walchensee aus auf der Hauptstraße kamen. Sieben Stunden lang, von der Einmündung der Jachenau an bis hierher, ist das Thal unbevölkert, die sehr wenigen Weiler und einige Schneidemühlen abgerechnet, und deßhalb äußerst einsam; wir freuen uns daher, wenn wir zum ersten Mal wieder einen Kirchthurm erblicken oder das Läuten einer Glocke hören. Krin ist das erste Dorf, das wir erreichen. Westlich, in einer Bucht des Gebirgs, liegt der kleine Barmsee und etwas höher der Wagenbrechsee. An ihm vorüber zieht sich ein Weg, welcher sich mit der von Mittewald herkommenden Straße nach Partenkirchen vereinigt. Der wasserscheidende Rücken zwischen der Loisach bey Partenkirchen und der Isar bey Krin bildet eine unbedeutende Höhe. Den Barmsee umgürtet östlich der Bannwald. Von hier an *ist wieder die Hauptstraße* von München nach Innsbruck unsere Führerin *bis Scharnitz*. Bey einer abermaligen Enge des Isarthales, die jedoch nur von niedrigen Vorstufen hervorgebracht wird, muß die Straße das Kiesbett des Flusses zweymal durchschneiden und den Fluß selbst übersetzen. Der Isar von Tölz aus immer folgend, erreicht man in 14½ Stunden Mittewald. Mittewald ist ein Markt von 365 H. und 1800 E., Poststation zwischen Walchensee und Seefeld; vierte Station von München, drey Stationen von Innsbruck. Das Hauptgeschäft der Bewohner besteht in der Verfertigung von Musikinstrumenten, besonders von Geigen, 88 Bogen- und Geigenmacher, 5 Geigenhändler, 20 andere *Händler*, 28 Fuhrleute, 8 Floßmeister; Holzhandel; die Weiber verfertigen florettseidene Geldbeutel. Geburtsort des Malers Diefenbrunner. Die Gegend um Mittewald ist sehr schön. Die Thalebene deckt, statt des grauen Grieses, schöner Wiesenboden. Aus ihm steigen hohe Gebirge von allen Seiten empor.

Die ausgezeichnetste Gruppe ist das Kar- oder Kahrwändelgebirge (Kahr und Wand), sowohl durch seine Höhe, wie durch seine Masse. Der hoch und trotzig über Mittewald in Südosten aufstrebende Eckpfeiler ist der 7875 F. hohe Kahrwändelspitz. In fast senkrechten Abstürzen, die nur hie und da von Matten überschimmert werden, führt es wieder ins Isarthal. Dennoch erscheint es nicht so hoch, als es ist, durch die Verkürzung seiner oberen Theile.

Schon in München erkennt man deutlich diesen Absturz, ähnlich dem Tännengebirge bey Salzburg, später wieder auf dem Kesselberg, und wie ein Riese scheint das Gebirge zu wachsen, wenn man den Seefelder Berg hinansteigt. Im Westen von Mittewald erhebt sich der erste Felsenstock der Wettersteinkette und im Südwesten zieht vom Seefelder Berg ein niedrigerer Rücken herein, zuerst Isarthal und Lütasch, dann Lütasch und Raabach (nach Seefeld hinauf) trennend.

Die Bauart des Marktes ist der der übrigen Märkte in Oberbayern und Salzburg ähnlich; die Häuser dicht an einander gebaut, schieben sich eins hinter dem anderen vor, wodurch eine schräge Gasse entsteht. Von hier auf der Poststraße nach Partenkirchen sind es 5 Stunden.

Gleich oberhalb Mittewald öffnet sich rechts, westlich, das Seitenthal Leutasch oder Lütasch, das östliche Ende der Thalspalte, welche von Biberwier aus die Wettersteinkette von der südlichen Kalkkette scheidet, die das Innthal im Norden begleitet. Jene Thalfurche steigt erst von Biberwier im Loisachbecken am Gaisbach hinan zur Pestkapelle, senkt sich dann durch das Gaisthal östlich ziemlich eng hinab, wendet sich plötzlich nordöstlich als breites Lütaschthal und erscheint fast als Fortsetzung des oberen Innthales bis Telfs, wo diese Spalte nur durch eine Schulter der hohen Mundi, die sogenannten Böden oder Möser, über die man in 1½ Stunden von Telfs in die Leutasch kömmt, unterbrochen wird. Die ganze Länge dieser Furche von Biberwier bis Mittewald beträgt 7 Stunden. In dieser geringen Ausdehnung wird es im Norden von den wildzerrissenen Wänden des Wettersteins begleitet.

Da, wo die Hohe Mundi (siehe oben) in dem Knie des Oberinnthales aufstrebt, legt sich dieselbe nördlich im Rücken an den Wetterstein, wird aber durch den unteren Theil des Gaisthales davon abgeschnitten, welches daher hier sehr eng und finster ist. Der obere Theil desselben wird nur von Alpen belebt, der untere ist völlig einsam. Schöner und heiterer lacht uns die Leutasch entgegen. Auch dieses Thal verdankt, wie so manche andere Wildnisse, seine Cultur den Klöstern; die Leutasch den Klöstern Wilten bey Innsbruck und Pollingen bey Weilheim. Die Magdalenenkirche ist die einzige Kirche des Thales. Die Leutasch selbst, sehr eben, bringt aber nicht Getraide genug hervor, welcher Mangel aber reichlich ersetzt wird durch Alpen und Holz. Letzteres wird theils über die genannten Böden nach Telfs am Inn und weiter nach Tyrol, theils auf dem Wasser nach Bayern geschafft.

Den Ausgang des Thales zur Isar bey Mittewald sperrte einst die Leutascher Schanze, gegen Bayern.

An der Isar aufwärts nimmt die Gegend einen immer erhabeneren Charakter an. Durch einen rechts vorspringenden Rücken wird die Thalsohle plötzlich bedeutend verengt; den Hintergrund überragen hohe Kalkgebirge, hoch über alle die Spitze des 9000 Fuß hohen Solsteins. Den engsten Theil der Thalsohle sperrte einst der Paß Porta Claudia, dessen Mauerreste, wie die Chinesische Mauer, von einem Berge herabziehen, das Thal durchschneiden und östlich wieder hinansteigen bis zu den Wänden. Die Festung wurde angelegt von Claudia von Medicis, der muthigen und thätigen Wittwe Leopolds V. von Tyrol (Herzogin von Urbino), wie überhaupt mehrere Festungen und Pässe gegen die Schweden und Franzosen im 30jährigen Kriege; daher der Name Porta Claudia. Im Spanischen Erbfolgekriege wurde der Paß dagegen 1703 ohne Schwertstreich an die Bayern übergeben. Doch während des Churfürsten Zug auf den

Brenner eroberten die Tyroler Bauern den Paß und die Bayrischer Schanze wieder, bey welcher Gelegenheit jedoch ein Theil der Festung durch Pulver in die Luft flog und unbrauchbar wurde. Auf dem Rückzuge zerstörte der Churfürst die Überreste. Wieder neu aufgebaut blieb sie Feste bis auf Josephs II. Zeit, der sie eingehen ließ. Sie erstand abermals aus ihren Trümmern 1796 gegen die Franzosen. 1805 wurden beyde Grenzpässe durch Umgehung von Ney mit 13,000 Franzosen gegen 600 Mann Österreicher, durch Capitulation erobert, nachdem die Stürme muthig zurückgeschlagen waren. Bayern und Franzosen sprengten darauf die Festungswerke.

Jetzt sperrt nur ein Mauth-Schlagbaum die Straße, indem wir nun Tyrol wieder betreten. Fast unmittelbar an diese Grenzfeste schließt sich das Dorf Scharnitz, nach welchem der Paß auch benamt wird. Schon zu den Zeiten der Römer war hier der feste Posten Scarbia zwischen Veldidena und Parthenum; um ihn sammelten sich Ansiedler; 764 stiftete Reginbert, ein Bojoarier, mit Einwilligung Tassilo's ein Benedictinerkloster, Scaranzia, doch ging es bald wieder ein. Das Dorf zählt gegenwärtig 89 H., 564 E. Haupteinkommen ist der Straßendurchzug, besonders Vorspann den hohen Seefelder Berg hinan. In der Nähe ein Kreidebruch. Links, wenn man auf der Isarbrücke steht, eröffnet sich ein schöner Blick in das oberste Isarthal, das hier die Straße verläßt und sich östlich in hohe Kalkgebirge zieht, während sich die Straße westlich wendet; ihr folgen wir zuerst, da sie in einem Seitenthal hinanführt.

Die Poststraße zieht in dem Seitenthale des Raabaches zuerst eine Strecke eben fort nach Westen, wendet sich dann südlich; an der Ecke hat man einen schönen Rückblick auf Scharnitz und das über den Ort aufstrebende Kahrwändelgebirge. Dann zieht die Straße links an der Thalwand schneller hinan auf die Hochfläche von Seefeld, die wir schon einmal von Zirl aus auf einem Ausfluge besuchten. Man sieht in das Gaisthal hinauf; der rechts hochaufstrebende kahle Felskoloß ist die mehrfach erwähnte Hohe Mundi, rechts dahinter die Wettersteinkette. Eine halbe Stunde vor Seefeld stehen die Ruinen der Burg Schloßberg; schöner Rückblick auf das immer höher aufsteigende Kahrwändelgebirge. Seefeld zählt 58 H. und 200 E.; eine Post (gutes Wirthshaus) zwischen Zirl und Mittewald. Bierbrauerey. In der Nähe die oben erwähnten Steinöhlbrennereyen. Wege führen von hier drey ab, die Straße nach Zirl und Innsbruck, fahrbare Wege über die Mösser nach Telfs im Oberinnthal in 3 Stunden (siehe oben Telfs) und über die Leutascher Mäder in die Leutasch.

In die Scharnitz zurückgekehrt, besuchen wir von dort aus noch das oberste Isargebiet. Es dringt von Westen her in dieselbe wald-, alpen- und wildreiche Gebirgsmasse ein, die fast nur Sennhüttenansiedelungen hat. Herrliche Forste von allen Baumgattungen wechseln mit einander, von grünen Thälern durchzogen und beschattet von ehrwürdigen Ahornreihen. Aus dem Schatten der Wälder ragen die kahlen, bald mit den saftigsten Matten überzogenen oder aus schroffen Wänden aufgebauten Kalkgipfel auf. Schon mehrere Thäler (Vomperthal, Stallerthal, Brandenberger Thal, Thiersee, Riß, Dürrach u. a.) führten uns in diese Gegend. Von Scharnitz aus biegt sich nämlich das Isarthal plötzlich wieder rechtwinkelig nach Osten aufwärts. Das Hauptthal, Hinterau genannt, zieht gerade aufwärts; in dasselbe öffnet sich gleich oberhalb Scharnitz, rechts von Norden her das Kahrwändelthal, nördlich von dem Kahrwändelgebirge ummauert, im Süden durch einen fast gleichhohen Felsenrücken von der Hinterau getrennt. Durch dieses Thal, welches an vielen Stellen von herabgestürztem Felsengetrümm überschüttet ist, führt ein Pfad über die Hochlaner Alpe, bey einer Kapelle auf dem Joch vorüber, in das Gebiet der Riß. Eine Viertelstunde oberhalb der Einmündung des Kahrwändelbaches kömmt von Süden das Gleirscher Thal, mit seinen Wurzeln die ganze nördliche Abdachung der Kalkkette, vom Solstein bis zum Haller Salzberg, umklammernd. Durch dieses Thal kann man zum Solstein hinansteigen. Durch dasselbe führt ferner ein Pfad an einem einsamen Jägerhause vorüber auf den Haller Salzberg; bey dem Herrnhaus kömmt man auf die Salzstraße, welche nach Hall hinabführt. Das Hauptthal Hinterau erstreckt sich am weitesten gegen Osten, ist aber, mit Ausnahme weniger Alphütten, ganz einsam. Die Isar entspringt daselbst am Lavatscher Joch und Spector. Ein Pfad führt hier über den Haller Anger in das Vomper Thal. Demnach ist wohl das Isarthal das einsamste Alpenthal, indem nur die zwey Strecken von Scharnitz bis Krin und dann von Hochreut bis Tölz zu den bewohnbaren Strecken innerhalb des Gebirges gehören, also diejenigen Strecken, wo das Thal eine gerade von Süden nach Norden gehende Richtung hat. Von der ohngefähr 20 Stunden betragenden Strecke des Thales sind 11 Stunden unbewohnt und 9 Stunden bewohnt, ein in dem Alpenlande seltner Fall.

Das Gebiet der Mangfall.

Wir treten jetzt in das letzte Gebiet der nördlichen Vorlage des Innthales, in das Gebiet der Mangfall. Sie fließt zwar unmittelbar zum Inn, allein theils mündet sie erst außerhalb des Gebirgs in den Inn, theils hat sie selbst, wie ihre Nebenflüsse, einen parallelen Lauf mit Isar und Inn, und gelangt nur durch eine plötzliche und auffallende spitzwinkelige Wendung, so daß sie sich fast entgegenläuft, zum Inn; daher rechnen wir ihr Gebiet zu den selbstständigen der nördlichen Vorlage.

Bey Rosenheim, das wir schon oben kennen lernten als Ziel unserer Innwanderung, befinden wir uns an dem Einflusse der Mangfall in den Inn. Wir überschreiten die Mangfall und gelangen noch in dem Rosenheimer Moos an die Abzweigung der nach Kufstein führenden Straße (siehe oben). Bey dem Schlosse Pullach setzen wir wieder auf das nördliche linke Ufer über. Hier steht das Denkmal des Abschieds des Königs Otto von Griechenland von seiner Mutter. Hierauf erreichen wir den Markt Aibling, 13 Säulen oder Poststunden von München, an dem Einfluß der von Norden kommenden Glon in die Mangfall, Poststation für von München nach Kufstein Reisende, welche Rosenheim nicht berühren; 200 H., 1280 E. 1 Kirche und 2 Kapellen, ein Schloß auf der Höhe. Öfters wurden hier Hof- und Landtage von den Karolingern gehalten, einer der letzten 855 von Ludwig dem Deutschen. Schöne Aussicht vom Schlosse auf die Alpen. Immer der Mangfall nordwestlich entgegen reisend, kommen wir über Feldkirchen, wo sich die Salzstraße südwestlich nach Tölz abzweigt, nach dem Schlosse Altenburg, welches wir links liegen lassen. Es liegt gerade an der Ecke, wo die Mangfall aus ihrer bisherigen nördlichen Richtung nach Südosten in spitzigem Winkel umspringt. Ihr Thal gleicht bis hierher eher einer Furche, ähnlich dem Isarthal, doch mit dem Unterschied, daß die beyderseitigen Wände mit schönen Rasen überkleidet sind, weil der stürmische Lauf des Flusses durch einen Seespiegel gebrochen ist. Von hier an in ihrem südöstlichen Laufe tritt die Mangfall aus ihrem Kerker heraus ins Freye.

Kurz vor Altenburg mündet von Süden her die Leitzach, deren Thal wir jetzt auf einige Zeit zur Führerin nehmen, ehe wir auf der Straße weiter ziehen.

Außerhalb des Gebirges noch ist das Merkwürdigste der Irschenberg, welcher die östliche Thalwand der Leitzach bildet. Er ist zugleich eine große Pfarrgemeinde mit 1600 Seelen und 8 Kirchen. Unter diesen zeichnen sich die zu Wilpating und Alp durch Alter aus; ihre Stifter waren Marin und Diakon Anian in der Mitte des 7. Jahrhunderts, die ersten Glaubensprediger der Gegend, die sie zugleich entwilderten und anbauten. Zum Dank setzte ihnen die Gemeinde Wilpating ein Denkmal in ihrer Kirche, unter welchem die Überreste jener Männer ruhen. Über Frauenried kommen wir nach Parsberg. Hier beginnen die höheren Vorberge und bringen Abwechselung in die Landschaft; der nächste Ort ist Ellbach mit 14 H.; die alte Kapelle in dem Pfarrhause soll die Kirche zweyer Einsiedler, Otto's und Alberts, 1077 gewesen seyn; diese stifteten nachher das Benedictinerkloster zu Bayrisch-Zell. Von hier aus erfreuen uns schöne Waldgruppen, besonders ehrwürdige Ahorne, welche den Weg bisweilen alleenartig begleiten; niedliche Alpenhäuschen, weiß übertüncht, mit grünen Gallerien, Giebelverzierungen und Fensterladen. Links über den grünen Baumgipfeln taucht die Masse des Breitensteins (5585 F.) auf, der seinen höheren östlichen Nachbar, den Wendelstein, verdeckt; im Hintergrund erheben sich, von Duft noch umhüllt, der Brecherspitz, Hagenberg und Rüsing (6384 F.). So kommen wir nach Fischbachau, einem Dorfe von 13 H., ebenfalls durch Alter merkwürdig. Das vorhin erwähnte Benedictinerkloster zu Bayrisch-Zell wurde 7 Jahre nach seiner Stiftung, 1087, von Hazage oder Haziga, der Wittwe Otto's I., Grafen von Scheyern, hierher verlegt. Im Jahre 1100 wurde dasselbe zur Abtey erhoben; doch wegen zu beschränkten Raumes wurde die Abtey auf den Petersberg bey Eisenhofen an der Glon und dann 1119 nach Scheyern selbst verlegt. Otto II. und seine Mutter Haziga wurden hier begraben, aber später auch nach Scheyern übergesetzt. Mehrmalige Versuche auf Eisen zu bauen (1446, 1757) mißlangen. Kurz ehe man Fischbachau erreicht, kömmt man an den einzelnen Gasthof Meyerbach, hier gewöhnlich Marbach genannt, der den Reisenden sowohl durch gute Bedienung, wie durch seine alterthümlichen Merkwürdigkeiten zu sich einladet; denn das Haus war einst ein Edelsitz; daher noch eine mittelalterliche Rüstkammer, sowie die Bildnisse der früheren Besitzer und künstliche Schnitzwerke.

Ein sehr belohnender Ausflug führt den Bergsteiger auf den 6302 Fuß sich erhebenden Wendelstein, das stolze Haupt fast aller umliegenden Berge, und sich schon vor München auszeichnend durch seine kühne Form. Er liegt zwischen der Leitzach bey Fischbachau im Westen, der Leitzach bey Bayrisch-Zell im Süden, dem Inn im Osten und dem Vorlande im Norden.

Von Fischbachau herauf geht man über den Birkenstein, ein äußerst romantisches Örtchen, über welchem auf einem Felsen eine niedliche Kirche thront, die Lorettokirche, mit einer Einsiedeley, jetzt von einem Schulmeister bewohnt. Die Orgelbälge der Kirche werden vom Wasser getrieben.

Von Birkenstein aus ersteigt man die erste Stufe des Wendelsteins, die Fischbachauer Alpen; dann geht es zur zweyten Stufe steiler hinan und rechts im Süden unter den Weißalpenwänden hin, der westlichen Fortsetzung des Wendelsteinrückens. So gelangt man in das Hochthal der Reindler Alpe (4648 Fuß hoch); auf einem Felsenpfade umgeht man den obersten Tobel des Jenbachs, welcher nördlich hinaus in die Tiefe bricht, zwischen dem Breitenstein im Westen und der Haidwand im Osten. Die Reindler Alpe bildet einen thalartigen Sattel zwischen dem Wendelstein im Süden und der Haidwand im Norden und dacht sich westwärts zum Jenbach, ostwärts zum Inn ab. Von Brannenburg am Inn steigt man auf bequemerem Wege auf dieser Abdachung herauf zur Reindler Alpe. Die Wände des Wendelsteins erheben sich von dieser Alpe sehr steil noch 1654 Fuß hoch. Man steigt nun gerade im Süden auf Felsengerölle mühsam empor; nach oben zu treten die festen Wände heraus, die man überklettern muß; in zwey Stunden von der Alpe erreicht man die mit einer Kapelle versehene Spitze, welche sehr wenig Raum übrig läßt, aber Schutz bey Stürmen gewährt. Die Aussicht ist sehr schön und großartig. Im Norden über die niedrigeren Voralpen in die weiten Flächen Bayerns, wo München und Freysingen noch sichtbar sind, sowie die Donauhöhen. Das Innthal, schon einmal durch eine Gebirgslücke innerhalb des Gebirgs sichtbar, bezeichnet sein silberner Strom weit in das flache Land hinaus und Rosenheim an ihm. In der Tiefe umkreist das Thal der Leizach im Süden und Westen mit seinen grünen Auen den Berg; deutlich erkennen wir in ihm Bayrisch-Zell. Im Süden erhebt sich die ganze Gebirgswelt, zuvörderst die grauen und fahlen Mauern der höhern Kalkalpen, überragt von den eisigen Zinnen der Urwelt.

Indem wir unsere Reise im Leizachthal aufwärts fortsetzen, lassen wir rechts den Rohnberg (4267 F.), der uns von dem Becken des Schliersees trennt. Bey dem Weiler Hammer theilt sich das Thal in zwey Äste; rechts gegen Westen zieht das Aurachthal hinan über Aurach und Neuhaus in das Becken des Schliersees, ohne jedoch mit dem See in Verbindung zu treten, vielmehr demselben alle Zuflüsse von den südlichen Bergwänden abschneidend; links in derselben Richtung gegen Osten zieht das obere Leizachthal hinan, eine einzige Thalfurche mit dem Aurachthale vom Schliersee bis Bayrisch-Zell bildend. Wir folgen zuerst der Aurach aufwärts.

Von dem Weiler Aurach theilt sich die Aurach aufwärts in zwey Aurachthäler; zunächst steigt ein solches südlich in den Hagenberg hinan bis zur Benzinger Alpe, das andere größere zieht sich westwärts fort nach Neuhaus, einem einzelnen Gasthause an der Ecke, wo man aus dem Becken des Schliersees in das Aurachthal umbiegt. Man sieht von hier durch die ganze Thalfurche hin, welche sich in das Aurachthal und Leizachthal theilt, bis Bayrisch-Zell; besonders schön zeigt sich der Wendelstein, hier als Pyramide. Von Süden kömmt hier eine zweyte Aurach herein, auch der Hächelbach genannt, aus dem Josephsthal. Dieses zieht, zwischen dem Brecherspitz im Westen, dem Hagenberg im Osten, südlich hinan zu einem niedrigen Sattel, auf dessen jenseitiger Abdachung der schon von uns im Thale der Brandenberger Ache besuchte Spitzingsee liegt. Das Thal hat seinen Namen von dem letzten Grafen von Hohenwaldeck, Johann Joseph von Maxelrain († 1734), welcher die Colonie Max-Josephsthal anlegte, die uns gleich, nachdem wir die erste düstere Enge passirt haben, überrascht. Sie liegt auf einer artigen Erweiterung des Thales. Da bald nach ihrer Stiftung ihr Gründer starb, ohne ihre Gründung näher festzusetzen, so waren die Ansiedler allen möglichen Verfolgungen, selbst Brandstiftungen und Processen ausgesetzt. Erst 1789 konnten sich die Ansiedler der Sicherheit und des Schutzes ihres Eigenthums erfreuen.

lingern gehalten, einer der letzten 865 von Ludwig dem Deutschen. Schöne Aussicht vom Schlosse auf die Alpen. Immer der Mangfall nordwestlich entgegen reisend, kommen wir über Feldkirchen, wo sich die Salzstraße südwestlich nach Tölz abzweigt, nach dem Schlosse Altenburg, welches wir links liegen lassen. Es liegt gerade an der Ecke, wo die Mangfall aus ihrer bisherigen nördlichen Richtung nach Südosten in spitzigem Winkel umspringt. Ihr Thal gleicht bis hierher eher einer Furche, ähnlich dem Isarthal, doch mit dem Unterschied, daß die beyderseitigen Wände mit schönen Rasen überkleidet sind, weil der stürmische Lauf des Flusses durch einen Seespiegel gebrochen ist. Von hier an in ihrem südöstlichen Laufe tritt die Mangfall aus ihrem Kerker heraus ins Freye.

Kurz vor Altenburg mündet von Süden her die Leitzach, deren Thal wir jetzt auf einige Zeit zur Führerin nehmen, ehe wir auf der Straße weiter ziehen.

Außerhalb des Gebirges noch ist das Merkwürdigste der Irschenberg, welcher die östliche Thalwand der Leitzach bildet. Er ist zugleich eine große Pfarrgemeinde mit 1600 Seelen und 8 Kirchen. Unter diesen zeichnen sich die zu Wilpating und Alp durch Alter aus; ihre Stifter waren Marin und Diakon Anian in der Mitte des 7. Jahrhunderts, die ersten Glaubensprediger der Gegend, die sie zugleich entwilderten und anbauten. Zum Dank setzte ihnen die Gemeinde Wilpating ein Denkmal in ihrer Kirche, unter welchem die Überreste jener Männer ruhen. Über Frauenried kommen wir nach Parsberg. Hier beginnen die höheren Vorberge und bringen Abwechselung in die Landschaft; der nächste Ort ist Ellbach mit 14 H.; die alte Kapelle in dem Pfarrhause soll die Kirche zweyer Einsiedler, Otto's und Alberts, 1077 gewesen seyn; diese stifteten nachher das Benedictinerkloster zu Bayrisch-Zell. Von hier aus erfreuen uns schöne Waldgruppen, besonders ehrwürdige Ahorne, welche den Weg bisweilen alleenartig begleiten; niedliche Alpenhäuschen, weiß übertüncht, mit grünen Gallerien, Giebelverzierungen und Fensterladen. Links über den grünen Baumgipfeln taucht die Masse des Breitensteins (5585 F.) auf, der seinen höheren östlichen Nachbar, den Wendelstein, verdeckt; im Hintergrund erheben sich, von Duft noch umhüllt, der Brecherspitz, Hagenberg und Müsing (6384 F.). So kommen wir nach Fischbachau, einem Dorfe von 13 H., ebenfalls durch Alter merkwürdig. Das vorhin erwähnte Benedictinerkloster zu Bayrisch-Zell wurde 7 Jahre nach seiner Stiftung, 1087, von Hazage oder Haziga, der Wittwe Otto's I., Grafen von Scheyern, hierher verlegt. Im Jahre 1100 wurde dasselbe zur Abtey erhoben; doch wegen zu beschränkten Raumes wurde die Abtey auf den Petersberg bey Eisenhofen an der Glon und dann 1119 nach Scheyern selbst verlegt. Otto II. und seine Mutter Haziga wurden hier begraben, aber später auch nach Scheyern übergesetzt. Mehrmalige Versuche auf Eisen zu bauen (1446, 1757) mißlangen. Kurz ehe man Fischbachau erreicht, kömmt man an den einzelnen Gasthof Meyerbach, hier gewöhnlich Marbach genannt, der den Reisenden sowohl durch gute Bedienung, wie durch seine alterthümlichen Merkwürdigkeiten zu sich einladet; denn das Haus war einst ein Edelsitz; daher noch eine mittelalterliche Rüstkammer, sowie die Bildnisse der früheren Besitzer und künstliche Schnitzwerke.

Ein sehr belohnender Ausflug führt den Bergsteiger auf den 6302 Fuß sich erhebenden Wendelstein, das stolze Haupt fast aller umliegenden Berge, und sich schon vor München auszeichnend durch seine kühne Form. Er liegt zwischen der Leitzach bey Fischbachau im Westen, der Leitzach bey Bayrisch-Zell im Süden, dem Inn im Osten und dem Vorlande im Norden.

Von Fischbachau herauf geht man über den Birkenstein, ein äußerst romantisches Örtchen, über welchem auf einem Felsen eine niedliche Kirche thront, die Lorettokirche, mit einer Einsiedeley, jetzt von einem Schulmeister bewohnt. Die Orgelbälge der Kirche werden vom Wasser getrieben.

Von Birkenstein aus ersteigt man die erste Stufe des Wendelsteins, die Fischbachauer Alpen; dann geht es zur zweyten Stufe steiler hinan und rechts im Süden unter den Weißalpenwänden hin, der westlichen Fortsetzung des Wendelsteinrückens. So gelangt man in das Hochthal der Reindler Alpe (4648 Fuß hoch); auf einem Felsenpfade umgeht man den obersten Tobel des Jenbachs, welcher nördlich hinaus in die Tiefe bricht, zwischen dem Breitenstein im Westen und der Haidwand im Osten. Die Reindler Alpe bildet einen thalartigen Sattel zwischen dem Wendelstein im Süden und der Haidwand im Norden und dacht sich westwärts zum Jenbach, ostwärts zum Inn ab. Von Brauneburg am Inn steigt man auf bequemerem Wege auf dieser Abdachung herauf zur Reindler Alpe. Die Wände des Wendelsteins erheben sich von dieser Alpe sehr steil noch 1654 Fuß hoch. Man steigt nun gerade im Süden auf Felsengerölle mühsam empor; nach oben zu treten die festen Wände heraus, die man überklettern muß; in zwey Stunden von der Alpe erreicht man die mit einer Kapelle versehene Spitze, welche sehr wenig Raum übrig läßt, aber Schutz bey Stürmen gewährt. Die Aussicht ist sehr schön und großartig. Im Norden über die niedrigeren Voralpen in die weiten Flächen Bayerns, wo München und Freysingen noch sichtbar sind, sowie die Donauhöhen. Das Innthal, schon einmal durch eine Gebirgslücke innerhalb des Gebirgs sichtbar, bezeichnet sein silberner Strom weit in das flache Land hinaus und Rosenheim an ihm. In der Tiefe umkreist das Thal der Leitzach im Süden und Westen mit seinen grünen Auen den Berg; deutlich erkennen wir in ihm Bayrisch-Zell. Im Süden erhebt sich die ganze Gebirgswelt, zuvörderst die grauen und fahlen Mauern der höhern Kalkalpen, überragt von den eisigen Zinnen der Urwelt.

Indem wir unsere Reise im Leitzachthal aufwärts fortsetzen, lassen wir rechts den Rohnberg (4267 F.), der uns von dem Becken des Schliersees trennt. Bey dem Weiler Hammer theilt sich das Thal in zwey Äste; rechts gegen Westen zieht das Aurachthal hinan über Aurach und Neuhaus in das Becken des Schliersees, ohne jedoch mit dem See in Verbindung zu treten, vielmehr demselben alle Zuflüsse von den südlichen Bergwänden abschneidend; links in derselben Richtung gegen Osten zieht das obere Leitzachthal hinan, eine einzige Thalfurche mit dem Aurachthale vom Schliersee bis Bayrisch-Zell bildend. Wir folgen zuerst der Aurach aufwärts.

Von dem Weiler Aurach theilt sich die Aurach aufwärts in zwey Aurachthäler; zunächst steigt ein solches südlich in den Hagenberg hinan bis zur Benzinger Alpe, das andere größere zieht sich westwärts fort nach Neuhaus, einem einzelnen Gasthause an der Ecke, wo man aus dem Becken des Schliersees in das Aurachthal umbiegt. Man sieht von hier durch die ganze Thalfurche hin, welche sich in das Aurachthal und Leitzachthal theilt, bis Bayrisch-Zell; besonders schön zeigt sich der Wendelstein, hier als Pyramide. Von Süden kömmt hier eine zweyte Aurach herein, auch der Hächelbach genannt, aus dem Josephsthal. Dieses zieht, zwischen dem Brecherspitz im Westen, dem Hagenberg im Osten, südlich hinan zu einem niedrigen Sattel, auf dessen jenseitiger Abdachung der schon von uns im Thale der Brandenberger Ache besuchte Spitzingsee liegt. Das Thal hat seinen Namen von dem letzten Grafen von Hohenwaldeck, Johann Joseph von Maxlrain († 1734), welcher die Colonie Max-Josephsthal anlegte, die uns gleich, nachdem wir die erste düstere Enge passirt haben, überrascht. Sie liegt auf einer artigen Erweiterung des Thales. Da bald nach ihrer Stiftung ihr Gründer starb, ohne ihre Gründung näher festzusetzen, so waren die Ansiedler allen möglichen Verfolgungen, selbst Brandstiftungen und Processen ausgesetzt. Erst 1789 konnten sich die Ansiedler der Sicherheit und des Schutzes ihres Eigenthums erfreuen.

Eine abermalige Verengung des Thales belebt eine Papiermühle und nicht weit davon eine Schneidemühle. Über letzterer bildet der Bach einige schöne Wasserfälle. An ihnen aufwärts steigend gelangt man auf die Stocker Alpe, einen Sattel, welcher den Hintergrund des Thales schließt und die Wasserscheide gegen die Brandenberger Ache bildet. Durch das Josephsthal führt ein Weg über diese Alpe zum Spitzingsee und von da an der Rothen Falep hinab zur Erzherzog-Johannklause, in deren Nähe die Weiße Falep mündet, wo die ehemalige Kaiserklause stand. 3½ Stunden von Neuhaus (das übrige siehe oben: Brandenberger Ache).

Von der Stocker Alpe läßt sich noch der Hagenberg, dessen höchste Höhe der Jägerkamp (5973 F.) ist, besteigen. Er bildet einen Bergkranz, welchen die vorhin genannte Benzinger Alpe umschließt.

Noch ehe man die Stocker Alpe erreicht, führt der Weg links ab, ziemlich steil zur Kleinen Jägeralpe hinan, wo man rasten und sich dabey an der schon herrlichen Aussicht laben kann. Nach 1½ Stunden abermaligen Steigens in vielen Windungen erreicht man die Jägerbauer Alpe, auf welcher sich der felsige Jägerkamp erhebt. Überblick der ganzen südlichen Bergwelt gegen das Innthal und über dasselbe hinüber in das eisige Urgebirge, auf den Schliersee, das Aurach- und Leitzachthal.

Nach diesem Ausfluge kehren wir in das Aurachthal bey Neuhaus zurück. Hier entsteht nämlich eigentlich das Aurachthal durch den Zusammenfluß des Hächelbachs, und der von Westen herkommenden Bäche Angelbach und Dürrenbach. Der Angelbach enteilt dem Schoose des Brechenspitzes. Dieser Berg bildet unstreitig die malerischste Form des Schlierseebeckens gerade im Süden desselben, er ist die Hauptzierde des Seebildes. Auf der Höhe machen seine Gipfelmauern ein Amphitheater, auf dessen Boden die Angelalpe liegt, von wo der Gipfel auf mühsamem Pfade über scharfe Schneiden und undurchdringliches Krummholz von Schwindelfreyen erstiegen werden kann.

Die Aussicht von dem Gipfel soll sehr schön seyn, was sich denken läßt, da der Berg schon so weit im Gebirge liegt, daß das Flachland nicht unmittelbar unter ihm beginnt, und daß ein herrlicher Seespiegel, fast rings von hohen Bergen umgeben, in seiner Nähe unter ihm blinkt.

Noch weiter westlich strömt der Dürrenbach zwischen dem Brecherspitz und Hohen Miesing (nicht zu verwechseln mit dem Miesing im Süden des Leitzachthales) herab, ebenfalls in das Becken des Schliersees, aber nicht in seine Fluthen, sondern er fließt nicht weit von seinem südlichen Gestade vorüber nach Osten zur Leitzach. Durch das Dürrenbachthal, dessen oberer enger Theil der Angelgraben heißt, geht ein Pfad über die Kühzagelalpe in das jenseitige Rothachthal und nach Tegernsee.

Zum Hammer zurückgekehrt, wo wir mit der Aurach das Leitzachthal verließen, gehen wir in diesem aufwärts zu seinem Ursprunge.

Vom Hammer östlich wandernd, hat das Leitzachthal eine ziemliche Breite und ist wohlbevölkert. Die Straße führt zunächst nach Geitau, einem Dorfe und Hüttenwerke, welches jährlich 250 Centner Stabeisen liefert. Hierauf biegt die Straße rechts von der Leitzach ab, durch einen isolirten Hügel mitten im Thale dazu gezwungen, welchen die Straße südlich, die Leitzach nördlich umbiegt. Die Gegend im Süden dieses Hügels besteht in einer kleinen Ebene oder Aue, die sich in das Gebirge einbuchtet. Der Aubach kömmt hier von Süden aus dem Bergring, welcher mit dem Kleinen Miesing beginnt, und über den Eipelspitz, Rauhalpenkopf, Rothwand (6401 Fuß), den Soiensee zum Seeberg zieht, dessen westliche Zweige sich wieder an den Kleinen Miesing anschließen und nur durch den Aubach durchbrochen sind. In der Mitte dieses Felsenrings erhebt sich, wie in den Mondgebirgen, der Miesing (6384 Fuß). Sein Felsenhaupt schaut ernst ins Thal herein, wie sein nördlicher Nebenbuhler, der Wendelstein. Bey der Einöde Klarer tritt man wieder an die Leitzach, überschreitet dieselbe und kömmt dann nach 2½ Stunden von Fischbachau nach Zell, Inner-Zell, Margarethen-Zell, am gewöhnlichsten Bayrisch-Zell genannt. Das Thal der Leitzach scheint hier zu enden und ist wenigstens, in seiner bisherigen östlichen Richtung, durch den Zeller Rain völlig verschlossen. Allein es wendet sich nur nach Süden, wird aber ganz eng und zieht zu den Stocker Seen einsam hinan, deren oberster als der Ursprung der Leitzach anzusehen ist. Unterhalb des letztern Sees verschwindet sie, nach Art vieler Kalkalpenbäche, plötzlich in dem Gerölle ihres Bettes und bricht erst oberhalb Zells wieder aus demselben hervor. Durch dieses Thal führt ein Weg in das Landl, dem oberen Theil des Thierseer Thales (siehe oben Thiersee). Wenn auch einsam und jene Seen durch waldige Ufer düster umschattet werden, so ist der Weg dennoch unterhaltend, besonders zuletzt, wo man aus den Engen heraustritt über dem Landl, in der Tiefe das Thierseer Thal, gegen Osten jenseits des Inns verklärt durch die Felsenriesen des Kaisers.

Bayrisch-Zell hat nur 10 H., ein Wirthshaus und 94 E. Die Margarethenkirche, wie überhaupt die ganze Ansiedelung, verdankt ihren Ursprung den schon genannten Otto und Adalbrecht von Ellbach, wo auch schon das fernere Schicksal der Stiftung erwähnt wurde. Der Ort hieß ursprünglich Helingersweng und erhielt erst durch die Klosterzellen seinen Namen.

Die Lage von Zell ist schön; der Hauptreiz ist der Wendelstein und die Matten seines Fußgestelles, gruppenweis mit Wäldern beschattet, durchstürzt von Wasserfällen. Im Süden gewährt der Seeberg eine herrliche Aussicht durch seine freye Lage.

Wir verließen das Mangfallthal an seinem Nordcap bey Altenburg. Unweit von dort trifft von Norden her die Münchner Straße bey Solach ein. Die Straße dahin führt über Karolinenfeld, einer Colonie in dem Hofoldinger Forste, aus 15 Häusern bestehend, welche links in einer Reihe längs der Straße eine Stunde weit hin liegen, mit einem Gasthofe am Anfang, wo die Tölzer Salzstraße unsere Straße durchkreuzt. Bald darauf durchsetzt die schon mehrmals erwähnte Römerstraße den Weg. Über Fristenhaar, 5½ Stunden von München, nach Höhen- oder Hechenkirchen, wo sich südöstlich die Straße von München nach Aibling, Rosenheim und Kufstein oder Salzburg abzweigt, über Perlach, einem großen Dorfe, kommen wir nach München.

Von Höhenkirchen kehren wir auf der Rosenheimer Straße zurück an die Mangfall. Während auf erster Straße Faistenhaar der erste Ort ist, so begegnet uns hier zunächst Dürrenhaar. In 7 Stunden erreicht man über Aing das Kirchdorf Peiß, Poststation von München. Jenseits der siebenten Stundensäule durchschneiden wir die Römerstraße abermals. In dem nicht weit, links von der Straße entfernten Kleinhelfendorf erlitt der Bayrische Apostel Emmeran seinen Martyrtod; viele Römische Alterthümer, als Urnen, Marmorsärge, Münzen, Schanzen; es war wahrscheinlich die Station Isunisca. Im Mittelalter war es königliches Hofgut. Die vielen abgerundeten Hügel der Umgegend sind indessen eher Spuren eines ehemaligen Seebeckens, als der Römer. Von hier aus wenden wir uns von der Hauptstraße ab wieder nach Solach, um der Straße von München nach Miesbach zu folgen, die uns ganz unserem Plane gemäß zuerst an der Mangfall und dann in dem nächsten östlich abzweigenden Seitenthale der Schlierach hinanführt. Kurz vor Solach übersetzt die Straße auf einer schönen Brücke die sogenannte Teufelsgrube, wahrscheinlich ein trockengelegtes Thal, das aber wegen seines Wassermangels dem Teufel zugeschrieben wird. Wir werden es nochmals überschreiten. Von Solach durchzieht die Straße das Kirchdorf Unterdarching. Bald darauf steigt sie in das tiefe Mangfallthal hinab, übersetzt dieselbe auf einer schönen bedeckten Brücke, erklimmt aber sogleich die jenseitige rechte Thalhöhe wieder und erreicht daselbst das Dorf Weyarn, ehemals Chorstift, mit 49 H. und einem Gasthofe. Von Norden herkommend, entfaltet die Gegend immer mehr Reize in ihrem Gehügel, ihren Fluren, Wald- und Häusergruppen, im Hintergrunde überragt von duftigen, zackigen Bergmassen.

Bey dem Dorfe Pienzenau verlassen wir das Thal der Mangfall, indem die Straße an der hier in die Mangfall gehenden Schlierach hinaufführt über Miesbach zum Schliersee, wohin auch wir jetzt zuerst gehen.

Miesbach ein schöner und reizend gelegener Markt, mit 166 H. und 1160 E., ladet uns zuerst zu einem etwas längeren Aufenthalte ein. Es befinden sich hier ein königliches Schloß, ein Pfarrhof, ein großes Brauhaus, eine Post, zugleich Gasthof, ein Speisewirth und fünf andere Gasthäuser. Wegen der Straßen, die sich hier durchkreuzen und der vielen Gäste aus der Hauptstadt, die sich hier und in der Umgegend aufhalten, ist der Ort sehr belebt. Fast jede Höhe gewährt die schönsten Aussichten, bald ins Flachland, bald in die Berge. In der Pfarrkirche ein schönes Gemälde aus Rubens Schule (Kreuzabnahme), Christus am Kreuze von dem Bildhauer Roman Boos; die Märelrainische Gruft. Schöne Aussichtspunkte sind: der Harzberg, der Stadelberg, Ausblick ins flache Land. Der interessanteste Punkt das Schloß Wallenburg jenseits der Schlierach. Wolf von Märelrain, Besitzer dieses Schlosses, nahm, wie sein Sohn Wolf Dietrich, die Reformation an; ihrem Beyspiele folgte das Volk. Die Herzoge Albert V. und Wilhelm V. suchten dieselbe wieder auszurotten, weßhalb viele Auswanderungen statt fanden. Das Schloß enthält jetzt eine Kapelle und ein Brauhaus; der letzte Besitzer, Freyherr von Gumppenberg (1820), ließ den schönen Hauptstock wieder herstellen. Schöne Aussicht hinab auf Miesbach, nach dem Wendelstein, nördlich in dem Schlierthal hinab. Ein herrlicher Platz ist unter den Linden. Im Innern noch die Bildnisse der früheren gräflichen Besitzer.

Bey Miesbach Steinkohlengruben im Birkengraben, darüber ein blauer Thon mit reichen Resten versteinerter Conchylien. Das Spital verdankt der Markt jenen beyden Grafen, welche die Reformation einführten.

In einer Stunde von hier kommen wir an der Schlierach aufwärts nach Agatharied, in dem Winkel gelegen, welcher durch den von der Gindelalp herabkommenden und hier sich in die Schlierach ergießenden Fendbach gebildet wird. Äußerst malerisch liegt die im Deutschen Style erbaute Kirche mit ihrem Spitzthurme auf der Höhe jener Ecke und beherrscht die Umgegend. Auch das Innere der Kirche ist sehenswerth mit ihren Spitzbögen und den drey dem ganzen Style entsprechenden Altären. Die Kirche soll von Georg dem Jüngeren von Waldeck, der in Türkische Gefangenschaft gerathen war (1401 — 1456) und gelobt hatte, wenn er frey würde, drey Kirchen zu bauen, gestiftet, und nach seiner Gattin genannt seyn. Die anderen Kirchen sind zu Frauenried, der heiligen Jungfrau zu Ehren, und Georgenried bey Tegernsee nach ihm selbst benannt. An der Brücke, wo das Wirthshaus liegt, theilt sich die Straße; rechts führt sie nach Gmunden und Tegernsee in 3¼ Stunden; gerade nach Süden zum Schliersee. Der ganze Weg von hier nach dem Schliersee gleicht einem Garten, voll der lieblichsten und erhabensten Scenen. Ahornbäume umschatten auch hier, wie überhaupt oft in den Kalkalpen, mit ihrem lieblichen Grün den Weg.

Auf einer Höhe angekommen, wird man überrascht durch eins der schönsten und lieblichsten Bilder der Bayrischen Alpenwelt, durch den Anblick des Schliersees. Nur wer einmal einen grünblauen Seespiegel zwischen hohe, blauduftige Bergmassen ausgegossen sah, kann sich einen Begriff machen von solchen Scenen, die gewiß mit zu den nachhaltigsten Erinnerungen gehören. Es gibt viel größere und großartigere Seen in unseren Alpen, allein kaum möchte an Lieblichkeit einer den Schliersee übertreffen. Der See bildet ein von Süden nach Norden gerichtetes Eirund von ¾ Stunden Länge, ⅜ St. Breite, und 1¾ Stunden Umfang; größte Tiefe 168 F. Von drey Seiten umgeben ihn Berge von 3—6000 F. Höhe; im Osten der Schlier- und Rohnberg (4267 F.) mit einem 3156 Fuß hohen Felsenvorsprung, auf welchem die Trümmer von Hohenwaldeck liegen. Gegen Süden stehen die Gebirge etwas weiter ab, so daß, wie oben erwähnt, ihre Gewässer, der Hächelbach, Angelbach und Dürrenbach, nicht zum See, sondern zur Aurach und durch ein östliches Seitenthor aus dem Seebecken zur Leitzach abfließen. Jene Gegend, vom Fuße der Gebirge bis zum See, die fast ganz eben ist, heißt die Fischhauser Au; nur eine Viertelstunde vom südlichen Ufer des Sees erheben sich jene Berge und bilden den schönen und erhabenen Hintergrund der Landschaft: östlich der Hagenberg mit dem Jägerkamp; westlich, durch das Josephsthal geschieden, der malerische Brecherspitz, beyde schon von uns bestiegen. Die westliche Wand des Sees ist der östliche Abfall der Gebirgsmasse, welche zwischen dem Schlier- und Tegernsee und dem südlichen Rothachthal sich am höchsten in der Gindelalpe, 4552 Fuß, erhebt. Um sie schaaren sich noch der Hochmiesing (4532 F.) und die Kreuzalpe. Das Joch, wodurch sie mit dem Brecherspitz zusammenhängt, ist die Kühzagelalpe (3935 F. hoch). Gegen Norden öffnet sich der Thalkessel und dorthin hat der See durch die Schlierach seinen Abfluß. Dort liegt auch anmuthig das Dorf Schliers, oder Schliersee mit 71 H. und seiner stattlichen Kirche mit hohem Spitzthurme; auf einem Hügel dabey die Weinbergkapelle. Fast in der Mitte des Sees spiegelt sich eine kleine Insel in seinen Fluthen, welche Saiblinge, Forellen, Grundföhren, Karpfen und Renken ernähren. Der Name Schliersee wird von dem Silurus (Wels) abgeleitet, eine Fischart, welche früher besonders zur Zeit der Römer hier häufig vorgekommen seyn soll, weshalb der See von ihnen Lacus Silurnus genannt worden und woraus später Silurn-, Slur-, Schlür-, Schliersee entstanden wäre.

Wir kehren in dem trefflichen Gasthause (1828 bey der dort bekannten Fischerliesl) ein, wo man immer zahlreiche Gesellschaft trifft, da der Schliersee eine der Hauptsommerfrischen der Hauptstadt ist. Viele Fremde haben sich in den dazu eingerichteten äußerst lieblichen Bauernhäusern eingemiethet; da sie aber meistens im Gasthause essen, so findet man immer eine zahlreiche und auch wohlbesetzte Wirthstafel, deren Hauptbestandtheile Fische und Wild verschiedener Art sind. Nach verschiedenen Seiten hin locken den Reisenden die reizendsten Parthien zu näheren und weiteren Ausflügen.

Wir erklettern zuerst den 3156 F. hohen Felsen, welcher hoch oben am Rohnberg kühn hervortritt und die wenigen aber noch festen Überreste der Burg Hohenwaldeck trägt. Wir unternehmen diesen Ausflug zuerst, ehe wir uns in der nächsten Gegend umsehen, weil die Geschichte dieser Burg die meisten geschichtlichen Denkmale der Umgegend erklärt. Aventin nennt schon die Burg ein uralt heidnisches Gemäuer, Lori zählt sie zu den Römischen Anlagen. Im 10. Jahrhunderte tauchen Waldecker schon als ein altes Bayrisches Rittergeschlecht auf; 942 erschien Sigmund von Waldeck auf einem Turnier zu Rothenburg. Die Waldecker, Georg und sein Sohn Wilhelm, erhielten für ein Darlehn von 4300 Gulden an die Herzoge Stephan, Johann und Friedrich die Burg und das Landgericht Aibling verpfändet. Bis zum Jahre 1476 standen sie unter Bayrischer Hoheit, jetzt wurden sie Reichsvasallen. 1483 starb mit Wolfgang von Waldeck das Geschlecht aus. Durch Heirath der letzten weiblichen Nachfolger kamen die Besitzungen an das Geschlecht der Märelrainer; Karl V. verlieh Wolfgang von Märelrain 1544

Schild und Wappen der Waldecker und erhob ihn 1548 in den Freyherrnstand. Von der Burg Hohenwaldeck ging, wie schon oben erwähnt, die Reformation in dieser Gegend aus. 1734 fiel mit dem Tode des letzten Märelrainers, Joh. Joseph, die Grafschaft, zu der es Ferdinand II. erhoben hatte, an Bayern.

Da die Burg hoch oben gleich einem Adlernest horstet, so ziehen nicht nur geschichtliche Erinnerungen zu ihr hinan, sondern auch eine herrliche Aussicht auf die ganze Umgegend und tief hinab auf den Spiegel des Sees.

Jetzt erst besuchen wir die uns zunächst liegenden Gegenstände. Die Kirche in Schliers ist 1714 neu hergestellt, enthält das Grabdenkmal der Waldecker, das in der sogenannten Waldecker Kapelle aufgestellt ist; sie waren die Stifter des alten Gotteshauses und eines Chorherrnstiftes zu Westenhofen, nur durch die Schlierach von Schliers geschieden. Letzter Ort war daher lange die Mutterkirche von Schliers, bis dieses Vorrecht später auf Schliers überging, indem unter Albert IV. das Stift 1495 nach München verlegt wurde. — Noch mehr ladet schon durch ihre Lage die Kirche auf dem dicht über den Ort sich erhebenden Hügel, dem Weinberge, ein. Auf dem Choraltare steht das Standbild Georgs von Waldeck, des Heiligen, den wir oben (Agatharied) kennen lernten; neben ihm die Standarte und das Schild Wilhelms von Märelrains, des ersten Grafen von Hohenwaldeck, mit der Jahrzahl 1685. Außerdem noch andere Denksteine der Märelrainer. Die Kirche hat wahrscheinlich Georg von Waldeck der Ältere (Vater Georgs des Jüngeren) erbaut; demnach fällt die Erbauung zwischen 1368—1387. Aus der Halle der Kirche heraustretend, überrascht uns die herrliche, sonnige Aussicht über den See und seine Umgebungen. Die anderen weiteren Ausflüge sind schon beschrieben, nämlich das Aurach- und Leitzachthal und deren Umgebungen. Westlich führen uns drey Wege nach Tegernsee, den obenbemerkten über die Kühzagelalpe, den wir schon kennen, ungerechnet. Die Vicinalstraße führt uns zuerst wieder nach Agatharied zurück, dann links durch das Gehügel, welches den Abfall der Gindelalpe ins Flachland vor sich her schiebt, über die Weiler und Höfe Ziegelhütte, Föhn, Hölzel, Unter- und Oberschuß, Ostin und Osterberg nach Gmunden an der Mangfall, wohin uns bald unser Hauptweg führen wird. Doch der rüstige Bergsteiger wird gewiß den um fast 2 Stunden kürzeren Weg über die Kreuzalpe vorziehen. Er ist für einen Alpensteig sehr bequem und niedrig, beträgt im Ganzen nur 3 Stunden bis Tegernsee, der Fahrweg aber 4½ Stunden bis dahin. Doch die Hauptsache sind die herrlichen Blicke im Hinaufsteigen auf das Thalbecken des Schliersees, seinen Spiegel und seine ganzen Umgebungen, und jenseits hinab auf den Tegernsee und dessen Gebirge. In dem Orte Tegernsee selbst kömmt man herab. Ein anderer Gebirgsweg ist etwas weiter und höher, aber interessanter, der Weg über die Gindelalpe (4552 F.). Diese ist das Oberhaupt einer Bergkette, welche quer von Tegernsee nach dem Schliersee herüberzieht von Westen nach Osten; durch den Sattel des Kreuzbergs und der Kreuzalpe hängt sie mit dem südlichen Gebirge zusammen. Die Kette erhebt sich von der Schlierach bey Schliers mit dem Wärenstein und Rokkenberg und schwingt sich über den Rainerberg zur Gindelalpe in die Höhe, von der sie wieder über den Neureut sich zum Tegernsee herabläßt. Der beste Weg führt immer auf diesem Rücken hinan, und wie alle solche Wege, welche auf Gebirgsrükken oder Schneiden hinführen, interessant sind, so auch dieser. In den Hütten der Gindelalpe ruht man aus und genießt dann von dem Gipfel der Alpe die schöne Aussicht, die hier nicht nur auf die beyden Seebecken sich erstreckt, sondern auch auf das ganze Flachland, welches letztere auf dem Kreuzberge größtentheils durch die Gindelalpe verdeckt wird.

Wir kehren über Miesbach an die Mangfall zurück zu dem Punkte, wo wir sie, der Schlierach aufwärts folgend, verließen. Über Göhring und Festenbach kommen wir nach Gmunden, ein Name, der seine Lage an der Ausmündung eines Flusses aus einem See anzeigt; ein Pfarrdorf von 26 H. (nach Obernberg 33) und 185 E.; schöne Pfarrkirche mit zwey Gemälden von Asam; Metallfabriken; gutes Gasthaus.

Ehe wir uns weiter umsehen, reisen wir auch auf der Straße von München hierher. So langweilig die Reise von Gmund oder Tegernsee nach München ist, so unterhaltend ist die Herreise von München, besonders die letzte Hälfte, wo sich die Reize und Scenen des Gebirgs immer mehr vor den Augen entfalten.

Reise von München nach Gmund am Tegernsee.

An einem heiteren Morgen die Hauptstadt verlassend, blickt der Reisende mit Sehnsucht, wenn er über die Isarbrücke kömmt, rechts über die blaugrünen, daherstürmenden Fluthen der Isar hin; über der weiten von Wald begrenzten Fläche baut sich die Alpenkette in den zartesten Umrissen auf. Durch die Vorstadt Au steigt die Straße hinan auf die Isarhöhe und deren Hochebene. Der erste Ort ist Obergiesing, ein Dorf von 144 H. und 1886 E. Runkelrübenzuckerfabrik. Bald darauf erreicht die Straße die große Forstzone, welche die Hauptstadt im Süden umkreist. Kurz vor der 5. Stundensäule überschreitet man die Römerstraße (von Salzburg nach Augsburg). Der Forst zerstückelt sich nun und man kömmt über die Dörfer Sauerlach (Postumlage, 66 H., 236 E.) an die schon genannte Teufelsgrube, ein wahrscheinlich trockengelegtes Flußbett. Kurz vor der 9. Stundensäule liegt der schöne Markt Holzkirchen auf bedeutender Hochebene; 95 H., 548 E., 5 Gasthäuser und 4 Brauhäuser; schon 906 bekannt. Außer der Münchner-Tegernseer Straße durchzieht den Markt auch von Osten nach Westen die Salzstraße. Durch einen Brand hat die Kirche den Thurm verloren. Das besuchteste Gasthaus ist die Post, indem hier Poststation zwischen München und Tegernsee ist. Nicht wenig wird der Reisende überrascht, wenn er hinter der Post ins Freye tritt, durch eine herrliche Aussicht; denn er steht hier abermals auf dem Nordrande jener großen Niederung, die einst ein See bedeckte bis zum Fuße der Alpen. Auf dem Hirschberg vor Weilheim und bey Wolfratshausen standen wir schon auf demselben Rande; hier ist er nur niedriger und gegen die Alpen verflachter. Die Gebirge, die auf dem bisherigen Wege nur über den Wipfeln der Bäume und über Feldrücken vorübergaukelten, stehen plötzlich eingewurzelt mit ihrem Fuß in der Ebene vor uns; der schon hier bewanderte Reisende erkennt jetzt deutlich die Pforten, denen die Ströme des Gebirgs entfluthen, er erkennt die Gipfel, welche die Seen umstehen. Auch hier dieselbe Gruppirung der weiten Niederung mit ihren Wäldern, Häusern und Kirchen; die fernen Horizontallinien überzieht ein horizontaler bläulicher Duft, aus dem die gewaltigen blauen Massen der Alpen sich aufthürmen. Die Straße selbst führt über die Weiler Marschall und Locham, durch das Dorf Warngau, mit 58 H. und 308 E., einem sehr alten Orte; bey der an der Straße allein gelegenen Allerheiligenkirche vorüber gelangt man über Reitham und Dürnbach nach Gmunden.

Der Tegernsee.

Ehe wir noch die Höhe nach Gmunden hinabgehen, erblicken wir den großen sich südlich in das Gebirge ziehenden Spiegel des Tegernsees, von allen Seiten von Gebirgen umfaßt; ein herrliches, reizendes Bild, in welchem Anmuth und Ernst wechseln. Rechts flachere Höhen, oben bewaldet, unten umsäumt mit Häusergruppen auf dem flacheren Gestade; links steilere Gebirge, die unmittelbar in die Fluthen abfallen; den Hintergrund umkränzen schöngeformte Bergmassen, unter denen sich der einer abgestumpften Pyramide gleichende Wallberg auszeichnet.

Dieser See ist der Wassersammler der Mangfall; von allen Seiten fließen und stürzen Bäche in ihn. Der Hauptzufluß am südlichen oberen Ende des Sees, als dessen Fortsetzung die Mangfall angesehen werden kann, ist die Weißach, deren Thal oberhalb Glashütte am Achenseer Thalgebiete beginnt. Es wird oft von Reisenden besucht, da das Bad Kreuth in und an ihm liegt und die Achenthaler Poststraße von München nach Innsbruck durch dasselbe führt. Der zweyte Hauptbach, die Rothach, mündet im südöstlichen Winkel in den See. Der Sollbach und Breitenbach kommen von dem westlichen Scheiderücken der Isar, dessen Haupt der Kampen ist. Von dem Kreuzberge im Osten stürzt der Aalbach herab, und ergießt sich im Orte Tegernsee selbst in den See. Am südlichen Ende hat der See noch zwey Buchten, die südöstliche, in welche sich die Rothach ergießt, heißt der Obersee; die zweyte, südwestliche, in welche die Weißach fällt, der Ringsee; der übrige See heißt der Weitsee, im Gegensatz dieser Theile. Die Länge des Sees von dem Weißach-Einfluß bis Gmunden beträgt 1½ Stunde, die Breite ¼ Stunde, die größte Tiefe 300 Fuß, der Umfang 4¾ Stunden.

Nach diesem Überblick verfolgen wir die Straße von Gmunden weiter südlich, welche uns an dem östlichen Gestade hinführt. Äußerst reizend nehmen sich die jenseitigen westlichen Ufer aus mit ihren Ortschaften, darunter besonders Kaltenbrunn hervorleuchtet. Wir kommen an der kleinen, aber alten Kirche St. Quirin vorüber, welche im 8. Jahrhunderte diesen Namen erhielt, zur Erinnerung an den heiligen Quirin (Sohn Kaiser Philipps), dessen Leib von Rom hierher gebracht und bis zum Ausbau der Klosterkirche in Tegernsee hier beygesetzt wurde. Die St. Quirinquelle (Bergöhl) bricht aber jenseits des Sees hervor.

Nach 1¼ Stunden von Gmunden erreichen wir Tegernsee, an dem schönsten Punkte des Sees gelegen. Bis zum 8. Jahrhunderte bedeckten noch finstere Waldungen die Umgegend; zwey fürstliche Brüder, Adalbert und Ottokar, aus dem Stamme der Agilolfinger, ähnlich Albert und Otto zu Ellbach (siehe oben), stifteten hier 300 Jahre früher, 746, ein Benedictinerkloster; hierdurch wurden die Wälder gelichtet. Die Stiftung wurde durch den Herzog Utilo vermehrt (150 Mönche) und die Gebeine des heiligen Quirinus beygesetzt, daher der Name der Klostergeistlichkeit: Familie des heiligen Quirinus. Im 10. Jahrhunderte durch die Ungarn geplündert und zerstört, verschenkte Herzog Arnulph die Güter des Klosters an die tapfersten Ritter seines Heeres; es wurde jedoch 979 wieder hergestellt unter Kaiser Otto II. und zu einer Abtey erhoben. Im Jahre 1803 wurde es aufgehoben, 1817 vom König Maximilian Joseph angekauft, die Klosterkirche hergestellt, die andern Gebäude wurden als königliches Lustschloß erweitert und verschönert. Es war der gewöhnliche Sommeraufenthalt des Königs bis zu seinem Tode und dann Lieblingsaufenthalt der Königin Wittwe. Das Dorf zählt 53 Häuser, hat ein Landgericht, Salinenforstamt, Post, zwey Gasthäuser, das eine die Post, das andere gegenüber, unmittelbar am See, beym sogenannten Traiteur, wo man sehr gut und billig bedient wird, nur schade, daß wegen der Kleinheit des Hauses und der starken Einkehr nicht immer ein Unterkommen für die Nacht zu finden ist. Für längeren Aufenthalt kann man sich in Privatwohnungen einmiethen. Um das Schloß herum schöne Anlagen. Die ehemalige Kloster-, jetzt Pfarrkirche mit ihren Doppelthürmen enthält Gemälde von Karl Loth (Altar im Chor), Johann Degler, Jonas, Wolf, Zimmermann, Prugger, Damian Asam, Stukkaturarbeit von seinem Bruder Egid Asam. Das Schloß enthält eine zahlreiche Sammlung von Gemälden älterer und neuerer Meister, von antiken Vasen und ein Relief der Umgegend. Wir können Tegernsee als den besten Mittelpunkt ansehen, von dem besonders der länger hier Weilende seine Ausflüge nach verschiedenen Gegenden hin unternehmen kann.

Zunächst führt uns ein kleiner Spaziergang zum Schirm, auf einem lieblichen grünen Hügel am See, wo man eine äußerst schöne Aussicht auf den See, das gegenüberliegende Dorf Egern und nach dem sich darüber aufthürmenden Wallberg hat, auf dessen Matten man die Sennhütten wie braune Pünktchen gelagert sieht; südwestlich führt der Blick im Weißachthal hinan bis zum Planberg; das südöstlich herabkommende Rothachthal verschließt sich eher dem Blick. Höher an den Bergen ladet der Westerhof zu einem Besuche ein, wegen seiner schönen Aussicht über den ganzen See. Ein besonderes Vergnügen gewährt die Seefahrt an seinen südlichen und westlichen Gestaden; doch kann man auch den ganzen See auf wohlgebahnter Straße zu Wagen umkreisen.

Das längs seinem südlichen Gestade hin gelagerte Dorf ist Egern; in der schönen Kirche, deren Spitzthurm sich in dem See spiegelt, finden wir ein Gemälde der Sendlinger Bauernschlacht 1705, die wir schon in einem neuen herrlichen Frescogemälde an der Sendlinger Kirche kennen lernten; sie hat für diese Gegend Interesse, weil die Bewohner von Egern und Tegernsee thätigen Antheil nahmen und die meisten, deren Namen unter ihren Figuren angebracht sind, blieben.

Am westlichen Ufer liegen die Dörfer Abwinkel und Wießee am Söllbach, zwischen ihnen eine Anlage. Etwas nördlich davon liegt der Bauerhof Finner, bey welchem auf einer sumpfigen Wiese das sogenannte Quirinöhl hervorquillt, welches bey dem Glaser in Tegernsee, nebst einer Anweisung zu dessen Gebrauch, verkauft wird. Nach dem Medicinalrath Graf ist dieses Öhl eine wahre Bergnaphta und wirkt als durchdringendes Reizmittel [1]). Es fängt schon von weitem Feuer, so daß es schon mehrere Feuersbrünste verursacht hat; weßhalb eine sogenannte Quirinuskapelle darüber erbaut wurde.

Von dieser Quelle führt uns unser Weg in ¾ Stunden zu dem Hofe Kaltenbrunn, ebenfalls am See auf einer kleinen Höhe. Er ist seit 1821 königliches Eigenthum, eine Art Musterwirthschaft mit schönem Rindvieh, gewöhnlich 100 Stück, das den Sommer über auf den Alpen zubringt. Desgleichen besteht ein musterhafter Geflügelhof. Von hier aus hat man eine der schönsten Ansichten des Sees mit dem Schlosse.

Zwey Thalgebiete fordern uns zu größeren Ausflügen auf; gegen Südosten das Ge-

1) Die Quelle bricht aus einer Nagelflühe, welche auf Sandstein aufsitzt, hervor, hat eine grünbraune Farbe und durchdringenden erdharzigen Geruch. Gehalt nach Buchner: wahre ungefärbte Bergnaphta, wallrathähnliches Bergfett und rothbraunes Erdharz; jährlich [illegible] — [illegible] Maaß. Entdeckung 1450.

biet der Rothach und gegen Südwesten das Gebiet der Weißach. Wegen der Nähe eines königlichen Lustschlosses, wie auch eines Badeortes wird diese Gegend mehr von Fremden und Einheimischen bereist, als andere, und so sind auch hier schon fast alle Reize der Natur aufgedeckt, fast jeder Berg, jeder Wasserfall ist bekannt, daher erscheint dieses Gebiet reicher an Naturschönheiten, als andere gleich merkwürdige, aber unbesuchtere Gegenden.

Das Rothachthal. Der Tegernsee hatte, wie fast alle Seen, einst einen höheren Stand und einen weiteren Umfang, aber dennoch dieselbe Gestalt. Fast das ganze westliche Gestade war mit Wasser bedeckt; ebenso die südlich ihn begrenzende Fläche bis zu den Gebirgen; und die unteren weiten Öffnungen des Rothach- und Weißachthales bildeten zwey Buchten, denen noch jetzt die beyden obengenannten Seebuchten entsprechen. Auch hier war das Vordringen der Ufer gegen den See eine Folge theils des tieferen Einschneidens des allgemeinen Abzugscanals, der Mangfall, theils des aus den Thälern in den See geschwemmten Schuttes.

Von Tegernsee an dem Gestade des Sees südöstlich fortwandernd, kommen wir zunächst zum Schweighof, mit einer Schwefelquelle, welche am Abhange eines Hügels entspringt, durch Röhren bis zur Straße geleitet ist, und kann nach der jetzigen Einrichtung zum Trinken und Baden in Kreuth gebraucht werden. Nachdem man am südöstlichen Ende des Sees die Rothach kurz vor ihrer Einmündung überschritten hat, befindet man sich in dem Dorfe Rothach, das sich mit seinen 37 H. an Egern unmittelbar anreiht und mit demselben das ganze südliche Ufer fast bis zur Einmündung der Weißach umgibt. Eine Straße führt nun an der linken Seite der Rothach über Elman nach Hinterwahlberg am Eingang in den oberen und engeren Theil des Rothachthales. Jenseits des Baches, unfern des Pfades, welcher von Tegernsee über die Kühzaglalpe (siehe oben) nach dem Schliersee führt, stürzt links vom Duftenberg ein artiger Wasserfall bey dem Weiler Berg herab. Das Rothachthal biegt hier nach Süden um die Pfeiler des Wallbergs um; bey Enterrothach (enter = jenseits der Rothach) hört der Fahrweg auf, nachdem er wieder bey jenem Weiler über die Rothach gesetzt und noch eine Strecke aufwärts auf dem rechten Ufer hinangestiegen ist. Die Rothach hat sich hier rechts ein tiefes Felsenbett eingeschnitten und wirft sich in einem herrlichen Wasserfall, dem größten der Umgegend, in den Abgrund. Dieser Rothachfall ist auch das Hauptziel dieses Ausfluges. Ein Pfad führt rechts hinab zu bequemerer Ansicht des Schauspiels. Auch auf der anderen Seite stürzt ein Fall von der Bodenalpe, zwar wasserärmer, aber höher herab. Über der Bodenalpe erhebt sich der 5676 Fuß hohe Bodenspitz. Die Fortsetzung des Weges führt uns südlich weiter hinan an der Rothach. Bey der Einsattelung am Wechsel stehen wir auf der Wasserscheide, jenseits deren uns die Weiße Falep in das Gebiet der Brandenberger Ache und zu der Erzherzog Johanns-Klause bringt. Dieser Ausflug läßt sich erweitern zu einem Umzug, der den Schliersee in sich begreift, indem man von der Kaiserklause aus an der Rothen Falep hinan zum Spitzingsee und jenseits an dem Hächelbache hinab nach Neuhaus und zum Schliersee, und von hier über die Kreuzalpe oder Gindelalpe nach Tegernsee zurückkehrt, zwey gute Tagereisen. Endlich kann noch der Weg über die Kaiserklause hinab nach Rattenberg am Inn und von dort nach Belieben nach Innsbruck, oder ins Zillerthal und durchs Achenthal zurück über den Achensee und Kreuth, oder durchs Brixenthal nach Salzburg, oder über Kufstein, Thiersee, Bayrisch-Zell, Neuhaus und Schliersee erweitert und fortgesetzt werden.

Ein zweyter Ausflug führt uns in das größere und weitläuftigere Gebiet der Weißach, das wir zugleich als obere Fortsetzung des Hauptthales ansehen.

Von Tegernsee aus folgen wir entweder der Straße über Rothach oder wir lassen uns nach Egern übersetzen. Bey Rothach führt uns die erste Bergreise von der Straße ab. Schon von München aus bezeichnet der Wallberg (5952 F.) die Lage von Tegernsee, und hier an Ort und Stelle beschäftigt er den Blick fortwährend, so daß ein rüstiger Bergsteiger sich gewiß hinaussehnt auf die grünen Matten seines Gipfels, um von dort aus herabzuschauen in die Welt. Die Nähe eines bedeutenden Seespiegels in unmittelbarer Tiefe, von Bergen umschlossen, läßt schon vermuthen, daß nicht nur eine weitumfassende, sondern auch eine schöne Rundsicht die Mühe reichlich belohnt. Muthig folgt man daher einem Führer, den man mit Vorräthen aus Tegernsee bepackt hat; der Pfad bringt uns über die Häusergruppe Sunnemoos bald an den Fuß des Gebirges. Der Alpensteig zieht sich nun im Walde auf dem Rücken zwischen zwey Gießbächen hinan und erreicht nach zweystündigem Steigen die Alpe Hintermauer, fast im Rücken des Berges. Wer den Besuch dieses Berges mit dem Ausflug ins Rothachthal verbinden will, kann auf bequemerem Wege von dort oberhalb des Wasserfalles zu dieser Alpe heraufsteigen, und wird dann um so mehr von der herrlichen Aussicht überrascht, da ihn bis dahin dieselbe verborgen bleibt. Von Tegernsee aus gesehen hofft man oben eine Ebene zu finden, statt dessen steht man, wenn man mühsam von den Hütten aus den letzten Gipfel ersteigt, welcher wie eine alte Burg von einem Wallgraben umgeben ist, auf einer felsigen Schneide; desto überraschender ist der Tiefblick auf Tegernsee, die Bayrische Ebene über München hinaus, auf das Berggewimmel im Süden bis zu den starren Eiszinnen Tyrols.

Der Bergeslustige steigt über die Wallberger Alpe, die fast ein Dorf bildet, zum Setzberg und über die Setzbergalpe zum Rißkogl, von wo der Steig über die Ableithen- und Scheyrer Alpe in das Langenauer Thal herabführt und durch dieses zurück in das Weißachthal.

Auf der Straße kömmt man von Rothach über Kreutrain nach Bach, von wo rechts der Wegweiser zum Marmorbruch zeigt.

Der Marmorbruch oder Bach ist gerade die Hälfte Wegs zwischen Tegernsee und Kreuth. Er wurde entdeckt 1683 und sein Stoff nicht nur für das Kloster verwendet, sondern auch nach München und Wien versendet. Der Marmor ist bald roth und weiß, bald gelblichweiß, grau und weiß und schwarz. Sehenswerth sind die Säge-, Polir- und Drehmaschinen nach Reichenbachs Angaben zur Verarbeitung des Marmors. Von hier führt ein Fußweg nach dem Lohbachfall; der Lohbach selbst kömmt von dem im Westen der Straße sich erhebenden Hirschberg (5776 F.) herab, durchschneidet die Straße von Tegernsee nach Kreuth und wirft sich gleich darauf in die Weißach.

Nur eine Viertelstunde von der Straße, wo ein Wegweiser nach dem Wasserfalle zeigt, stürzt derselbe in Waldesdunkel herab, wenn auch wasserarm, doch sehr malerisch.

Von Rothach führt die Straße nach Scharling, von wo der bergeslustige Wanderer den ebengenannten Hirschberg über die Holzpointalpe besteigen kann; die Aussicht von seinem bematteten Rücken ist besonders gegen Tegernsee hin sehr reizend. Über den Weiler Brunnbühl geht es nach dem Pfarrdorfe Kreuth, 2¼ Poststunden von Tegernsee, ¾ Stunden vom Bade Kreuth. Gutes Wirthshaus. Im Jahre 1184 erbaute hier der Abt Rupertus von Tegernsee eine Kapelle zu Ehren des heiligen Leonhard, nach welchem schon früher die ganze Gegend der Leonhardswinkel (angulus ad St. Leonhardum) hieß. Im Jahre 1490 wurde an ihrer Stelle die jetzige Kirche erbaut. Jenseits der Weißach liegt das Jägerhaus, von den Gästen häufiger besucht, da man eine billige Bedienung, frische Butter, guten Käse, Honig und Bier findet, nebst einer schönen Aussicht auf die jenseitige westliche Thalgegend der Weißach. Besonders stolz und kühn erhebt sich der Leonhardstein oder Kopfstein (4973 F.), schon von Tegernsee her auf dem ganzen Wege durch seine

Form in die Augen fallend. Die Außenseite des Jägerhauses ist mit Jagdtrophäen geschmückt, 54 Köpfe hierherum erlegter Bären und Luchse.

Ehe wir noch zum Bade kommen, eine halbe Stunde vom Dorfe Kreuth, ergießt sich jenseits der Sagenbach in die Weißach. Er durchfließt, zum Theil unsichtbar, das Thal Langenau. Ein kleiner keine halbe Stunde betragender Abstecher belohnt durch den Anblick des Sagenbachfalles, mehr durch Wassermasse, als durch Höhe ausgezeichnet; daher ein beliebter Spaziergang der Badegäste, besonders von 10—11 Uhr, wo die Sonne seinen Schaum versilbert.

Über dem Falle liegen im Thale die Pletzer Alphütten, nur im Frühjahr und Herbst bewohnt. Von ihnen führt den Bergsteiger ein Pfad links hinan über die Scheyrer Alp zur Ableithenalp, mit herrlicher Aussicht. Auf einem östlich hinansteigenden Kamm erreicht man den Rißkogl (6293 Fuß), also einen der höchsten Gipfel der Umgegend. Wegen seiner Höhe und Lage gewährt dieser Gipfel das umfassendste Panorama. München und das weite Flachland im Norden, die Schneekette Tyrols im Süden, die Kalkriesen im Westen und Osten, die nächsten Umgebungen; dazwischen die leuchtenden Spiegel einiger Seen, darunter ganz in der Nähe die, wenn auch kleinen, hochgelegenen Röthensteinseen in den obersten Felsenbecken zwischen dem Rißkogl und dem jenseitigen Plankenstein.

Oberhalb der Pletzerhütten verschwindet der Sagenbach unter dem Boden und man wandert längere Zeit in dem ziemlich ebenen, aber wasserlosen Thale fort bis zu den Langenauer Alphütten, wo der Bach unter dem Namen Auerbach sich wieder zeigt. Den Hintergrund des Thales beherrscht die Halsspitze, 6478 F. hoch, das Ostrap am Felsenrücken des Planbergs, des höchsten der Umgegend.

Zur Straße zurückgekehrt in das Hauptthal, sehen wir dasselbe gleich darauf sich westlich wenden, von Süden herein aber ein anderes einmünden, das Thal der Felsenweißach. Zwischen dem Langenauer- und Felsenweißach-Thal thürmt sich der Hohlenstein 4269 F. hoch auf. Sein westlicher Fuß, von der Felsenweißach umflossen, bildet eine niedrige Stufe über den Bach; auf der Ebene dieser Stufe, am Eingang in das Felsenweißachthal, liegt das Bad Kreuth (2911 F.). Die Straße theilt sich hier; während der Hauptzug im Hauptthale westlich fortgeht über Glashütte zur Grenze und dem Achensee, zieht eine Nebenstraße ab und führt hinan zum Bade, dessen Anblick um so mehr überrascht, als seine Gebäude gegen das Thal hinaus von Bäumen fast ganz verdeckt sind, so daß man nichts weniger, als einen so schönen, freyen Platz, umgeben mit stattlichen Gebäuden, erwartet. Die Heilquelle ist schon vom Ende des 15. Jahrhunderts an bekannt unter dem Namen Zum Heiligen Kreuz, aber nur von Landleuten wegen der Beschwerlichkeit des Gebrauchs benutzt. Im Jahre 1511 legte der Abt Heinrich von Tegernsee ein Badehaus an, welches aber 1616 und 1627 abbrannte; 1628 wieder erbaut, wurde 1696 eine Badkapelle dabey gestiftet. 1818 kaufte König Maximilian Joseph das Ganze und ließ die jetzigen neueren Gebäude anlegen, den alten gegenüber. 1824 wurde die Anstalt erweitert und von dem König eine Stiftung zur Verpflegung armer Kurgäste gegründet. Zuletzt wurde es Eigenthum der verwittweten Königin Karoline. Die neuen Badegebäude stehen in einer Reihe, mit der Hauptseite nach Osten gegen den Hohlenstein gerichtet, vor sich die kleine Ebene; mit dem Rücken stehen sie am Rande des Absturzes in die Felsenweißach. Ihnen gegenüber, durch die Ebene getrennt, am Hohlenstein angelehnt mit der Hauptseite gegen Westen, liegen die alten Gebäude, die Kapelle zum Heiligen Kreuz und die Mineralquelle. Diese ist ein schwefelwasserstoffgashaltiges Wasser und gehört zu den kalten muriatisch=salinischen Schwefelwassern. Gebrauch: gegen Stein, Sand und Gries, gegen asthenische Leiden der Nieren, Blase, Harnwege und Geschlechtstheile, gegen Entstehung der Säure; das Wasser ist sehr leicht verdaulich, bessert und stellt zerstörte Verdauung wieder her. Äußerlich, als Bad, zeigt sich die Quelle wirksam gegen chronische Gicht und Rheumatismen und die aus diesen hervorgehenden Steifigkeiten und Anschwellungen, gegen chronische Hautkrankheiten, gegen Versetzungen des Krankheitsstoffes nach zurückgetriebener Krätze, als Reinigungs= und Schönheitsmittel der Haut, gegen chronische Geschwüre, in Krankheiten der Knochen, gegen die Folgen der Hüftgelenkentzündungen, mechanische Verletzungen, Mercurialvergiftung und gegen Lähmungen nach apoplektischen Anfällen. Eigentlich ist die Quelle zu Kreuth selbst die schwächste an Gehalt, stärker ist die am schon erwähnten Schwaighofe bey Tegernsee, am stärksten die Quelle des Stinkergrabens, eines Seitenbachs des Söllbachs, welcher zwischen dem Kampen und Hirschberg östlich abfließt und einer der drey Hauptzuflüsse des Tegernsees ist. Doch ist die Veranstaltung getroffen, daß die Bäder, je nach den Bedürfnissen, durch Zusätze jener Quellen verstärkt werden können. Mit dieser Anstalt ist auch eine Molken= und Kräuterkur verbunden. Zu diesem Behufe weidet eine große Ziegenheerde auf der Gaisalpe, sonst Kalbalpe, von welcher jeden Morgen die Molke frisch herabgebracht wird. Desgleichen werden täglich frische Kräuter auf den Alpen gesammelt und die aus ihnen gepreßten Säfte in gewissen vorgeschriebenen Mengen an die Kurgäste verabreicht. Außerdem kann man Dampf=, Dusch=, Tropf= und künstliche Seebäder erhalten. Die Preise sind alle billig und auf einer gedruckten, unentgeltlich zu habenden Badeordnung festgesetzt bis auf die geringsten Bedürfnisse. Abgaben und kostspielige Anforderungen, wie in andern Bädern, gibt es hier gar nicht. Die neueren Badegebäude bestehen aus zwey zweystöckigen, durch ein Zwischengebäude verbundenen Häusern von 352 F. Länge, aus dem mit einer Säulenhalle umgebenen Kursaale, den Stallungen, Remisen und dem Königshause. Die Gebäude für die Kurgäste enthalten 115 Zimmer mit 216 Betten, zwey geräumige Speisesäle, einen Conversations= und Billardsaal. Auch die ältere Badeanstalt ist verbessert und enthält die Gemächer für arme Gäste, die auf Kosten jener königlichen Stiftung (50,000 fl.) das Bad gebrauchen.

Steht man auf dem Plane, den Blick nach Süden gerichtet, so erhebt sich rechts, scheinbar unmittelbar hinter den neuen Badegebäuden, doch in der That durch den engen und tiefen Einschnitt der Felsenweißach davon getrennt, der Gernberg; hinter ihm zieht sich rechts das Klausbachthal hinan. Im

Mittelgrund erhebt sich der Schildlitzberg, rechts dahinter der Schildenstein, links lehnen sich die alten Badegebäude an den Hohlenstein.

Der nächste Berg, der uns, wie die meisten Badegäste, zu seiner Besteigung einladet, ist der mehrerwähnte Hohlenstein, 4269 F. über dem Meere, aber nur 1358 Fuß über dem Bade. Angelegte Pfade führen hinan, mit schönen Aussichtspunkten an verschiedenen Ruhepunkten. Die Aussicht erstreckt sich über einen Theil des Tegernsees mit dem Schlosse, südlich gegen die Schroffwände des Planbergs.

Vom Bade dem Thale der Felsenweißach aufwärts folgend, kommen wir sogleich hinter dem Bade zu dem Denkmal des wohlthätigen Stifters der Heilanstalt, des Königs Maximilian, dann in einer halben Stunde zu den Hütten der Pförner Alpe, die jedoch als Niederalpe nur im Frühjahr und Herbst bewohnt sind und eine ziemlich freye Lage haben. Ehe man jedoch noch diese Hütten erreicht, überschreitet man rechts die Felsenweißach. Nach einer Stunde Steigens an dem Gern- oder Klausbach hinan, erreichen wir den schönen Wasserfall dieses Baches. Längs den Wasserfällen führt ein Pfad rechts hinan zur Gaisalpe (4000 F.), ehemals Kalbalpe genannt; sie hat eine ziemlich freye Lage, doch kann man nicht die in den gewöhnlichen Sennhütten vorkommenden Erfrischungen erhalten, weil alles zu den Molken der Molkenkur verwendet wird. Wer einmal hier heraufsteigt, wird nicht unterlassen, den von hier leicht ersteigbaren und nur um 1585 F. höheren Schildenstein (5585 F.) zu ersteigen, indem sein Gipfel wohl eins der schönsten Panoramas dieser Gegend zeigt, da er gerade auf der Scheide zwischen dem Achensee und Tegernsee liegt und zwar in der Achse dieser langgestreckten Seen, so daß man sowohl auf diesen, wie auf jenen hinsieht in ihrer ganzen Längenerstreckung; im Süden werden die Achenthaler Kalkgebirge noch überragt von den Schneegebirgen des Zillerthales, während im Norden der Ocean der Bayrischen Ebene die Voralpen überfluthet. Wie man auf dem Rücken der Gaisalpe heraufstieg, so kann man der Abwechselung wegen den Rückweg auf dem Rücken wählen, welcher zur Königsalpe oder Kaltenbrunner Alpe (3949 F.) führt, wo das Vieh der Kaltenbrunner Meyerey übersommert. Wenn auch die Alpe wegen ihrer Lage keine Aussicht gestattet, so wird sie der Reisende doch aufsuchen, theils weil es die bedeutendste und sehenswürdigste als solche ist, theils weil er hier Milch, Butter, Käse, Brod, Kaffee und Bier erhält, Gegenstände, welche nach einer Alpenwanderung ein mächtiger Magnet sind. Nachmittags zwischen 3 und 4 Uhr ist Melkzeit, wozu der Reisende gerade bequem eintreffen kann, wenn er sich auf dem Schildenstein recht umsieht. Die ganze Besteigung des Gipfels vom Bad über die Gaisalpe beträgt nur 2½ Stunden, von da auf die Königsalpe eine Stunde, von welcher man in 1¼ Stunden, den mehrfach gewundenen Fahrweg folgend, in einer Stunde die Straße erreicht zwischen Kreuth und Glashütte bey der Klammbrücke. Auf der Straße braucht man dann zum Bade wieder ¾ Stunden. Demnach beträgt dieser interessante Ausflug 5—6 Stunden, so daß man sich Zeit nehmen kann; doch nur nicht zu spät aufgebrochen; nur erst den Schildenstein genossen, ehe es Mittag wird und Höhenrauch oder Wetterwolken die Hochgebirge umlagern. Ist man bey anhaltend schönem Wetter, das nicht zu heiß ist, sicher, so kann man den umgekehrten Weg einschlagen, da der Abend immer schöner ist, als der nüchterne Morgen. Aber bey anhaltend warmem Wetter dampfen die Schneeberge und die Schneefelder der Kalkalpen, so daß, während hier Alles klar und hell ist, dort die Wolken wie Säcke aufliegen. Das Sicherste bleibt in den Alpen der früheste Morgen.

Endlich besuchen wir noch den obersten Theil des Felsenweißachthales von der Pförner Alpe an aufwärts. Man gelangt von dieser Alpe zur Oberhofer Alpe; hier theilt sich das Thal; enge Felsenschluchten, zum Theil von Lawinenresten erfüllt, ziehen hinan zum höchsten Gebirgsstock der Gegend, zum Planberge; rechts führt die Wolfsschlucht hinauf (an den Wänden Rhododendron chamaecistus); durch sie hindurch führt der Pfad über den Fels zu den Hütten des Schildensteins und Planbergs. Den ganzen Hintergrund des Felsenweißachthales umschließt die Felsenmauer des Planbergs, hier auch Blauberg genannt, 6478 F. hoch. Man ersteigt ihn am besten über den Schildenstein, der mit ihm einen Bergrücken von Westen nach Osten zu bildet; von der Schildensteinalpe zieht der Steig zur Planbergalpe, am Südabhange des Berges gelegen; von hier hat man über die Kahrspitze (6178 F.), einen Kopf des Berges, bis zur Halserspitze (6478 F.), der letzten östlichsten und höchsten Spitze nicht nur des Planberges, sondern der ganzen Gebirgsgegend, eine Stunde. Die Aussicht ist der des Schildensteins ähnlich, doch da er sich fast 1000 F. über jenen erhebt, noch umfassender. Wer nicht denselben Weg zurück nehmen will, steigt östlich zur Wildalpe und Bayerbachalpe hinab, welche auf der Scheide zwischen dem Gebiete der Brandenberger Ache (Falep) und des bey Kreuth herabkommenden Langenauer Thales liegt; daher stehen dem Reisenden hier wieder zwey Wege offen: durch die Falep zur Kaiserklause, dem Spitzing- und Schliersee u. s. w., oder durch die Langenau nach Kreuth zurück.

Von dem Bade Kreuth, gewöhnlich auch nur das Wildbad genannt, kehren wir ins Hauptthal der Weißach zurück, und wandern auf der Achenthaler Straße weiter aufwärts. Nach $\frac{3}{4}$ Stunden erreichen wir die Klammbrücke, wo der Klammbach links herabkömmt; etwas weiter hinan kömmt rechts der Schwarzenbach herein. Dieser entspringt auf der Schwarzentennalpe, einer weiten Gebirgsmulde; an vier Ecken derselben erheben sich gegen Nordost der Hirschberg (5776 F.), gegen Südost der Leonhardstein, gegen Südwest der Roßstein (5881 F.) und gegen Nordwest der Kampen; in demselben Becken entspringt noch der Söllbach, welcher nördlich zum Tegernsee abfließt; hier entsteht endlich auch der schon genannte Stinkergraben. Wer von Kreuth aus diese Quelle besuchen will, muß daher den Weg durch das Schwarzenbacher Thal wählen. In $1\frac{1}{2}$ Stunden vom Bade kömmt man unter dem Jägerhause, das auf einer Höhe liegt, vorüber, wo man Milch, Honig, Butter, Käse und Bier findet. Sehenswerth sind daselbst die ganze Aussteuer einer Braut, welche als Zeichen der Wohlhabenheit, der Sitte gemäß, unangetastet in einem Zimmer ausgestellt ist, desgleichen die Ausrüstung zu einer Gebirgsjagd. Eine halbe Stunde weiter kommen wir zur Mauthstation Glashütte, mit einem guten Wirthshause, wo Reisende zu Wagen auch Pferde finden. Ehemals bestand hier wirklich eine Glashütte, die aber später einging. Die Straße führt nun über Stuben, wo der Bayrische Schlagbaum ist, 2 Stunden von dem Bade Kreuth, wo rechts die kleine Weißach herabkömmt, neben welcher ein Bergpfad hinüber zur Isar führt ($2\frac{1}{2}$ St.), gerade da, wo die Jachenau jenseits mündet, nach der Kaiserwache oder dem Achenpaß. Kurz zuvor passirt man die Stubenalpe, von wo man rechts die Hochalpe (4975 F.) leicht ersteigen kann; sie bildet eine Höhe auf dem Rücken, welcher das Weißachthal von dem jenseitigen Isarthal scheidet, und eröffnet durch die Aussicht auf dieses große Thal bis nach Tölz hinab und in das Flachland, wie in die jenseitige Jachenau und ihre ganze Umgegend, eine ganz neue Welt.

Bey der Kaiserwache, wohin wir schon einmal von der Isar und Walchen heraufstiegen, beenden wir unsere Wanderung; jenseits dieses Passes, der durch ein Thorgewölbe bezeichnet wird, rinnen die Gewässer hinab zur Walchen und Isar.

Geognostisches[1]). Der Hauptmasse nach gehören die Gebirge dem Alpenkalk an, welcher bald massig, bald schiefrig vorkömmt; er enthält Bittererde, Bitterspath (Langenau). Häufig ist er mit Kalkspathadern durchzogen. An mehreren Stellen ist er von bituminösen Theilen durchdrungen, als Stinkstein, wie in der Nähe der Mineralquelle des Bades, an der Badbrücke, am Klammberge u. a. O. Bisweilen dringt auch Erdöhl aus den Felsen hervor, z. B. am Hohlenstein, in den Drusen des Marmorbruchs und als eigentliche Erdöhlquelle am Tegernsee. Versteinerungen sind selten, die meisten nur als Geschiebe, z. B. Reste von Enkriniten, Terebratuliten und Ostraziten (bey Gmund); Ammoniten und Madreporiten in dem Bette der Weißach. Der **Klammberg**, über welchen von der Klammbrücke aus der Fahrweg zur Königsalpe hinanführt, ist mit Flußgeschieben bedeckt, weßhalb Einige vermuthen, die Königsalpe sey einst ein Hochsee gewesen. Häufig finden sich Tuffsteinlager, wie z. B. die Höhe, auf welcher das Bad steht, und der **Lehberg** bey Tegernsee daraus bestehen; ersteres ruht auf Nagelflühe. Die Grünsandformation nimmt die Vorberge ein; er enthält kleine Massen von Schwefelkies und Versteinerungen (Belemniten, Trochiten und Pflanzen). Im Talbache von Tegernsee aufwärts findet man Sandsteinschichten und außerdem Hornstein und Thonschiefer. Der Hornstein ist calcedonähnlich. Bey Gmund kommen Steinkohlenflötze vor, bey Abwinkel Torflager. An Metallen ist die Gegend arm; nur Spuren von Bleyglanz und Galmey, Schwefelkies, Brauneisenstein und Spatheisenstein.

Vegetation. In der Tiefe des Bades (2911 F.): Aconitum cammarum, lycoctonum; Allyssum myagroides; Apargia aurea, alpina; Arabis alpina, hispida, pumila; Arnica montana; Astrantia major; Bellidiastrum montanum; Biscutella laevigata; Cacalia alpina; Campanula pusilla; Cardamine hirsuta; Carduus defloratus; Carex alba, clandestina, collina, ornithopoda; Centaurea montana; Cherophyllum hirsutum; Chondrilla prenanthoides; Cineraria cordifolia; Circaea alpina; Cnicus rivularis, salisburgensis, praemorsus; Convallaria verticillata; Coronilla minima; Cymbidium Corallorhyza; Cypripedium calceolus; Dentaria enneaphylla, pentaphylla; Dianthus caesius; Dryas octopetala; Elymus europaeus; Epipactis latifolia, viridiflora, palustris, pallens; Erica carnea; Eriophorum alpinum; Gentiana acaulis, verna, asclepiadea; Geranium sylvaticum; Globularia vulgaris, cordifolia; Gypsophilla repens; Heracleum asperum; Hieracium alpestre, saxatile, staticefolium; Hyoseris foetida; Hypophae rhamnoides; Laserpitium latifolium; Lepidium alpinum; Linaria alpina; Lilium martagon; Moehringia muscosa; Nymphaea lutea; Ophris monorchis, myodes, cordata; Orchis globosa, morio, maculata, militaris, conopsea, odoratissima; Pinguicula alpina, vulgaris; Poa alpina; Polygala chamaebuxus; Primula farinosa, auricula; Pyrola uniflora; Ranunculus alpestris, aconitifolius, montanus; Rubus saxatilis; Salix grandifolia, praecox, incana; Salvia glutinosa; Saxifraga rotundifolia, autumnalis, caesia, stellaris; Schoenus albus; Soldanella alpina; Tamarix germanica; Teucrium montanum; Thalictrum aquilegifolium; Thlaspi saxatilis; Thymus alpinus; Tozzia alpina; Trollius europaeus; Tussilago alpina, alba, nivea; Uvularia amplexifolia; Valeriana saxatilis, montana, Tripteris; Veronica aphylla, urticaefolia, montana; Viola biflora; Lycopodium selago, selaginoides, helveticum; Asplenium viride; Aspidium cristatum, lonchitis, dilatatum, montanum; Gymnostomum microcarpon, rupestre; Anoectangium aquaticum; Splachnum gracile; Grimmia gracilis; Encalypta streptocarpa; Orthotrichum crispum, Ludwigii; Pterigionandrum filiforme; Barbula tortuosa, paludosa, convoluta; Bartramia Oederi, falcata; Didymodon capillaceus, longirostris; Trichostomum rigidulum; Racomitrium

1) S. über das Naturgeschichtliche: Krämers Molken- und Bade-Anstalt Kreuth, S. 76.

fasciculare; Fissidens adianthoides, taxifolius; Dicranum varium, longifolium, congestum; Bryum pseudotriquetrum, pallens, pallescens, Vergelii, capillare; Mnium punctatum, serratum, rostratum; Webera cruda, nutans; Meesia alpina; Pohlia elongata; Neckera pennata, crispa; Leskea rufescens; Hypnum commutatum, filicinum, falcatum, uncinatum, lycopodioides, incurvatum, stellatum, lucens, pulchellum, Halleri, catenulatum, mamillatum, umbratum; Cetraria islandica; Usnea flaccida; Sticta pulmonacea; Solorina saccata.

Auf der mittleren Stufe (4000 F.) stellen sich ein: Achillea atrata; Agrostis alpina, rupestris; Alchemilla alpina; Allium victorialis, sibiricum; Anemone narcissiflora; Arenaria caespitosa; Arundo littorea, varia; Astrantia carneolica; Athamanta cretensis; Bartsia alpina; Cacalia albifrons; Campanula linifolia; Cardamine trifolia; Carex ferruginea, firma, brachistachis, capillaris, mucronata, atrata; Centaurea phrygia; Chrysanthemum atratum; Cnicus eriophorus, spinosissimus; Erigeron alpinum, uniflorum; Evonymus latifolius; Gentiana pannonica, lutea; Geum montanum; Globularia nudicaulis; Gnaphalium leontopodium (Königsalpe und Gernberg); Hieracium grandiflorum, austriacum; Ilex aquifolium; Limodorum Epipogium; Luzula nivea; Mirrhis odorata; Orchis variegata; Pedicularis foliosa, rostrata; Phelandrium mutellina; Potentilla caulescens; Primula auricula; Rhamnus pumilus; Rhododendron chamaecistus (am Kahr des Planbergs), hirsutum; Satyrium albidum, nigrum, viride; Sedum atratum; Silene alpestris; Stachis alpina; Veronica saxatilis; Veratrum album; Vicia sylvatica; Splachnum serratum; Barbula robusta Hock; Polytrichium alpinum.

Die höchste Region am Rißkogl, Planberg, Wallberg (6000 F.) zeigt: Achillea clavennae; Alnus ovata; Androsace lactea; Anemone alpina; Arenaria polygonoides; Aster alpinus; Azalea procumbens; Cerastium alpinum; Cherleria sedoides; Daphne striata; Empetrum nigrum; Hiaracium chondrilloides, villosum; Juncus monanthos; Myosotis alpestris; Pedicularis rostrata; Phleum alpinum; Phyteuma hemisphaericum; Plantago atrata, alpina; Potentilla aurea; Primula auricula; Rhododendron hirsutum, chamaecistus, ferrugineum? Salix reticulata, myrsinites, retusa; Satyrium nigrum; Saxifraga androsacea, caesia, caespitosa; Silene acaulis; Stellaria multicaulis; Trifolium badium; Veronica alpina.

Die Säugethiere sind die gewöhnlichen der Alpenwelt: die Gemse, der Hirsch, das Reh, der Alpenhase, der Luchs, seltner die wilde Katze, noch seltner der Bär. Unter den Vögeln sind ausgezeichnet: die Schneelerche, die Alpenkrähe, das Steinhuhn, das Schneehuhn und der Steinadler.

Amphibien: Coluber natrix, laevis; Anguis fragilis; Lacerta crocea, montana; Salamandra atra; Triton alpinus; Salamandra maculata.

Fische: Steinforelle, Lachsforelle, Salbling (Salmo salvelinus), Huchen (Salmo Hucho), die Renke (Salmo Wartmanni), Hecht, Karpfen, Barbe.

Insekten (Käfer): Cychrus attenuatus; Carabus cyaneus, auronitens; Nebria Gyllenhalii; Ophonus germanus; Stenolophus vaporariorum; Staphylinus hirtus, maxillosus; Oxyporus maxillosus; Lomechusa dentata; Elater signatus, cupreus; Atopa cinerea; Hylecoetus dermestoides; Trichodes alvearius, bifasciatus; Silpha tristis, carinata; Hister 4-striatus; Aphodius constans; Geotrupes Hoppii; Anisoplia agricola; Omaloplia brunnea; Trichius 8-punctatus; Cetonia stictica; Aesalus scarabaeoides; Sinodendron cylindricum; Helops caraboides; Melandrya serrata; Serropalpus barbatus; Calopus serraticornis; Mordella 12-punctata; Anthribus albinus; Hylobius pineti; Pachygaster morio, chlorophanus; Bostrichus limbatus; Trogosita caraboidea; Cucujus depressus; Brontes flavipes; Monochamus sutor; Saperda pupillata; Callidium spinosum; Pachita 4-maculata; Leptura pubescens, attenuata, sanguinolenta; Cassida vibex; Chrysomela gloriosa, cacaliae; Coccinella ocellata; Endomychus coccineus; Pselaphus Heisei.

Schmetterlinge: Hipparchia proserpina, egeria, pharte, melampus, cassiope, oeme, stygne, ligea, satyrion; Lycaena eumedon, hylas, walbum; Colias palaeno; Eyprepia dominula; Triphaena fimbria; Amphipyra pyramidea; Mania maura; Polia occulta; Plusia illustris; Catogala fraxini, sponsa, electa; Bephos parthenias; Geometra illustraria, parallelaria, prunaria; Pyralis potamogalis, guttalis, rupicolalis; Tortrix arcuana, ferrugana, tesselana; Tinea fimbriella, margaritella, geerella, lithospermella; Alucita acanthadactyla, hexadactyla.

FSC
www.fsc.org
MIX
Papier aus verantwortungsvollen Quellen
Paper from responsible sources
FSC® C141904

Druck:
Customized Business Services GmbH
im Auftrag der KNV-Gruppe
Ferdinand-Jühlke-Str. 7
99095 Erfurt